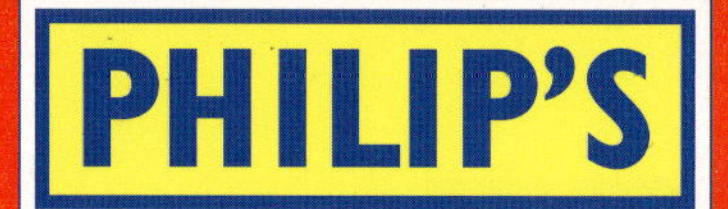

STREET ATLAS
Aberdeenshire

Aberdeen, Ellon, Fraserburgh, Inverurie, Peterhead, Stonehaven

www.philips-maps.co.uk

First published in 2004 by
Philip's, a division of
Octopus Publishing Group Ltd
www.octopusbooks.co.uk
2-4 Heron Quays, London E14 4JP
An Hachette Livre UK Company
www.hachettelivre.co.uk

Second edition 2008
First impression 2008
ABDBA

ISBN 978-0-540-09290-1 (spiral)

© Philip's 2008

Ordnance Survey®

This product includes mapping data licensed from Ordnance Survey® with the permission of the Controller of Her Majesty's Stationery Office.

© Crown copyright 2008. All rights reserved. Licence number 100011710.

No part of this publication may be reproduced, stored in a retrieval system or transmitted in any form or by any means, electronic, mechanical, photocopying, recording or otherwise, without the permission of the Publishers and the copyright owner.

To the best of the Publishers' knowledge, the information in this atlas was correct at the time of going to press. No responsibility can be accepted for any errors or their consequences.

The representation in this atlas of a road, track or path is no evidence of the existence of a right of way.

Data for the speed cameras provided by PocketGPSWorld.com Ltd.

Ordnance Survey and the OS Symbol are registered trademarks of Ordnance Survey, the national mapping agency of Great Britain

Post Office is a trade mark of Post Office Ltd in the UK and other countries.

Printed and bound in China by Toppan

Contents

II	**List of mobile speed cameras**
III	**Key to map symbols**
IV	**Key to map pages**
VI	**Route planning**
X	**Administrative and Postcode boundaries**
1	**Street maps** at 1¾ inches to 1 mile
139	**Street maps** at 3½ inches to 1 mile
190	**Street map of Aberdeen city centre** at 7 inches to 1 mile
191	**Index** of towns, villages, streets, hospitals, industrial estates, railway stations, schools, shopping centres, universities and places of interest

Digital Data

The exceptionally high-quality mapping found in this atlas is available as digital data in TIFF format, which is easily convertible to other bitmapped (raster) image formats.

The index is also available in digital form as a standard database table. It contains all the details found in the printed index together with the National Grid reference for the map square in which each entry is named.

For further information and to discuss your requirements, please contact james.mann@philips-maps.co.uk

On-line route planner

For detailed driving directions and estimated driving times visit our free route planner at www.philips-maps.co.uk

Mobile speed cameras

The vast majority of speed cameras used on Britain's roads are operated by safety camera partnerships. These comprise local authorities, the police, Her Majesty's Court Service (HMCS) and the Highways Agency.

This table lists the sites where each safety camera partnership may enforce speed limits through the use of mobile cameras or detectors. These are usually set up on the roadside or a bridge spanning the road and operated by a police or civilian enforcement officer. The speed limit at each site (if available) is shown in red type, followed by the approximate location in black type.

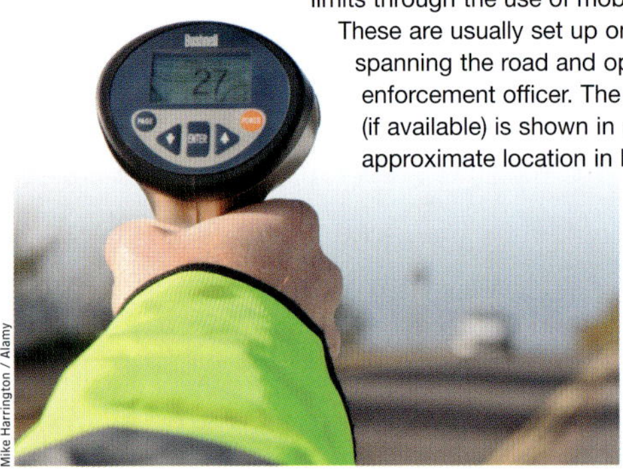

Mike Harrington / Alamy

A90
- 40 Aberdeen, Midstocket Rd to Whitestripes Rdbt
- 60 btwn bend at South of Leys and Bogbrae
- 60 btwn Bogbrae and north of Bridgend
- 70 btwn Candy and Upper Criggie
- 70 btwn Laurencekirk and north of Fourdon
- 70 btwn Mill of Barnes and Laurencekirk
- 70 Dundee to Aberdeen Rd at Jct with B9120 Laurencekirk
- 70 north of Newtonhill Jct to South of Schoolhill Rd
- 60 Peterhead, btwn north of Bridgend and Blackhills
- 70 south of Schoolhill Rd, Portlethen to South Damhead (northbound)

A92
- NSL btwn Johnshaven and Inverbervie
- NSL btwn rdside of Kinneff and Mill of Uras

A93
- 30 Aboyne
- 40 at Banchory eastbound from Caravan Site
- 30 at Banchory westbound from Church
- NSL btwn Cambus O'May and Dinnet
- NSL btwn Dinnet to Aboyne
- NSL btwn Kincardine O'Neil and Haugh of Sluie

A95
- 30 Cornhill

A96
- NSL btwn north of Pitmachie and Jct with A920 at Kirton of Culsalmond
- NSL Keith to Huntly Rd betwn Auchairn and Coachford
- 30 Btwn Haudagain and Chapel of Stoneywood
- NSL Huntly btwn A920 Dufftown and B9022 Portsey jcns
- 70 Inverurie btwn Thainstone Agricultural Centre and Port Elphinstone
- 60 Inverurie btwn Inveramsey and Conglass

A98
- 30 Banff

A933
- NSL Arbroath to Brechin, Redford

A935
- NSL Brechin to Montrose, Gilrivie
- NSL Brechin to Montrose, House of Dun
- NSL Brechin to Montrose, Tayock

A944
- 30,40,60 Westhill Rd btwn Gairloch and Westhill Rdbt

A947
- NSL btwn Mains of Tulloch Jct and Fyvie
- NSL btwn Newmachar and Whiterashes

A948
- NSL btwn Ellon to Auchnagatt

A952
- NSL btwn New Leeds and Jct with A90 at Cortes

A956
- 30 Aberdeen, Ellon Rd
- 30 Aberdeen, King St near St Ninian's
- 30 Aberdeen, North Esplanade West
- 40 Aberdeen, Wellington Rd

A978
- NSL Aberdeen, St Machar Drive

B9040
- NSL btwn Silver Sands Caravan Park to Jct with B9012

B9077
- 30 Aberdeen, Great Southern Rd

B9089
- NSL from Kinloss and crossroads at Roseisle Maltings

UNCLASSIFIED
- 30 Aberdeen, Beach Boulevard to Links Rd
- 30 Aberdeen, Beach Boulevard to Wales St
- 30 Aberdeen, Ellon, Craigs Rd
- 30 Aberdeen, Springhill Rd
- 40 Aberdeen, Wellington Rd
- 40 Aberdeen, West Tullos Rd

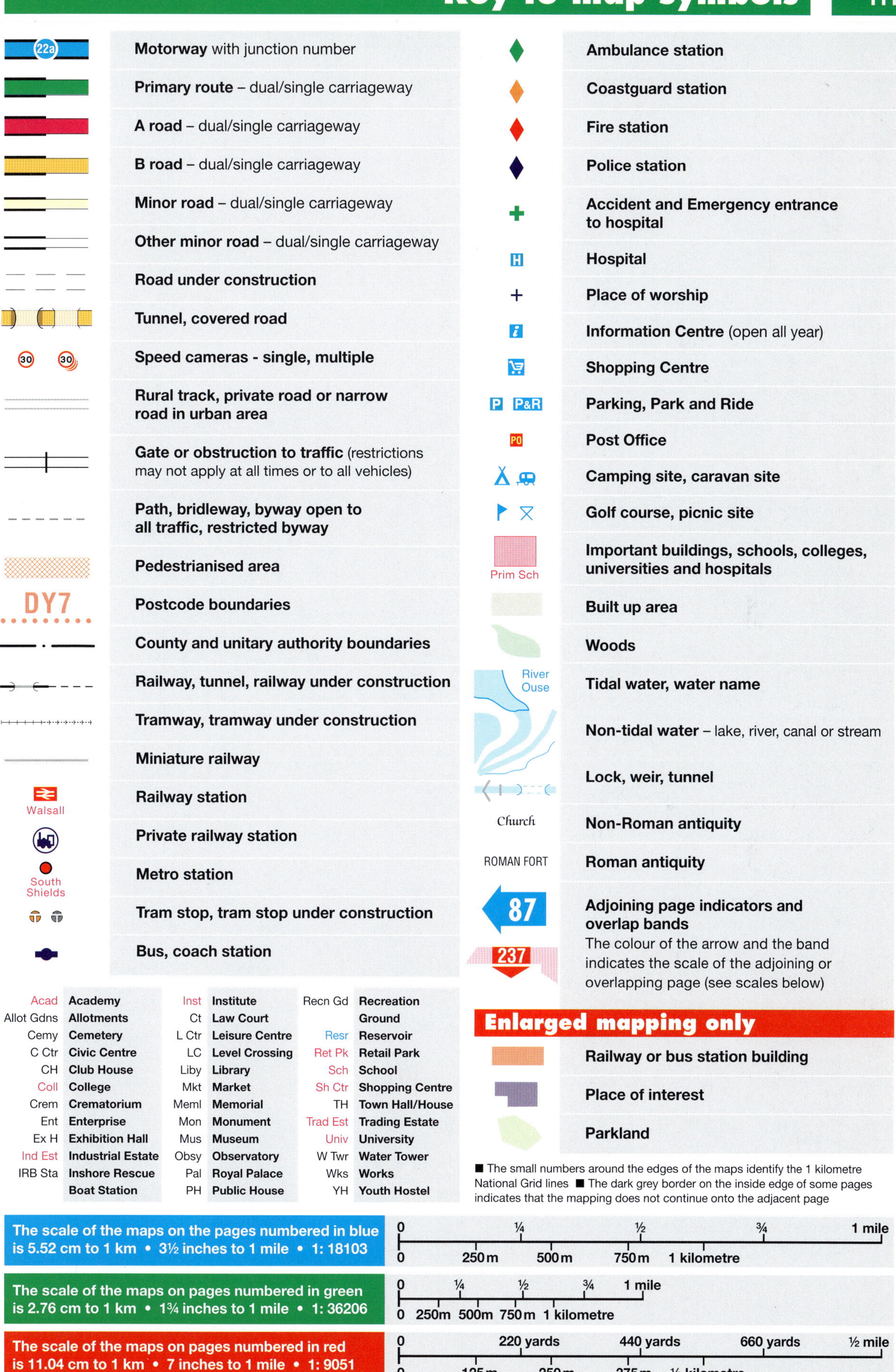

Key to map symbols
22a
Motorway with junction number
Primary route – dual/single carriageway
A road – dual/single carriageway
B road – dual/single carriageway
Minor road – dual/single carriageway
Other minor road – dual/single carriageway
Road under construction
Tunnel, covered road
30
Speed cameras - single, multiple
Rural track, private road or narrow road in urban area
Gate or obstruction to traffic (restrictions may not apply at all times or to all vehicles)
Path, bridleway, byway open to all traffic, restricted byway
Pedestrianised area
DY7
Postcode boundaries
County and unitary authority boundaries
Railway, tunnel, railway under construction
Tramway, tramway under construction
Miniature railway
Walsall
Railway station
Private railway station
South Shields
Metro station
Tram stop, tram stop under construction
Bus, coach station
Ambulance station
Coastguard station
Fire station
Police station
Accident and Emergency entrance to hospital
H
Hospital
Place of worship
Information Centre (open all year)
Shopping Centre
P
P&R
Parking, Park and Ride
PO
Post Office
Camping site, caravan site
Golf course, picnic site
Prim Sch
Important buildings, schools, colleges, universities and hospitals
Built up area
Woods
River Ouse
Tidal water, water name
Non-tidal water – lake, river, canal or stream
Lock, weir, tunnel
Church
Non-Roman antiquity
ROMAN FORT
Roman antiquity
87
237
Adjoining page indicators and overlap bands
The colour of the arrow and the band indicates the scale of the adjoining or overlapping page (see scales below)
Enlarged mapping only
Railway or bus station building
Place of interest
Parkland
Acad Academy
Allot Gdns Allotments
Cemy Cemetery
C Ctr Civic Centre
CH Club House
Coll College
Crem Crematorium
Ent Enterprise
Ex H Exhibition Hall
Ind Est Industrial Estate
IRB Sta Inshore Rescue Boat Station
Inst Institute
Ct Law Court
L Ctr Leisure Centre
LC Level Crossing
Liby Library
Mkt Market
Meml Memorial
Mon Monument
Mus Museum
Obsy Observatory
Pal Royal Palace
PH Public House
Recn Gd Recreation Ground
Resr Reservoir
Ret Pk Retail Park
Sch School
Sh Ctr Shopping Centre
TH Town Hall/House
Trad Est Trading Estate
Univ University
W Twr Water Tower
Wks Works
YH Youth Hostel
■ The small numbers around the edges of the maps identify the 1 kilometre National Grid lines ■ The dark grey border on the inside edge of some pages indicates that the mapping does not continue onto the adjacent page
The scale of the maps on the pages numbered in blue is 5.52 cm to 1 km • 3½ inches to 1 mile • 1: 18103
0 ¼ ½ ¾ 1 mile
0 250 m 500 m 750 m 1 kilometre
The scale of the maps on pages numbered in green is 2.76 cm to 1 km • 1¾ inches to 1 mile • 1: 36206
0 ¼ ½ ¾ 1 mile
0 250m 500m 750m 1 kilometre
The scale of the maps on pages numbered in red is 11.04 cm to 1 km • 7 inches to 1 mile • 1: 9051
0 220 yards 440 yards 660 yards ½ mile
0 125 m 250 m 375 m ½ kilometre

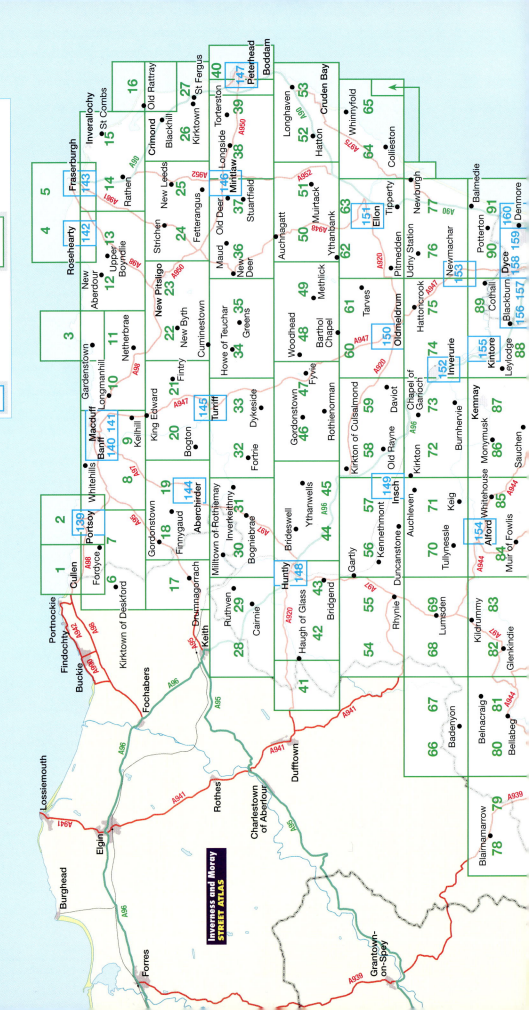

Scale
0 5 10 15 20 km
0 5 10 15 miles

Corgarff
92
93
A939
A97
Migvie
94
95
Logie Coldstone
96
Tarland
97
Perkhill
Comers
98
99
Lumphanan
A980
Dunecht
100
Echt
Kirkton of Skene
101
Garlogie
161
162
163
164
165
Westhill
Kingswells
Aberdeen
190
Blacktop
166
167
168
169
170
171
Cults
Nigg
Ordie
104
105
Dinnet
A93
102
103
Crathie
182
Ballater
Aboyne
183
106
107
Millfield
Birse
Torphins
Kincardine O'Neil
108
109
Bridge of Canny
184
Banchory
110
111
Drumoak
Crathes
Peterculter
172
173
174
175
176
Cove Bay
177
178
179
180
181
Cammachmore
Portlethen
Braemar
112
113
Inverey
Inver
114
115
Strachan
Finzean
116
117
118
119
Rickarton
Netherley
120
121
A90
A957
185
Stonehaven
122
123
124
125
126
Auchenblae
Drumlithie
Crawton
127
Dalbog
128
Fettercairn
Fordoun
129
186
Laurencekirk
Arbuthnott
130
Roadside of Kinneff
131
Inverbervie
187
Edzell
Luthermuir
132
133
Marykirk
A937
134
135
Johnshaven
A92
St Cyrus
188
Brechin
Dun
A935
136
137
A933
A934
Farnell
Hillside
189
Montrose
138
Usan
A924
Kirriemuir
A926
A928
Forfar
A932
Letham
Alyth
A94
Blairgowrie
Rattray
A923
A984
Coupar Angus
Fife and Tayside STREET ATLAS
Arbroath
A9
Stanley
Dundee
Carnoustie
A930

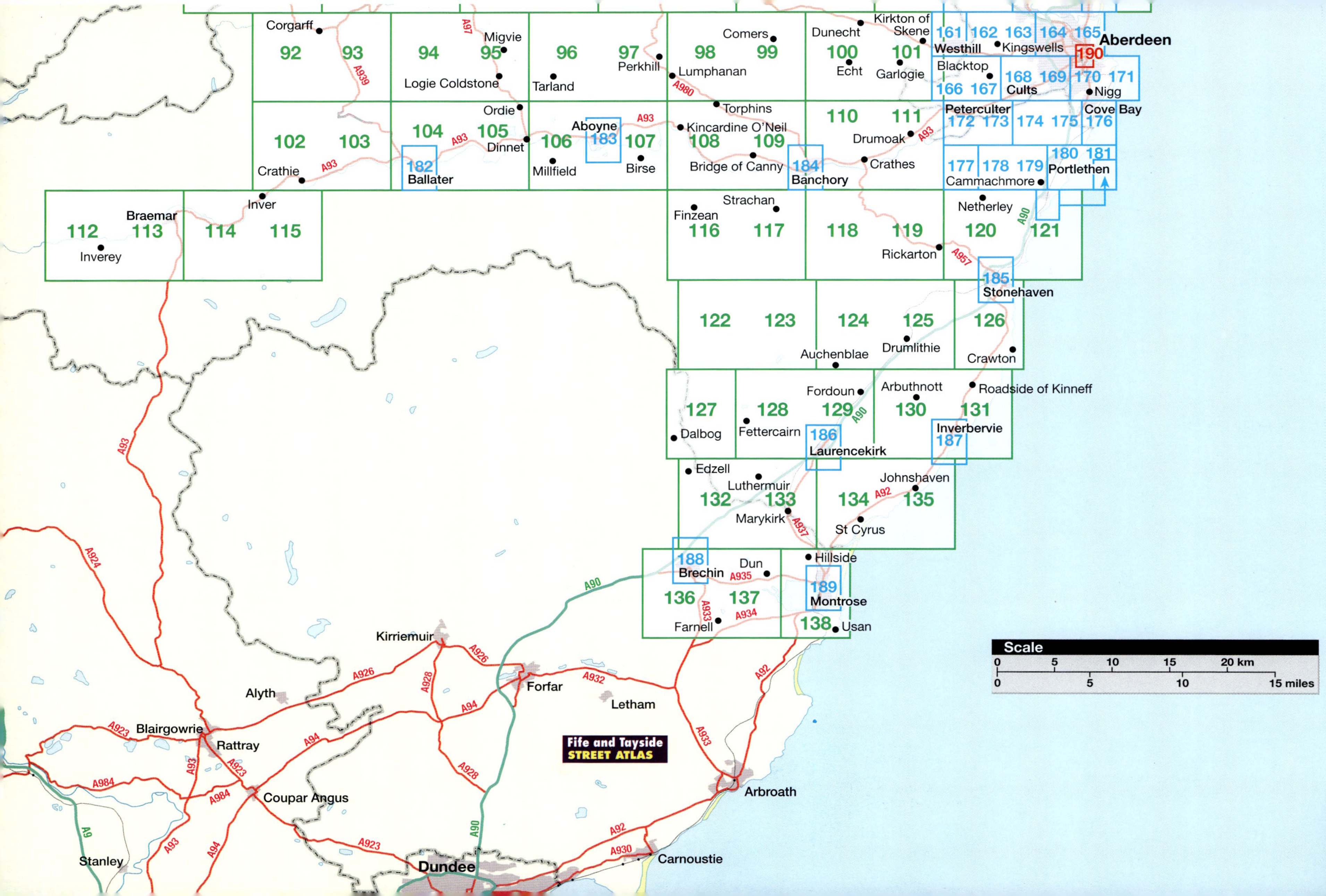

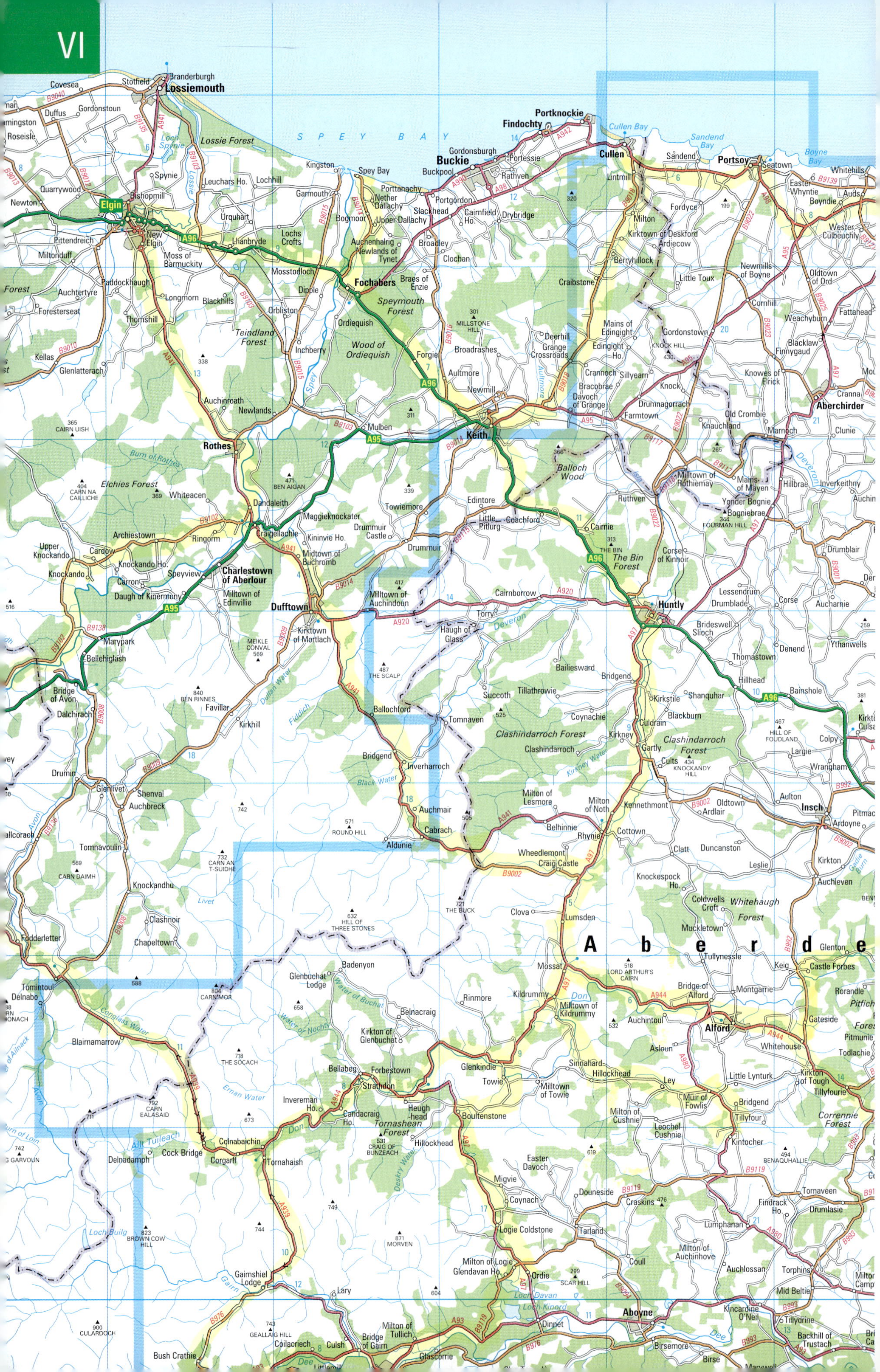
SPEY BAY
Lossiemouth
Branderburgh
Stotfield
Covesea
Duffus
Gordonstoun
Roseisle
Loch Spynie
Lossie Forest
Spynie
Quarrywood
Newton
Elgin
Bishopmill
New Elgin
Pittendreich
Miltonduff
Moss of Barmuckity
Lhanbryde
Leuchars Ho.
Lochhill
Urquhart
Lochs Crofts
Kingston
Garmouth
Spey Bay
Bogmoor
Porttanachy
Nether Dallachy
Upper Dallachy
Buckie
Buckpool
Gordonsburgh
Portessie
Rathven
Findochty
Portknockie
Portgordon
Slackhead
Cairnfield Ho.
Drybridge
Cullen
Cullen Bay
Sandend Bay
Sandend
Portsoy
Seatown
Boyne Bay
Whitehills
Easter Whyntie
Boyndie
Auds
Lintmill
Milton
Fordyce
Kirktown of Deskford
Ardiecow
Berryhillock
Wester Culbeuchly
Newmills of Boyne
Oldtown of Ord
Little Toux
Craibstone
Cornhill
Weachyburn
Fattahead
Auchenhalrig
Newlands of Tynet
Broadley
Clochan
Mosstodloch
Fochabers
Braes of Enzie
Speymouth Forest
Dipple
Orbliston
Paddockhaugh
Auchtertyre
Forest
Foresterseat
Longmorn
Blackhills
Thomshill
Teindland Forest
Orton
Ordiequish
Wood of Ordiequish
Inchberry
Millstone Hill
Deerhill
Grange Crossroads
Broadrashes
Forgie
Aultmore
Newmill
Mains of Edingight
Edingight Ho.
Gordonstown
Knock Hill
Blacklaw
Finnygaud
Kellas
Glenlatterach
Cairn Uish
Auchinroath
Newlands
Rothes
Mulben
Keith
Crannoch
Sillyearn
Bracobrae
Davoch of Grange
Knock
Drummagorrach
Farmtown
Knowes of Elrick
Old Crombie
Aberchirder
Cranna
Knauchland
Marnoch
Clunie
Burn of Rothes
Elchies Forest
Carn na Cailliche
Ben Aigan
Whiteacen
Dandaleith
Towiemore
Balloch Wood
Milltown of Rothiemay
Mains of Mayen
Hillbrae
Inverkeithny
Yonder Bognie
Bogniebrae
Fourman Hill
Ruthven
Deveron
Edintore
Little Pitlurg
Coachford
Cairnie
The Bin
The Bin Forest
Corse of Kinnoir
Drumblair
Archiestown
Ringorm
Craigellachie
Maggieknockater
Kininvie Ho.
Drummuir Castle
Drummuir
Midtown of Buchromb
Upper Knockando
Cardow
Knockando
Knockando Ho.
Carron
Daugh of Kinermony
Speyview
Charlestown of Aberlour
Milltown of Edinvillie
Dufftown
Milltown of Auchindoun
Cairnborrow
Huntly
Lessendrum
Drumblade
Corse
Auchamie
Brideswell
Slioch
Denend
Ythanwells
Thomastown
Torry
Haugh of Glass
Kirktown of Mortlach
Marypark
Bellehiglash
Meikle Conval
The Scalp
Bailiesward
Bridgend
Bridge of Avon
Dalchirach
Ben Rinnes
Favillar
Kirkhill
Dullan Water
Fiddich
Ballochford
Tomnaven
Succoth
Tillathrowie
Coynachie
Kirkstile
Shanquhar
Blackburn
Cuildrain
Hillhead
Bainshole
Hill of Foudland
Colpy
Clashindarroch Forest
Clashindarroch
Kirkney
Gartly
Cults
Knockandy Hill
Largie
Wrangham
Drumin
Glenlivet
Shenval
Auchbreck
Inverharroch
Black Water
Auchmair
Cabrach
Round Hill
Milton of Lesmore
Milton of Noth
Belhinnie
Rhynie
Kennethmont
Ardlair
Oldtown
Aulton
Insch
Pitmac
Ardoyne
Tomnavoulin
Carn Daimh
Carn an t-Suidhe
Aldunie
Wheedlemont
Craig Castle
Cottown
Clatt
Duncanston
Leslie
Kirkton
Auchleven
Knockandhu
Clashnoir
Chapeltown
Livet
Hill of Three Stones
The Buck
Clova
Lumsden
Knockespock Ho.
Coldwells Croft
Whitehaugh Forest
Muckletown
Fodderletter
Tomintoul
Delnabo
Badenyon
Glenbuchat Lodge
Water of Buchat
Mossat
Lord Arthur's Cairn
Aberdeen
Tullynessle
Keig
Glenton
Castle Forbes
Bridge of Alford
Montgarrie
Rorandle
Kildrummy
Rinmore
Milltown of Kildrummy
Don
Auchintoul
Alford
Gateside
Belnacraig
Kirkton of Glenbuchat
Water of Nochty
Carn Mor
Conglass Water
Blairnamarrow
The Socach
Bellabeg
Forbestown
Strathdon
Glenkindie
Towie
Milltown of Towie
Sinnahard
Hillockhead
Asloun
Whitehouse
Ley
Muir of Fowlis
Little Lynturk
Kirkton of Tough
Tillyfourie
Bridgend
Tillyfour
Corrennie Forest
Inverernan Ho.
Candacraig Ho.
Heugh-head
Boultenstone
Tornashean Forest
Craig of Bunzeach
Hillockhead
Milton of Cushnie
Leochel Cushnie
Kintocher
Benaquhallie
Carn Ealasaid
Ernan Water
Allt Tuileach
Colnabaichin
Cock Bridge
Delnadamph
Corgarff
Tornahaish
Deskry Water
Easter Davoch
Migvie
Coynach
Douneside
Craskins
Tornaveen
Findrack Ho.
Drumlasie
Loch Builg
Brown Cow Hill
Logie Coldstone
Tarland
Lumphanan
Morven
Milton of Logie
Glendavan Ho.
Ordie
Scar Hill
Coull
Milton of Auchinhove
Auchlossan
Torphins
Mid Beltie
Gairnshiel Lodge
Gairn
Lary
Loch Davan
Loch Kinord
Dinnet
Aboyne
Kincardine O'Neil
Tillydrine
Culardoch
Geallaig Hill
Coilacriech
Milton of Tullich
Bridge of Gairn
Cullsh
Glascorrie
Birsemore
Dee
Birse
Backhill of Trustach
Bush Crathie
A96
A95
A98
A941
A920
A97
A944
A980
A939
A93
B9040
B9135
B9013
B9012
B9015
B9014
B9016
B9018
B9022
B9023
B9025
B9139
B9010
B9102
B9103
B9115
B9117
B9118
B9138
B9008
B9009
B9002
B992
B993
B9119
B976
B9094

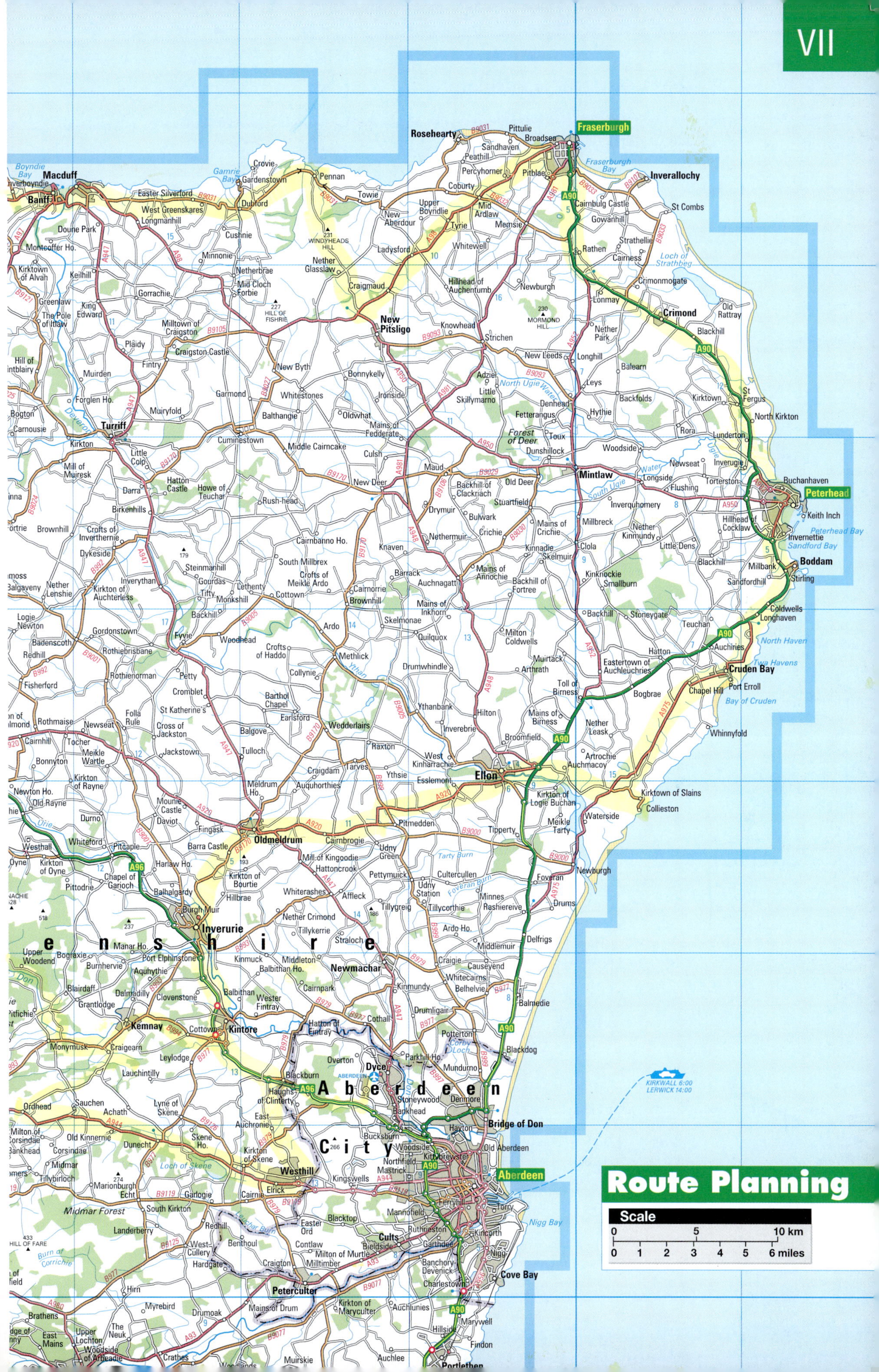
Route Planning
Scale
0 5 10 km
0 1 2 3 4 5 6 miles
Fraserburgh
Peterhead
Aberdeen
Rosehearty
Inverallochy
Macduff
Banff
Gardenstown
Pennan
New Pitsligo
Strichen
Crimond
St Fergus
Mintlaw
Maud
New Deer
Turriff
Cuminestown
Fyvie
Boddam
Cruden Bay
Ellon
Oldmeldrum
Inverurie
Kintore
Kemnay
Newmachar
Dyce
Westhill
Bridge of Don
Cults
Peterculter
Portlethen
Cove Bay
Newburgh
Balmedie
Collieston
Aberdeen City
Aberdeenshire
Fraserburgh Bay
Peterhead Bay
Bay of Cruden
Nigg Bay
Loch of Strathbeg
Forest of Deer
Midmar Forest
KIRKWALL 6:00
LERWICK 14:00
A90
A96
A947
A948
A952
A950
A981
A98
A920
A944
A93
A975

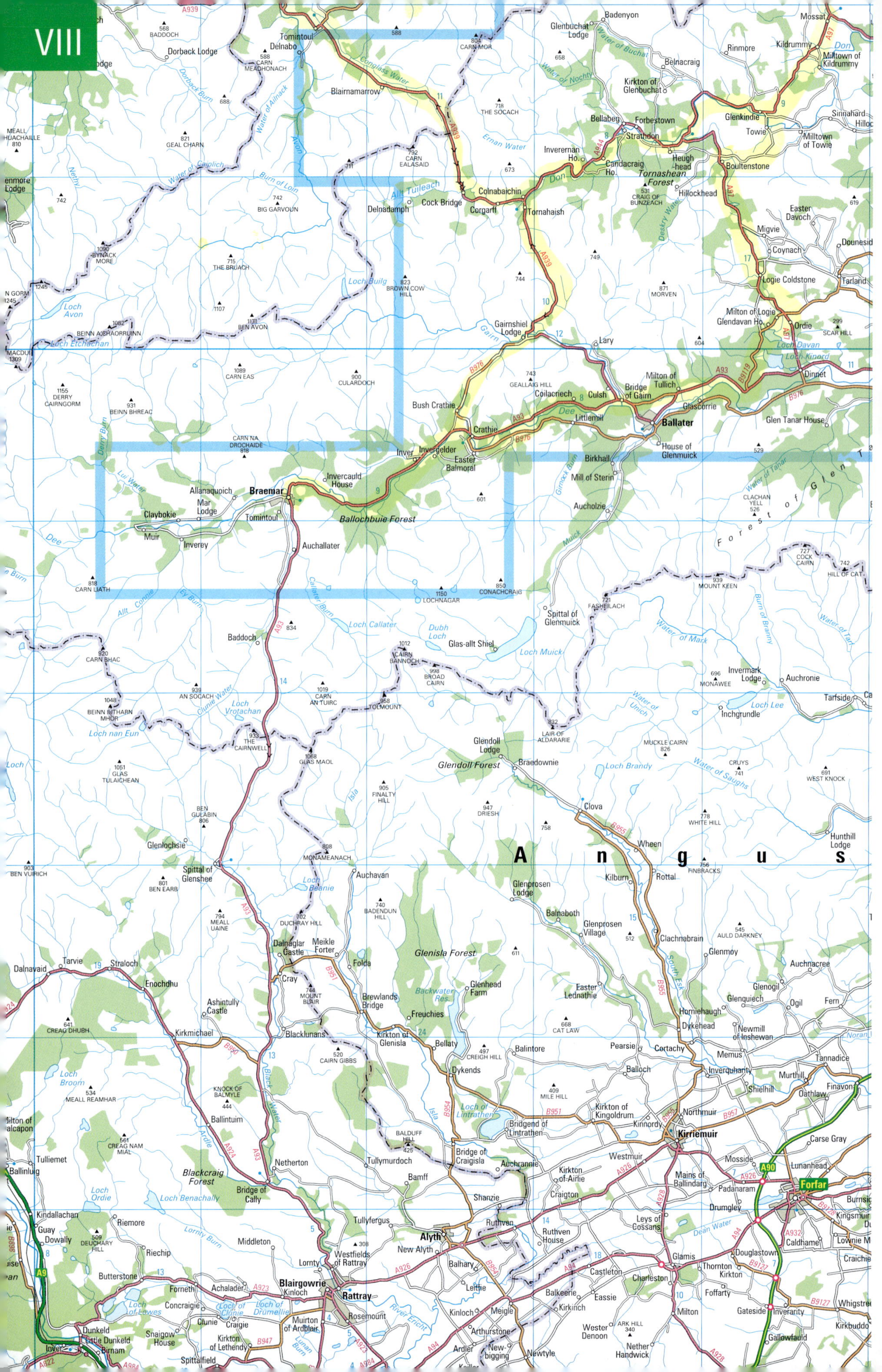

Tomintoul
Delnabo
Dorback Lodge
Blairnamarrow
Conglass Water
Badenyon
Glenbuchat Lodge
Water of Buchat
Belnacraig
Rinmore
Mossat
Kildrummy
Milltown of Kildrummy
Kirkton of Glenbuchat
Water of Nochty
The Socach
Bellabeg
Forbestown
Strathdon
Glenkindie
Towie
Milltown of Towie
Inverernan Ho.
Candacraig Ho.
Heugh-head
Boultenstone
Ernan Water
Tornashean Forest
Craig of Bunzeach
Hillockhead
Colnabaichin
Corgarff
Tornahaish
Cock Bridge
Delnadamph
Allt Tuileach
Big Garvoun
Geal Charn
Water of Ailnack
Dorback Burn
Burn of Loin
Water of Caiplich
Carn Ealasaid
Carn Meadhonach
Baddoch
Carn Mor
Meall Chuaich
Bynack More
The Bruach
Loch Avon
Loch Etchachan
Beinn a' Chaorruinn
Ben Avon
Brown Cow Hill
Loch Builg
Easter Davoch
Migvie
Coynach
Logie Coldstone
Tarland
Milton of Logie
Glendavan Ho.
Ordie
Scar Hill
Loch Davan
Loch Kinord
Dinnet
Morven
Gairnshiel Lodge
Lary
Gairn
Geallaig Hill
Coilacriech
Culsh
Bridge of Gairn
Milton of Tullich
Ballater
Glascorrie
Glen Tanar House
Littlemill
Bush Crathie
Crathie
Dee
Inver
Invergelder
Easter Balmoral
House of Glenmuick
Birkhall
Mill of Sterin
Aucholzie
Water of Tanar
Clachan Yell
Forest of Glen Tanar
Carn Eas
Culardoch
Derry Cairngorm
Beinn Bhreac
Carn na Drochaide
Macdui
Derry Burn
Lui Water
Allanaquoich
Braemar
Invercauld House
Ballochbuie Forest
Mar Lodge
Claybokie
Tomintoul
Muir
Inverey
Auchallater
Carn Liath
Lochnagar
Conachcraig
Cock Cairn
Hill of Cat
Mount Keen
Fasheilach
Spittal of Glenmuick
Loch Muick
Glas-allt Shiel
Dubh Loch
Loch Callater
Callater Burn
Baddoch
Carn Bhac
Allt Connie
Ey Burn
Cairn Bannoch
Broad Cairn
Water of Mark
Burn of Branny
Water of Tarf
Invermark Lodge
Monawee
Auchronie
Tarfside
Loch Lee
Inchgrundle
An Socach
Clunie Water
Loch Vrotachan
Carn an Tuirc
Tolmount
Beinn Iutharn Mhor
Loch nan Eun
The Cairnwell
Glas Maol
Lair of Aldararie
Water of Unich
Muckle Cairn
Glendoll Lodge
Glendoll Forest
Braedownie
Loch Brandy
Water of Saughs
Cruys
West Knock
Glas Tulaichean
Finalty Hill
Driesh
Clova
White Hill
Hunthill Lodge
Ben Gulabin
Glenlochsie
Spittal of Glenshee
Ben Earb
Ben Vuirich
Monamenach
Auchavan
Loch Beanie
Angus
Wheen
Rottal
Kilburn
Finbracks
Glenprosen Lodge
Badenduin Hill
Meall Uaine
Duchray Hill
Balnaboth
Glenprosen Village
Clachnabrain
Auld Darkney
Dalnaglar Castle
Meikle Forter
Folda
Glenisla Forest
Glenmoy
Auchnacree
Tarvie
Straloch
Dalnavaid
Enochdhu
Cray
Mount Blair
Brewlands Bridge
Backwater Res.
Glenhead Farm
Easter Lednathie
South Esk
Glenogil
Glenquiech
Ogil
Fern
Ashintully Castle
Freuchies
Horniehaugh
Dykehead
Newmill of Inshewan
Creag Dhubh
Kirkmichael
Blacklunans
Kirkton of Glenisla
Bellaty
Cat Law
Pearsie
Cortachy
Memus
Tannadice
Cairn Gibbs
Creigh Hill
Balintore
Balloch
Inverquharity
Murthill
Finavon
Loch Broom
Meall Reamhar
Knock of Balmyle
Black Water
Dykends
Mile Hill
Shielhill
Oathlaw
Ballintuim
Balduff Hill
Loch of Lintrathen
Bridgend of Lintrathen
Kirkton of Kingoldrum
Kinnordy
Northmuir
Kirriemuir
Milton of Dalcapon
Creag nam Mial
Tulliemet
Ballinluig
Blackcraig Forest
Netherton
Tullymurdoch
Bridge of Craigisla
Auchrannie
Westmuir
Mains of Ballindarg
Mosside
Lunanhead
Carse Gray
Forfar
Loch Ordie
Loch Benachally
Bridge of Cally
Bamff
Shanzie
Kirkton of Airlie
Craigton
Padanaram
Drumgley
Kindallachan
Guay
Dowally
Riemore
Deuchary Hill
Lornty Burn
Middleton
Tullyfergus
Alyth
New Alyth
Ruthven
Ruthven House
Leys of Cossans
Dean Water
Kingsmuir
Caldhame
Lownie Moor
Riechip
Butterstone
Westfields of Rattray
Lornty
Balhary
Glamis
Douglastown
Thornton
Kirkton
Craichie
Forneth
Achalader
Blairgowrie
Kinloch
Rattray
Leitfie
Castleton
Charleston
Foffarty
Loch of Clunie
Loch of Lowes
Concraigie
Loch of Drumellie
Clunie
Craigie
Rosemount
River Ericht
Balkeerie
Eassie
Kirkinch
Milton
Gateside
Inverarity
Whigstreet
Muirton of Ardblair
Kinloch
Meigle
Dunkeld
Little Dunkeld
Snaigow House
Kirkton of Lethendy
Arthurstone
Wester Denoon
Ark Hill
Birnam
Inver
Spittalfield
Lunan Burn
Ardler
New-bigging
Newtyle
Nether Handwick
Gallowfauld
Kirkbuddo
A939
A97
A944
A93
B976
B9119
A924
B951
B950
B954
A926
A928
A94
A90
A932
B9127
B9128
B957
B955
A923
A984
B947
A9
A822
B898

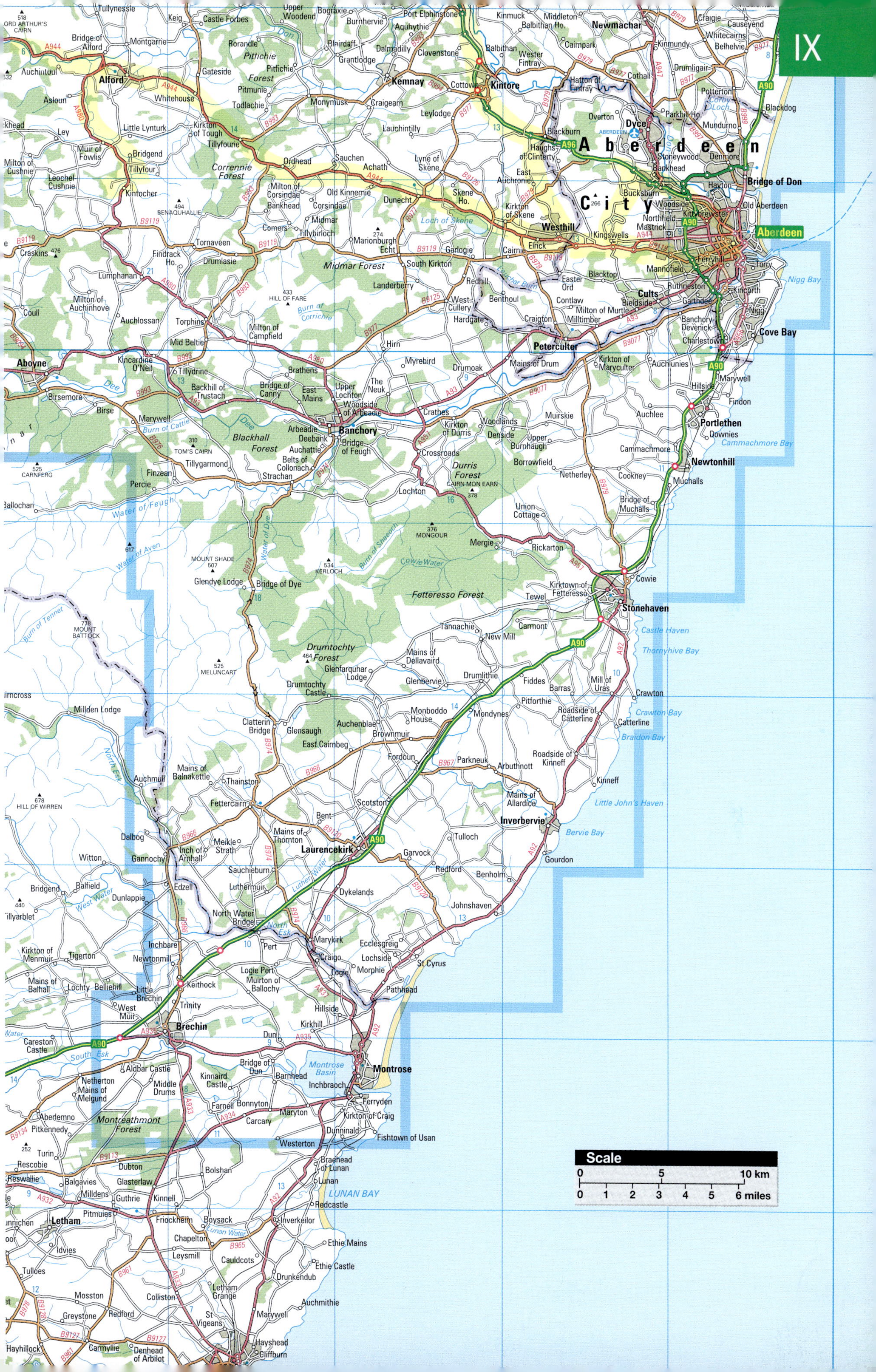
IX
Aberdeen City
Aberdeen
Bridge of Don
Old Aberdeen
Dyce
Kintore
Kemnay
Alford
Westhill
Cults
Peterculter
Cove Bay
Portlethen
Newtonhill
Stonehaven
Banchory
Aboyne
Laurencekirk
Inverbervie
Montrose
Brechin
Letham
Fetteresso Forest
Drumtochty Forest
Durris Forest
Midmar Forest
Montreathmont Forest
Blackhall Forest
Pitfichie Forest
Correnie Forest
LUNAN BAY
Montrose Basin
Nigg Bay
Cammachmore Bay
Castle Haven
Thornyhive Bay
Crawton Bay
Braidon Bay
Little John's Haven
Bervie Bay
Gourdon
Johnshaven
St Cyrus
Inverkeilor
Ethie Castle
Auchmithie
Hayshead
Cliffburn
Scale
0 5 10 km
0 1 2 3 4 5 6 miles

Administrative and Postcode boundaries

County and unitary authority boundaries
Postcode boundaries
Area covered by this atlas

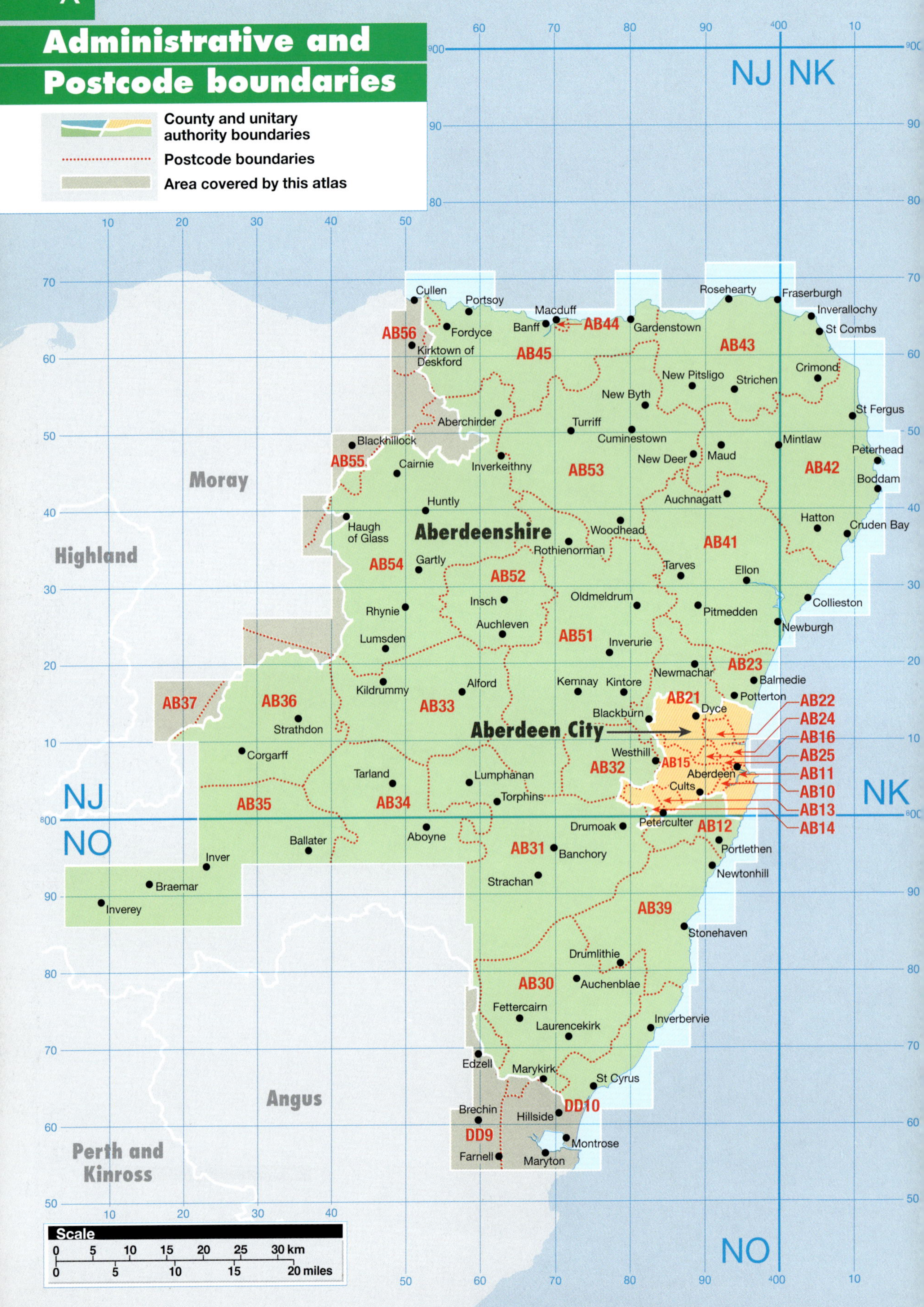

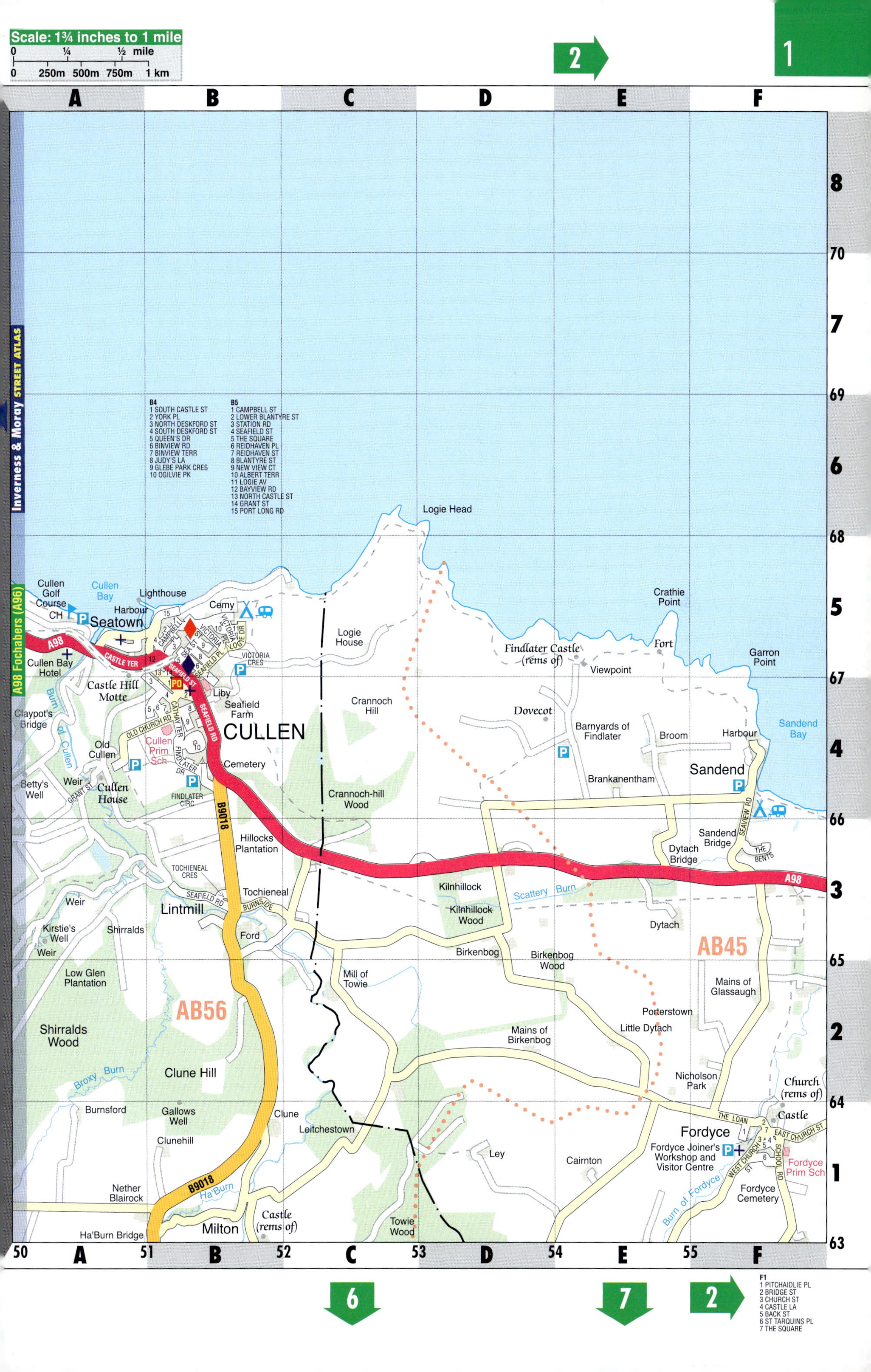

Scale: 1¾ inches to 1 mile
0 ¼ ½ mile
0 250m 500m 750m 1 km
Inverness & Moray STREET ATLAS
A98 Fochabers (A96)
B4
1 SOUTH CASTLE ST
2 YORK PL
3 NORTH DESKFORD ST
4 SOUTH DESKFORD ST
5 QUEEN'S DR
6 BINVIEW RD
7 BINVIEW TERR
8 JUDY'S LA
9 GLEBE PARK CRES
10 OGILVIE PK
B5
1 CAMPBELL ST
2 LOWER BLANTYRE ST
3 STATION RD
4 SEAFIELD ST
5 THE SQUARE
6 REIDHAVEN PL
7 REIDHAVEN ST
8 BLANTYRE ST
9 NEW VIEW CT
10 ALBERT TERR
11 LOGIE AV
12 BAYVIEW RD
13 NORTH CASTLE ST
14 GRANT ST
15 PORT LONG RD
Logie Head
Cullen Golf Course
Cullen Bay
Lighthouse
Harbour
Seatown
CH
Cemy
A98
CASTLE TER
VICTORIA CRES
Logie House
Findlater Castle (rems of)
Viewpoint
Fort
Crathie Point
Garron Point
Cullen Bay Hotel
Castle Hill Motte
Claypot's Bridge
Burn of Cullen
Liby
Seafield Farm
SEAFIELD RD
SEAFIELD ST
CULLEN
OLD CHURCH RD
CATHAY TER
FINDLATER DR
FINDLATER CIRC
Cullen Prim Sch
Old Cullen
Cemetery
Crannoch Hill
Dovecot
Barnyards of Findlater
Broom
Harbour
Sandend Bay
Sandend
Brankanentham
Betty's Well
Weir
GRANT ST
Cullen House
Crannoch-hill Wood
B9018
Hillocks Plantation
SEAVIEW RD
Sandend Bridge
Dytach Bridge
THE BENTS
TOCHIENEAL CRES
SEAFIELD RD
BURNSIDE
Tochieneal
Lintmill
Kilnhillock
Kilnhillock Wood
Scattery Burn
Weir
Kirstie's Well
Weir
Shirralds
Ford
Birkenbog
Birkenbog Wood
Dytach
AB45
Mill of Towie
Low Glen Plantation
Mains of Glassaugh
AB56
Porterstown
Little Dytach
Shirralds Wood
Mains of Birkenbog
Broxy Burn
Clune Hill
Nicholson Park
Church (rems of)
Burnsford
Gallows Well
Clune
Leitchestown
THE LOAN
Castle
Fordyce
EAST CHURCH ST
Clunehill
Ley
Cairnton
Fordyce Joiner's Workshop and Visitor Centre
WEST CHURCH ST
SCHOOL RD
Fordyce Prim Sch
Nether Blairock
Ha'Burn
Burn of Fordyce
Fordyce Cemetery
Castle (rems of)
Towie Wood
Milton
Ha'Burn Bridge
A B C D E F
8 70 7 69 6 68 5 67 4 66 3 65 2 64 1 63
50 51 52 53 54 55
F1
1 PITCHAIDLIE PL
2 BRIDGE ST
3 CHURCH ST
4 CASTLE LA
5 BACK ST
6 ST TARQUINS PL
7 THE SQUARE

2 6 7 2

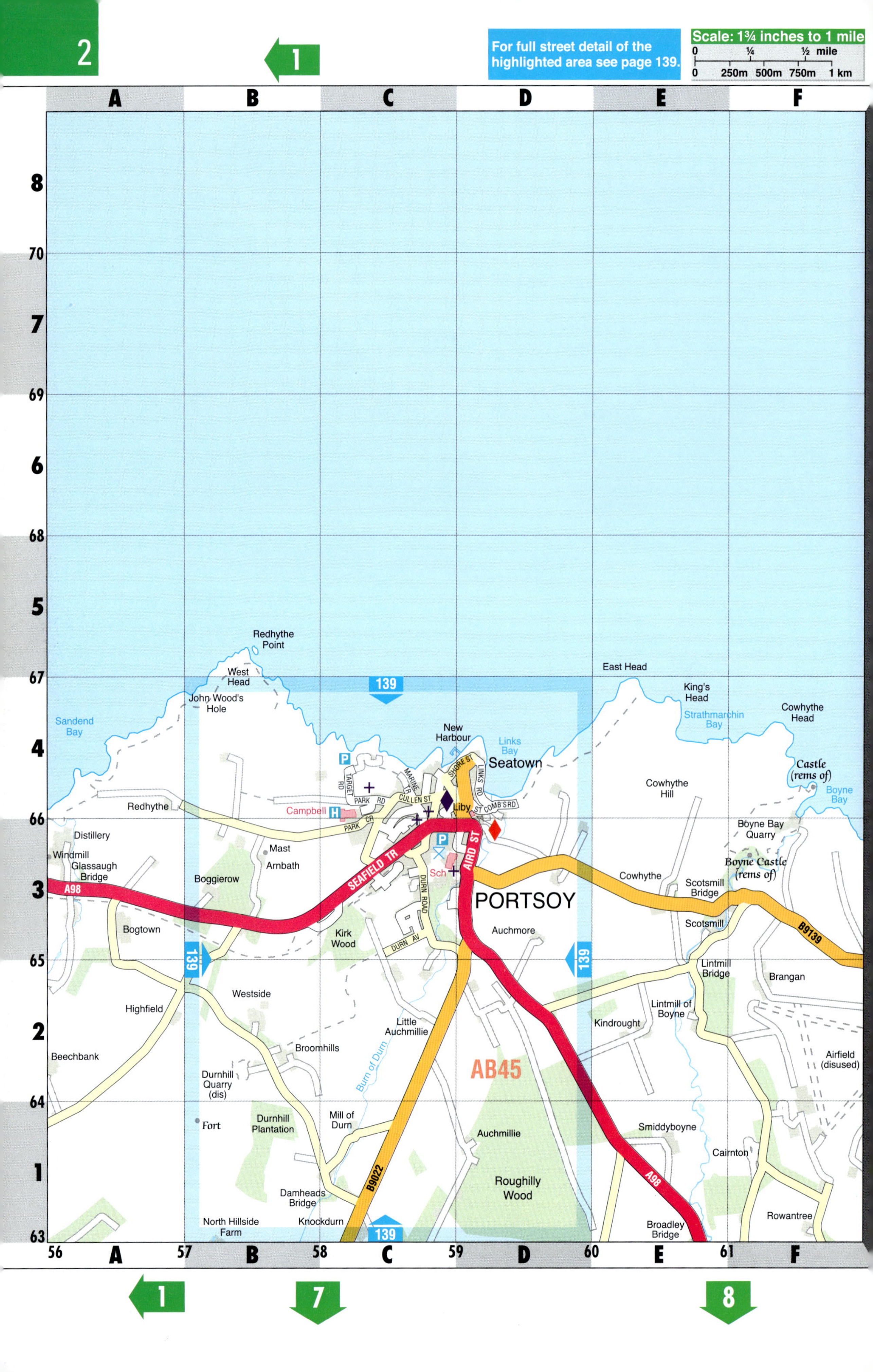
1
For full street detail of the highlighted area see page 139.
Scale: 1¾ inches to 1 mile
0 ¼ ½ mile
0 250m 500m 750m 1 km
A B C D E F
8 70 7 69 6 68 5 67 4 66 3 65 2 64 1 63
56 57 58 59 60 61
Redhythe Point
West Head
John Wood's Hole
Sandend Bay
139
East Head
King's Head
Strathmarchin Bay
Cowhythe Head
New Harbour
Links Bay
Seatown
Castle (rems of)
Boyne Bay
Cowhythe Hill
Redhythe
Campbell
Liby
Boyne Bay Quarry
Distillery
Windmill
Glassaugh Bridge
Mast
Arnbath
Boggierow
SEAFIELD TR
AIRD ST
Sch
Cowhythe
Boyne Castle (rems of)
Scotsmill Bridge
A98
PORTSOY
Scotsmill
B9139
Bogtown
Kirk Wood
Auchmore
DURN AV
DURN ROAD
Lintmill Bridge
Brangan
Westside
Highfield
Little Auchmillie
Lintmill of Boyne
Kindrought
Broomhills
Airfield (disused)
Beechbank
Durnhill Quarry (dis)
Burn of Durn
AB45
Fort
Durnhill Plantation
Mill of Durn
Auchmillie
Smiddyboyne
Cairnton
B9022
Roughilly Wood
Damheads Bridge
North Hillside Farm
Knockdurn
Broadley Bridge
Rowantree
7
8

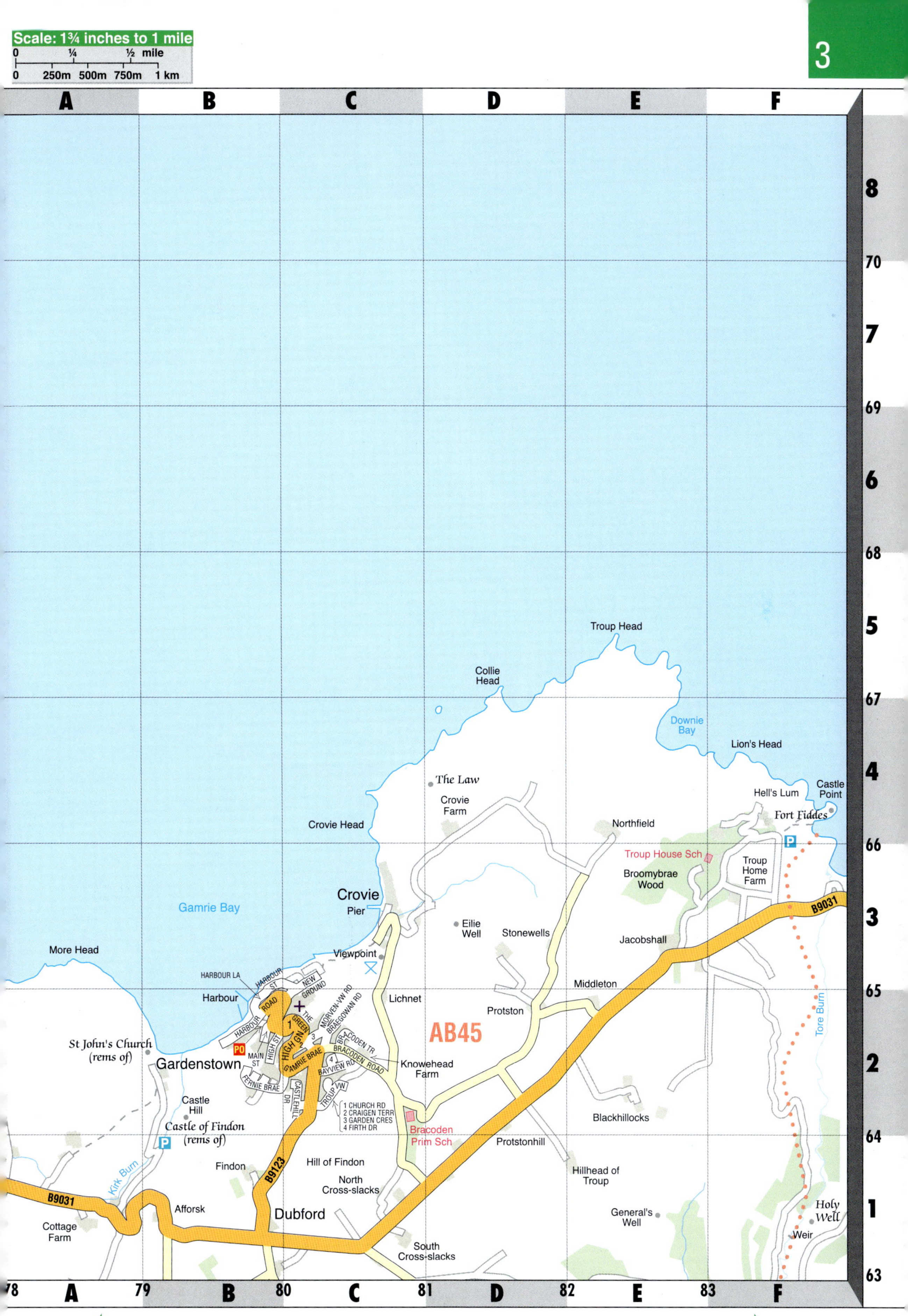
Scale: 1¾ inches to 1 mile
0 ¼ ½ mile
0 250m 500m 750m 1 km
3
A B C D E F
8 70 7 69 6 68 5 67 4 66 3 65 2 64 1 63
78 79 80 81 82 83
Troup Head
Collie Head
Downie Bay
Lion's Head
Castle Point
Hell's Lum
Fort Fiddes
The Law
Crovie Farm
Crovie Head
Northfield
Troup House Sch
Broomybrae Wood
Troup Home Farm
Crovie
Pier
Gamrie Bay
Eilie Well
Stonewells
Jacobshall
B9031
Viewpoint
More Head
HARBOUR LA
HARBOUR ST
NEW GROUND
Harbour
ROAD
THE GREEN
HIGH ST
MORVEN-VW RD
BRAGOWAN RD
Lichnet
Middleton
Protston
AB45
Tore Burn
St John's Church (rems of)
PO
MAIN ST
GAMRIE BRAE
BRACODEN TR
BRACODEN ROAD
BAYVIEW RD
Knowehead Farm
Gardenstown
FERNIE BRAE
CASTLEHILL DR
TROUP VW
1 CHURCH RD
2 CRAIGEN TERR
3 GARDEN CRES
4 FIRTH DR
Castle Hill
Castle of Findon (rems of)
Bracoden Prim Sch
Protstonhill
Blackhillocks
Kirk Burn
Findon
B9123
Hill of Findon
North Cross-slacks
Hillhead of Troup
B9031
Afforsk
Dubford
General's Well
Holy Well
Cottage Farm
Weir
South Cross-slacks

10 11 12

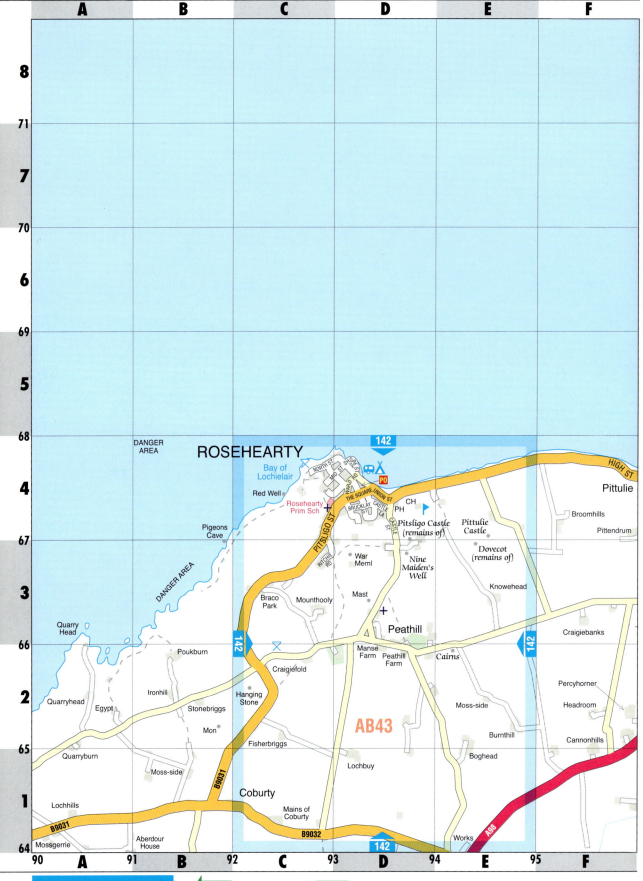

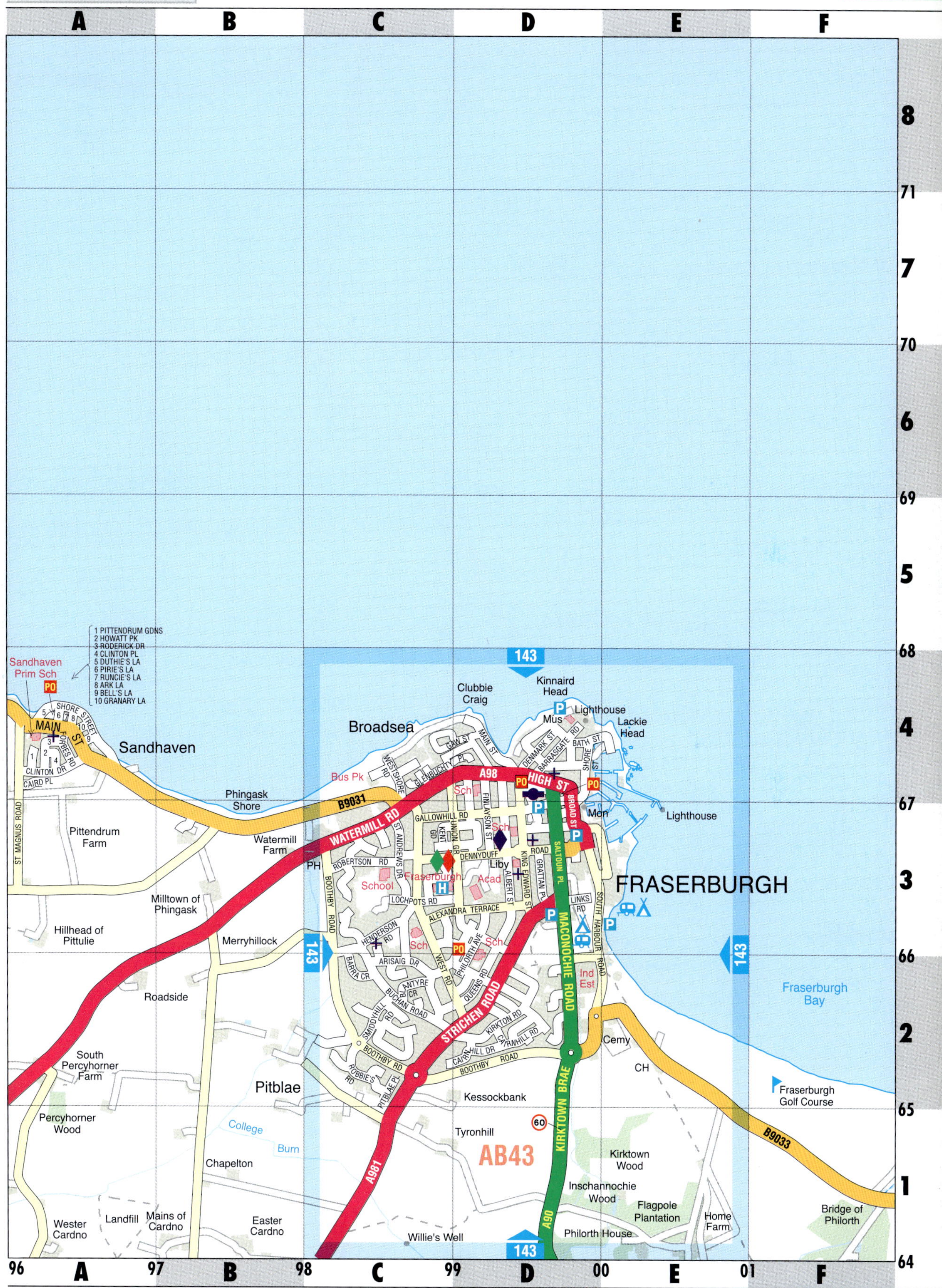

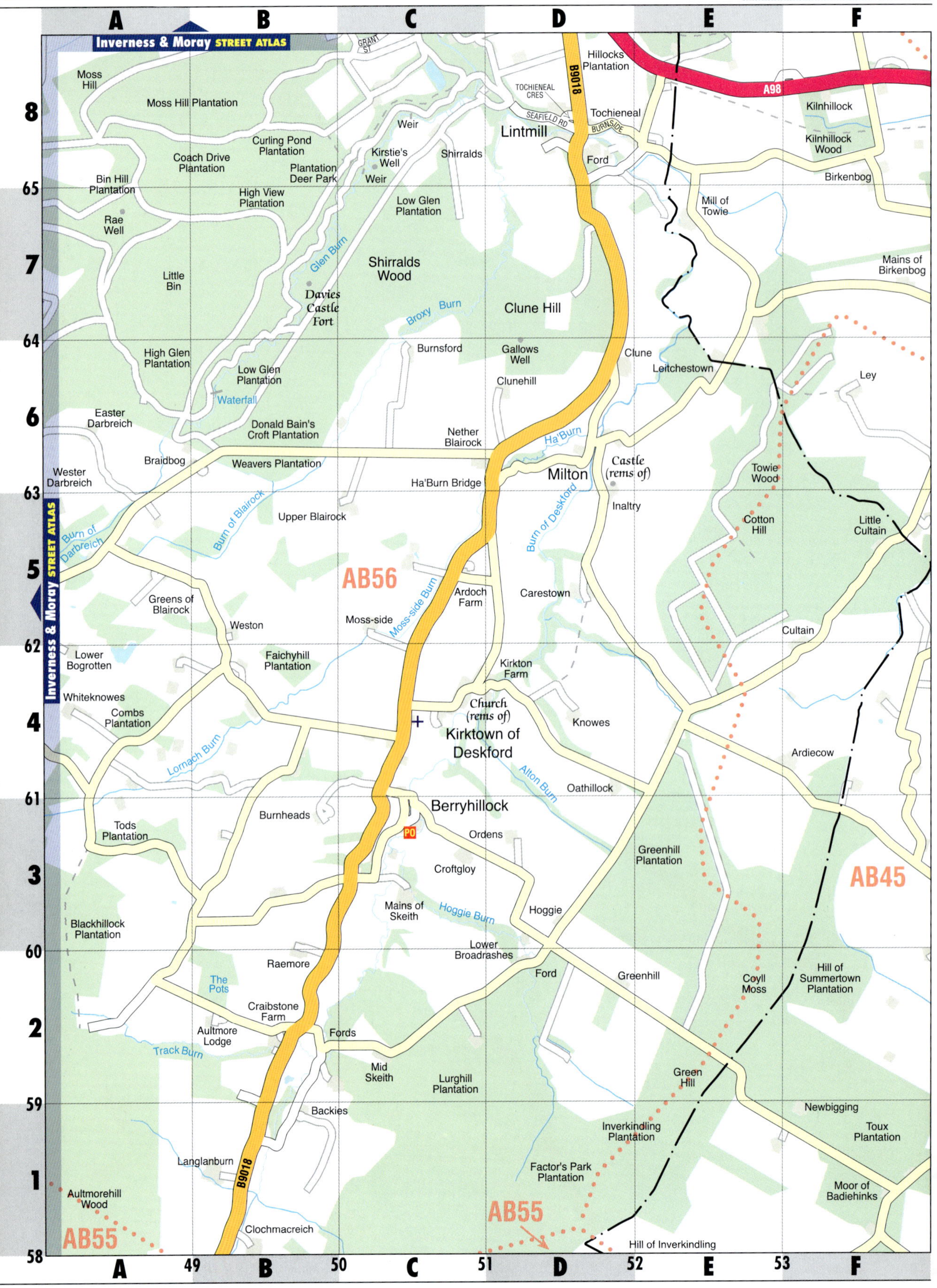
A
B
C
D
E
F
Inverness & Moray STREET ATLAS
GRANT ST
Moss Hill
Moss Hill Plantation
Hillocks Plantation
B9018
TOCHIENEAL CRES
SEAFIELD RD
BURNSIDE
Tochieneal
A98
Kilnhillock
Kilnhillock Wood
Lintmill
Weir
Curling Pond Plantation
Coach Drive Plantation
Kirstie's Well
Shirralds
Ford
Plantation Deer Park
Weir
Bin Hill Plantation
High View Plantation
Birkenbog
Low Glen Plantation
Mill of Towie
Rae Well
Glen Burn
Shirralds Wood
Little Bin
Davies Castle Fort
Mains of Birkenbog
Broxy Burn
Clune Hill
Burnsford
Gallows Well
Clune
High Glen Plantation
Low Glen Plantation
Leitchestown
Clunehill
Ley
Waterfall
Easter Darbreich
Donald Bain's Croft Plantation
Nether Blairock
Ha'Burn
Castle (rems of)
Braidbog
Weavers Plantation
Milton
Wester Darbreich
Ha'Burn Bridge
Towie Wood
Burn of Blairock
Inaltry
Upper Blairock
Burn of Deskford
Burn of Darbreich
Cotton Hill
Little Cultain
AB56
Ardoch Farm
Carestown
Greens of Blairock
Moss-side Burn
Moss-side
Weston
Cultain
Lower Bogrotten
Faichyhill Plantation
Kirkton Farm
Whiteknowes
Church (rems of)
Combs Plantation
Knowes
Kirktown of Deskford
Lornach Burn
Ardiecow
Alton Burn
Oathillock
Berryhillock
Burnheads
Tods Plantation
PO
Ordens
Greenhill Plantation
Croftgloy
AB45
Mains of Skeith
Hoggie Burn
Hoggie
Blackhillock Plantation
Lower Broadrashes
Raemore
Ford
Greenhill
Coyll Moss
Hill of Summertown Plantation
The Pots
Craibstone Farm
Aultmore Lodge
Fords
Track Burn
Mid Skeith
Lurghill Plantation
Green Hill
Backies
Newbigging
Inverkindling Plantation
Toux Plantation
Langlanburn
Factor's Park Plantation
Moor of Badiehinks
Aultmorehill Wood
AB55
AB55
Clochmacreich
Hill of Inverkindling
8
65
7
64
6
63
5
62
4
61
3
60
2
59
1
58
49
50
51
52
53

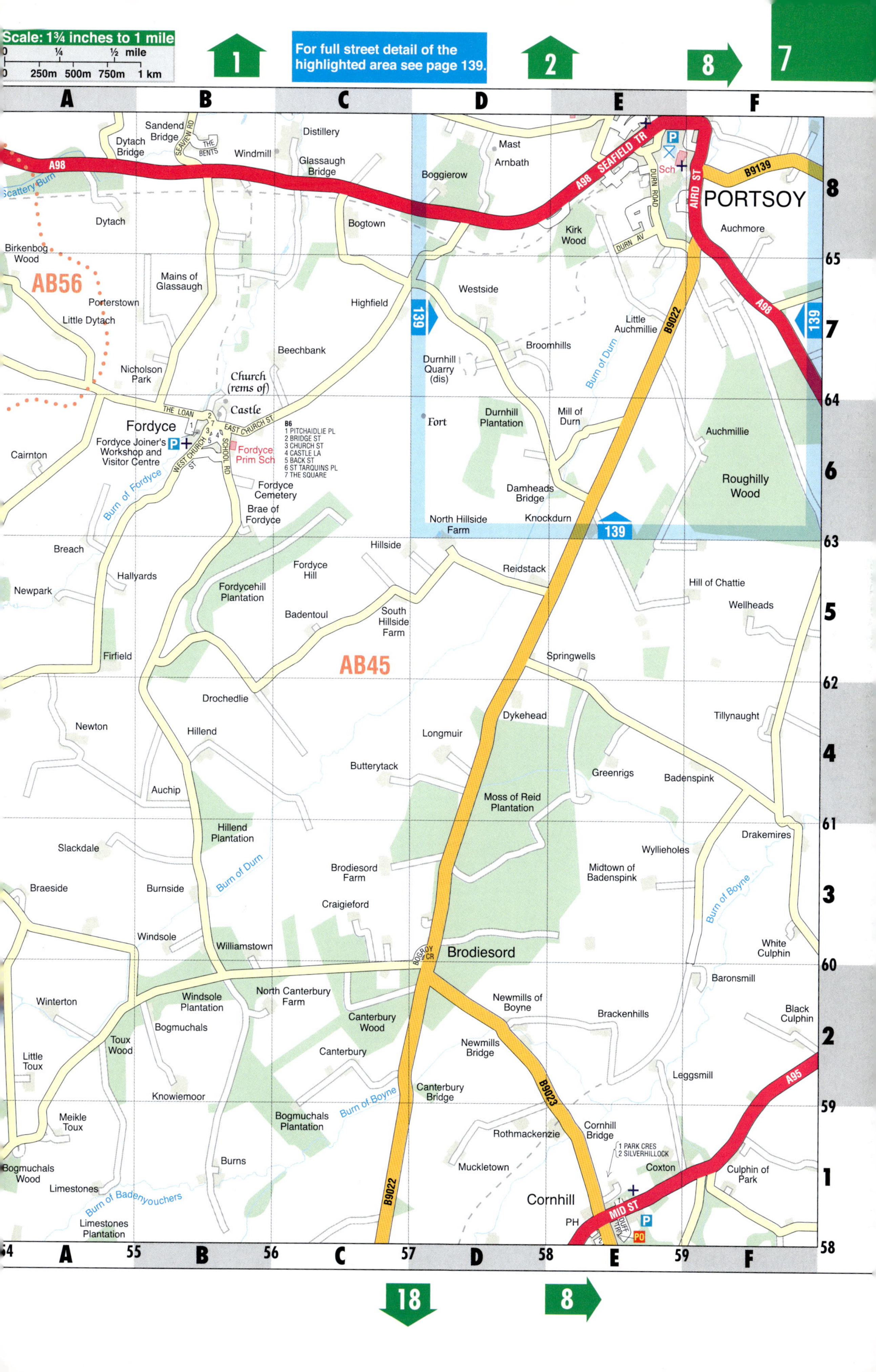

Scale: 1¾ inches to 1 mile
0 ¼ ½ mile
0 250m 500m 750m 1 km
For full street detail of the highlighted area see page 139.
1
2
8
7
A B C D E F
Sandend Bridge
Dytach Bridge
SEAVIEW RD
THE BENTS
Windmill
Distillery
Glassaugh Bridge
Mast
Arnbath
A98
Scattery Burn
Boggierow
SEAFIELD TR
Sch
DURN ROAD
AIRD ST
B9139
PORTSOY
Dytach
Bogtown
Kirk Wood
DURN AV
Auchmore
Birkenbog Wood
AB56
Mains of Glassaugh
Porterstown
Highfield
Westside
Little Dytach
Little Auchmillie
B9022
139
Beechbank
Broomhills
Nicholson Park
Durnhill Quarry (dis)
Burn of Durn
Church (rems of)
Castle
THE LOAN
Fordyce
EAST CHURCH ST
B6
1 PITCHAIDLIE PL
2 BRIDGE ST
3 CHURCH ST
4 CASTLE LA
5 BACK ST
6 ST TARQUINS PL
7 THE SQUARE
Fort
Durnhill Plantation
Mill of Durn
Auchmillie
Fordyce Joiner's Workshop and Visitor Centre
Cairnton
WEST CHURCH ST
SCHOOL RD
Fordyce Prim Sch
Roughilly Wood
Fordyce Cemetery
Damheads Bridge
Burn of Fordyce
Brae of Fordyce
North Hillside Farm
Knockdurn
Breach
Hillside
Fordyce Hill
Reidstack
Hallyards
Newpark
Fordycehill Plantation
Hill of Chattie
Badentoul
South Hillside Farm
Wellheads
AB45
Firfield
Springwells
Drochedlie
Newton
Dykehead
Tillynaught
Hillend
Longmuir
Butterytack
Greenrigs
Badenspink
Auchip
Moss of Reid Plantation
Hillend Plantation
Drakemires
Slackdale
Wyllieholes
Brodiesord Farm
Midtown of Badenspink
Burn of Durn
Braeside
Burnside
Craigieford
Burn of Boyne
Windsole
Williamstown
BOGROY CR
Brodiesord
White Culphin
Baronsmill
Winterton
Windsole Plantation
North Canterbury Farm
Newmills of Boyne
Canterbury Wood
Brackenhills
Black Culphin
Bogmuchals
Toux Wood
Newmills Bridge
Little Toux
Canterbury
Leggsmill
A95
B9023
Knowiemoor
Canterbury Bridge
Meikle Toux
Bogmuchals Plantation
Burn of Boyne
Rothmackenzie
Cornhill Bridge
1 PARK CRES
2 SILVERHILLOCK
Burns
Bogmuchals Wood
Muckletown
Coxton
Culphin of Park
Limestones
Burn of Badenyouchers
Cornhill
MID ST
DUFF TERR
PH
PO
Limestones Plantation
65 64 63 62 61 60 59 58
54 55 56 57 58 59
18

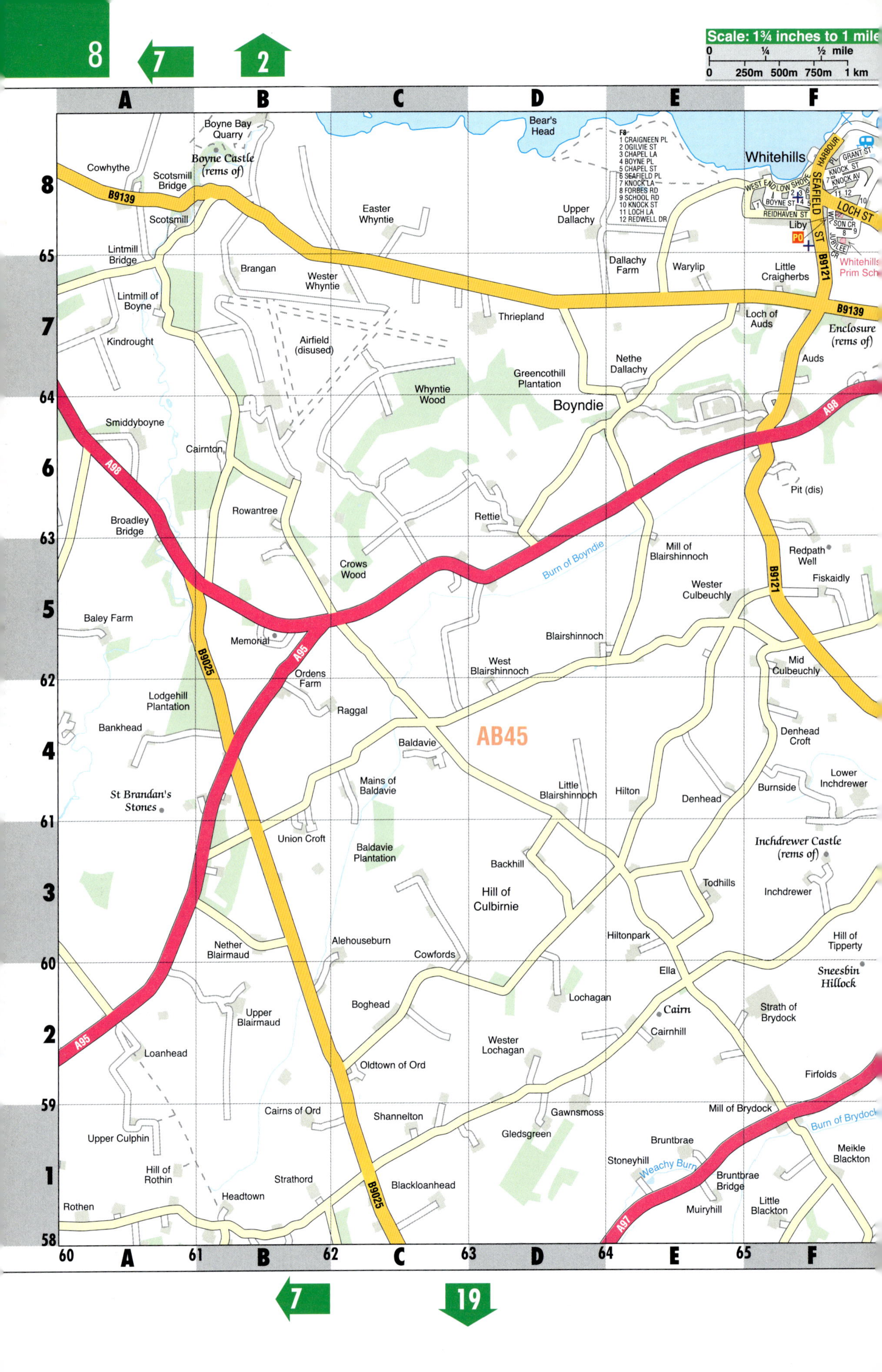
Scale: 1¾ inches to 1 mile
0 ¼ ½ mile
0 250m 500m 750m 1 km
A B C D E F
Boyne Bay Quarry
Boyne Castle (rems of)
Cowhythe
Scotsmill Bridge
Scotsmill
B9139
Bear's Head
F8
1 CRAIGNEEN PL
2 OGILVIE ST
3 CHAPEL LA
4 BOYNE PL
5 CHAPEL ST
6 SEAFIELD PL
7 KNOCK LA
8 FORBES RD
9 SCHOOL RD
10 KNOCK ST
11 LOCH LA
12 REDWELL DR
Whitehills
HARBOUR PL
GRANT ST
KNOCK ST
KNOCK AV
WEST END
LOW SHORE
SEAFIELD ST
LOCH ST
BOYNE ST
REIDHAVEN ST
Liby
PO
Whitehills Prim Sch
Easter Whyntie
Upper Dallachy
Lintmill Bridge
Brangan
Wester Whyntie
Dallachy Farm
Warylip
Little Craigherbs
B9121
Lintmill of Boyne
Thriepland
Loch of Auds
B9139
Enclosure (rems of)
Kindrought
Airfield (disused)
Nethe Dallachy
Auds
Greencothill Plantation
Whyntie Wood
Boyndie
A98
Smiddyboyne
Cairnton
A98
Pit (dis)
Rowantree
Rettie
Broadley Bridge
Mill of Blairshinnoch
Redpath Well
Crows Wood
Burn of Boyndie
Fiskaidly
Wester Culbeuchly
B9121
Baley Farm
Blairshinnoch
Memorial
A95
B9025
West Blairshinnoch
Mid Culbeuchly
Ordens Farm
Lodgehill Plantation
Raggal
AB45
Bankhead
Baldavie
Denhead Croft
Mains of Baldavie
Little Blairshinnoch
Hilton
Denhead
Burnside
Lower Inchdrewer
St Brandan's Stones
Union Croft
Baldavie Plantation
Inchdrewer Castle (rems of)
Backhill
Todhills
Hill of Culbirnie
Inchdrewer
Hiltonpark
Hill of Tipperty
Nether Blairmaud
Alehouseburn
Cowfords
Ella
Sneesbin Hillock
Lochagan
Upper Blairmaud
Boghead
Cairn
Strath of Brydock
A95
Wester Lochagan
Cairnhill
Loanhead
Oldtown of Ord
Firfolds
Cairns of Ord
Shannelton
Gawnsmoss
Mill of Brydock
Burn of Brydock
Upper Culphin
Gledsgreen
Bruntbrae
Meikle Blackton
Stoneyhill
Weachy Burn
Hill of Rothin
Strathord
Blackloanhead
Bruntbrae Bridge
B9025
Rothen
Headtown
Muiryhill
Little Blackton
A97
8 65 7 64 6 63 5 62 4 61 3 60 2 59 1 58
60 61 62 63 64 65

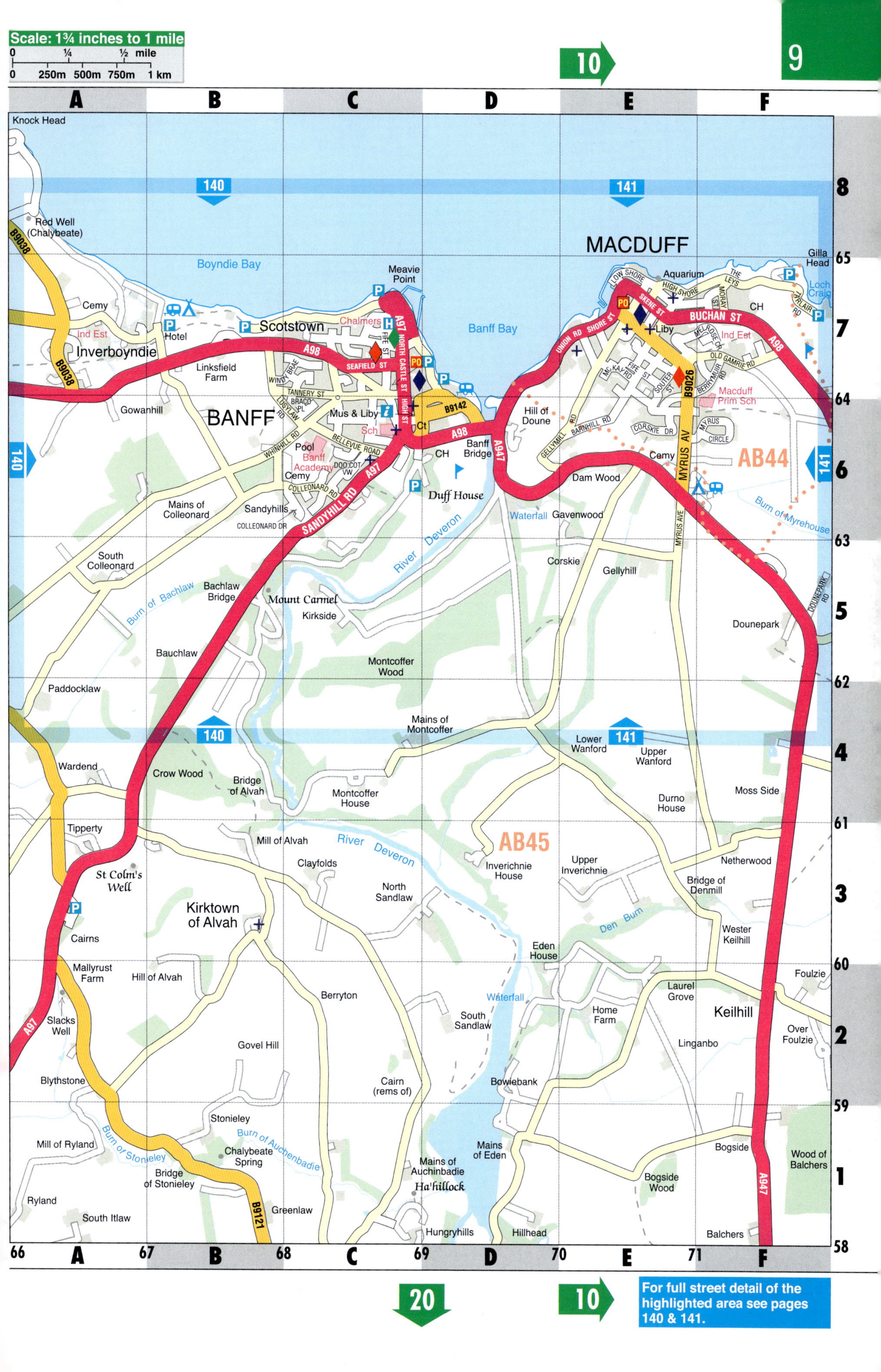

Scale: 1¾ inches to 1 mile
0 ¼ ½ mile
0 250m 500m 750m 1 km
10
A B C D E F
Knock Head
140
141
Red Well (Chalybeate)
B9038
Boyndie Bay
MACDUFF
Gilla Head
Aquarium
Loch Craig
Meavie Point
Cemy
Scotstown
Chalmers
Banff Bay
Hotel
Ind Est
Inverboyndie
A98
SEAFIELD ST
A97
NORTH CASTLE ST
FIFE ST
B9142
BUCHAN ST
LOW SHORE
HIGH SHORE
SKENE ST
SHORE ST
UNION RD
Liby
CH
Linksfield Farm
TANNERY ST
BRACO PL
WINDY BRAE
LOSTLAW RD
Gowanhill
BANFF
Mus & Liby
HIGH ST
Sch
Ct
Hill of Doune
MCKAY RD
SOUTER ST
B9026
MELROSE CR
OLD GAMRIE RD
BERRYMUIR RD
Macduff Prim Sch
WHINHILL RD
Pool
Banff Academy
BELLEVUE ROAD
DOO'COT VW
Cemy
COLLEONARD RD
SANDYHILL RD
Banff Bridge
CH
A947
Duff House
GELLYMILL RD
BARNHILL RD
CORSKIE DR
MYRUS CIRCLE
MYRUS AV
AB44
Dam Wood
Mains of Colleonard
Sandyhills
COLLEONARD DR
Waterfall
Gavenwood
Burn of Myrehouse
MYRUS AVE
River Deveron
South Colleonard
Corskie
Gellyhill
Burn of Bachlaw
Bachlaw Bridge
Mount Carmel
Kirkside
DOUNEPARK RD
Dounepark
Bauchlaw
Montcoffer Wood
Paddocklaw
Mains of Montcoffer
Lower Wanford
Upper Wanford
Wardend
Crow Wood
Bridge of Alvah
Montcoffer House
Durno House
Moss Side
Tipperty
Mill of Alvah
River Deveron
AB45
Inverichnie House
Upper Inverichnie
Netherwood
St Colm's Well
Clayfolds
North Sandlaw
Bridge of Denmill
Kirktown of Alvah
Den Burn
Wester Keilhill
Cairns
Eden House
Mallyrust Farm
Hill of Alvah
Foulzie
Laurel Grove
Berryton
Waterfall
Slacks Well
South Sandlaw
Home Farm
Keilhill
Over Foulzie
Govel Hill
Linganbo
Blythstone
Cairn (rems of)
Bowiebank
Stonieley
Burn of Auchenbadie
Mill of Ryland
Chalybeate Spring
Burn of Stonieley
Mains of Eden
Bogside
Wood of Balchers
Bridge of Stonieley
Mains of Auchinbadie
Ha'hillock
Bogside Wood
Ryland
B9121
Greenlaw
South Itlaw
Hungryhills
Hillhead
Balchers
8 65 7 64 6 63 5 62 4 61 3 60 2 59 1 58
66 67 68 69 70 71
20
10
For full street detail of the highlighted area see pages 140 & 141.

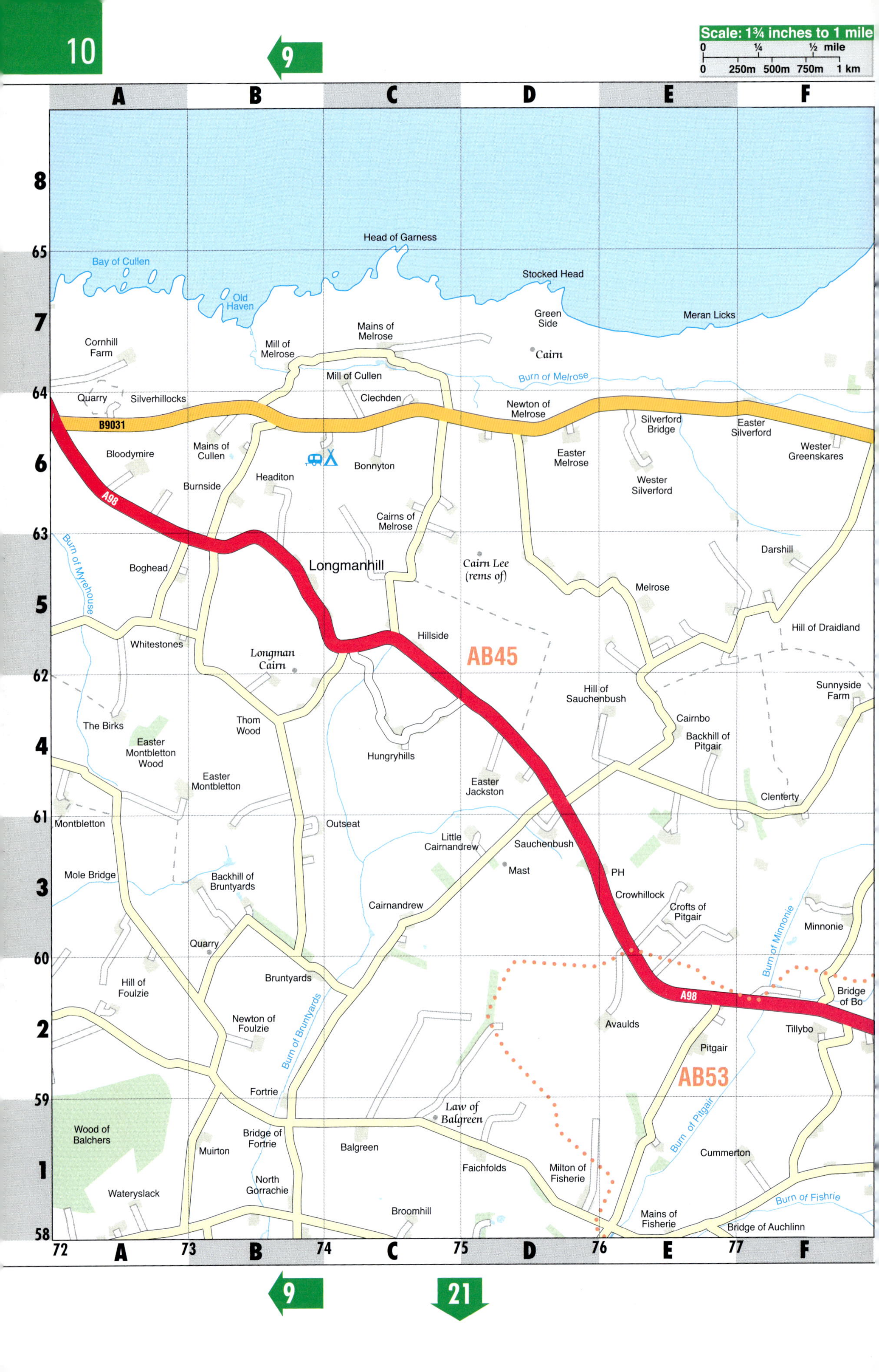
9
Scale: 1¾ inches to 1 mile
0 ¼ ½ mile
0 250m 500m 750m 1 km
A B C D E F
8 65 7 64 6 63 5 62 4 61 3 60 2 59 1 58
72 73 74 75 76 77
Head of Garness
Bay of Cullen
Old Haven
Stocked Head
Green Side
Meran Licks
Cornhill Farm
Mill of Melrose
Mains of Melrose
Cairn
Burn of Melrose
Mill of Cullen
Quarry
Silverhillocks
Clechden
Newton of Melrose
B9031
Silverford Bridge
Easter Silverford
Bloodymire
Mains of Cullen
Bonnyton
Easter Melrose
Wester Greenskares
Wester Silverford
Burnside
Headiton
A98
Cairns of Melrose
Burn of Myrehouse
Darshill
Boghead
Longmanhill
Cairn Lee (rems of)
Melrose
Hillside
Hill of Draidland
Whitestones
Longman Cairn
AB45
Hill of Sauchenbush
Sunnyside Farm
The Birks
Thom Wood
Cairnbo
Backhill of Pitgair
Easter Montbletton Wood
Hungryhills
Easter Montbletton
Easter Jackston
Clenterty
Montbletton
Outseat
Little Cairnandrew
Sauchenbush
Mole Bridge
Backhill of Bruntyards
Mast
PH
Crowhillock
Crofts of Pitgair
Cairnandrew
Minnonie
Burn of Minnonie
Quarry
Hill of Foulzie
Bruntyards
Bridge of Bo
A98
Newton of Foulzie
Burn of Bruntyards
Avaulds
Tillybo
Pitgair
AB53
Fortrie
Wood of Balchers
Law of Balgreen
Bridge of Fortrie
Burn of Pitgair
Muirton
Balgreen
Faichfolds
Milton of Fisherie
Cummerton
North Gorrachie
Wateryslack
Broomhill
Mains of Fisherie
Burn of Fishrie
Bridge of Auchlinn
9
21

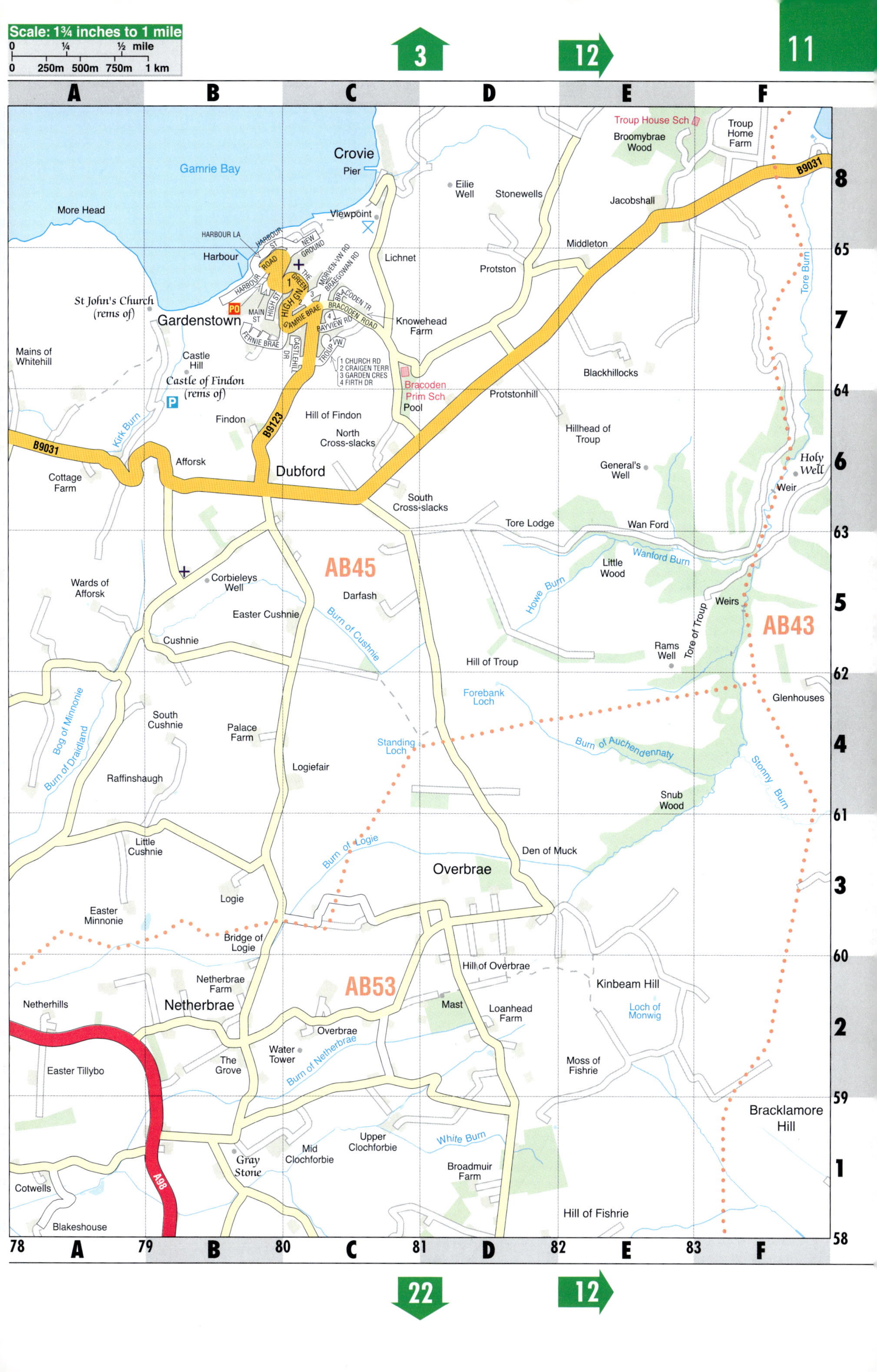
Scale: 1¾ inches to 1 mile
0 ¼ ½ mile
0 250m 500m 750m 1 km
3
12
A B C D E F
Gamrie Bay
Crovie
Pier
More Head
Viewpoint
Harbour
HARBOUR LA
St John's Church (rems of)
Gardenstown
Mains of Whitehill
Castle Hill
Castle of Findon (rems of)
Findon
Kirk Burn
B9031
B9123
Afforsk
Cottage Farm
Dubford
Hill of Findon
North Cross-slacks
Lichnet
Knowehead Farm
Bracoden Prim Sch
Pool
1 CHURCH RD
2 CRAIGEN TERR
3 GARDEN CRES
4 FIRTH DR
Eilie Well
Stonewells
Protston
Middleton
Protstonhill
Troup House Sch
Broomybrae Wood
Troup Home Farm
Jacobshall
Blackhillocks
Hillhead of Troup
General's Well
Holy Well
Weir
Tore Burn
South Cross-slacks
Tore Lodge
Wan Ford
Wanford Burn
Little Wood
Howe Burn
Weirs
Tore of Troup
AB43
Rams Well
Glenhouses
Wards of Afforsk
Corbieleys Well
Easter Cushnie
Cushnie
AB45
Darfash
Burn of Cushnie
Hill of Troup
Forebank Loch
South Cushnie
Palace Farm
Standing Loch
Burn of Auchendennaty
Stonny Burn
Bog of Minnonie
Burn of Draidland
Raffinshaugh
Logiefair
Snub Wood
Little Cushnie
Burn of Logie
Den of Muck
Overbrae
Logie
Easter Minnonie
Bridge of Logie
Hill of Overbrae
Kinbeam Hill
Netherhills
Netherbrae Farm
Netherbrae
AB53
Mast
Loanhead Farm
Loch of Monwig
Overbrae
Water Tower
Burn of Netherbrae
The Grove
Easter Tillybo
Moss of Fishrie
Bracklamore Hill
White Burn
Gray Stone
Mid Clochforbie
Upper Clochforbie
Broadmuir Farm
Cotwells
A98
Blakeshouse
Hill of Fishrie
65 64 63 62 61 60 59 58
8 7 6 5 4 3 2 1
78 79 80 81 82 83
22
12

11
Scale: 1¾ inches to 1 mile
0 ¼ ½ mile
0 250m 500m 750m 1 km
A B C D E F
8 65 7 64 6 63 5 62 4 61 3 60 2 59 1 58
84 85 86 87 88 89
Pennan Head
Pennan Bay
Hotel
Pennan
B9031
Pennan Farm
Strahangles Point
Aberdour Bay
Counter Head
Dundarg Castle (rems of)
Fort
St Drostan's Well
Castle Well
St Drostan's Church (rems of)
Mains of Auchmedden
East Mains
Clinterty Farm
Bankhead
Glenquithle
Mill Farm
Bonnytonhill
Cairn
Cairn
Towie
The Dour
Haugh Bridge
HAUGH PATH
Wareland
New Aberdour Prim Sch
Cummerton
West Mains
Sauchentree
ELPHIN ST
PO
ST DROSTANS LA
HIGH STREET
GORDON LANE
PH
LOW ST
Pitnacalder
Sewage Works
New Aberdour
Killyquharn
Lemnas
Quarry
Arnhash
Windyheads Hill
AB43
Ardlawhill
Woodhead Dairy Farm
Radio Station
Helenamore
Ardlawhill Farm
South Killyquharn
Sunnybrae
North Cowfords
Long Glen
Earl's Seat
Windyheads
Ladysford Farm
Hindstones
Cowfords
Lower Ladysford
Mid Glasslaw
Lachlanstrype
Crookahill
North Broadleys
South Broadleys
Cranbog
Monkswell
Glasslaw Loch
Upper Glasslaw
Lone Burn
Redmoss
Loanburn
Nether Glasslaw
Northfield Farm Museum
North Lauves
Den of Glasslaw
Middlehill
Law Cairn
Gorthfield
Glasslaw Burn
South Law
Craigmaud
Tillinamolt
Gonar Burn
Bogfold
Gonarhall
Upper Craigmaud
Rantreeburn
Garvel Wood
Braehead
Bracklamore
A98

11
23

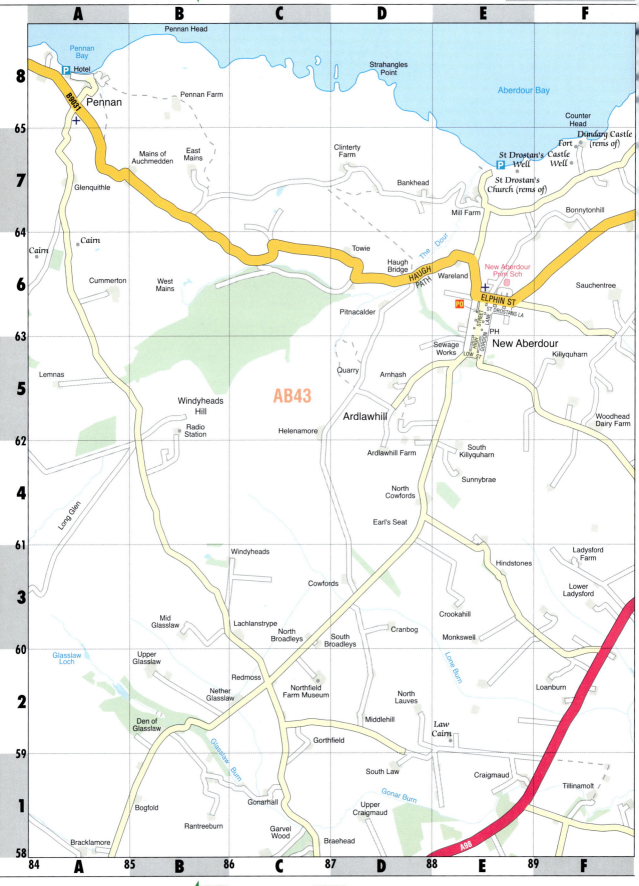

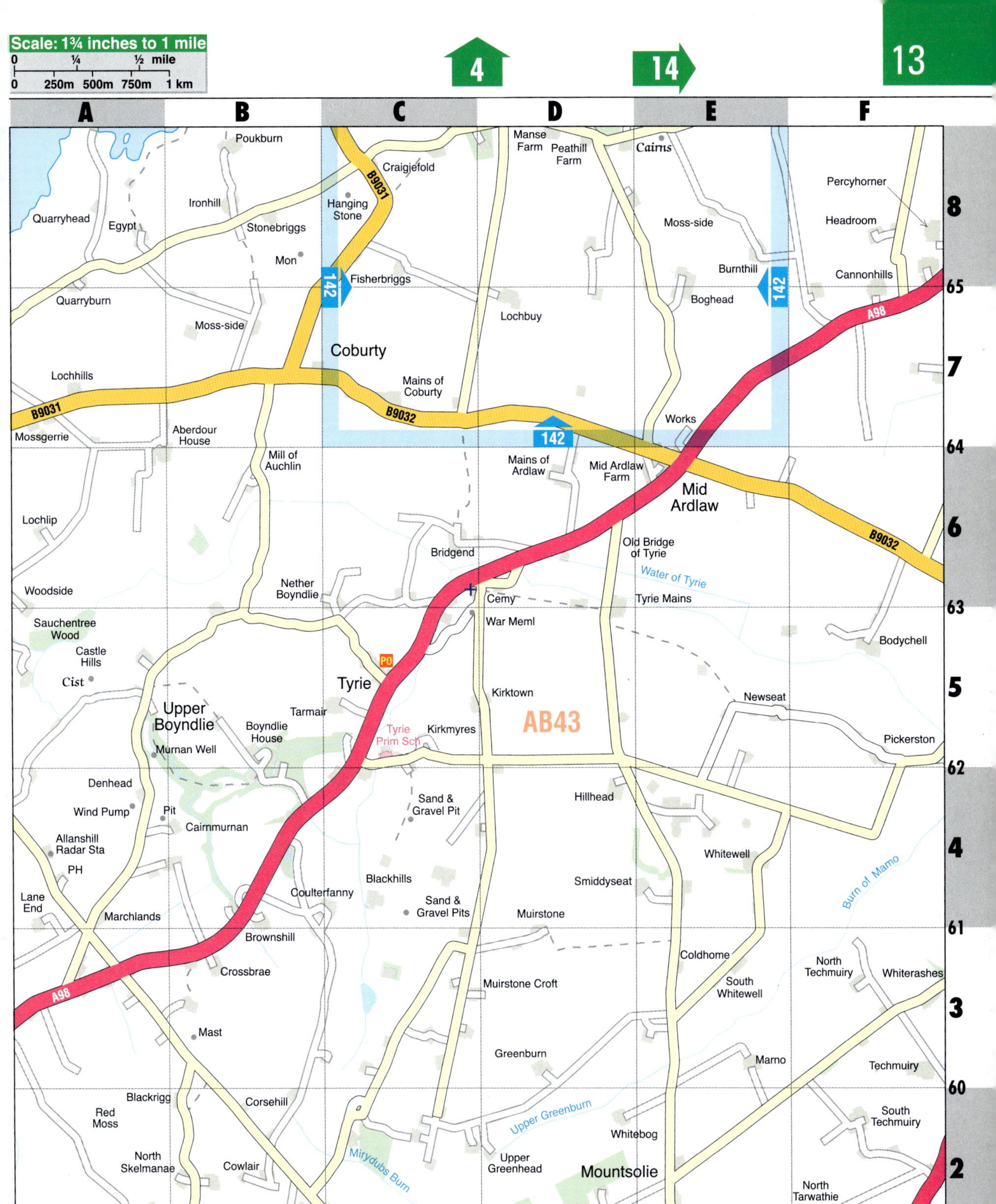

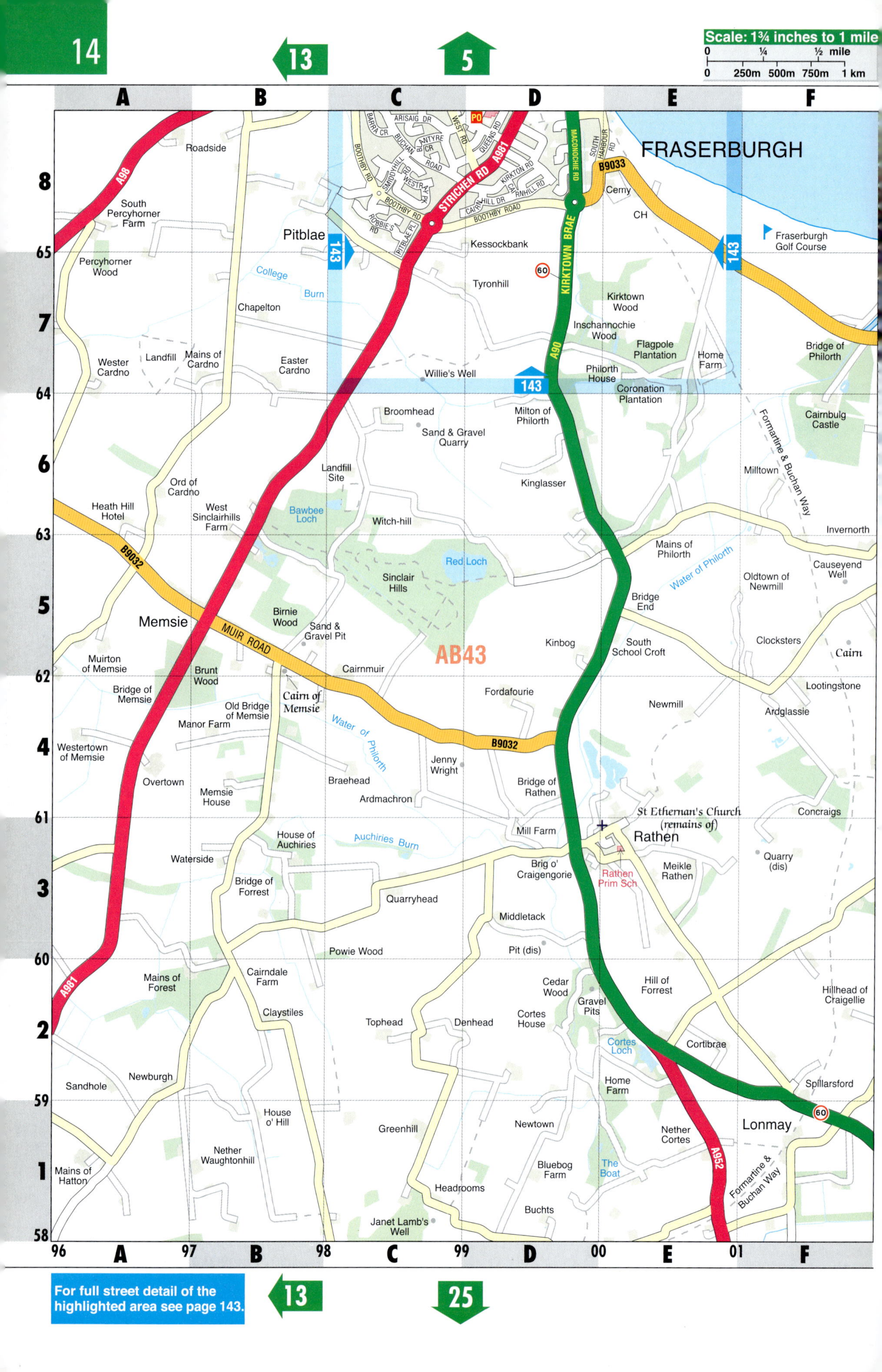

Scale: 1¾ inches to 1 mile
0 ¼ ½ mile
0 250m 500m 750m 1 km

A B C D E F
8 65 7 64 6 63 5 62 4 61 3 60 2 59 1 58
02 03 04 05 06 07
Fraserburgh Bay
West Haven
Cairnbulg
Bonnie Doune
Liby
Maggie's Hoosie
Inverallochy
1 WEST HAVEN TERR
2 DUTHIE TERR
3 SEATOWN PL
4 RATHEN RD
5 FREDERICK ST
6 SUMMERFIELD PL
7 SUMMERFIELD TERR
8 SUMMERFIELD WK
9 CASTLE DR
SHORE ST
MID ST
MAIN ST
WILLIAM ST
CHURCH ST
STATION RD
CHARLES ST
FRASER PL
ALLOCHY ROAD
CAIRNDENITY PL
MACGREGOR RD 1
MORMOND PL 2
RATHEN RD
DUNDAS RD
FRASER CR
CORN RD
ALLOCHY PL
Inverallochy Prim Sch
CH
Rec Gd
Inverallochy Golf Course
Waters of Philorth Nature Reserve
Cemetery
B9033
B9107
Moat Well
Airfield (disused)
White Links
Whitelinks Bay
Gowanfold Rathen
Cairnbulg Mains
Lochlip
Hallmoss
Corse Craig
1 BURNS CRES
2 BRIDGE ST
3 BRAEHEADS
Charlestown
St Combs
Hillhead
Gowanhill
Moss-side of Cairness
Mains Croft
St Columba's Church (remains of)
MILLBURN AV
WEST ST
ST CHARLES
GORDON ST
MID ST
EAST ST
CHURCH ST
HIGH ST
WEST PK
CORSEKELLY PL
REIDFIELD PL
TILLYDUFF GDNS
St Combs Prim Sch
Hotel
Inzie Head
Inverallochy Castle (remains of)
Cairnglass
Mosstown
Mossgirl
Midpark
Whitecairns
Cairness Wood
Wetness
Woodhead
Corsekelly
Gallow Hill
Woodside
Walking Trail
Middlemuir
Home Farm
Strathellie Farm
Coralhill
Lower Strathellie
Cairness
Quarryhill
Mosstown
Netherton of Lonmay
Craigellie
AB43
Middleton of Lonmay
Church (remains of)
Burnside
Cemy
Mosstown
Fiddler's Green
Tillykeira Farm
Lower Tyacksnook
Savoch Wood
Works
Loch of Strathbeg Nature Reserve
Hotel
Mon
Savoch
Mast
Marchlands
A90
Whitehillock
B9033
Crimonmogate
Millhill Farm
East Millhill
Loch of Strathbeg Visitor Centre
Mast

26
16

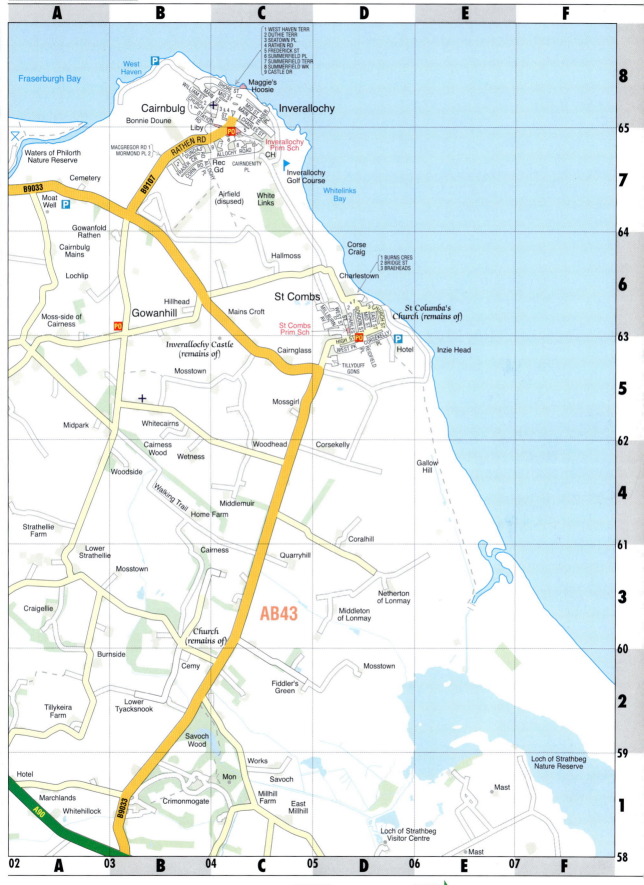

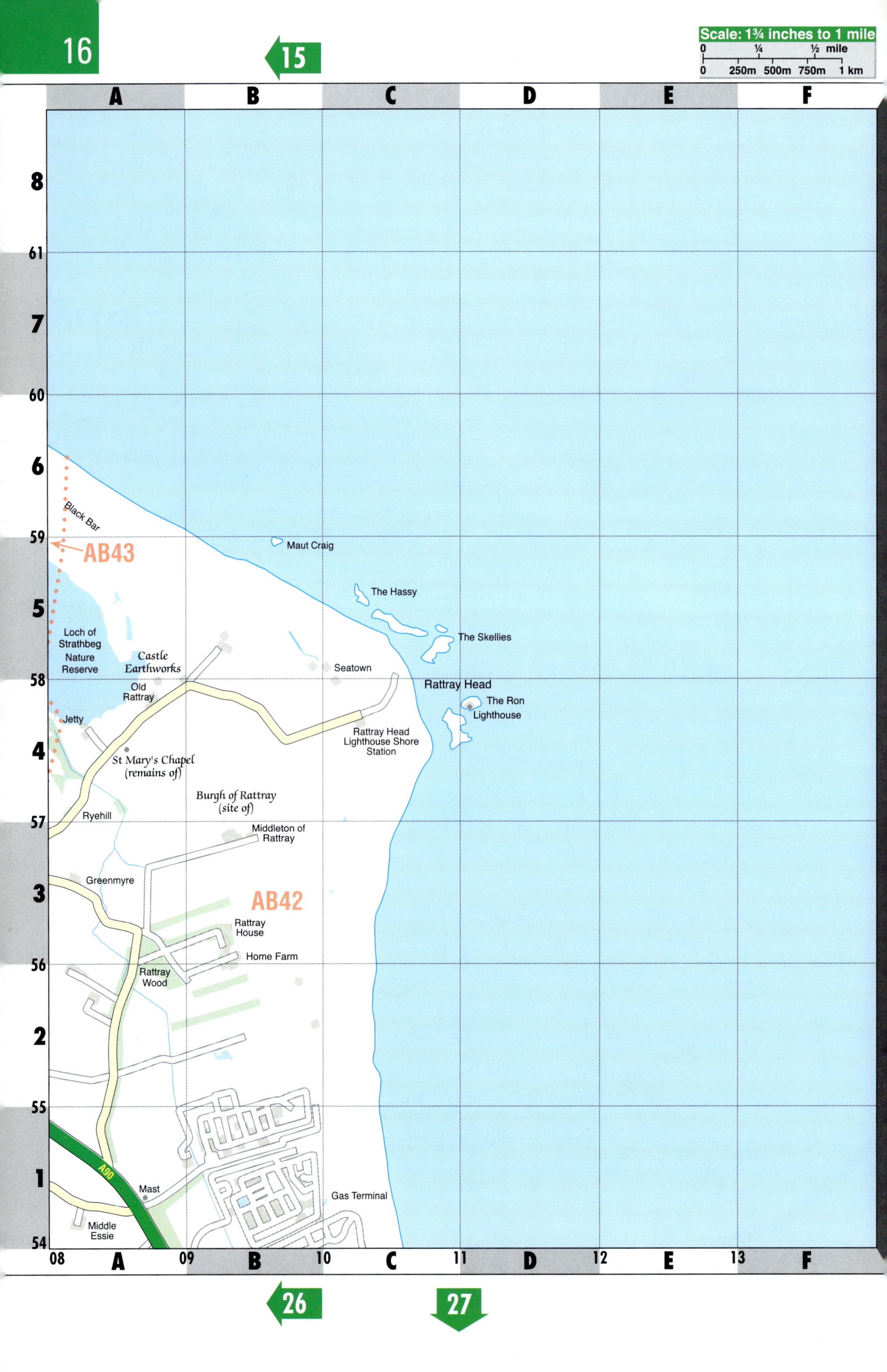
15
Scale: 1¾ inches to 1 mile
0
¼
½ mile
0
250m
500m
750m
1 km
A
B
C
D
E
F
8
61
7
60
6
59
5
58
4
57
3
56
2
55
1
54
Black Bar
AB43
Maut Craig
The Hassy
The Skellies
Loch of Strathbeg Nature Reserve
Castle Earthworks
Seatown
Old Rattray
Rattray Head
The Ron
Lighthouse
Jetty
Rattray Head Lighthouse Shore Station
St Mary's Chapel (remains of)
Burgh of Rattray (site of)
Ryehill
Middleton of Rattray
Greenmyre
AB42
Rattray House
Home Farm
Rattray Wood
A90
Mast
Gas Terminal
Middle Essie
08
09
10
11
12
13
26
27

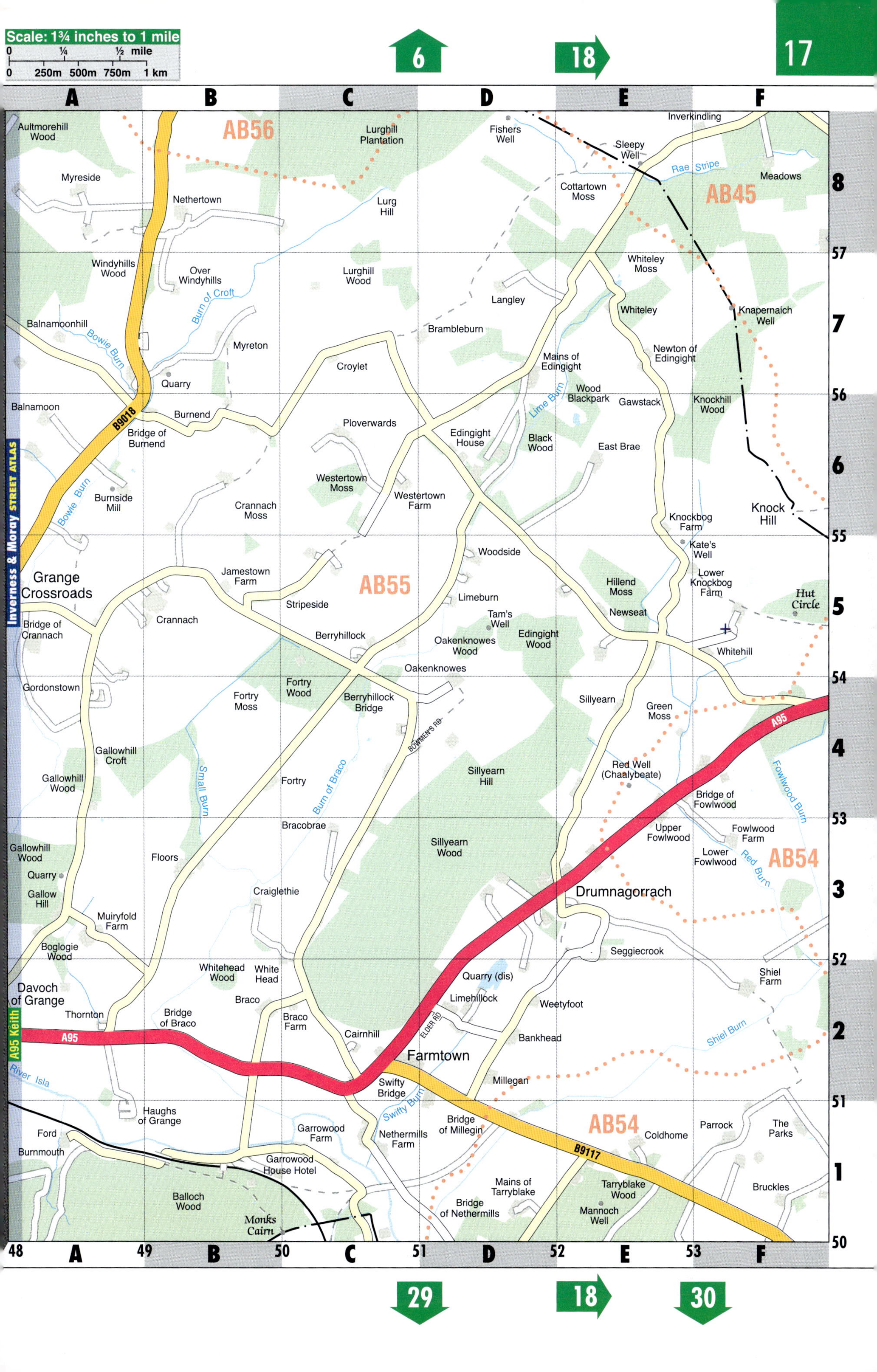
Scale: 1¾ inches to 1 mile
0 ¼ ½ mile
0 250m 500m 750m 1 km
6
18
A B C D E F
AB56
AB55
AB45
AB54
Aultmorehill Wood
Myreside
Nethertown
Lurghill Plantation
Fishers Well
Inverkindling
Sleepy Well
Rae Stripe
Meadows
Lurg Hill
Cottartown Moss
Windyhills Wood
Over Windyhills
Burn of Croft
Lurghill Wood
Langley
Whiteley Moss
Whiteley
Knapernaich Well
Balnamoonhill
Bowie Burn
Myreton
Brambleburn
Croylet
Mains of Edingight
Newton of Edingight
Quarry
Wood Blackpark
Gawstack
Knockhill Wood
Balnamoon
Burnend
B9018
Bridge of Burnend
Ploverwards
Edingight House
Lime Burn
Black Wood
East Brae
Burnside Mill
Westertown Moss
Westertown Farm
Crannach Moss
Knock Hill
Knockbog Farm
Kate's Well
Woodside
Grange Crossroads
Jamestown Farm
Lower Knockbog Farm
Hillend Moss
Hut Circle
Limeburn
Stripeside
Crannach
Newseat
Bridge of Crannach
Tam's Well
Berryhillock
Oakenknowes Wood
Edingight Wood
Whitehill
Oakenknowes
Gordonstown
Fortry Wood
Fortry Moss
Berryhillock Bridge
Sillyearn
Green Moss
Bowmen's Rd
A95
Gallowhill Croft
Small Burn
Sillyearn Hill
Red Well (Chaalybeate)
Gallowhill Wood
Fortry
Burn of Braco
Fowlwood Burn
Bridge of Fowlwood
Bracobrae
Upper Fowlwood
Fowlwood Farm
Gallowhill Wood
Sillyearn Wood
Lower Fowlwood
Floors
Red Burn
Quarry
Gallow Hill
Craiglethie
Drumnagorrach
Muiryfold Farm
Boglogie Wood
Seggiecrook
Whitehead Wood
White Head
Quarry (dis)
Shiel Farm
Davoch of Grange
Braco
Limehillock
Weetyfoot
Thornton
Bridge of Braco
Braco Farm
Elder Rd
A95 Keith
Cairnhill
Bankhead
Shiel Burn
Farmtown
River Isla
Swifty Bridge
Millegan
Haughs of Grange
Swifty Burn
Ford
Garrowood Farm
Bridge of Millegin
Nethermills Farm
Coldhome
Parrock
The Parks
Burnmouth
B9117
Garrowood House Hotel
Tarryblake Wood
Balloch Wood
Mains of Tarryblake
Bruckles
Monks Cairn
Bridge of Nethermills
Mannoch Well
Inverness & Moray STREET ATLAS
8 57 7 56 6 55 5 54 4 53 3 52 2 51 1 50
48 49 50 51 52 53
29
18
30

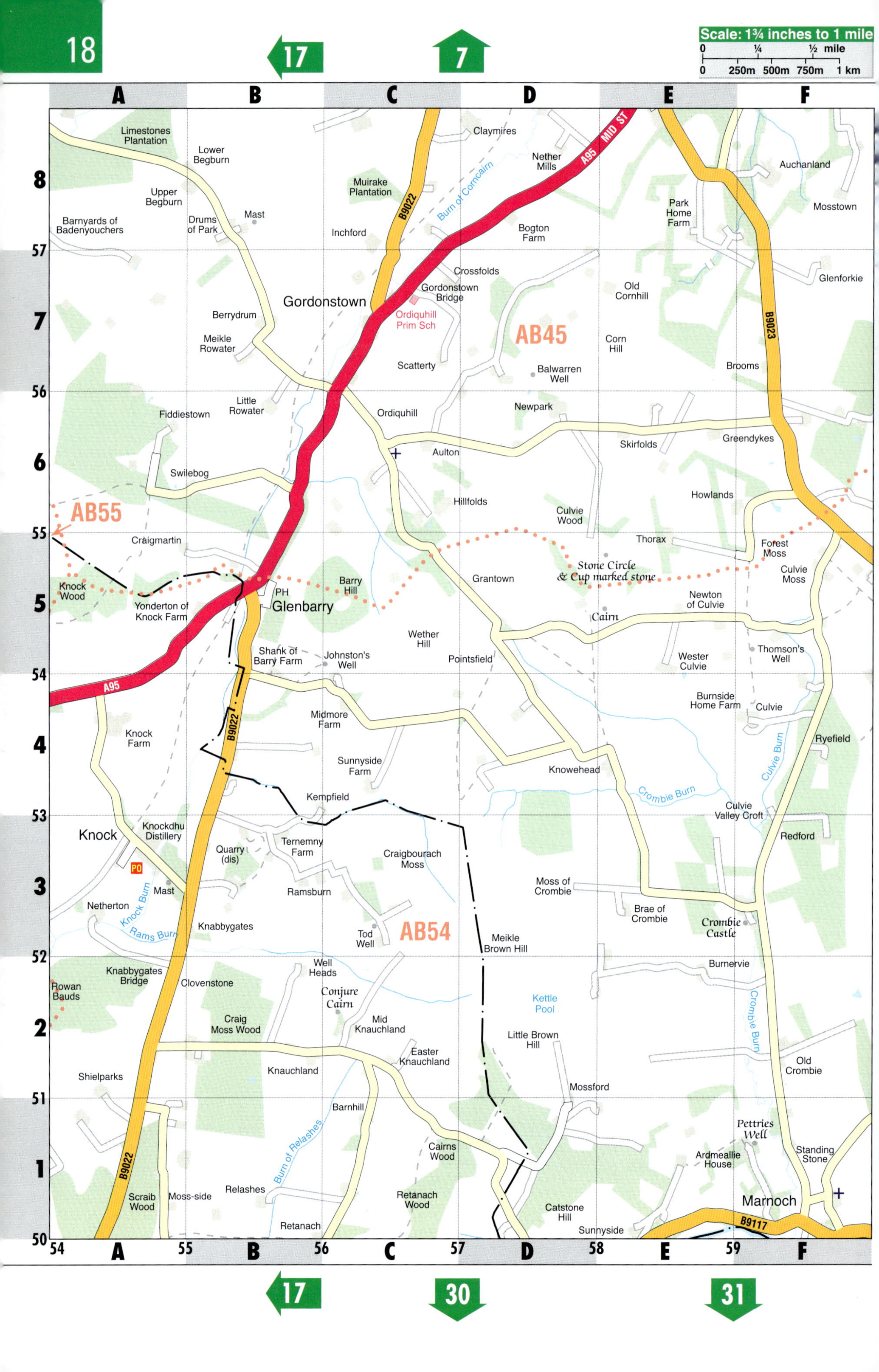
17
7
Scale: 1¾ inches to 1 mile
0 ¼ ½ mile
0 250m 500m 750m 1 km
Limestones Plantation
Lower Begburn
Upper Begburn
Barnyards of Badenyouchers
Drums of Park
Mast
Muirake Plantation
Inchford
Claymires
Nether Mills
Burn of Cornecairn
Bogton Farm
Auchanland
Park Home Farm
Mosstown
Glenforkie
Crossfolds
Gordonstown Bridge
Gordonstown
Ordiquhill Prim Sch
Berrydrum
Meikle Rowater
AB45
Old Cornhill
Corn Hill
Scatterty
Balwarren Well
Brooms
Little Rowater
Fiddiestown
Ordiquhill
Newpark
Aulton
Skirfolds
Greendykes
Swilebog
Hillfolds
Howlands
Culvie Wood
AB55
Craigmartin
Thorax
Forest Moss
Stone Circle & Cup marked stone
Culvie Moss
Knock Wood
Barry Hill
Grantown
PH
Glenbarry
Yonderton of Knock Farm
Newton of Culvie
Cairn
Wether Hill
Shank of Barry Farm
Johnston's Well
Pointsfield
Wester Culvie
Thomson's Well
A95
MID ST
Burnside Home Farm
Culvie
Midmore Farm
Knock Farm
Ryefield
Sunnyside Farm
Knowehead
Culvie Burn
Crombie Burn
Kempfield
Culvie Valley Croft
Knock
Knockdhu Distillery
Ternemny Farm
Redford
Quarry (dis)
Craigbourach Moss
PO
Mast
Moss of Crombie
Ramsburn
Netherton
Knock Burn
Brae of Crombie
Crombie Castle
Rams Burn
Knabbygates
Tod Well
AB54
Meikle Brown Hill
Knabbygates Bridge
Well Heads
Burnervie
Rowan Bauds
Clovenstone
Conjure Cairn
Kettle Pool
Crombie Burn
Craig Moss Wood
Mid Knauchland
Little Brown Hill
Easter Knauchland
Old Crombie
Shielparks
Knauchland
Mossford
Barnhill
Burn of Relashes
Pettries Well
Cairns Wood
Ardmeallie House
Standing Stone
B9022
B9023
B9117
Scraib Wood
Moss-side
Relashes
Retanach Wood
Catstone Hill
Marnoch
Sunnyside
Retanach
A B C D E F
8 7 6 5 4 3 2 1
57 56 55 54 53 52 51 50
54 55 56 57 58 59
17
30
31

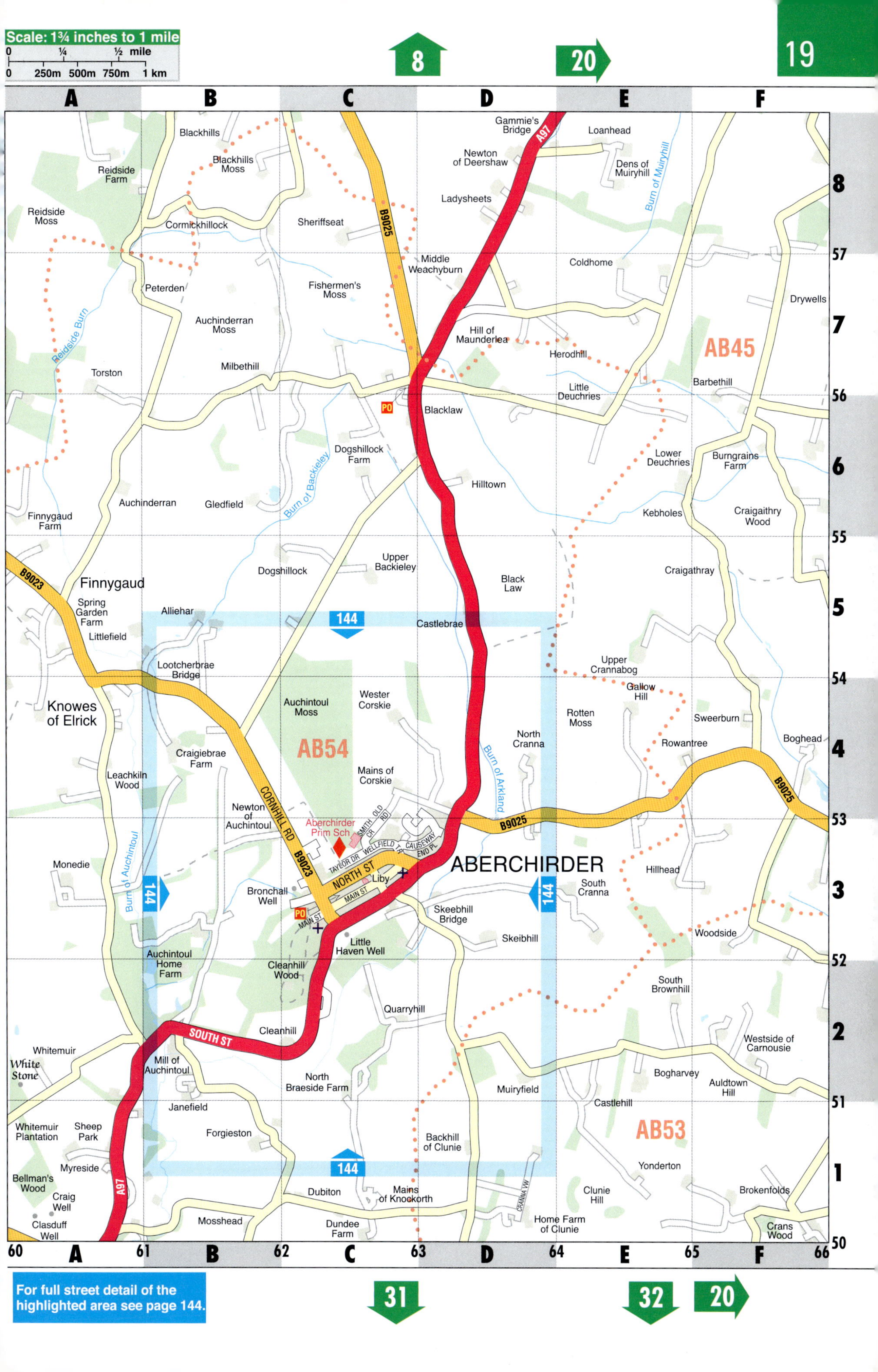

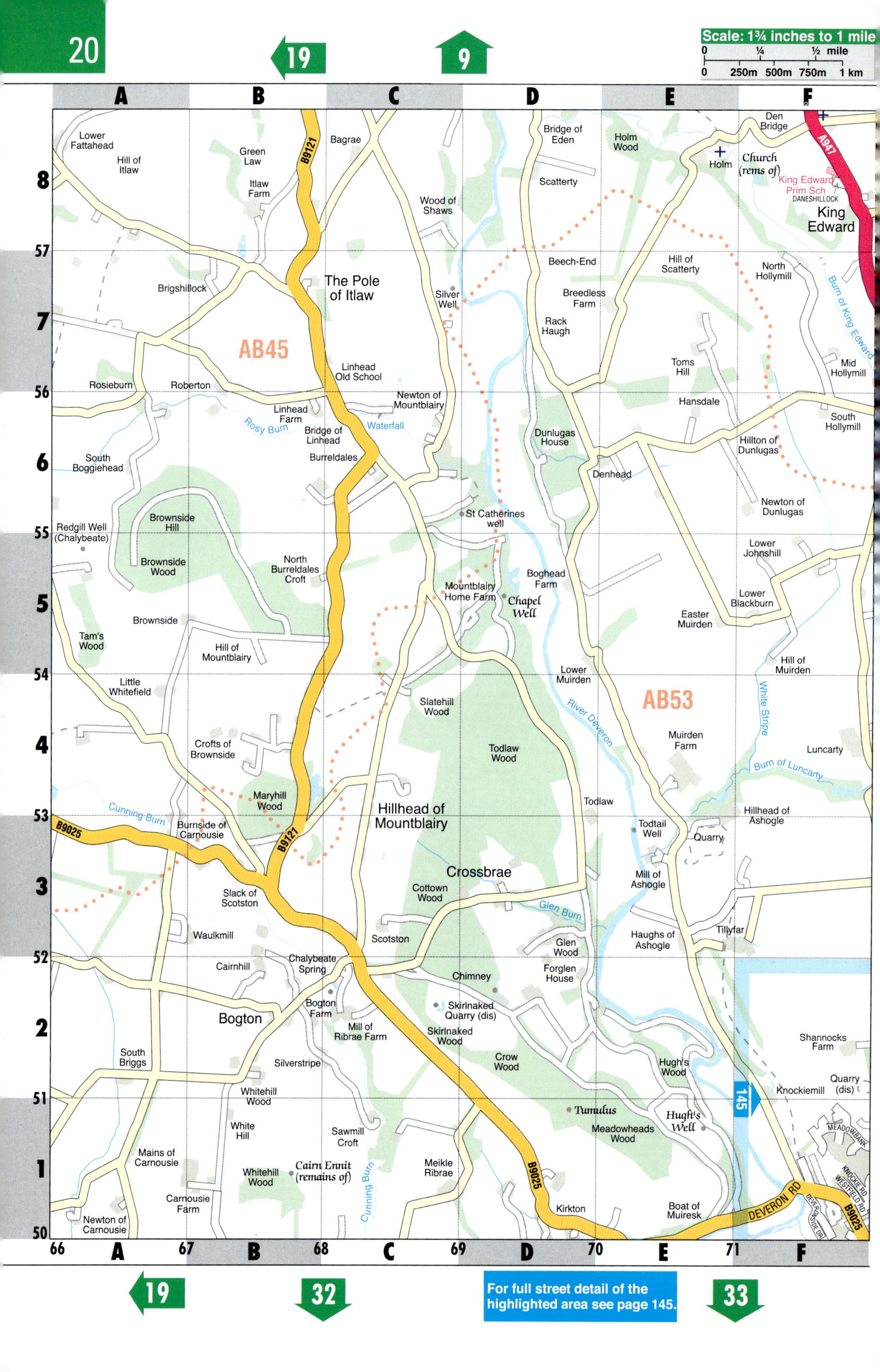

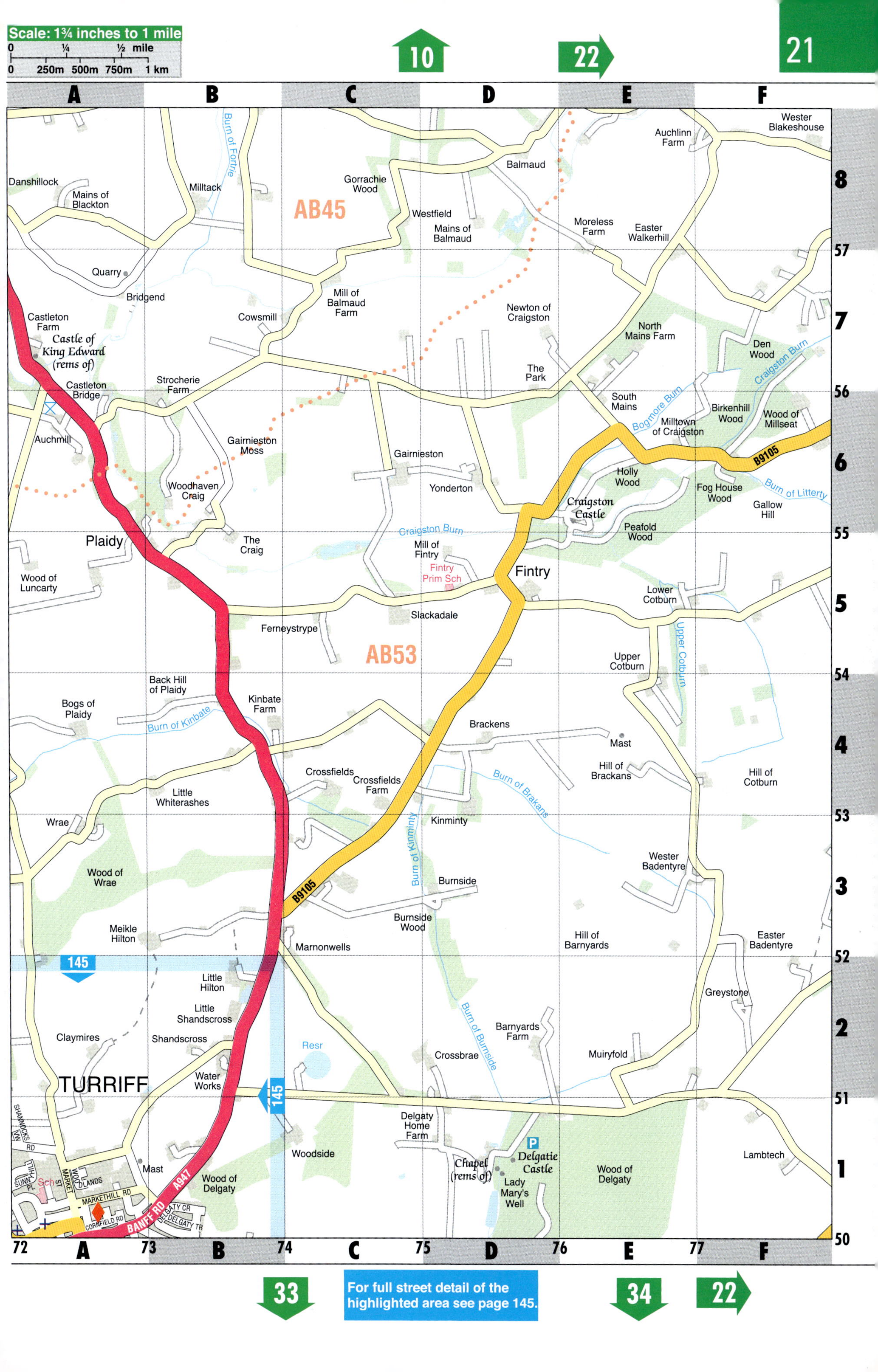

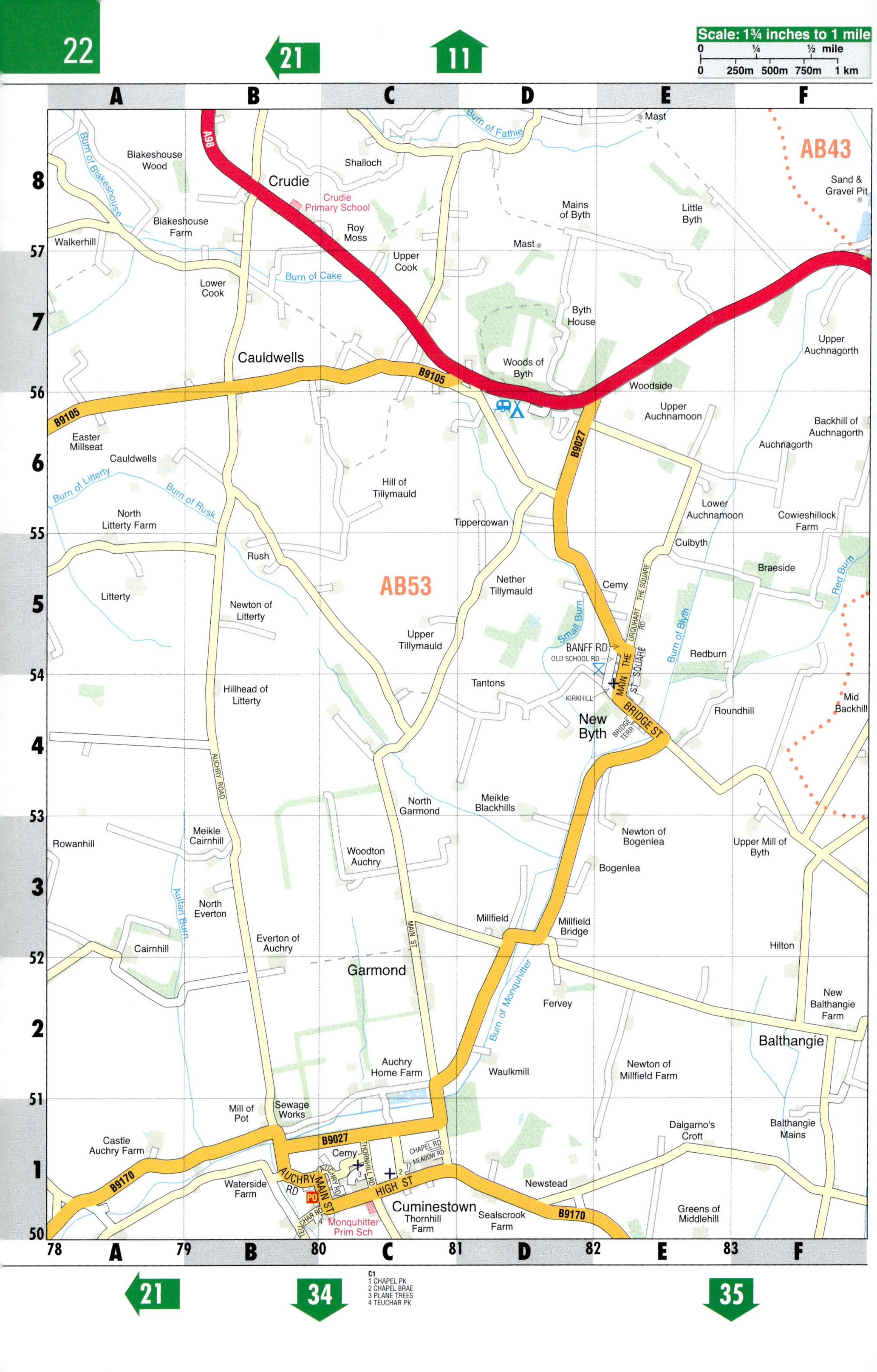

21
11
Scale: 1¾ inches to 1 mile
0 ¼ ½ mile
0 250m 500m 750m 1 km
A B C D E F
8 57 7 56 6 55 5 54 4 53 3 52 2 51 1 50
78 79 80 81 82 83
Crudie
Crudie Primary School
Shalloch
Blakeshouse Wood
Burn of Blakeshouse
Blakeshouse Farm
Walkerhill
Roy Moss
Upper Cook
Burn of Cake
Lower Cook
Burn of Fathie
Mast
AB43
Sand & Gravel Pit
Mains of Byth
Little Byth
Mast
Byth House
Woods of Byth
Upper Auchnagorth
Cauldwells
B9105
A98
Woodside
Upper Auchnamoon
Backhill of Auchnagorth
Auchnagorth
Easter Millseat
Cauldwells
Burn of Litterty
Burn of Rusk
North Litterty Farm
Hill of Tillymauld
Tippercowan
B9027
Lower Auchnamoon
Cowieshillock Farm
Culbyth
Braeside
Red Burn
Rush
AB53
Nether Tillymauld
Cemy
Litterty
Newton of Litterty
Upper Tillymauld
Small Burn
BANFF RD
OLD SCHOOL RD
THE SQUARE
URQUHART RD
THE SQUARE
MAIN ST
Burn of Byth
Redburn
Hillhead of Litterty
Tantons
KIRKHILL
New Byth
BRIDGE ST
BRIDGE TERR
Roundhill
Mid Backhill
AUCHRY ROAD
North Garmond
Meikle Blackhills
Rowanhill
Meikle Cairnhill
Woodton Auchry
Newton of Bogenlea
Upper Mill of Byth
Bogenlea
Aultan Burn
North Everton
Millfield
Millfield Bridge
MAIN ST
Everton of Auchry
Cairnhill
Hilton
Garmond
Fervey
Burn of Monquhitter
New Balthangie Farm
Balthangie
Auchry Home Farm
Waulkmill
Newton of Millfield Farm
Mill of Pot
Sewage Works
Castle Auchry Farm
Dalgarno's Croft
Balthangie Mains
Cemy
B9027
THORNHILL RD
CHAPEL RD
MEADOW RD
B9170
AUCHRY RD
MAIN ST
HIGH ST
Newstead
Waterside Farm
PO
TEUCHAR RD
Monquhitter Prim Sch
Cuminestown
Thornhill Farm
Sealscrook Farm
B9170
Greens of Middlehill
21
34
C1
1 CHAPEL PK
2 CHAPEL BRAE
3 PLANE TREES
4 TEUCHAR PK
35

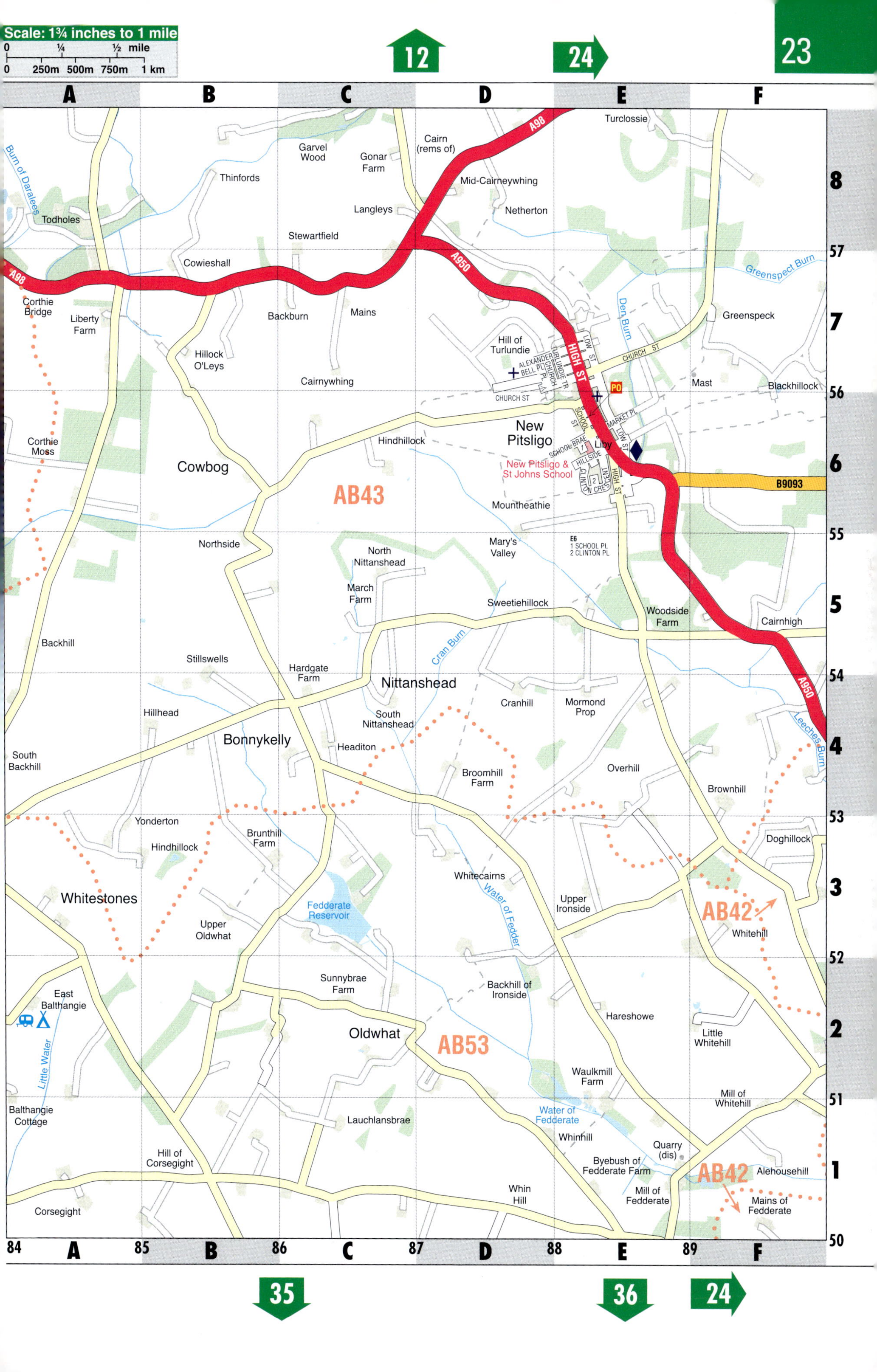
Scale: 1¾ inches to 1 mile
0 ¼ ½ mile
0 250m 500m 750m 1 km
12
24
A B C D E F
Turclossie
Cairn
(rems of)
Garvel
Wood
Gonar
Farm
Thinfords
Mid-Cairneywhing
Netherton
Langleys
Todholes
Burn of Daralees
Stewartfield
Cowieshall
A98
A950
Greenspect Burn
Corthie
Bridge
Liberty
Farm
Backburn
Mains
Den Burn
Greenspeck
Hill of
Turlundie
Hillock
O'Leys
Cairnywhing
HIGH ST
LOW ST
CHURCH ST
ALEXANDER
BELL PL
TURLUNDIE TR
CHURCH PL
Mast
Blackhillock
PO
SCHOOL ST
MARKET PL
New
Pitsligo
Corthie
Moss
Hindhillock
SCHOOL BRAE
HILLSIDE
Liby
Cowbog
New Pitsligo &
St Johns School
CLINTON CRES
B9093
AB43
Mountheathie
Northside
Mary's
Valley
E6
1 SCHOOL PL
2 CLINTON PL
North
Nittanshead
March
Farm
Sweetiehillock
Woodside
Farm
Cairnhigh
Backhill
Cran Burn
Stillswells
Hardgate
Farm
Nittanshead
Cranhill
Mormond
Prop
Hillhead
South
Nittanshead
Bonnykelly
South
Backhill
Headiton
Leeches Burn
Broomhill
Farm
Overhill
Brownhill
Yonderton
Brunthill
Farm
Hindhillock
Doghillock
Whitecairns
Whitestones
Fedderate
Reservoir
Water of Fedder
Upper
Ironside
AB42
Whitehill
Upper
Oldwhat
Sunnybrae
Farm
Backhill of
Ironside
East
Balthangie
Hareshowe
Little Water
Oldwhat
AB53
Little
Whitehill
Waulkmill
Farm
Mill of
Whitehill
Balthangie
Cottage
Lauchlansbrae
Water of
Fedderate
Whinhill
Quarry
(dis)
Hill of
Corsegight
Byebush of
Fedderate Farm
AB42
Alehousehill
Whin
Hill
Mill of
Fedderate
Mains of
Fedderate
Corsegight
8
57
7
56
6
55
5
54
4
53
3
52
2
51
1
50
84 85 86 87 88 89
35
36
24

23
13

E6
1 UGIE VW
2 WHITE SHIP CT
3 RECTORY DR
4 POLICE LA
5 SCHOOL PK
6 SLEIGH CRES
7 BURNSHANGIE RD
8 HILLVIEW
9 MARKET TERR
10 MARKET LA
11 SMITHY LA
12 LIBRARY GDNS
13 BRIDGE ST
14 CHURCH VW

Scale: 1¾ inches to 1 mile

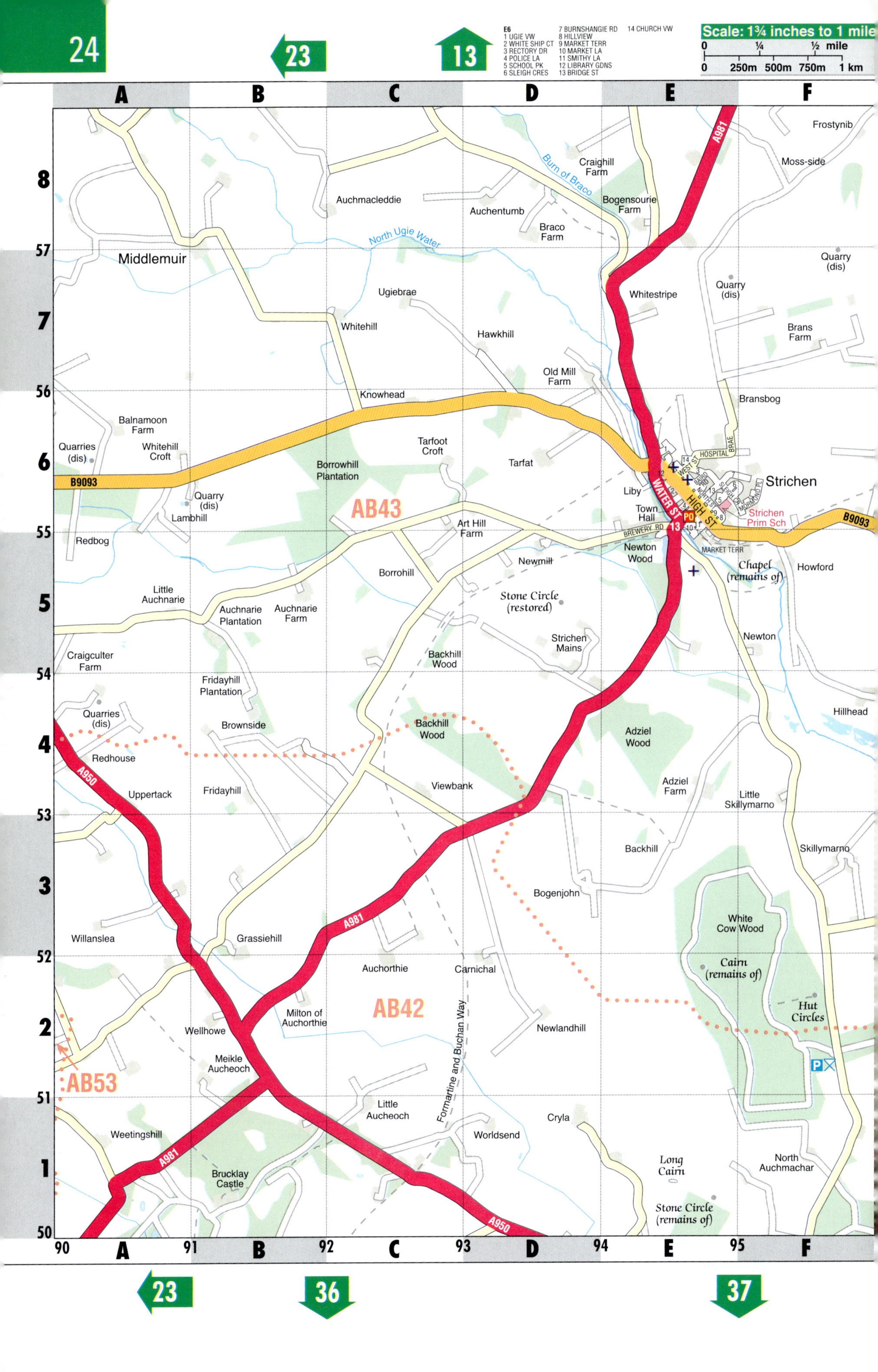

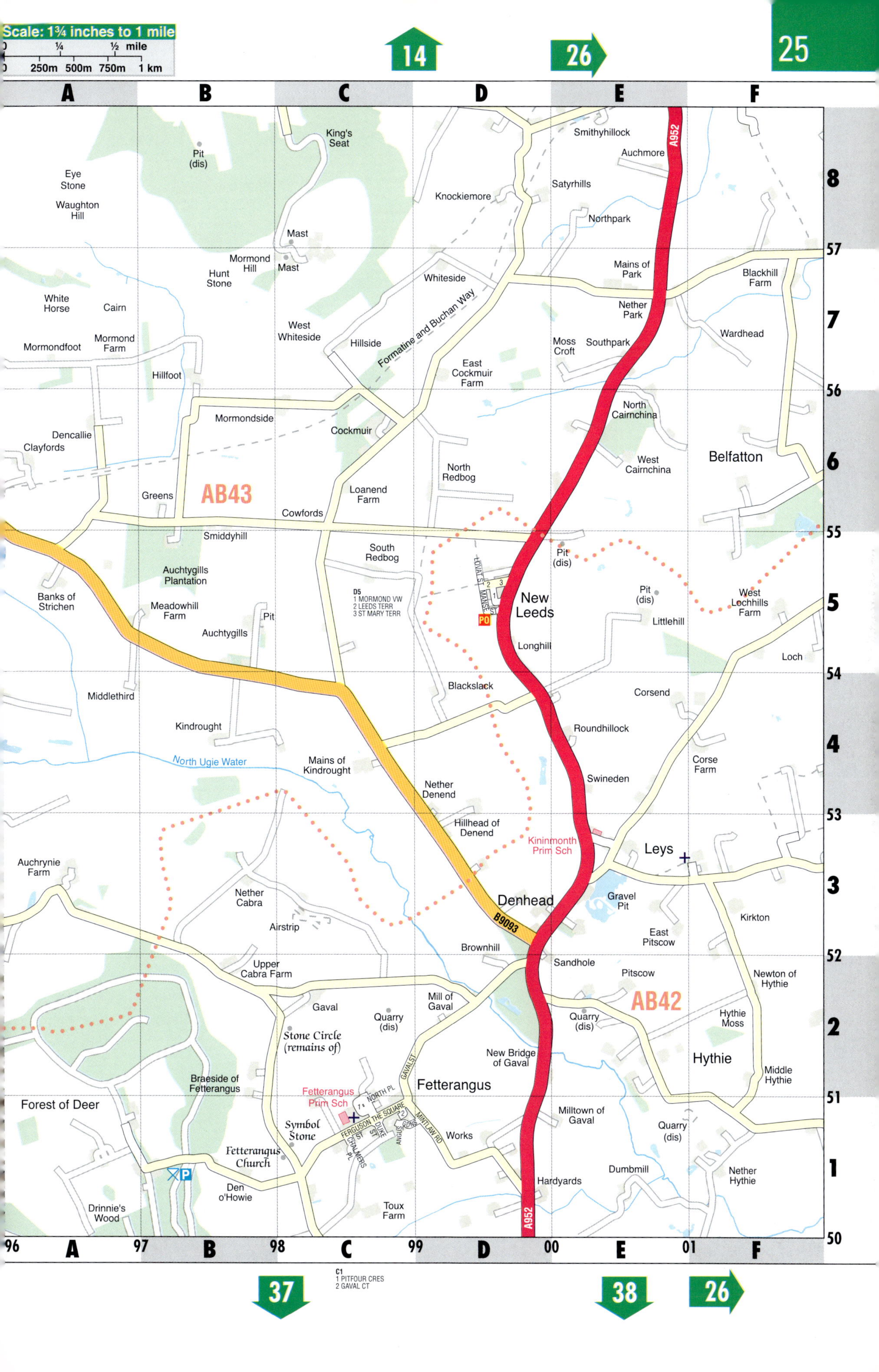
Scale: 1¾ inches to 1 mile
¼
½ mile
250m 500m 750m 1 km
14
26
A B C D E F
8 57 7 56 6 55 5 54 4 53 3 52 2 51 1 50
King's Seat
Pit (dis)
Eye Stone
Waughton Hill
Smithyhillock
Auchmore
A952
Satyrhills
Knockiemore
Northpark
Mast
Mormond Hill
Mast
Hunt Stone
White Horse
Cairn
Whiteside
Mains of Park
Blackhill Farm
Nether Park
West Whiteside
Formatine and Buchan Way
Hillside
Moss Croft
Southpark
Wardhead
Mormondfoot
Mormond Farm
East Cockmuir Farm
Hillfoot
North Cairnchina
Mormondside
Cockmuir
Dencallie
Clayfords
West Cairnchina
Belfatton
North Redbog
Greens
AB43
Loanend Farm
Cowfords
Smiddyhill
South Redbog
Pit (dis)
Auchtygills Plantation
LOVAT ST
MANSE ST
D5
1 MORMOND VW
2 LEEDS TERR
3 ST MARY TERR
Pit (dis)
West Lochhills Farm
Banks of Strichen
Meadowhill Farm
Pit
New Leeds
PO
Littlehill
Auchtygills
Longhill
Loch
Middlethird
Blackslack
Corsend
Kindrought
Roundhillock
North Ugie Water
Mains of Kindrought
Corse Farm
Swineden
Nether Denend
Hillhead of Denend
Kininmonth Prim Sch
Leys
Auchrynie Farm
Nether Cabra
Denhead
Gravel Pit
Kirkton
Airstrip
B9093
East Pitscow
Brownhill
Upper Cabra Farm
Sandhole
Pitscow
Newton of Hythie
Gaval
Mill of Gaval
AB42
Quarry (dis)
Quarry (dis)
Hythie Moss
Stone Circle (remains of)
New Bridge of Gaval
Hythie
GAVAL ST
Braeside of Fetterangus
Fetterangus
Middle Hythie
Fetterangus Prim Sch
NORTH PL
Forest of Deer
THE SQUARE
FERGUSON ST
DUKE ST
CHALMERS PL
ANGUS ST
MINTLAW RD
Milltown of Gaval
Symbol Stone
Works
Quarry (dis)
Fetterangus Church
Dumbmill
Nether Hythie
P
Den o'Howie
Hardyards
Drinnie's Wood
Toux Farm
96 97 98 99 00 01
C1
1 PITFOUR CRES
2 GAVAL CT
37
38
26

25
15

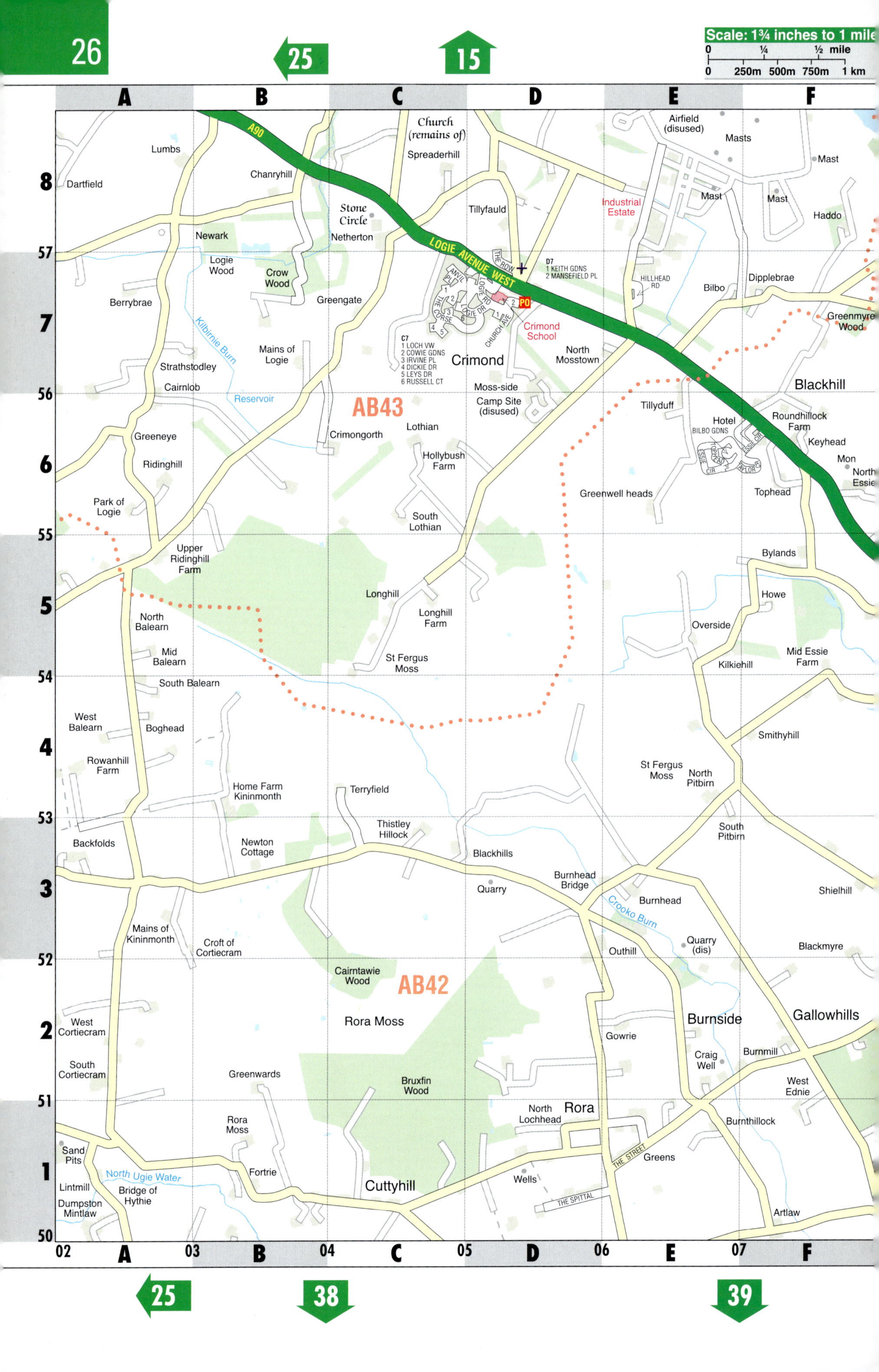
Scale: 1¾ inches to 1 mile
0 ¼ ½ mile
0 250m 500m 750m 1 km
A
B
C
D
E
F
8
57
7
56
6
55
5
54
4
53
3
52
2
51
1
50
02
03
04
05
06
07
A90
Lumbs
Dartfield
Chanryhill
Church (remains of)
Spreaderhill
Airfield (disused)
Masts
Mast
Mast
Mast
Haddo
Industrial Estate
Stone Circle
Netherton
Tillyfauld
Newark
Logie Wood
Crow Wood
LOGIE AVENUE WEST
THE ROW
D7
1 KEITH GDNS
2 MANSEFIELD PL
HILLHEAD RD
Bilbo
Dipplebrae
Berrybrae
Greengate
ANVIL PL
LOGIE RD
LOGIE DR
THE CORSE
CHURCH AVE
PO
Crimond School
Greenmyre Wood
Kilbirnie Burn
Mains of Logie
C7
1 LOCH VW
2 COWIE GDNS
3 IRVINE PL
4 DICKIE DR
5 LEYS DR
6 RUSSELL CT
Crimond
North Mosstown
Strathstodley
Blackhill
Cairnlob
Moss-side
Reservoir
Camp Site (disused)
Tillyduff
AB43
Hotel
BILBO GDNS
Roundhillock Farm
Greeneye
Crimongorth
Lothian
Keyhead
Ridinghill
Hollybush Farm
Mon
North Essie
ESSIE CIR
TOPHEAD PL
TAYLOR
Tophead
Greenwell heads
Park of Logie
South Lothian
Upper Ridinghill Farm
Bylands
Longhill
Howe
Longhill Farm
North Balearn
Overside
Mid Balearn
St Fergus Moss
Mid Essie Farm
Kilkiehill
South Balearn
West Balearn
Boghead
Smithyhill
Rowanhill Farm
St Fergus Moss
North Pitbirn
Home Farm Kininmonth
Terryfield
Thistley Hillock
South Pitbirn
Backfolds
Newton Cottage
Blackhills
Burnhead Bridge
Quarry
Shielhill
Burnhead
Crooko Burn
Mains of Kininmonth
Croft of Cortiecram
Quarry (dis)
Outhill
Blackmyre
Cairntawie Wood
AB42
Burnside
Gallowhills
West Cortiecram
Rora Moss
Gowrie
Craig Well
Burnmill
South Cortiecram
Greenwards
Bruxfin Wood
West Ednie
North Lochhead
Rora
Burnthillock
Rora Moss
Sand Pits
THE STREET
Greens
Fortrie
North Ugie Water
Wells
Lintmill
Bridge of Hythie
Cuttyhill
THE SPITTAL
Dumpston Mintlaw
Artlaw

25
38
39

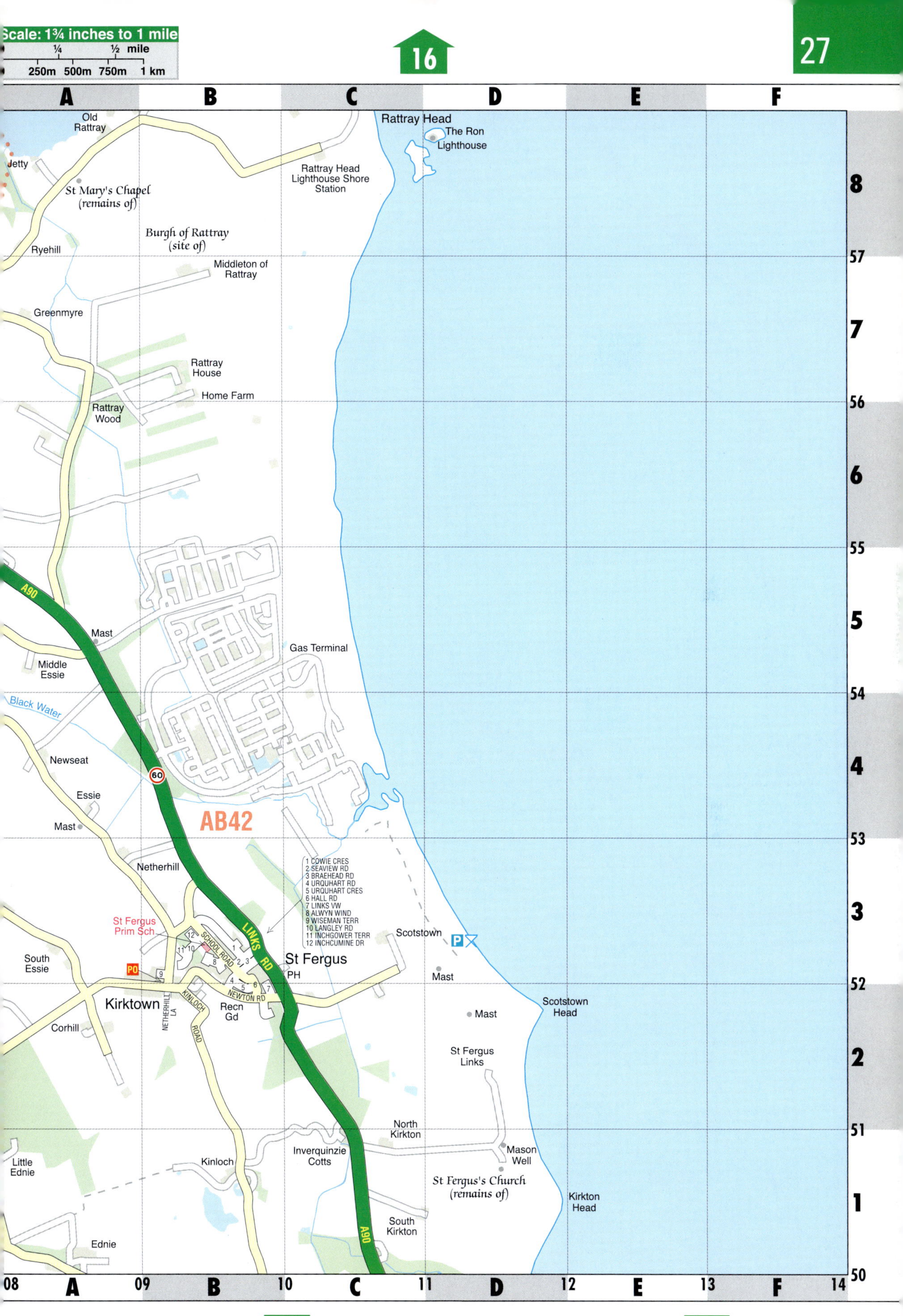
Scale: 1¾ inches to 1 mile
¼
½ mile
250m 500m 750m 1 km
16
Old Rattray
Jetty
St Mary's Chapel (remains of)
Ryehill
Burgh of Rattray (site of)
Rattray Head
The Ron
Lighthouse
Rattray Head Lighthouse Shore Station
Middleton of Rattray
Greenmyre
Rattray House
Home Farm
Rattray Wood
A90
Mast
Middle Essie
Gas Terminal
Black Water
Newseat
Essie
Mast
60
AB42
Netherhill
1 COWIE CRES
2 SEAVIEW RD
3 BRAEHEAD RD
4 URQUHART RD
5 URQUHART CRES
6 HALL RD
7 LINKS VW
8 ALWYN WIND
9 WISEMAN TERR
10 LANGLEY RD
11 INCHGOWER TERR
12 INCHCUMINE DR
St Fergus Prim Sch
LINKS RD
SCHOOL ROAD
St Fergus
PH
Scotstown
P
PO
South Essie
Kirktown
NETHERHILL LA
KINLOCH ROAD
NEWTON RD
Recn Gd
Mast
Mast
Scotstown Head
Corhill
St Fergus Links
North Kirkton
Mason Well
Little Ednie
Kinloch
Inverquinzie Cotts
St Fergus's Church (remains of)
Kirkton Head
South Kirkton
Ednie
A90
A B C D E F
8 57 7 56 6 55 5 54 4 53 3 52 2 51 1 50
08 09 10 11 12 13 14

39
40

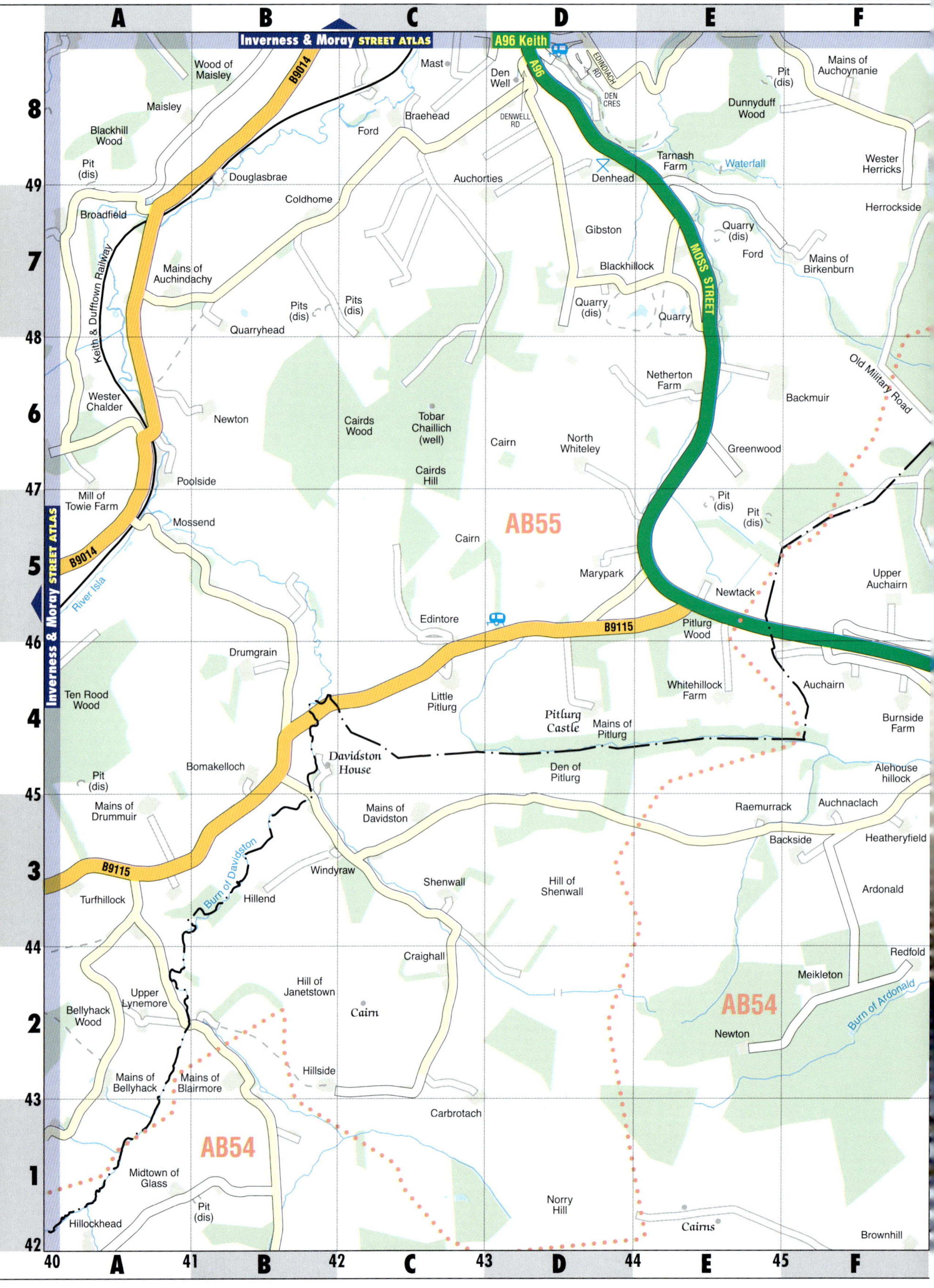

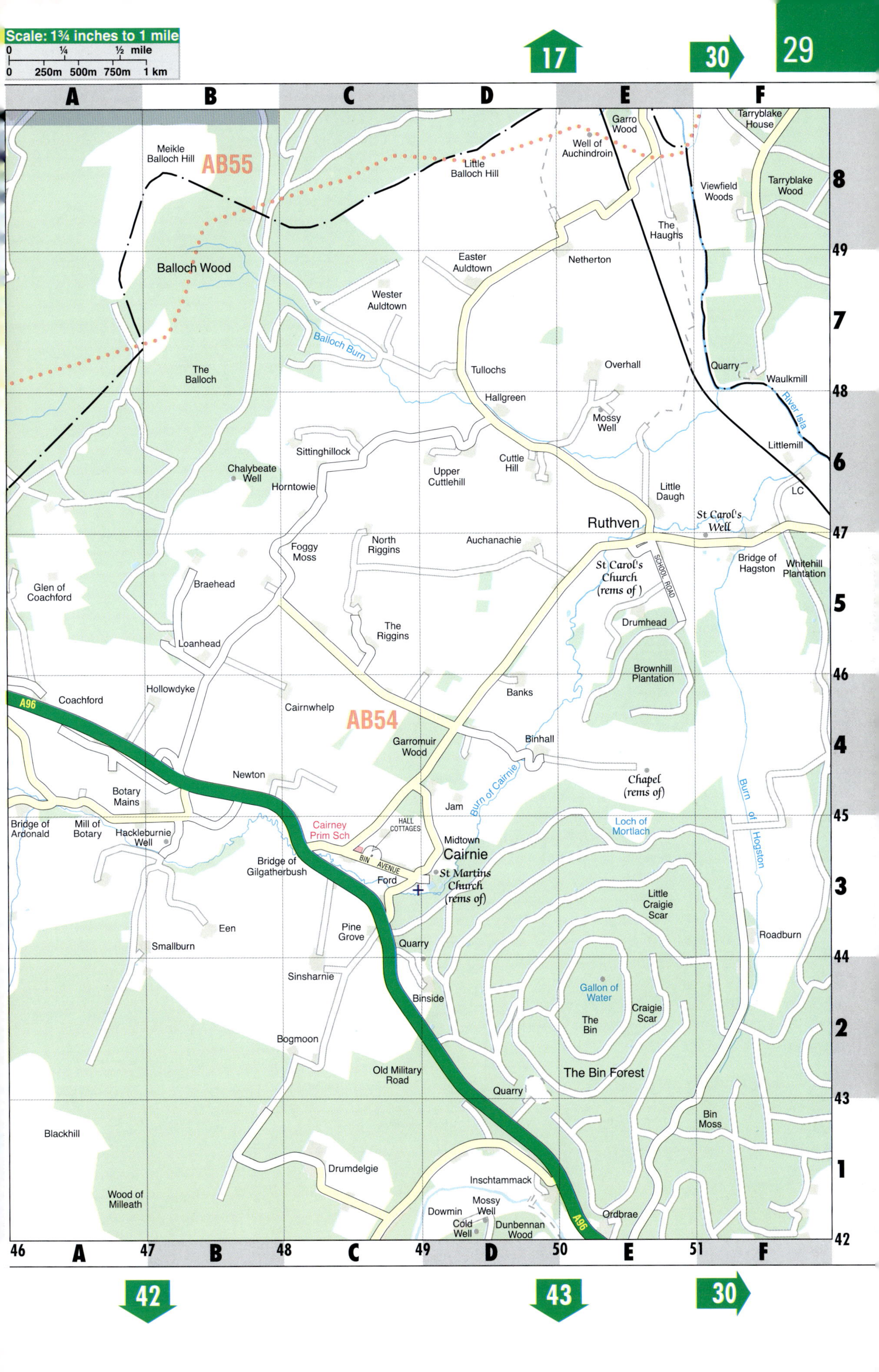
Scale: 1¾ inches to 1 mile
0 ¼ ½ mile
0 250m 500m 750m 1 km
17
30
A B C D E F
8 49 7 48 6 47 5 46 4 45 3 44 2 43 1 42
46 47 48 49 50 51
Meikle Balloch Hill
AB55
Little Balloch Hill
Garro Wood
Well of Auchindroin
Tarryblake House
Tarryblake Wood
Viewfield Woods
The Haughs
Balloch Wood
Easter Auldtown
Netherton
Wester Auldtown
Balloch Burn
The Balloch
Tullochs
Overhall
Quarry
Waulkmill
River Isla
Hallgreen
Mossy Well
Littlemill
Sittinghillock
Chalybeate Well
Horntowie
Upper Cuttlehill
Cuttle Hill
Little Daugh
LC
Ruthven
St Carol's Well
Foggy Moss
North Riggins
Auchanachie
St Carol's Church (rems of)
SCHOOL ROAD
Bridge of Hagston
Whitehill Plantation
Glen of Coachford
Braehead
The Riggins
Drumhead
Loanhead
Brownhill Plantation
Hollowdyke
Banks
A96
Coachford
Cairnwhelp
AB54
Garromuir Wood
Binhall
Newton
Chapel (rems of)
Botary Mains
Burn of Cairnie
Jam
Burn of Hogston
Bridge of Ardonald
Mill of Botary
Hackleburnie Well
Cairney Prim Sch
HALL COTTAGES
Loch of Mortlach
Midtown
Cairnie
Bridge of Gilgatherbush
BIN AVENUE
Ford
St Martins Church (rems of)
Little Craigie Scar
Een
Pine Grove
Smallburn
Quarry
Roadburn
Sinsharnie
Gallon of Water
Binside
Craigie Scar
The Bin
Bogmoon
Old Military Road
The Bin Forest
Quarry
Bin Moss
Blackhill
Drumdelgie
Inschtammack
Wood of Milleath
Mossy Well
Dowmin
Cold Well
Dunbennan Wood
Ordbrae
42
43
30

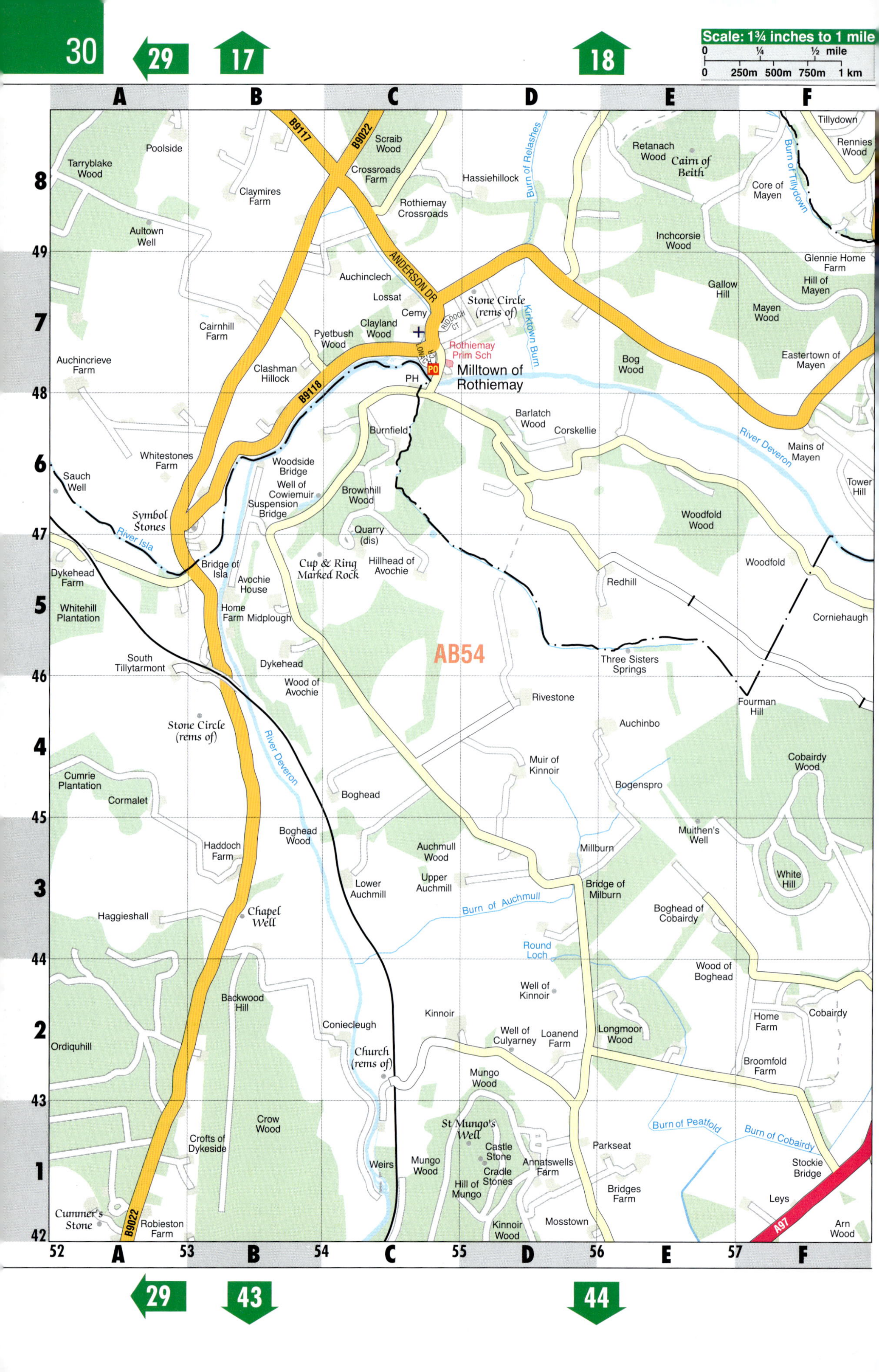
30
29
17
18
Scale: 1¾ inches to 1 mile
0
¼
½ mile
0
250m
500m
750m
1 km
A
B
C
D
E
F
8
49
7
48
6
47
5
46
4
45
3
44
2
43
1
42
52
53
54
55
56
57
Poolside
Tarryblake Wood
B9117
B9022
Scraib Wood
Crossroads Farm
Claymires Farm
Hassiehillock
Burn of Relashes
Retanach Wood
Cairn of Beith
Tillydown
Rennies Wood
Burn of Tillydown
Core of Mayen
Rothiemay Crossroads
Aultown Well
Inchcorsie Wood
Glennie Home Farm
Auchinclech
ANDERSON DR
Lossat
Stone Circle (rems of)
Gallow Hill
Hill of Mayen
Kirktown Burn
Cemy
RIDDOCH CT
Cairnhill Farm
Pyetbush Wood
Clayland Wood
Mayen Wood
Rothiemay Prim Sch
Auchincrieve Farm
Bog Wood
Eastertown of Mayen
Clashman Hillock
B9118
PO
PH
Milltown of Rothiemay
Barlatch Wood
Corskellie
Burnfield
River Deveron
Mains of Mayen
Whitestones Farm
Sauch Well
Woodside Bridge
Well of Cowiemuir
Brownhill Wood
Tower Hill
Suspension Bridge
Woodfold Wood
Symbol Stones
Quarry (dis)
River Isla
Cup & Ring Marked Rock
Hillhead of Avochie
Woodfold
Dykehead Farm
Bridge of Isla
Avochie House
Redhill
Whitehill Plantation
Home Farm
Midplough
Corniehaugh
AB54
Three Sisters Springs
South Tillytarmont
Dykehead
Wood of Avochie
Rivestone
Fourman Hill
Stone Circle (rems of)
Auchinbo
River Deveron
Muir of Kinnoir
Cobairdy Wood
Cumrie Plantation
Bogenspro
Boghead
Cormalet
Boghead Wood
Muithen's Well
Haddoch Farm
Auchmull Wood
Millburn
White Hill
Lower Auchmill
Upper Auchmill
Bridge of Milburn
Burn of Auchmull
Boghead of Cobairdy
Haggieshall
Chapel Well
Round Loch
Wood of Boghead
Well of Kinnoir
Backwood Hill
Kinnoir
Home Farm
Cobairdy
Coniecleugh
Well of Culyarney
Loanend Farm
Longmoor Wood
Ordiquhill
Church (rems of)
Broomfold Farm
Mungo Wood
Crow Wood
St Mungo's Well
Burn of Peatfold
Burn of Cobairdy
Crofts of Dykeside
Castle Stone
Parkseat
Weirs
Mungo Wood
Cradle Stones
Annatswells Farm
Stockie Bridge
Hill of Mungo
Bridges Farm
Leys
Cummer's Stone
B9022
Robieston Farm
Kinnoir Wood
Mosstown
A97
Arn Wood
29
43
44

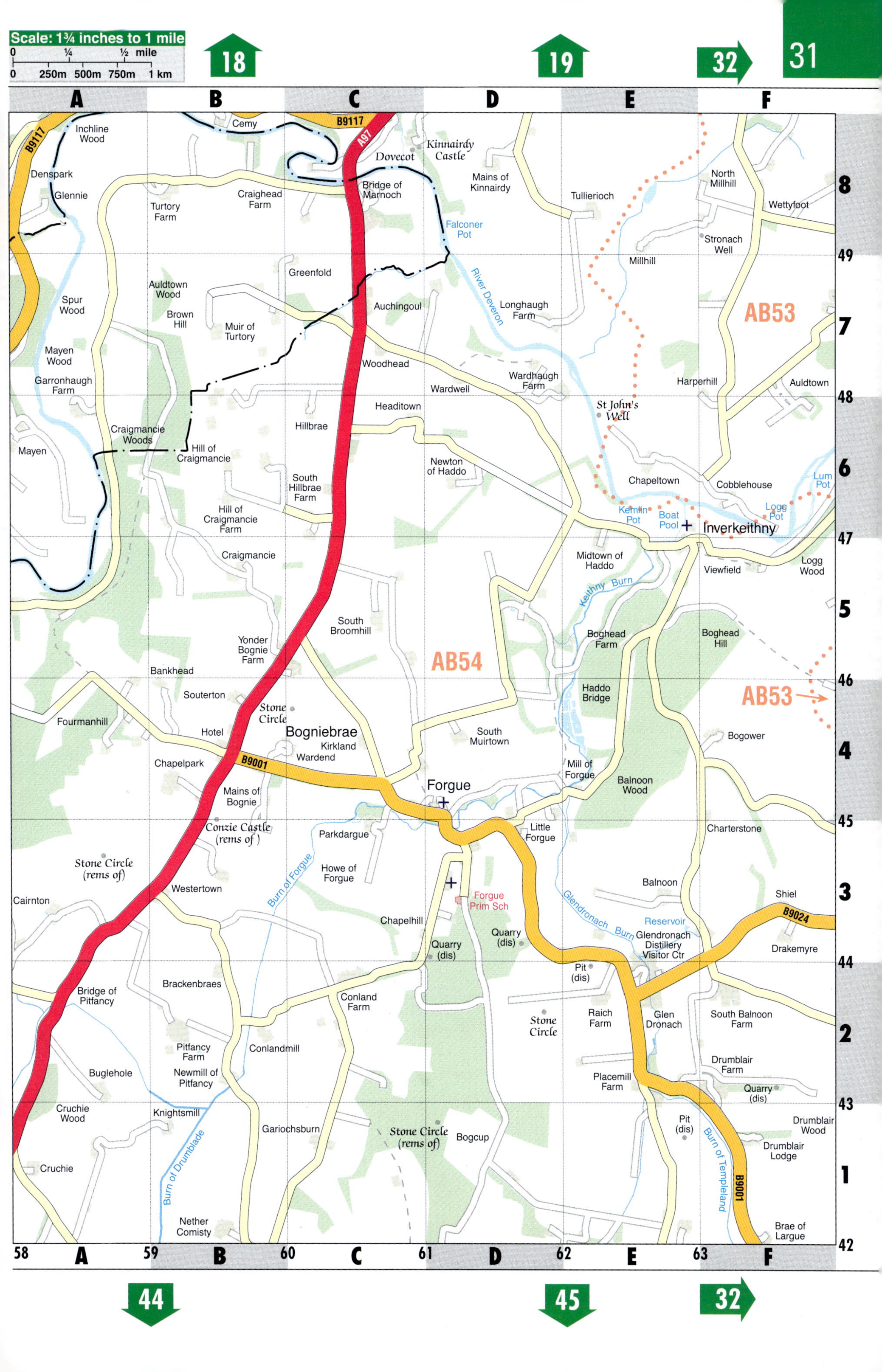
Scale: 1¾ inches to 1 mile
0 ¼ ½ mile
0 250m 500m 750m 1 km
18
19
32
A B C D E F
B9117
A97
Inchline Wood
Cemy
Kinnairdy Castle
Dovecot
Denspark
Glennie
Turtory Farm
Craighead Farm
Bridge of Marnoch
Mains of Kinnairdy
Tullierioch
North Millhill
Wettyfoot
Falconer Pot
Stronach Well
Millhill
Greenfold
Auldtown Wood
Spur Wood
Brown Hill
Muir of Turtory
Auchingoul
River Deveron
Longhaugh Farm
AB53
Mayen Wood
Garronhaugh Farm
Woodhead
Wardwell
Wardhaugh Farm
Harperhill
Auldtown
Headitown
St John's Well
Hillbrae
Craigmancie Woods
Mayen
Hill of Craigmancie
Newton of Haddo
South Hillbrae Farm
Chapeltown
Cobblehouse
Lum Pot
Logg Pot
Kemlin Pot
Boat Pool
Inverkeithny
Hill of Craigmancie Farm
Craigmancie
Midtown of Haddo
Viewfield
Logg Wood
Keithny Burn
South Broomhill
Yonder Bognie Farm
Boghead Farm
Boghead Hill
AB54
Bankhead
Haddo Bridge
Souterton
Stone Circle
AB53
Fourmanhill
Hotel
Bogniebrae
Kirkland
Wardend
South Muirtown
Bogower
Chapelpark
B9001
Mill of Forgue
Balnoon Wood
Forgue
Mains of Bognie
Conzie Castle (rems of)
Parkdargue
Little Forgue
Charterstone
Stone Circle (rems of)
Howe of Forgue
Burn of Forgue
Westertown
Balnoon
Shiel
Cairnton
Forgue Prim Sch
Glendronach Burn
Reservoir
B9024
Chapelhill
Quarry (dis)
Glendronach Distillery Visitor Ctr
Drakemyre
Quarry (dis)
Pit (dis)
Bridge of Pitfancy
Brackenbraes
Conland Farm
Raich Farm
Glen Dronach
South Balnoon Farm
Stone Circle
Pitfancy Farm
Conlandmill
Drumblair Farm
Buglehole
Newmill of Pitfancy
Placemill Farm
Quarry (dis)
Cruchie Wood
Knightsmill
Gariochsburn
Stone Circle (rems of)
Bogcup
Pit (dis)
Drumblair Wood
Drumblair Lodge
Burn of Drumblade
Burn of Templeland
Cruchie
Nether Comisty
Brae of Largue
8 49 7 48 6 47 5 46 4 45 3 44 2 43 1 42
58 59 60 61 62 63
44
45
32

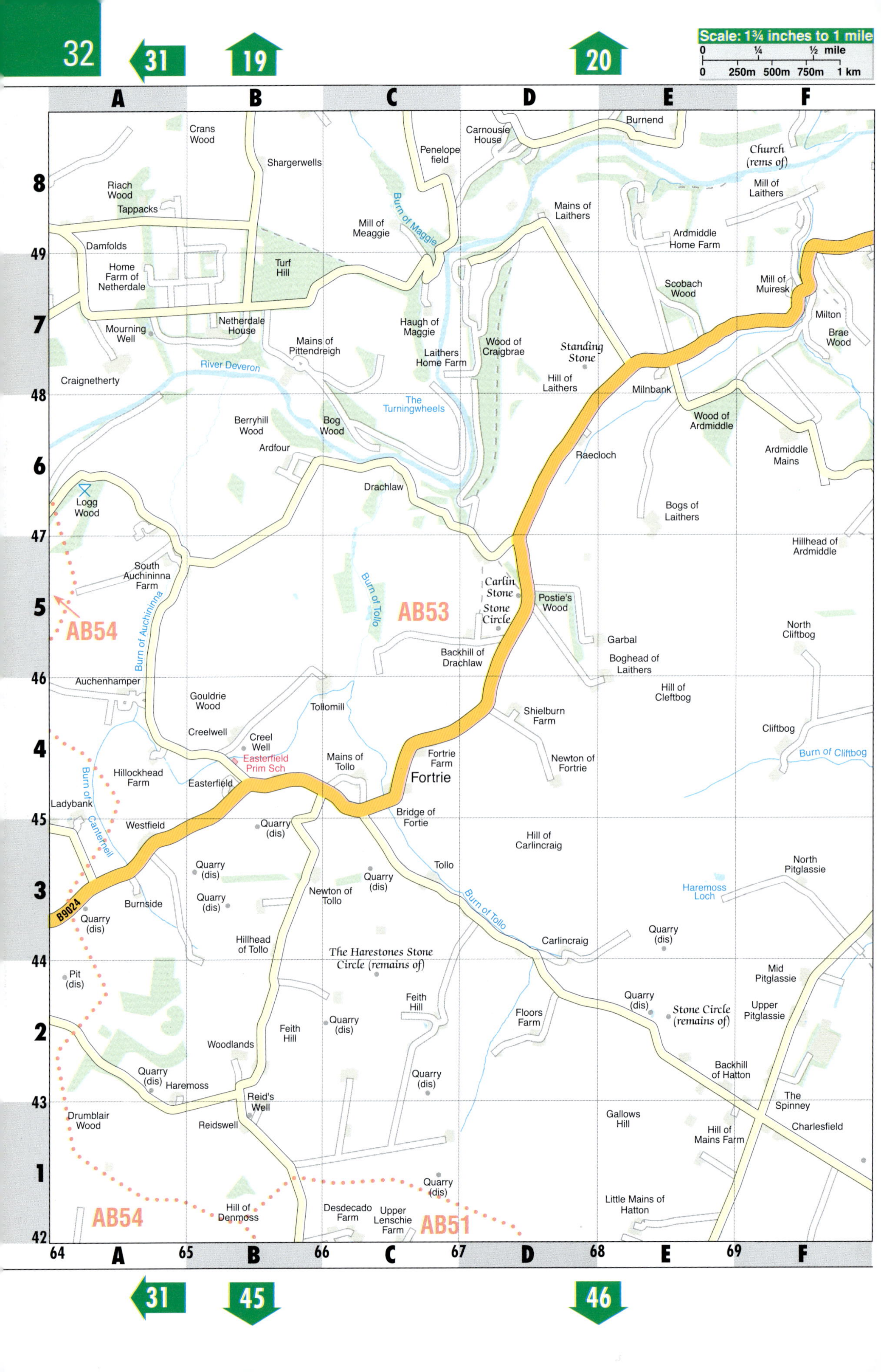
Scale: 1¾ inches to 1 mile
0 ¼ ½ mile
0 250m 500m 750m 1 km
A B C D E F
8 49 7 48 6 47 5 46 4 45 3 44 2 43 1 42
64 65 66 67 68 69
Crans Wood
Shargerwells
Penelope field
Carnousie House
Burnend
Church (rems of)
Mill of Laithers
Riach Wood
Tappacks
Mill of Meaggie
Burn of Maggie
Mains of Laithers
Ardmiddle Home Farm
Damfolds
Turf Hill
Home Farm of Netherdale
Scobach Wood
Mill of Muiresk
Haugh of Maggie
Milton
Brae Wood
Mourning Well
Netherdale House
Mains of Pittendreigh
Laithers Home Farm
Wood of Craigbrae
Standing Stone
Hill of Laithers
River Deveron
Craignetherty
Milnbank
The Turningwheels
Berryhill Wood
Bog Wood
Wood of Ardmiddle
Ardfour
Raecloch
Ardmiddle Mains
Drachlaw
Logg Wood
Bogs of Laithers
Hillhead of Ardmiddle
South Auchininna Farm
Carlin Stone
Burn of Tollo
Postie's Wood
AB53
Stone Circle
North Cliftbog
AB54
Burn of Auchininna
Garbal
Backhill of Drachlaw
Boghead of Laithers
Auchenhamper
Hill of Cleftbog
Gouldrie Wood
Tollomill
Shielburn Farm
Creelwell
Creel Well
Cliftbog
Easterfield Prim Sch
Burn of Cliftbog
Mains of Tollo
Fortrie Farm
Newton of Fortrie
Hillockhead Farm
Fortrie
Easterfield
Burn of Cantenell
Ladybank
Bridge of Fortie
Westfield
Quarry (dis)
Hill of Carlincraig
Tollo
North Pitglassie
Newton of Tollo
Haremoss Loch
B9024
Burnside
Carlincraig
Hillhead of Tollo
The Harestones Stone Circle (remains of)
Mid Pitglassie
Pit (dis)
Feith Hill
Floors Farm
Stone Circle (remains of)
Upper Pitglassie
Woodlands
Backhill of Hatton
Haremoss
The Spinney
Reid's Well
Drumblair Wood
Reidswell
Gallows Hill
Charlesfield
Hill of Mains Farm
Little Mains of Hatton
Hill of Denmoss
Desdecado Farm
Upper Lenschie Farm
AB51

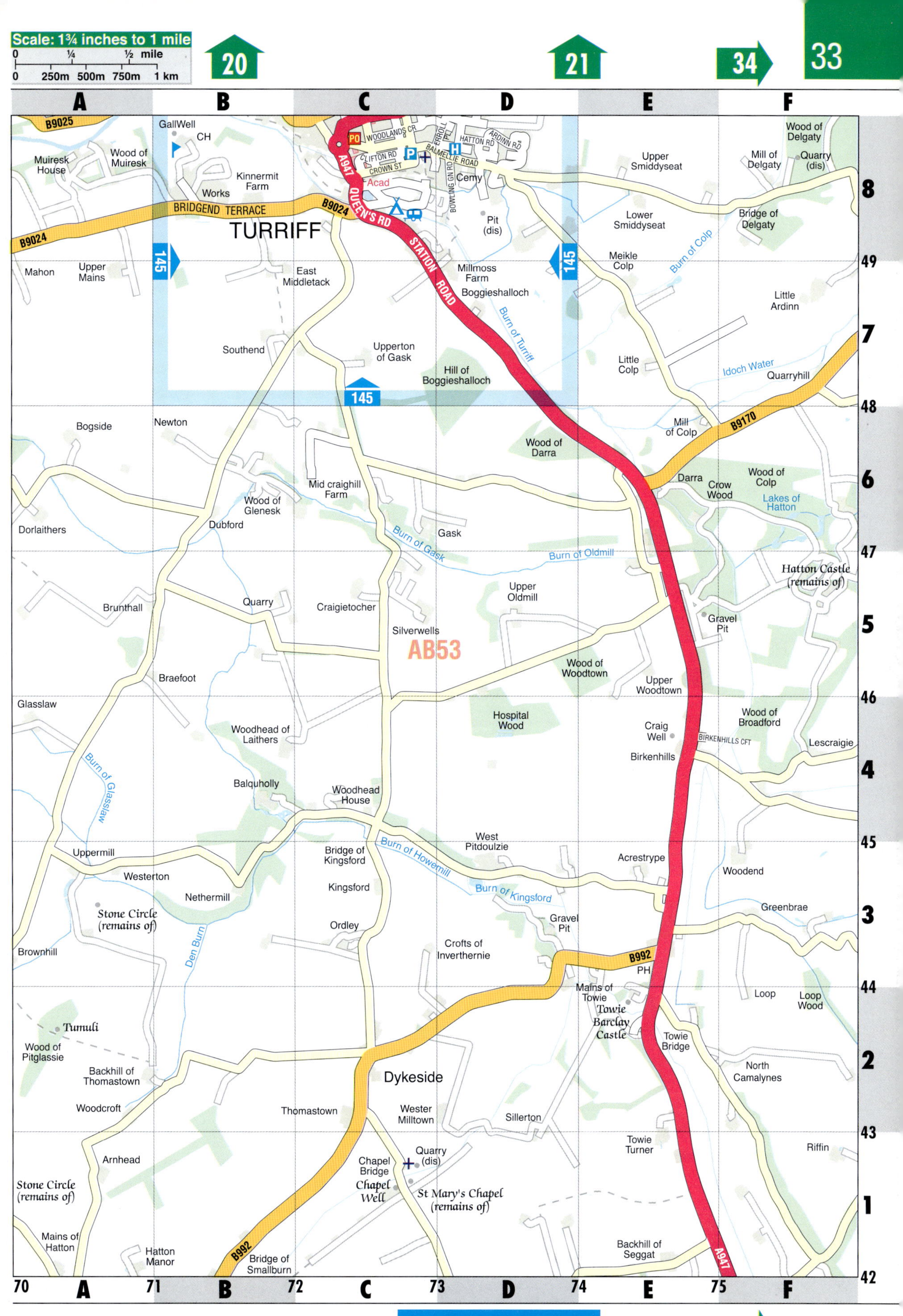

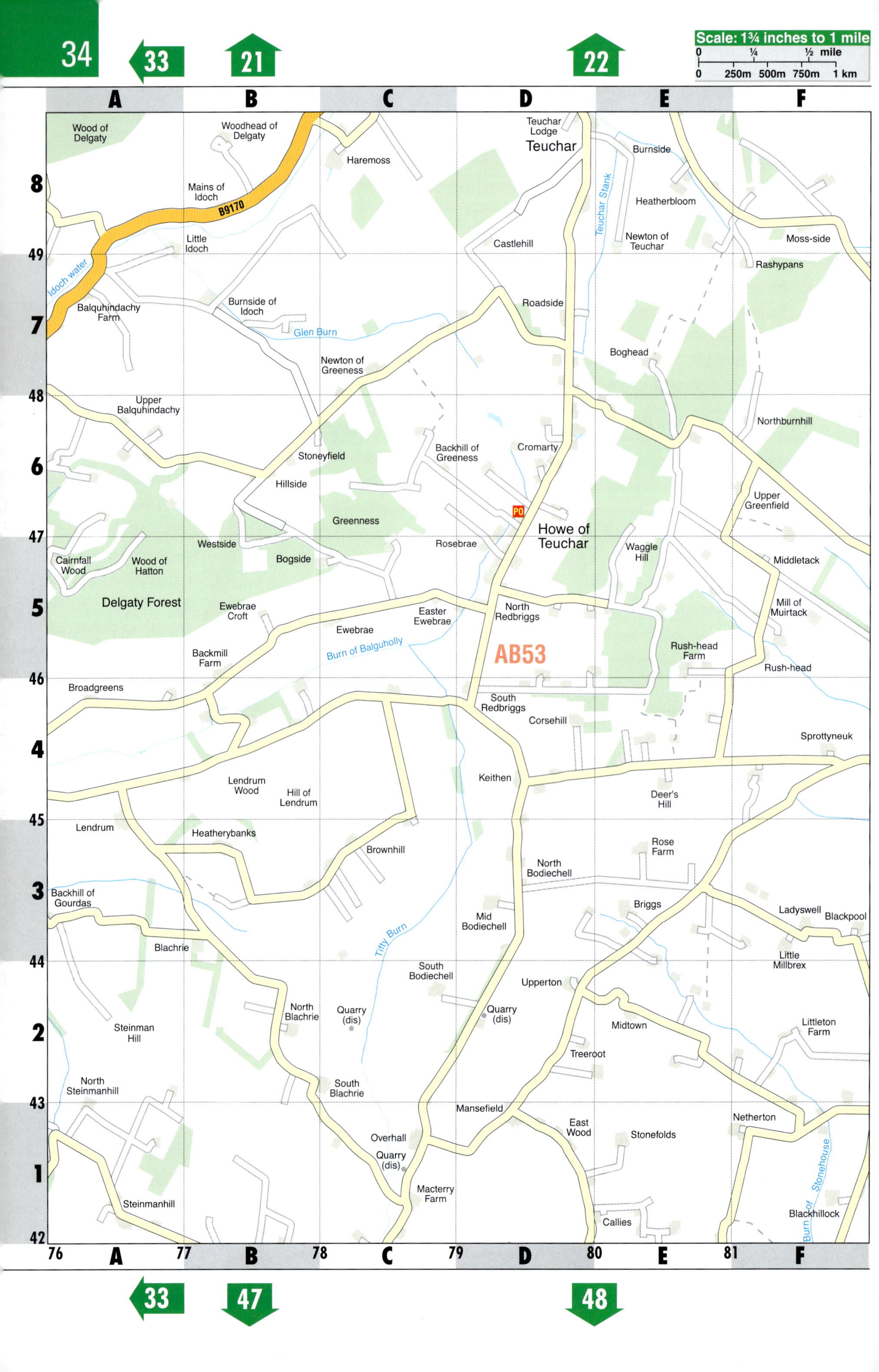
33
21
22
Scale: 1¾ inches to 1 mile
0 ¼ ½ mile
0 250m 500m 750m 1 km
A B C D E F
8 49 7 48 6 47 5 46 4 45 3 44 2 43 1 42
76 77 78 79 80 81
Wood of Delgaty
Woodhead of Delgaty
Haremoss
Teuchar Lodge
Teuchar
Burnside
Mains of Idoch
B9170
Heatherbloom
Teuchar Stank
Little Idoch
Castlehill
Newton of Teuchar
Moss-side
Rashypans
Idoch water
Balquhindachy Farm
Burnside of Idoch
Roadside
Glen Burn
Boghead
Newton of Greeness
Upper Balquhindachy
Northburnhill
Stoneyfield
Backhill of Greeness
Cromarty
Hillside
Upper Greenfield
PO
Greenness
Howe of Teuchar
Westside
Rosebrae
Waggle Hill
Middletack
Cairnfall Wood
Wood of Hatton
Bogside
Delgaty Forest
Ewebrae Croft
Easter Ewebrae
North Redbriggs
Mill of Muirtack
Ewebrae
Burn of Balguholly
AB53
Rush-head Farm
Backmill Farm
Rush-head
Broadgreens
South Redbriggs
Corsehill
Sprottyneuk
Keithen
Lendrum Wood
Hill of Lendrum
Deer's Hill
Lendrum
Heatherybanks
Rose Farm
Brownhill
North Bodiechell
Backhill of Gourdas
Briggs
Ladyswell
Blackpool
Mid Bodiechell
Tifty Burn
Blachrie
Little Millbrex
South Bodiechell
Upperton
North Blachrie
Quarry (dis)
Quarry (dis)
Midtown
Littleton Farm
Steinman Hill
Treeroot
North Steinmanhill
South Blachrie
Mansefield
Netherton
East Wood
Stonefolds
Overhall
Quarry (dis)
Burn of Stonehouse
Macterry Farm
Steinmanhill
Callies
Blackhillock
33
47
48

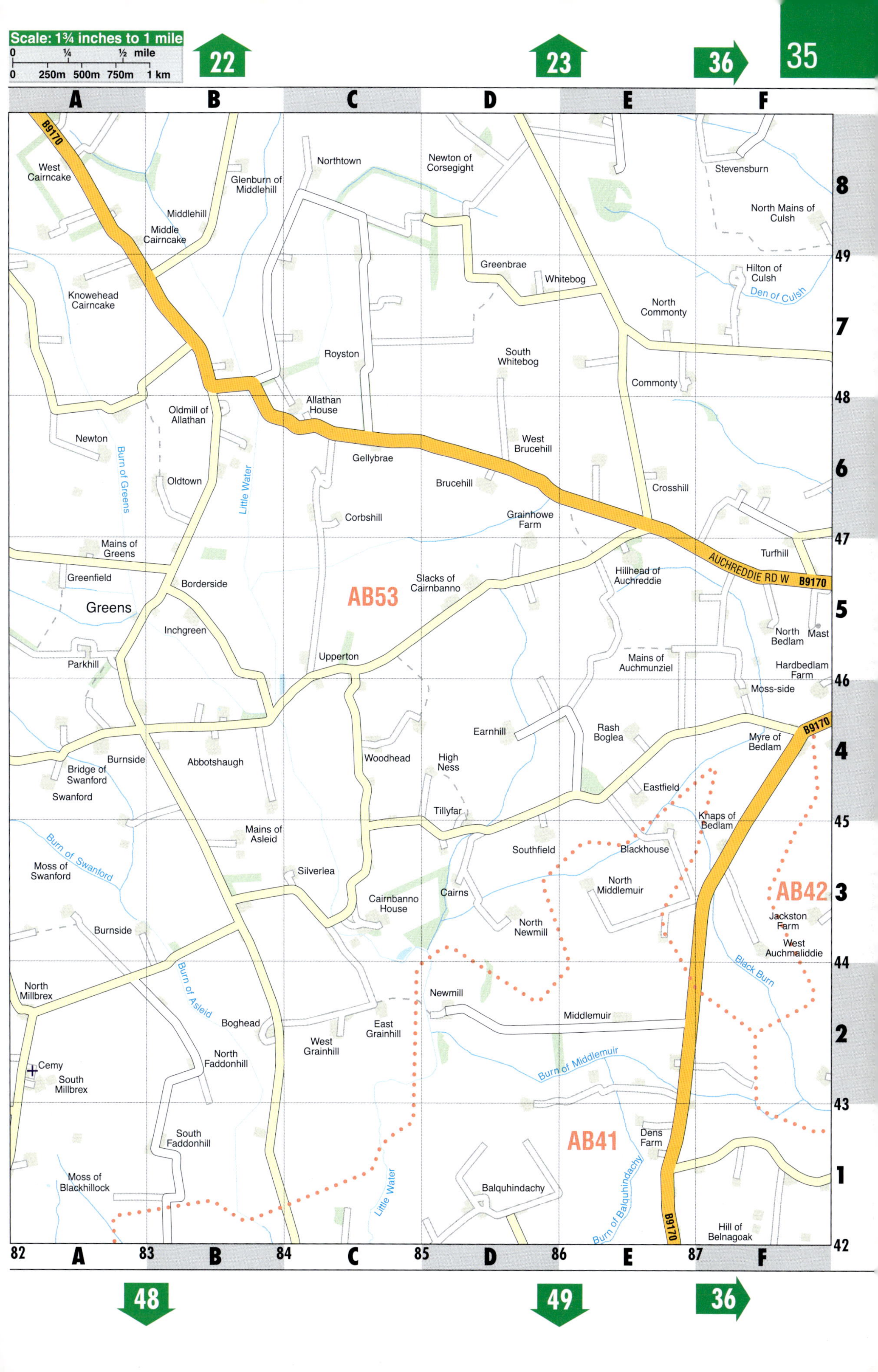
Scale: 1¾ inches to 1 mile
0 ¼ ½ mile
0 250m 500m 750m 1 km
22
23
36
A
B
C
D
E
F
B9170
West Cairncake
Glenburn of Middlehill
Northtown
Newton of Corsegight
Stevensburn
North Mains of Culsh
Middlehill
Middle Cairncake
Greenbrae
Whitebog
Hilton of Culsh
Den of Culsh
Knowehead Cairncake
North Commonty
Royston
South Whitebog
Commonty
Oldmill of Allathan
Allathan House
Newton
Burn of Greens
Little Water
West Brucehill
Gellybrae
Oldtown
Brucehill
Crosshill
Corbshill
Grainhowe Farm
Turfhill
Mains of Greens
AUCHREDDIE RD W
Greenfield
Borderside
Slacks of Cairnbanno
Hillhead of Auchreddie
Greens
AB53
Inchgreen
North Bedlam
Mast
Parkhill
Upperton
Mains of Auchmunziel
Hardbedlam Farm
Moss-side
Earnhill
Rash Boglea
Myre of Bedlam
Burnside
Abbotshaugh
Woodhead
High Ness
Bridge of Swanford
Swanford
Eastfield
Tillyfar
Knaps of Bedlam
Mains of Asleid
Southfield
Blackhouse
Burn of Swanford
Moss of Swanford
Silverlea
North Middlemuir
AB42
Cairnbanno House
Cairns
North Newmill
Jackston Farm
Burnside
West Auchmaliddie
Black Burn
North Millbrex
Burn of Asleid
Newmill
Boghead
East Grainhill
Middlemuir
West Grainhill
North Faddonhill
Burn of Middlemuir
Cemy
South Millbrex
South Faddonhill
AB41
Dens Farm
Moss of Blackhillock
Balquhindachy
Burn of Balquhindachy
Little Water
Hill of Belnagoak
8
49
7
48
6
47
5
46
4
45
3
44
2
43
1
42
82
83
84
85
86
87
48
49
36

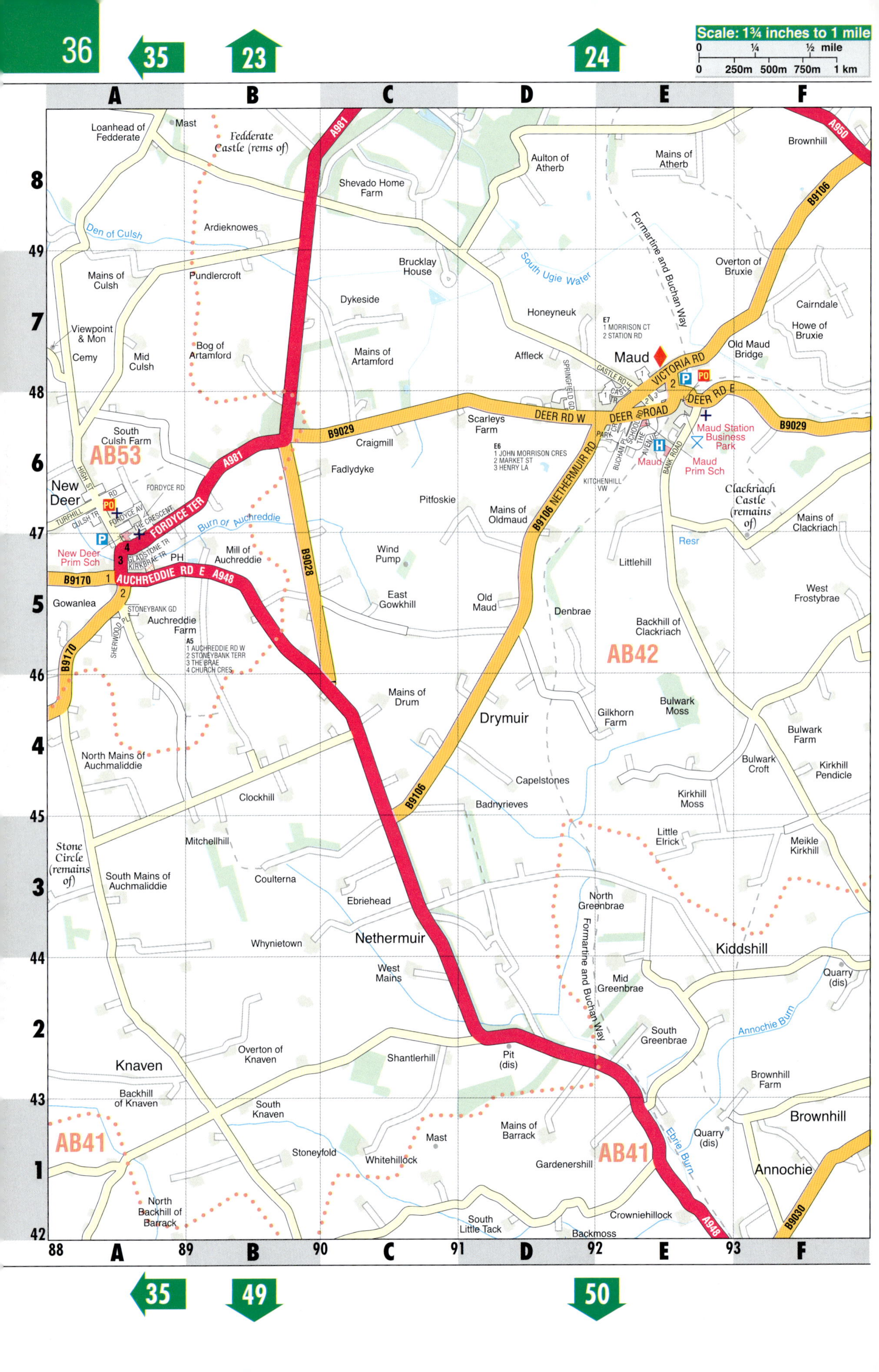
35
23
24
Scale: 1¾ inches to 1 mile
0 ¼ ½ mile
0 250m 500m 750m 1 km
A B C D E F
Loanhead of Fedderate
Mast
Fedderate Castle (rems of)
Shevado Home Farm
Aulton of Atherb
Mains of Atherb
Brownhill
A950
B9106
A981
Ardieknowes
Den of Culsh
Formartine and Buchan Way
Bruckley House
South Ugie Water
Overton of Bruxie
Mains of Culsh
Pundlercroft
Dykeside
Honeyneuk
Cairndale
Viewpoint & Mon
Cemy
Mid Culsh
Bog of Artamford
Mains of Artamford
Affleck
E7
1 MORRISON CT
2 STATION RD
Maud
Howe of Bruxie
Old Maud Bridge
VICTORIA RD
DEER RD E
DEER ROAD
DEER RD W
B9029
Scarleys Farm
South Culsh Farm
AB53
Craigmill
E6
1 JOHN MORRISON CRES
2 MARKET ST
3 HENRY LA
NETHERMUIR RD
Maud Station Business Park
Maud
Maud Prim Sch
New Deer
Fadlydyke
FORDYCE RD
FORDYCE TER
Pitfoskie
Mains of Oldmaud
KITCHENHILL VW
Clackriach Castle (remains of)
Mains of Clackriach
Burn of Auchreddie
Resr
New Deer Prim Sch
B9170
AUCHREDDIE RD E
A948
Mill of Auchreddie
PH
Wind Pump
Littlehill
B9028
Gowanlea
East Gowkhill
Old Maud
Denbrae
West Frostybrae
STONEYBANK GD
Auchreddie Farm
A5
1 AUCHREDDIE RD W
2 STONEYBANK TERR
3 THE BRAE
4 CHURCH CRES
Backhill of Clackriach
AB42
Mains of Drum
Drymuir
Gilkhorn Farm
Bulwark Moss
Bulwark Farm
North Mains of Auchmaliddie
Capelstones
Bulwark Croft
Kirkhill Pendicle
Clockhill
Badnyrieves
Kirkhill Moss
Little Elrick
Stone Circle (remains of)
Mitchellhill
Meikle Kirkhill
South Mains of Auchmaliddie
Coulterna
Ebriehead
North Greenbrae
Nethermuir
Whynietown
Kiddshill
West Mains
Mid Greenbrae
Quarry (dis)
Annochie Burn
South Greenbrae
Overton of Knaven
Knaven
Shantlerhill
Pit (dis)
Brownhill Farm
Backhill of Knaven
South Knaven
Mains of Barrack
Brownhill
Ebrie Burn
Quarry (dis)
AB41
Stoneyfold
Whitehillock
Mast
Gardenershill
AB41
Annochie
North Backhill of Barrack
South Little Tack
Crowniehillock
Backmoss
B9030
49 48 47 46 45 44 43 42
88 89 90 91 92 93
35
49
50

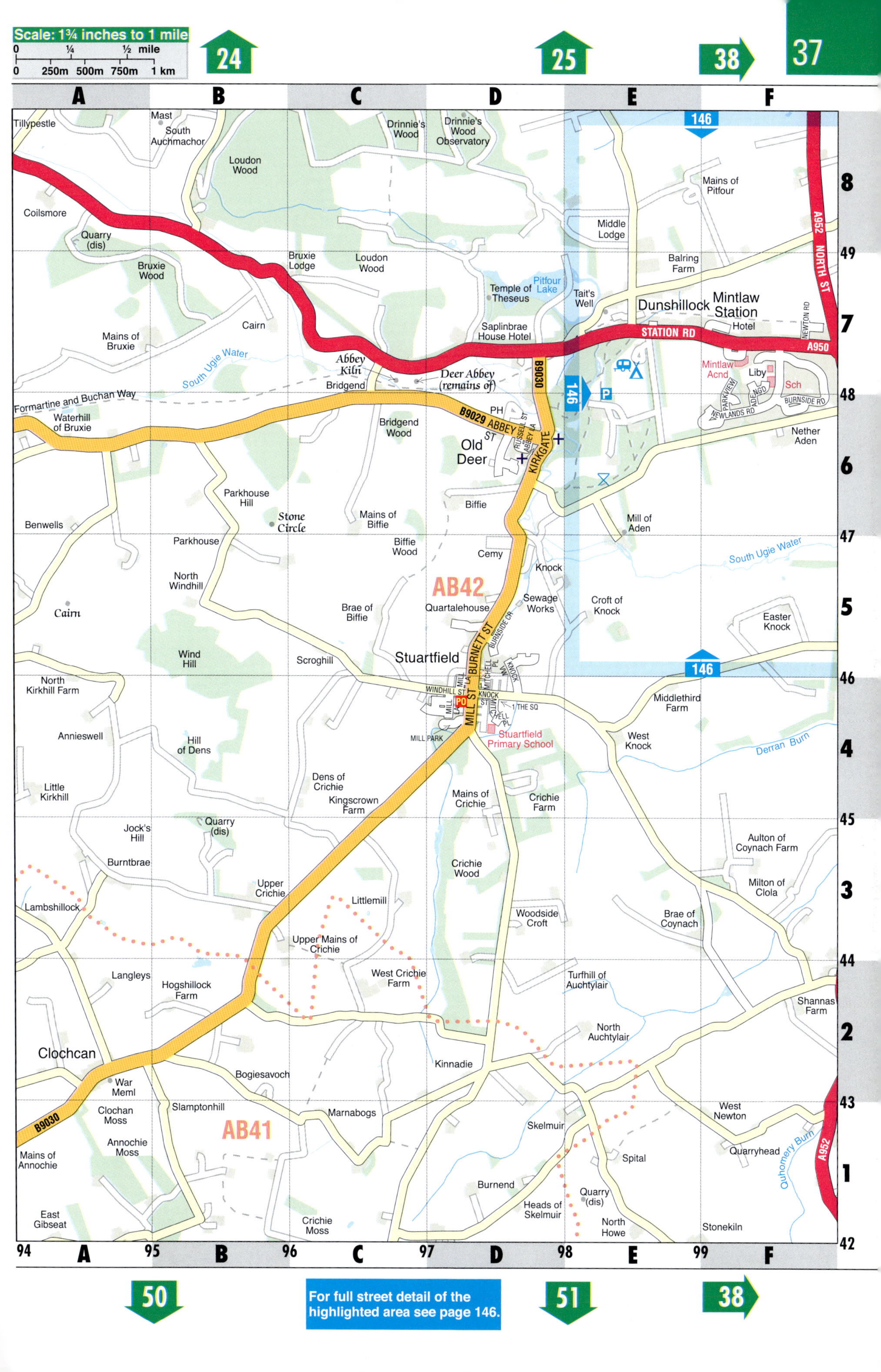
Scale: 1¾ inches to 1 mile
0 ¼ ½ mile
0 250m 500m 750m 1 km
24
25
38
A B C D E F
8
49
7
48
6
47
5
46
4
45
3
44
2
43
1
42
94 95 96 97 98 99
Tillypestle
Mast
South Auchmachor
Loudon Wood
Drinnie's Wood
Drinnie's Wood Observatory
146
Mains of Pitfour
Coilsmore
Quarry (dis)
Middle Lodge
A952 NORTH ST
Bruxie Lodge
Loudon Wood
Balring Farm
Bruxie Wood
Temple of Theseus
Pitfour Lake
Tait's Well
Dunshillock
Mintlaw Station
Hotel
NEWTON RD
Cairn
Mains of Bruxie
Saplinbrae House Hotel
STATION RD
A950
South Ugie Water
Abbey Kiln
Deer Abbey (remains of)
B9030
Mintlaw Acnd
Liby
Sch
Bridgend
PARKVIEW
ADE
NGD
BURNSIDE RD
NEWLANDS RD
Formartine and Buchan Way
PH
Waterhill of Bruxie
B9029 ABBEY ST
RUSSELL ST
ABBEY LA
Bridgend Wood
Nether Aden
Old Deer
KIRKGATE
Parkhouse Hill
Biffie
Benwells
Stone Circle
Mains of Biffie
Mill of Aden
Parkhouse
Biffie Wood
Cemy
South Ugie Water
North Windhill
Knock
AB42
Sewage Works
Croft of Knock
Cairn
Brae of Biffie
Quartalehouse
Easter Knock
BURNSIDE CR
Wind Hill
Scroghill
Stuartfield
BURNETT ST
North Kirkhill Farm
WINDHILL ST
MILL LA
MITCHELL PL
KNOCK
Middlethird Farm
PO
MILL ST
SMITHY
THE SQ
WELL PL
Annieswell
Hill of Dens
MILL PARK
Stuartfield Primary School
West Knock
Derran Burn
Dens of Crichie
Little Kirkhill
Kingscrown Farm
Mains of Crichie
Crichie Farm
Jock's Hill
Quarry (dis)
Aulton of Coynach Farm
Burntbrae
Crichie Wood
Milton of Clola
Upper Crichie
Lambshillock
Littlemill
Woodside Croft
Brae of Coynach
Upper Mains of Crichie
Langleys
West Crichie Farm
Turfhill of Auchtylair
Hogshillock Farm
Shannas Farm
North Auchtylair
Clochcan
Kinnadie
War Meml
Bogiesavoch
Slamptonhill
Clochan Moss
Marnabogs
West Newton
B9030
AB41
Skelmuir
Annochie Moss
Quarryhead
Mains of Annochie
Spital
Quhomery Burn
A952
Burnend
Quarry (dis)
Heads of Skelmuir
East Gibseat
Crichie Moss
North Howe
Stonekiln
50
For full street detail of the highlighted area see page 146.
51
38

D6
1 BRUCE BRAE
2 TULLOCHGORUM GDNS
3 MARKET HILL
4 INVERQUHOMERY RD
5 PARKVALE
6 WINDING BRAE
7 SMITHY LA
8 ARMOURY LA
9 THE RIGGS
10 COOPER'S BRAE
11 LABURNUM LA
12 GLEBEFIELD
13 BRAEHEAD PL
14 CHEVES CI
15 FLEEMAN WY

Scale: 1¾ inches to 1 mile

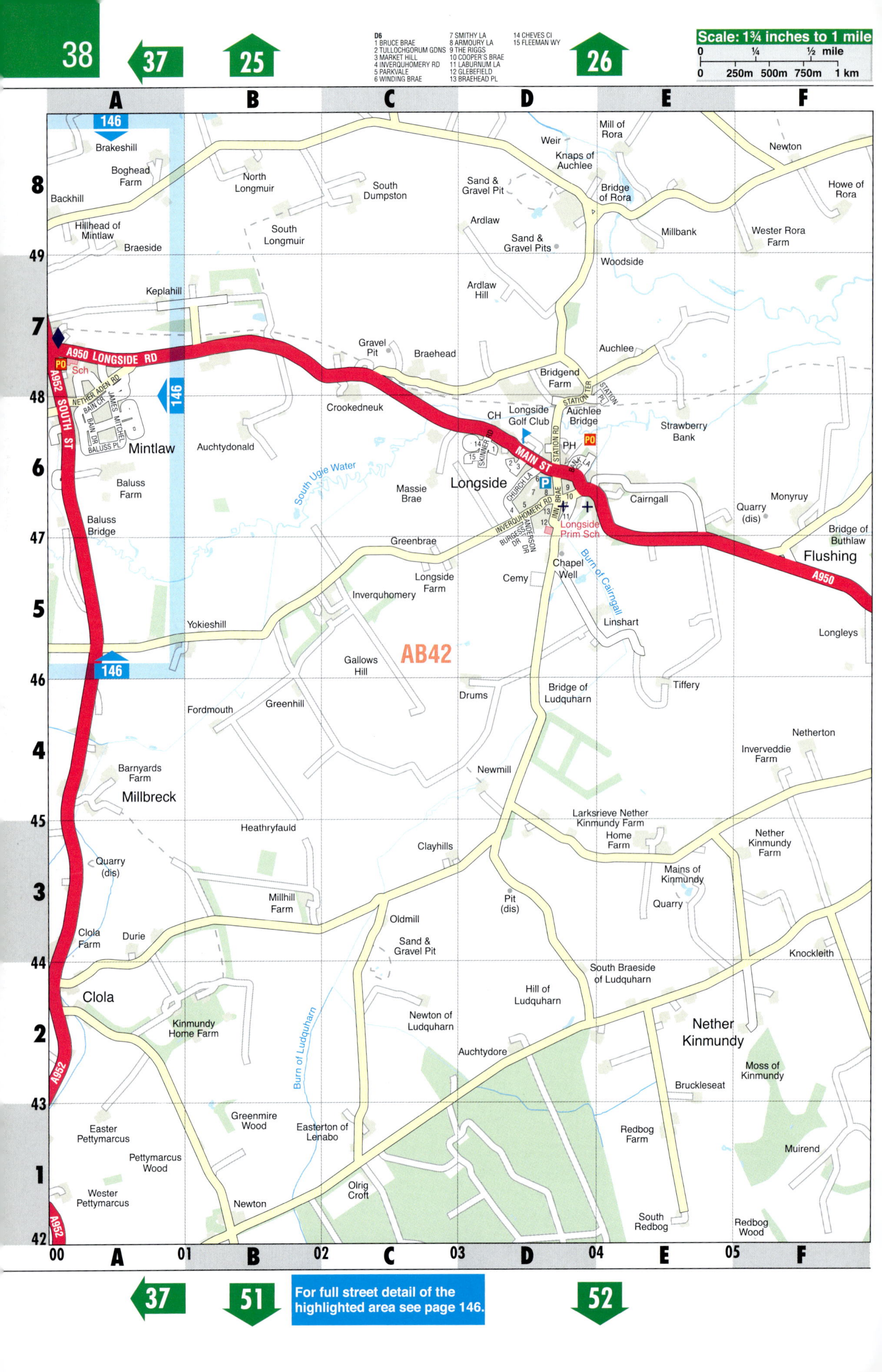

146
For full street detail of the highlighted area see page 146.

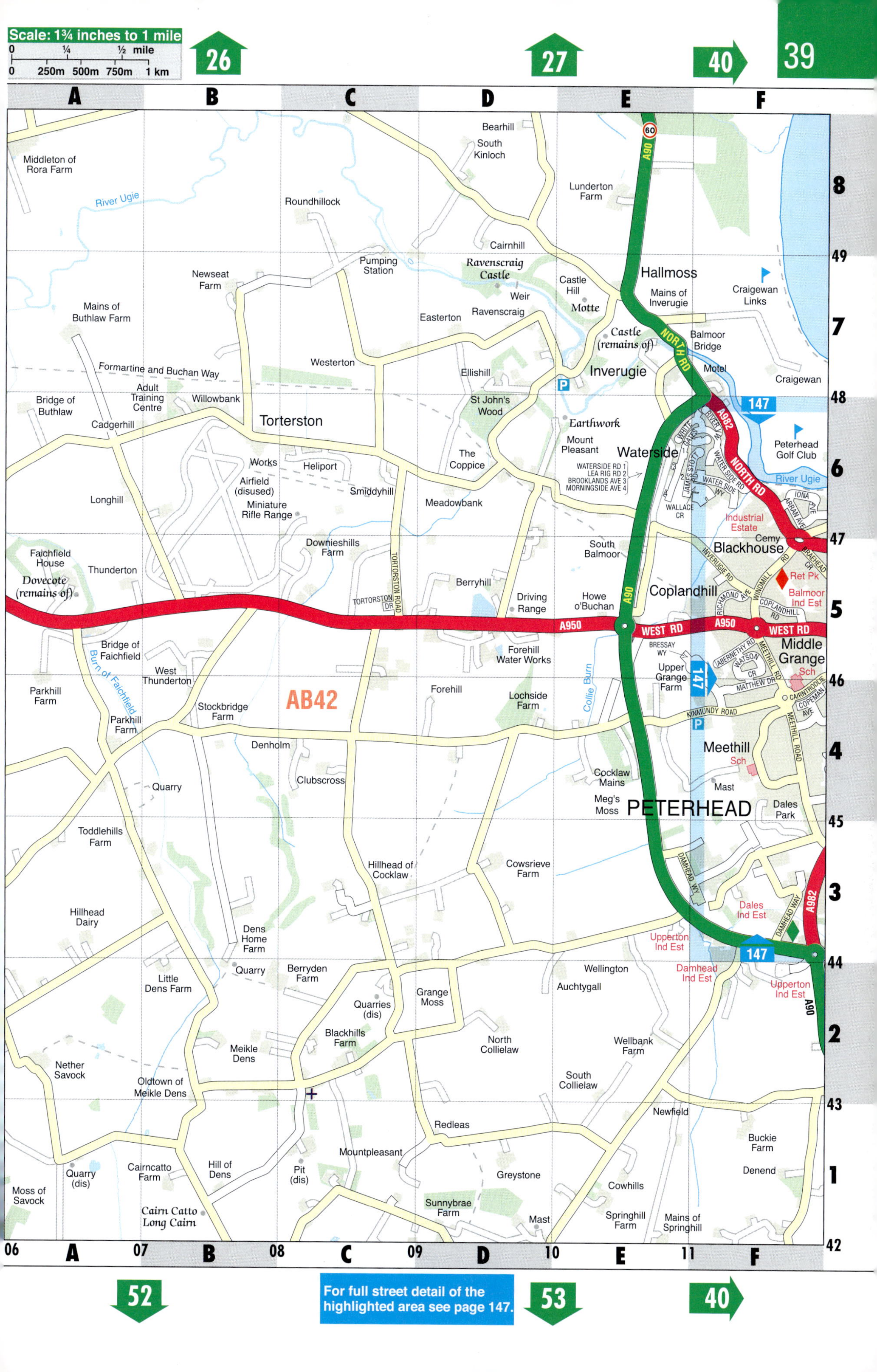
39
Scale: 1¾ inches to 1 mile
0 ¼ ½ mile
0 250m 500m 750m 1 km
26
27
40
A B C D E F
8
49
7
48
6
47
5
46
4
45
3
44
2
43
1
42
06 07 08 09 10 11
Middleton of Rora Farm
River Ugie
Roundhillock
Bearhill
South Kinloch
Lunderton Farm
Cairnhill
Pumping Station
Ravenscraig Castle
Weir
Ravenscraig
Newseat Farm
Mains of Buthlaw Farm
Easterton
Castle Hill
Motte
Hallmoss
Mains of Inverugie
Craigewan Links
Castle (remains of)
Balmoor Bridge
NORTH RD
Westerton
Formartine and Buchan Way
Ellishill
Inverugie
Motel
Craigewan
Bridge of Buthlaw
Adult Training Centre
Willowbank
Cadgerhill
Torterston
St John's Wood
147
A982
Earthwork
Mount Pleasant
Waterside
Peterhead Golf Club
Works
Heliport
The Coppice
WATERSIDE RD 1
LEA RIG RD 2
BROOKLANDS AVE 3
MORNINGSIDE AVE 4
River Ugie
Longhill
Airfield (disused)
Smiddyhill
Meadowbank
WALLACE CR
Miniature Rifle Range
Industrial Estate
IONA AVE
ARRAN AVE
Faichfield House
Downieshills Farm
South Balmoor
Cemy
Blackhouse
Thunderton
TORTERSTON ROAD
Berryhill
INVERUGIE RD
Ret Pk
Dovecote (remains of)
TORTERSTON DR
Driving Range
Howe o'Buchan
Coplandhill
Balmoor Ind Est
A950
WEST RD
A90
Bridge of Faichfield
Forehill Water Works
BRESSAY WY
Middle Grange
Burn of Faichfield
West Thunderton
Upper Grange Farm
Sch
Parkhill Farm
AB42
Forehill
Collie Burn
MATTHEW DR
Stockbridge Farm
Lochside Farm
KINMUNDY ROAD
Parkhill Farm
Denholm
Meethill
Sch
MEETHILL ROAD
Quarry
Clubscross
Cocklaw Mains
Mast
Meg's Moss
PETERHEAD
Dales Park
Toddlehills Farm
Hillhead of Cocklaw
Cowsrieve Farm
DAMHEAD WY
Hillhead Dairy
Dales Ind Est
DAMHEAD WAY
Dens Home Farm
Upperton Ind Est
147
Little Dens Farm
Quarry
Berryden Farm
Grange Moss
Wellington
Damhead Ind Est
Upperton Ind Est
Quarries (dis)
Auchtygall
Blackhills Farm
Meikle Dens
North Collielaw
Wellbank Farm
Nether Savock
Oldtown of Meikle Dens
South Collielaw
Newfield
Redleas
Buckie Farm
Mountpleasant
Denend
Quarry (dis)
Cairncatto Farm
Hill of Dens
Pit (dis)
Greystone
Moss of Savock
Cowhills
Cairn Catto Long Cairn
Sunnybrae Farm
Mast
Springhill Farm
Mains of Springhill
52
For full street detail of the highlighted area see page 147.
53
40

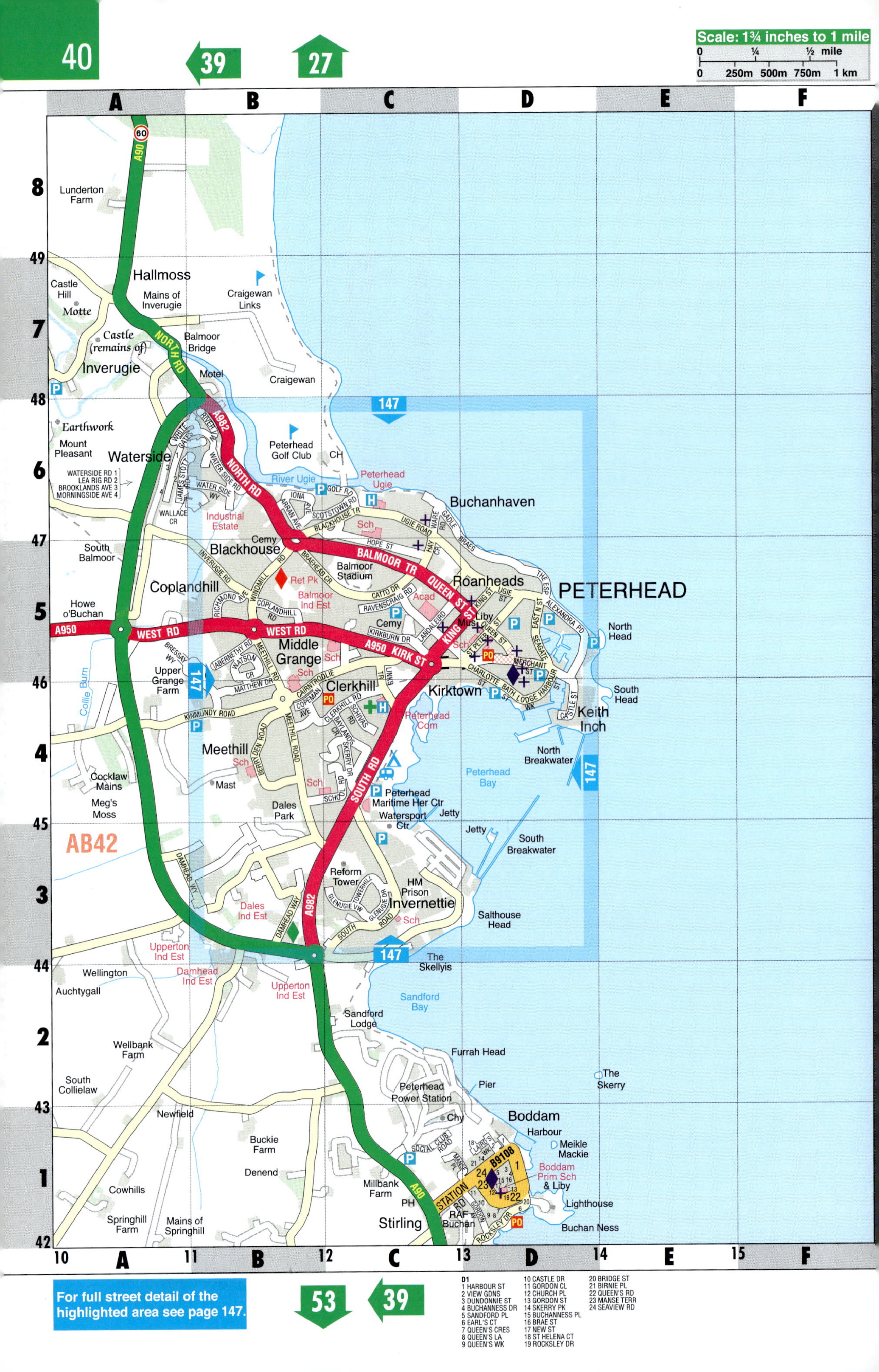

For full street detail of the highlighted area see page 147.

D1
1 HARBOUR ST
2 VIEW GDNS
3 DUNDONNIE ST
4 BUCHANNESS DR
5 SANDFORD PL
6 EARL'S CT
7 QUEEN'S CRES
8 QUEEN'S LA
9 QUEEN'S WK
10 CASTLE DR
11 GORDON CL
12 CHURCH PL
13 GORDON ST
14 SKERRY PK
15 BUCHANNESS PL
16 BRAE ST
17 NEW ST
18 ST HELENA CT
19 ROCKSLEY DR
20 BRIDGE ST
21 BIRNIE PL
22 QUEEN'S RD
23 MANSE TERR
24 SEAVIEW RD

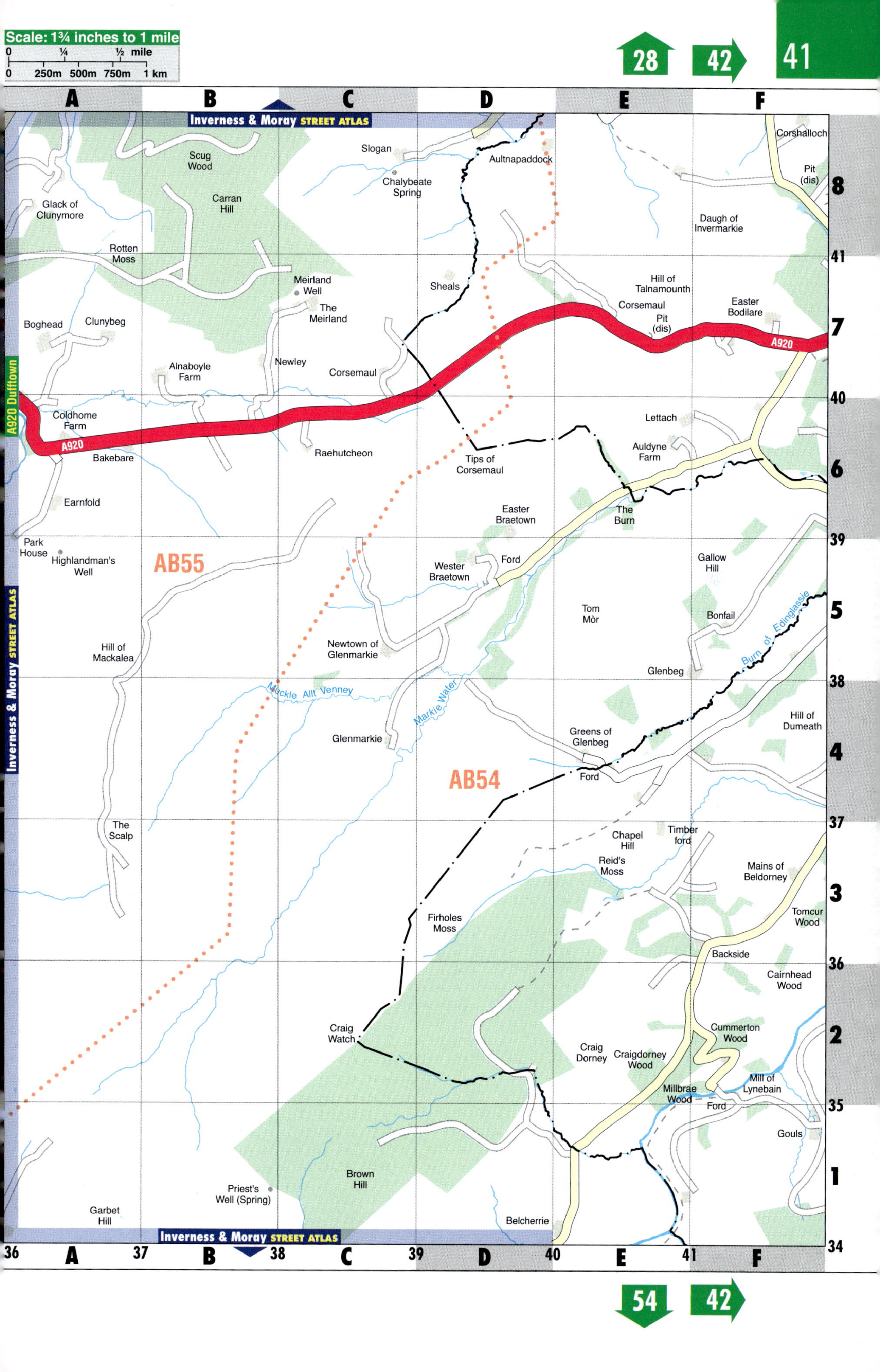

Scale: 1¾ inches to 1 mile
0 ¼ ½ mile
0 250m 500m 750m 1 km
28
42
Inverness & Moray STREET ATLAS
Scug Wood
Slogan
Aultnapaddock
Corshalloch
Pit (dis)
Chalybeate Spring
Carran Hill
Glack of Clunymore
Daugh of Invermarkie
Rotten Moss
Meirland Well
Sheals
Hill of Talnamounth
The Meirland
Corsemaul
Easter Bodilare
Boghead
Clunybeg
Pit (dis)
A920
Alnaboyle Farm
Newley
Corsemaul
A920 Dufftown
Coldhome Farm
Lettach
A920
Bakebare
Raehutcheon
Tips of Corsemaul
Auldyne Farm
Earnfold
Easter Braetown
The Burn
Park House
Highlandman's Well
AB55
Wester Braetown
Ford
Gallow Hill
Tom Mòr
Bonfail
Hill of Mackalea
Newtown of Glenmarkie
Burn of Edinglassie
Glenbeg
Muckle Allt Venney
Markie Water
Hill of Dumeath
Glenmarkie
Greens of Glenbeg
AB54
Ford
The Scalp
Chapel Hill
Timber ford
Reid's Moss
Mains of Beldorney
Firholes Moss
Tomcur Wood
Backside
Cairnhead Wood
Craig Watch
Cummerton Wood
Craig Dorney
Craigdorney Wood
Mill of Lynebain
Millbrae Wood
Ford
Gouls
Brown Hill
Priest's Well (Spring)
Garbet Hill
Belcherrie
A B C D E F
8 41 7 40 6 39 5 38 4 37 3 36 2 35 1 34
36 37 38 39 40 41
54
42

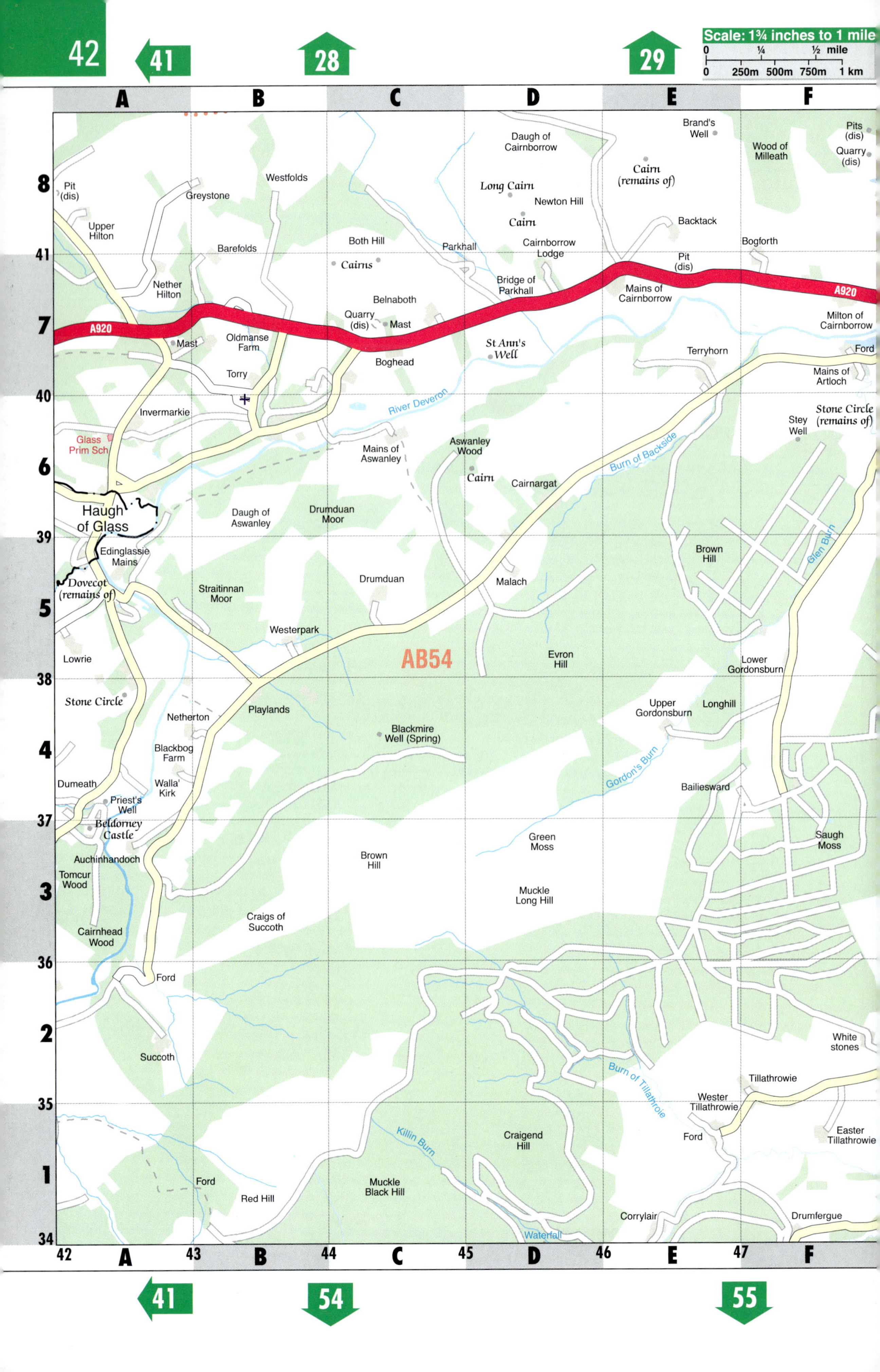
41
28
29
Scale: 1¾ inches to 1 mile
0 ¼ ½ mile
0 250m 500m 750m 1 km
A B C D E F
8 41 7 40 6 39 5 38 4 37 3 36 2 35 1 34
42 43 44 45 46 47
Pit (dis)
Greystone
Westfolds
Upper Hilton
Barefolds
Nether Hilton
Both Hill
Cairns
Belnaboth
Quarry (dis)
Mast
Daugh of Cairnborrow
Long Cairn
Newton Hill
Cairn
Parkhall
Cairnborrow Lodge
Bridge of Parkhall
Brand's Well
Cairn (remains of)
Backtack
Pit (dis)
Mains of Cairnborrow
Wood of Milleath
Pits (dis)
Quarry (dis)
Bogforth
A920
Milton of Cairnborrow
Ford
Oldmanse Farm
Torry
Boghead
St Ann's Well
Terryhorn
Mains of Artloch
Invermarkie
Glass Prim Sch
River Deveron
Mains of Aswanley
Aswanley Wood
Cairn
Cairnargat
Burn of Backside
Stone Circle (remains of)
Stey Well
Haugh of Glass
Daugh of Aswanley
Drumduan Moor
Edinglassie Mains
Dovecot (remains of)
Straitinnan Moor
Drumduan
Malach
Brown Hill
Glen Burn
Westerpark
AB54
Evron Hill
Lowrie
Lower Gordonsburn
Stone Circle
Netherton
Playlands
Blackmire Well (Spring)
Upper Gordonsburn
Longhill
Blackbog Farm
Gordon's Burn
Dumeath
Walla' Kirk
Priest's Well
Beldorney Castle
Bailiesward
Auchinhandoch
Tomcur Wood
Brown Hill
Green Moss
Saugh Moss
Muckle Long Hill
Craigs of Succoth
Cairnhead Wood
Ford
Succoth
White stones
Burn of Tillathroie
Tillathrowie
Wester Tillathrowie
Easter Tillathrowie
Ford
Killin Burn
Craigend Hill
Ford
Red Hill
Muckle Black Hill
Corrylair
Drumfergue
Waterfall

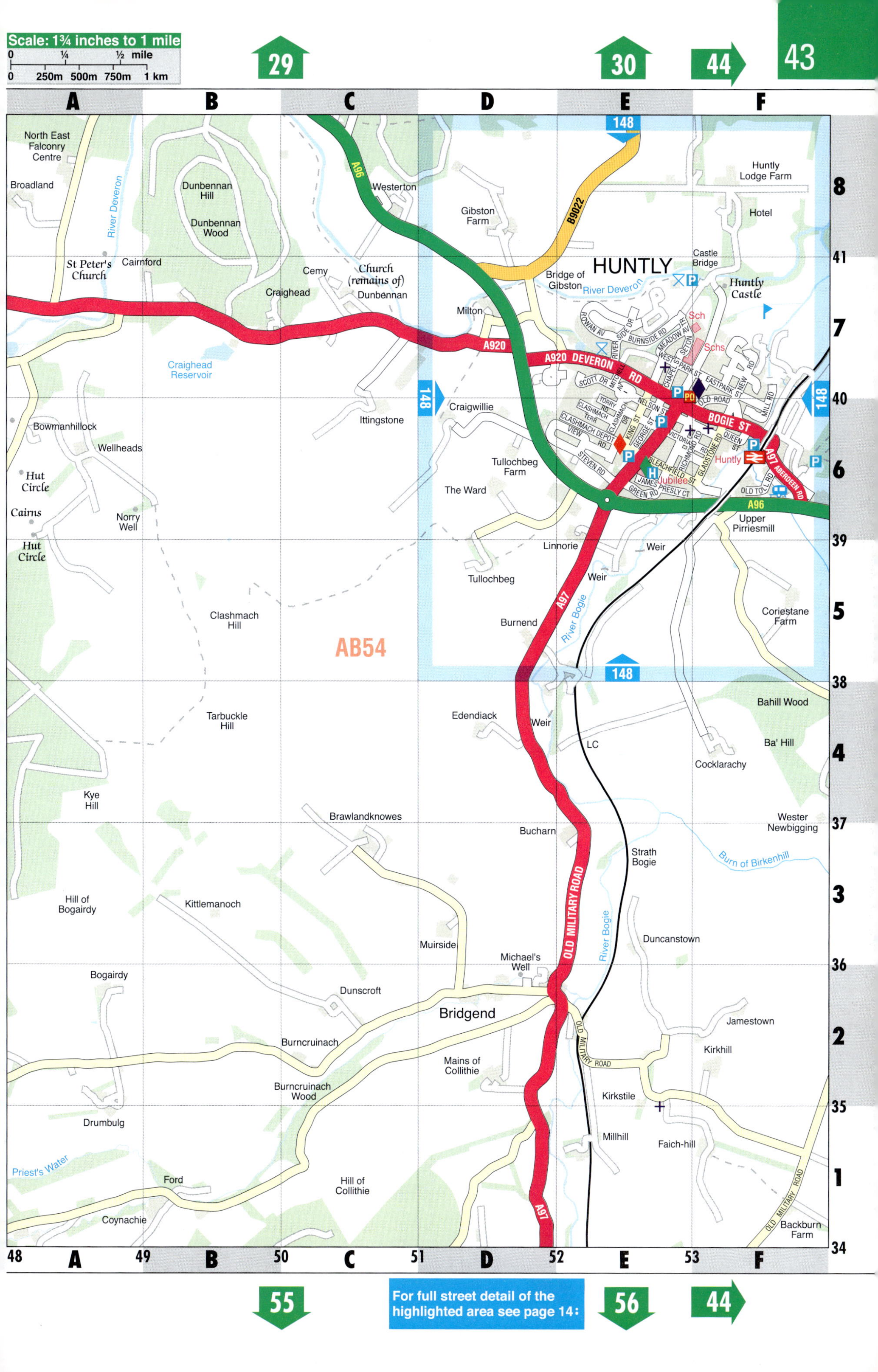

43
30
31
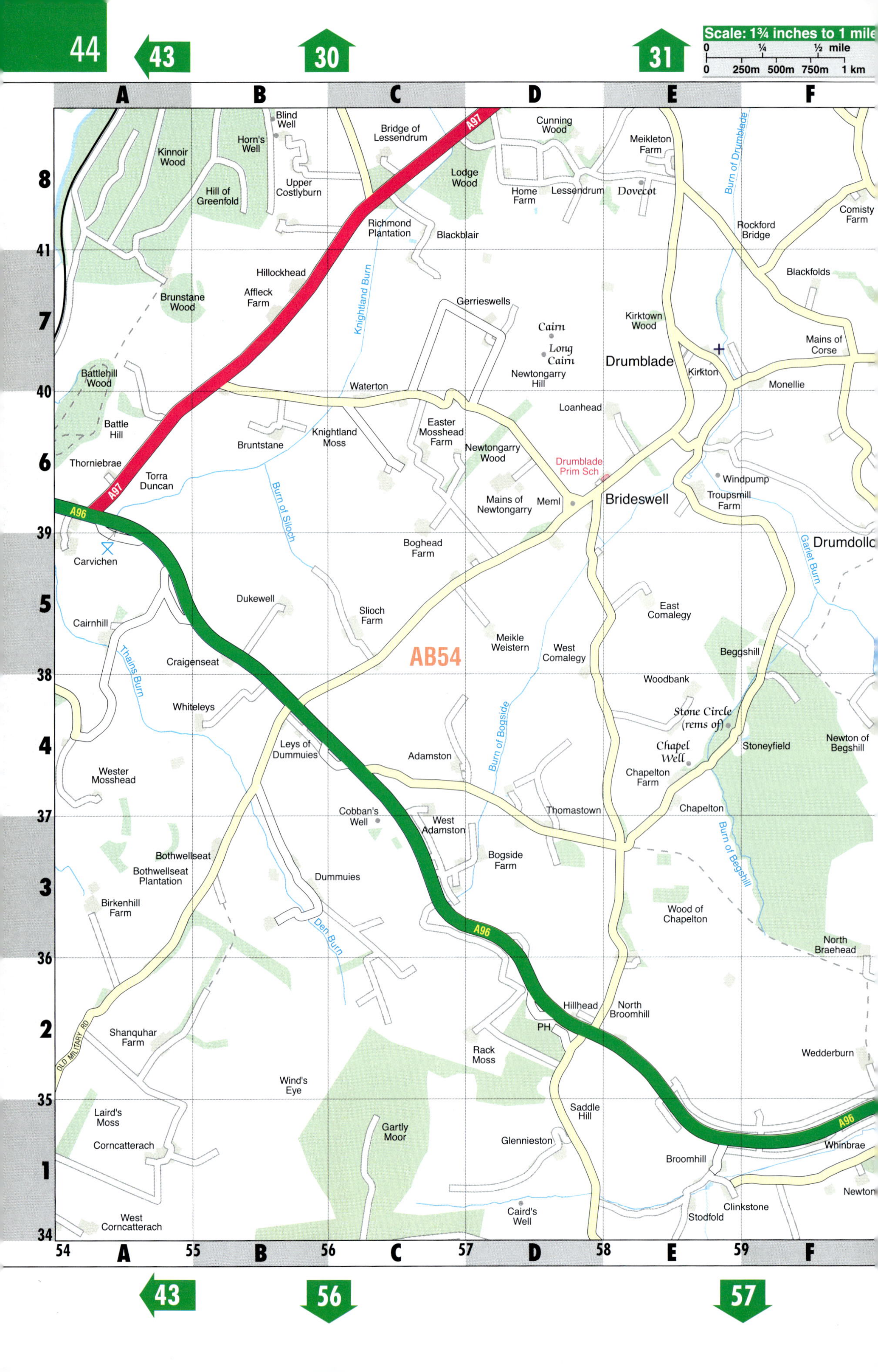
Scale: 1¾ inches to 1 mile
0 ¼ ½ mile
0 250m 500m 750m 1 km
A B C D E F
8 41 7 40 6 39 5 38 4 37 3 36 2 35 1 34
54 55 56 57 58 59
Kinnoir Wood
Horn's Well
Blind Well
Hill of Greenfold
Upper Costlyburn
Bridge of Lessendrum
A97
Lodge Wood
Cunning Wood
Home Farm
Lessendrum
Dovecot
Meikleton Farm
Burn of Drumblade
Comisty Farm
Rockford Bridge
Richmond Plantation
Blackblair
Blackfolds
Hillockhead
Affleck Farm
Brunstane Wood
Knightland Burn
Gerrieswells
Cairn
Long Cairn
Kirktown Wood
Drumblade
Kirkton
Mains of Corse
Monellie
Newtongarry Hill
Battlehill Wood
Waterton
Loanhead
Battle Hill
Bruntstane
Knightland Moss
Easter Mosshead Farm
Newtongarry Wood
Drumblade Prim Sch
Windpump
Thorniebrae
Torra Duncan
Burn of Slioch
Mains of Newtongarry
Meml
Brideswell
Troupsmill Farm
A96
Carvichen
Boghead Farm
Drumdollo
Gariet Burn
Dukewell
Cairnhill
Slioch Farm
East Comalegy
Thains Burn
AB54
Meikle Weistern
West Comalegy
Beggshill
Craigenseat
Woodbank
Whiteleys
Stone Circle (rems of)
Burn of Bogside
Chapel Well
Stoneyfield
Newton of Begshill
Leys of Dummuies
Adamston
Chapelton Farm
Wester Mosshead
Thomastown
Chapelton
Cobban's Well
West Adamston
Burn of Begshill
Bothwellseat
Bogside Farm
Bothwellseat Plantation
Dummuies
Birkenhill Farm
Den Burn
Wood of Chapelton
North Braehead
Hillhead
North Broomhill
PH
Shanquhar Farm
OLD MILITARY RD
Rack Moss
Wedderburn
Wind's Eye
Laird's Moss
Saddle Hill
Gartly Moor
Glennieston
Whinbrae
Corncatterach
Broomhill
Newton
Clinkstone
Caird's Well
Stodfold
West Corncatterach
43
56
57

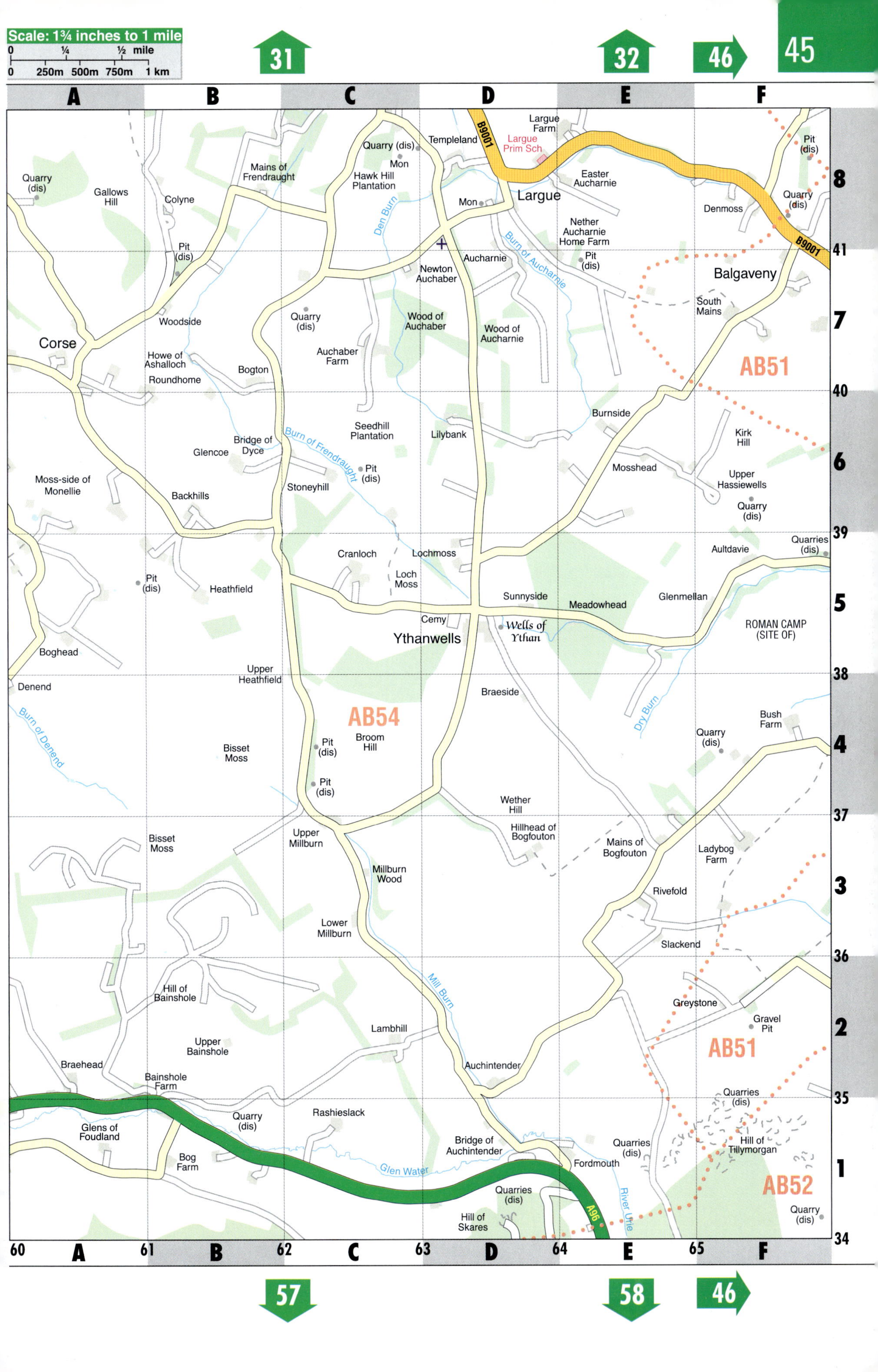
Scale: 1¾ inches to 1 mile
0 ¼ ½ mile
0 250m 500m 750m 1 km
31
32
46
A B C D E F
Largue Farm
Largue Prim Sch
Templeland
Quarry (dis)
Mon
Hawk Hill Plantation
Mains of Frendraught
Colyne
Gallows Hill
Quarry (dis)
Easter Aucharnie
Largue
Mon
Denmoss
Quarry (dis)
Pit (dis)
B9001
Nether Aucharnie Home Farm
Burn of Aucharnie
Den Burn
Pit (dis)
Aucharnie
Newton Auchaber
Pit (dis)
Balgaveny
South Mains
Quarry (dis)
Woodside
Wood of Auchaber
Wood of Aucharnie
Corse
Howe of Ashalloch
Auchaber Farm
Roundhome
Bogton
AB51
Burnside
Seedhill Plantation
Lilybank
Bridge of Dyce
Glencoe
Burn of Frendraught
Kirk Hill
Moss-side of Monellie
Pit (dis)
Mosshead
Upper Hassiewells
Stoneyhill
Backhills
Quarry (dis)
Quarries (dis)
Aultdavie
Cranloch
Lochmoss
Loch Moss
Pit (dis)
Heathfield
Sunnyside
Meadowhead
Glenmellan
Cemy
Ythanwells
Wells of Ythan
ROMAN CAMP (SITE OF)
Boghead
Upper Heathfield
Denend
Braeside
Burn of Denend
AB54
Dry Burn
Bush Farm
Quarry (dis)
Bisset Moss
Pit (dis)
Broom Hill
Pit (dis)
Wether Hill
Hillhead of Bogfouton
Upper Millburn
Bisset Moss
Mains of Bogfouton
Ladybog Farm
Millburn Wood
Rivefold
Lower Millburn
Slackend
Hill of Bainshole
Mill Burn
Greystone
Gravel Pit
Lambhill
Upper Bainshole
AB51
Braehead
Auchintender
Bainshole Farm
Quarries (dis)
Quarry (dis)
Rashieslack
Glens of Foudland
Hill of Tillymorgan
Bridge of Auchintender
Quarries (dis)
Bog Farm
Fordmouth
Glen Water
AB52
Quarries (dis)
River Urie
A96
Hill of Skares
Quarry (dis)
8 41 7 40 6 39 5 38 4 37 3 36 2 35 1 34
60 61 62 63 64 65
57
58
46

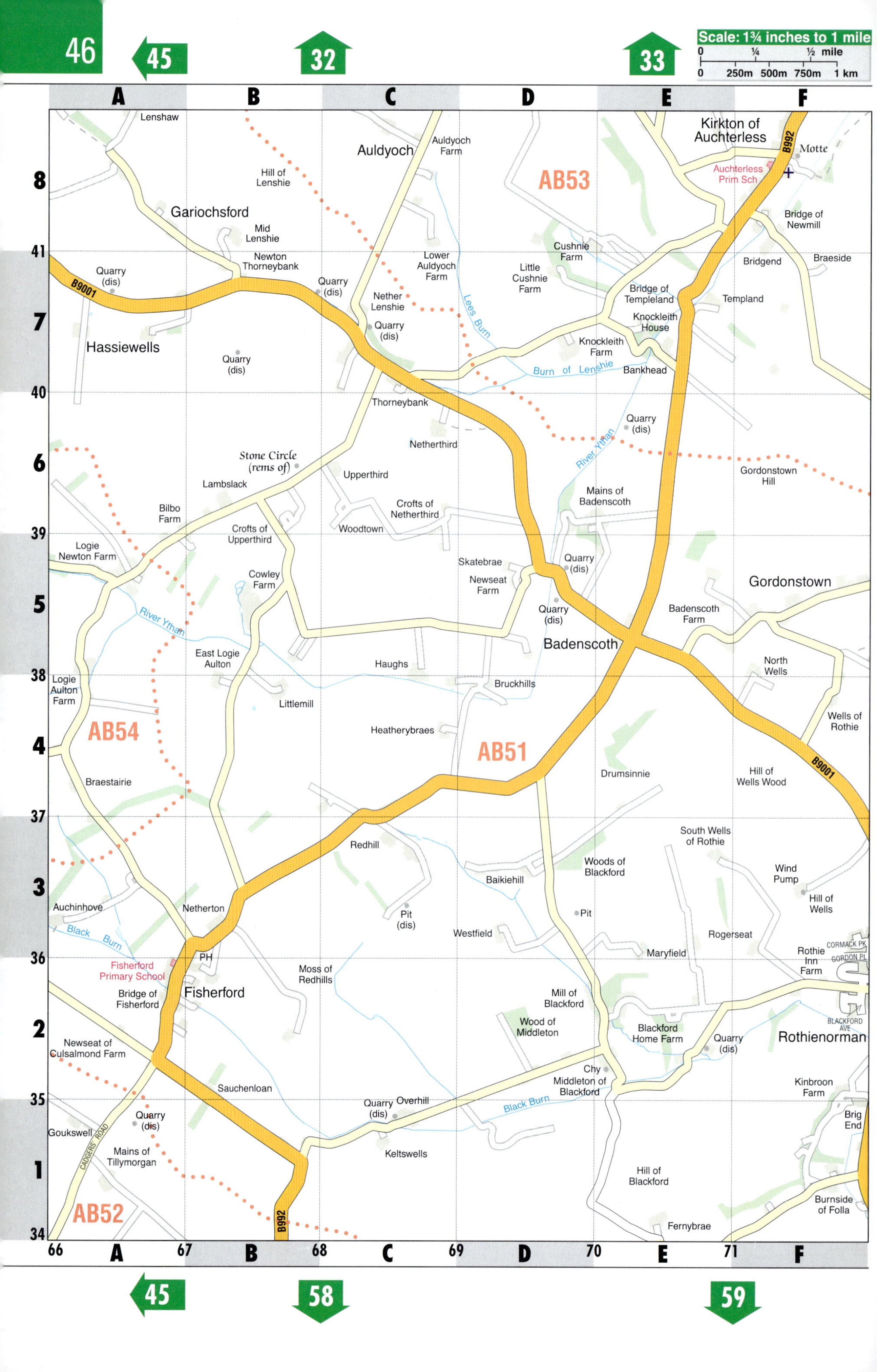
45
32
33
Scale: 1¾ inches to 1 mile
0 ¼ ½ mile
0 250m 500m 750m 1 km
A B C D E F
8 41 7 40 6 39 5 38 4 37 3 36 2 35 1 34
Lenshaw
Auldyoch
Auldyoch Farm
Kirkton of Auchterless
B992
Motte
Auchterless Prim Sch
AB53
Hill of Lenshie
Gariochsford
Mid Lenshie
Newton Thorneybank
Bridge of Newmill
Quarry (dis)
B9001
Lower Auldyoch Farm
Cushnie Farm
Little Cushnie Farm
Bridgend
Braeside
Bridge of Templeland
Templand
Nether Lenshie
Lees Burn
Knockleith House
Hassiewells
Knockleith Farm
Burn of Lenshie
Bankhead
Thorneybank
River Ythan
Netherthird
Stone Circle (rems of)
Upperthird
Gordonstown Hill
Lambslack
Mains of Badenscoth
Bilbo Farm
Crofts of Netherthird
Woodtown
Crofts of Upperthird
Logie Newton Farm
Skatebrae
Newseat Farm
Cowley Farm
Gordonstown
Badenscoth Farm
East Logie Aulton
Badenscoth
Haughs
North Wells
Logie Aulton Farm
Bruckhills
Littlemill
Wells of Rothie
AB54
Heatherybraes
AB51
Drumsinnie
Hill of Wells Wood
Braestairie
South Wells of Rothie
Redhill
Woods of Blackford
Wind Pump
Baikiehill
Hill of Wells
Auchinhove
Netherton
Pit (dis)
Pit
Black Burn
Westfield
Rogerseat
PH
Maryfield
Rothie Inn Farm
CORMACK PK
GORDON PL
Fisherford Primary School
Moss of Redhills
Fisherford
Mill of Blackford
Bridge of Fisherford
Wood of Middleton
Blackford Home Farm
BLACKFORD AVE
Rothienorman
Newseat of Culsalmond Farm
Chy
Middleton of Blackford
Kinbroon Farm
Sauchenloan
Overhill
Goukswell
CADGERS' ROAD
Keltswells
Brig End
Mains of Tillymorgan
Hill of Blackford
Burnside of Folla
AB52
Fernybrae
66 67 68 69 70 71
45
58
59

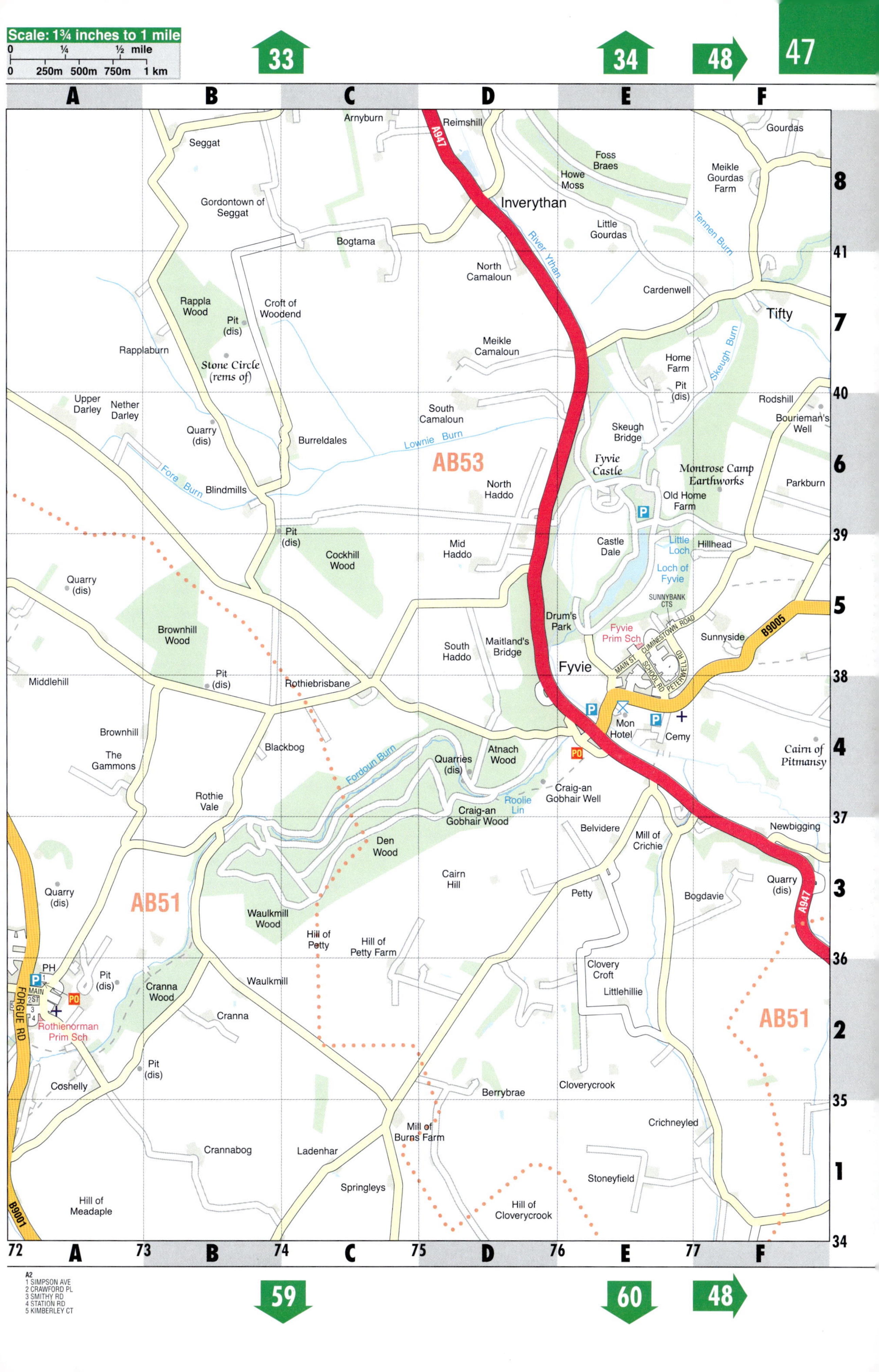
Scale: 1¾ inches to 1 mile
0 ¼ ½ mile
0 250m 500m 750m 1 km
33
34
48
47
A B C D E F
Seggat
Arnyburn
Reimshill
A947
Gourdas
Foss Braes
Howe Moss
Meikle Gourdas Farm
8
Gordontown of Seggat
Inverythan
Little Gourdas
Bogtama
River Ythan
Tennen Burn
41
North Camaloun
Cardenwell
Rappla Wood
Croft of Woodend
Pit (dis)
Tifty
7
Rapplaburn
Meikle Camaloun
Stone Circle (rems of)
Home Farm
Skeugh Burn
Pit (dis)
40
Upper Darley
Nether Darley
South Camaloun
Rodshill
Bourieman's Well
Quarry (dis)
Burreldales
Lownie Burn
Skeugh Bridge
AB53
Fyvie Castle
Montrose Camp Earthworks
6
Fore Burn
Blindmills
North Haddo
Old Home Farm
Parkburn
Pit (dis)
Mid Haddo
Castle Dale
Little Loch
Hillhead
39
Cockhill Wood
Loch of Fyvie
Quarry (dis)
SUNNYBANK CTS
5
Brownhill Wood
Drum's Park
CUMINESTOWN ROAD
B9005
South Haddo
Maitland's Bridge
Fyvie Prim Sch
Sunnyside
Pit (dis)
Fyvie
MAIN ST
SCHOOL RD
PETERWELL RD
38
Middlehill
Rothiebrisbane
Mon Hotel
Cemy
Brownhill
Blackbog
Atnach Wood
PO
Cairn of Pitmansy
4
The Gammons
Fordoun Burn
Quarries (dis)
Craig-an Gobhair Well
Rothie Vale
Roolie Lin
Craig-an Gobhair Wood
37
Belvidere
Mill of Crichie
Newbigging
Den Wood
Cairn Hill
Quarry (dis)
Quarry (dis)
AB51
Petty
Bogdavie
3
Waulkmill Wood
A947
Hill of Petty
Hill of Petty Farm
PH
Clovery Croft
36
Pit (dis)
Cranna Wood
Waulkmill
Littlehillie
MAIN
PO
AB51
FORGUE RD
Cranna
2
Rothienorman Prim Sch
Pit (dis)
Coshelly
Berrybrae
Cloverycrook
35
Crichneyled
Mill of Burns Farm
Crannabog
Ladenhar
Stoneyfield
1
Springleys
Hill of Meadaple
Hill of Cloverycrook
B9001
34
72 A 73 B 74 C 75 D 76 E 77 F
A2
1 SIMPSON AVE
2 CRAWFORD PL
3 SMITHY RD
4 STATION RD
5 KIMBERLEY CT
59
60
48

47
34
35
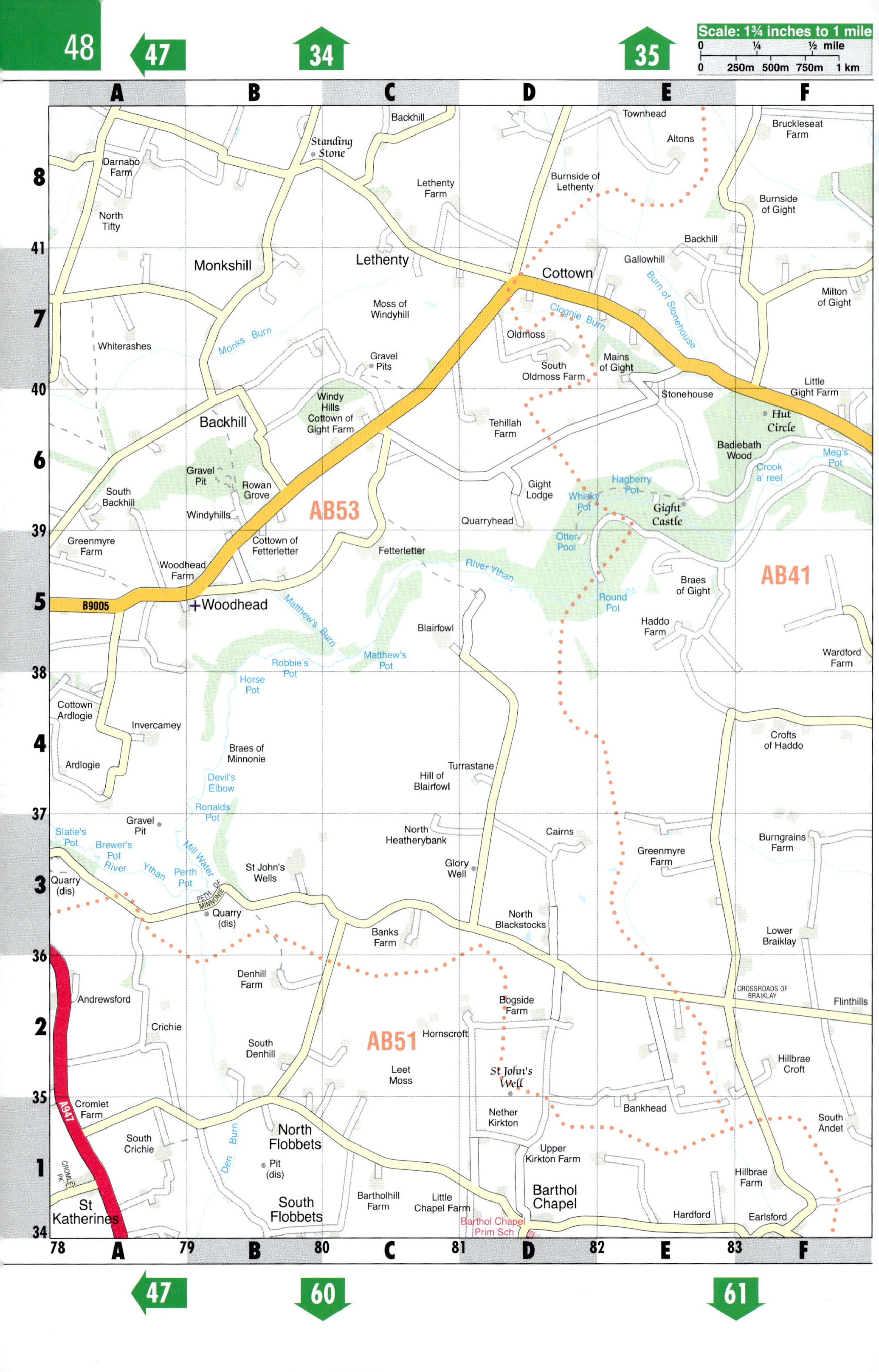
Scale: 1¾ inches to 1 mile
0 ¼ ½ mile
0 250m 500m 750m 1 km
Backhill
Standing Stone
Townhead
Altons
Bruckleseat Farm
Darnabo Farm
North Tifty
Lethenty Farm
Burnside of Lethenty
Burnside of Gight
Backhill
Monkshill
Lethenty
Cottown
Gallowhill
Burn of Stonehouse
Milton of Gight
Moss of Windyhill
Clognie Burn
Oldmoss
Whiterashes
Monks Burn
Gravel Pits
South Oldmoss Farm
Mains of Gight
Windy Hills Cottown of Gight Farm
Stonehouse
Little Gight Farm
Hut Circle
Backhill
Tehillah Farm
Badiebath Wood
Meg's Pot
Crook a' reel
Gravel Pit
Rowan Grove
Hagberry Pot
South Backhill
Gight Lodge
Whisky Pot
Gight Castle
AB53
Windyhills
Quarryhead
Otter Pool
Greenmyre Farm
Cottown of Fetterletter
Fetterletter
River Ythan
Braes of Gight
AB41
Woodhead Farm
Round Pot
B9005
Woodhead
Matthew's Burn
Blairfowl
Haddo Farm
Wardford Farm
Robbie's Pot
Matthew's Pot
Horse Pot
Cottown Ardlogie
Invercamey
Crofts of Haddo
Braes of Minnonie
Turrastane
Ardlogie
Hill of Blairfowl
Devil's Elbow
Ronalds Pot
Gravel Pit
North Heatherybank
Cairns
Slatie's Pot
Brewer's Pot
Burngrains Farm
River Ythan
Mill Water
Greenmyre Farm
Perth Pot
St John's Wells
Glory Well
Quarry (dis)
PETH OF MINNONIE
Quarry (dis)
North Blackstocks
Lower Braiklay
Banks Farm
Denhill Farm
Andrewsford
Bogside Farm
CROSSROADS OF BRAIKLAY
Flinthills
Crichie
AB51
Hornscroft
South Denhill
Hillbrae Croft
Leet Moss
St John's Well
Cromlet Farm
A947
Nether Kirkton
Bankhead
South Andet
North Flobbets
South Crichie
Den Burn
Upper Kirkton Farm
Pit (dis)
CROMLET PK
Hillbrae Farm
St Katherines
South Flobbets
Bartholhill Farm
Little Chapel Farm
Barthol Chapel
Hardford
Earlsford
Barthol Chapel Prim Sch
A B C D E F
8 41 7 40 6 39 5 38 4 37 3 36 2 35 1 34
78 79 80 81 82 83
47
60
61

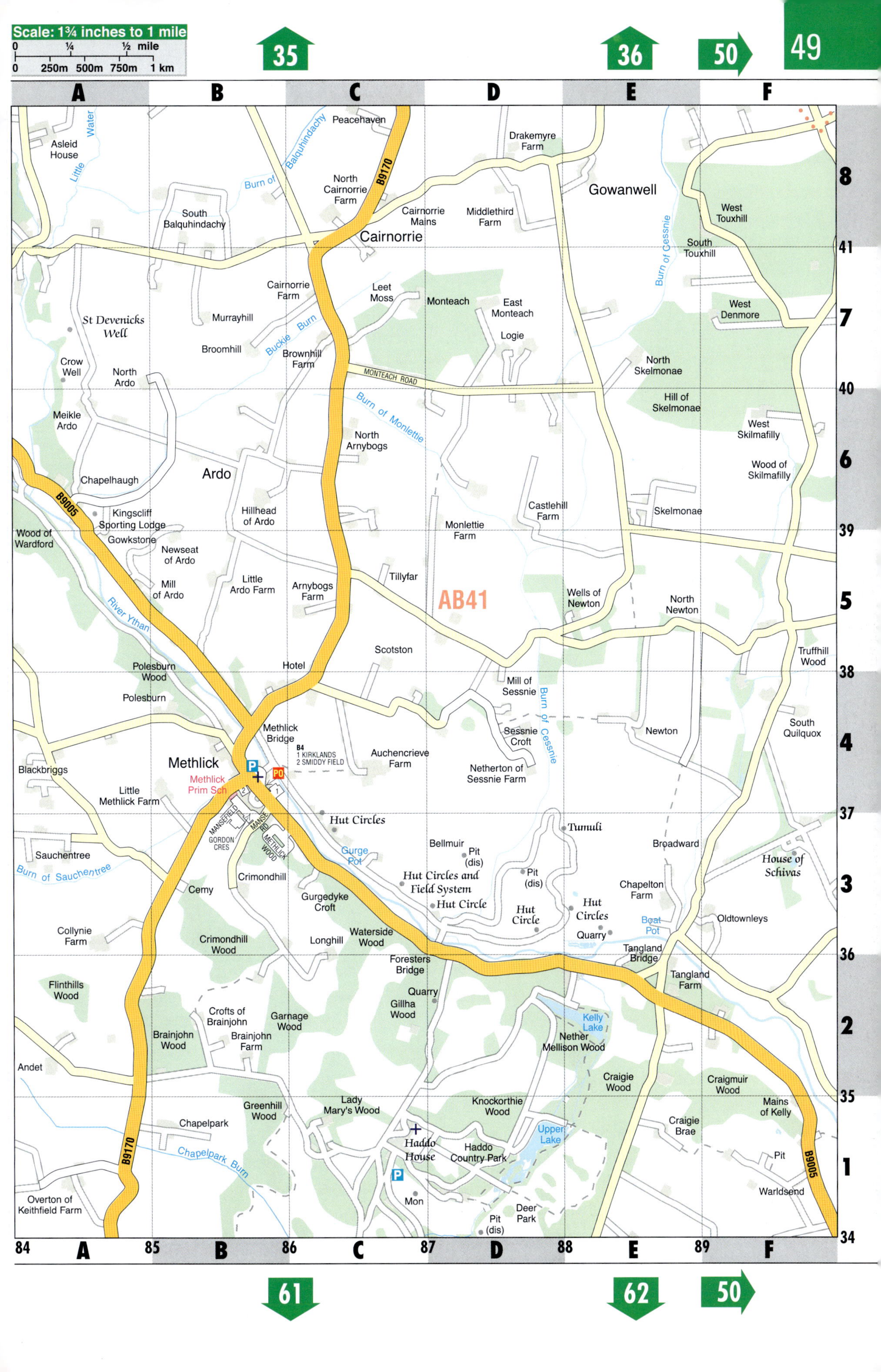
Scale: 1¾ inches to 1 mile
0 ¼ ½ mile
0 250m 500m 750m 1 km
35
36
50
A B C D E F
Asleid House
Little Water
Burn of Balquhindachy
Peacehaven
Drakemyre Farm
Gowanwell
West Touxhill
South Touxhill
South Balquhindachy
North Cairnorrie Farm
B9170
Cairnorrie Mains
Middlethird Farm
Cairnorrie
Burn of Cessnie
Cairnorrie Farm
Leet Moss
Monteach
East Monteach
West Denmore
St Devenicks Well
Murrayhill
Buckie Burn
Broomhill
Brownhill Farm
Logie
North Skelmonae
Crow Well
North Ardo
MONTEACH ROAD
Hill of Skelmonae
Meikle Ardo
Burn of Monlettie
North Arnybogs
West Skilmafilly
Wood of Skilmafilly
Chapelhaugh
Ardo
Castlehill Farm
Skelmonae
B9005
Kingscliff Sporting Lodge
Hillhead of Ardo
Monlettie Farm
Wood of Wardford
Gowkstone
Newseat of Ardo
Little Ardo Farm
Arnybogs Farm
Tillyfar
AB41
Wells of Newton
North Newton
Mill of Ardo
River Ythan
Scotston
Truffhill Wood
Polesburn Wood
Hotel
Polesburn
Mill of Sessnie
Methlick Bridge
Sessnie Croft
Newton
South Quilquox
B4
1 KIRKLANDS
2 SMIDDY FIELD
Auchencrieve Farm
Methlick
P
PO
Netherton of Sessnie Farm
Blackbriggs
Methlick Prim Sch
Little Methlick Farm
MANSEFIELD
MANSE RD
GORDON CRES
METHLICK WOOD
Hut Circles
Tumuli
Bellmuir
Pit (dis)
Broadward
Sauchentree
Burn of Sauchentree
Gurge Pot
House of Schivas
Crimondhill
Hut Circles and Field System
Chapelton Farm
Cemy
Gurgedyke Croft
Hut Circle
Hut Circles
Boat Pot
Oldtownleys
Collynie Farm
Waterside Wood
Quarry
Crimondhill Wood
Longhill
Tangland Bridge
Foresters Bridge
Tangland Farm
Flinthills Wood
Gillha Wood
Kelly Lake
Crofts of Brainjohn
Garnage Wood
Nether Mellison Wood
Brainjohn Wood
Brainjohn Farm
Andet
Craigie Wood
Craigmuir Wood
Greenhill Wood
Lady Mary's Wood
Knockorthie Wood
Mains of Kelly
Chapelpark
Craigie Brae
Upper Lake
Haddo House
Haddo Country Park
Pit
Chapelpark Burn
B9170
Warldsend
Overton of Keithfield Farm
Mon
Deer Park
8 41 7 40 6 39 5 38 4 37 3 36 2 35 1 34
84 85 86 87 88 89
61
62
50

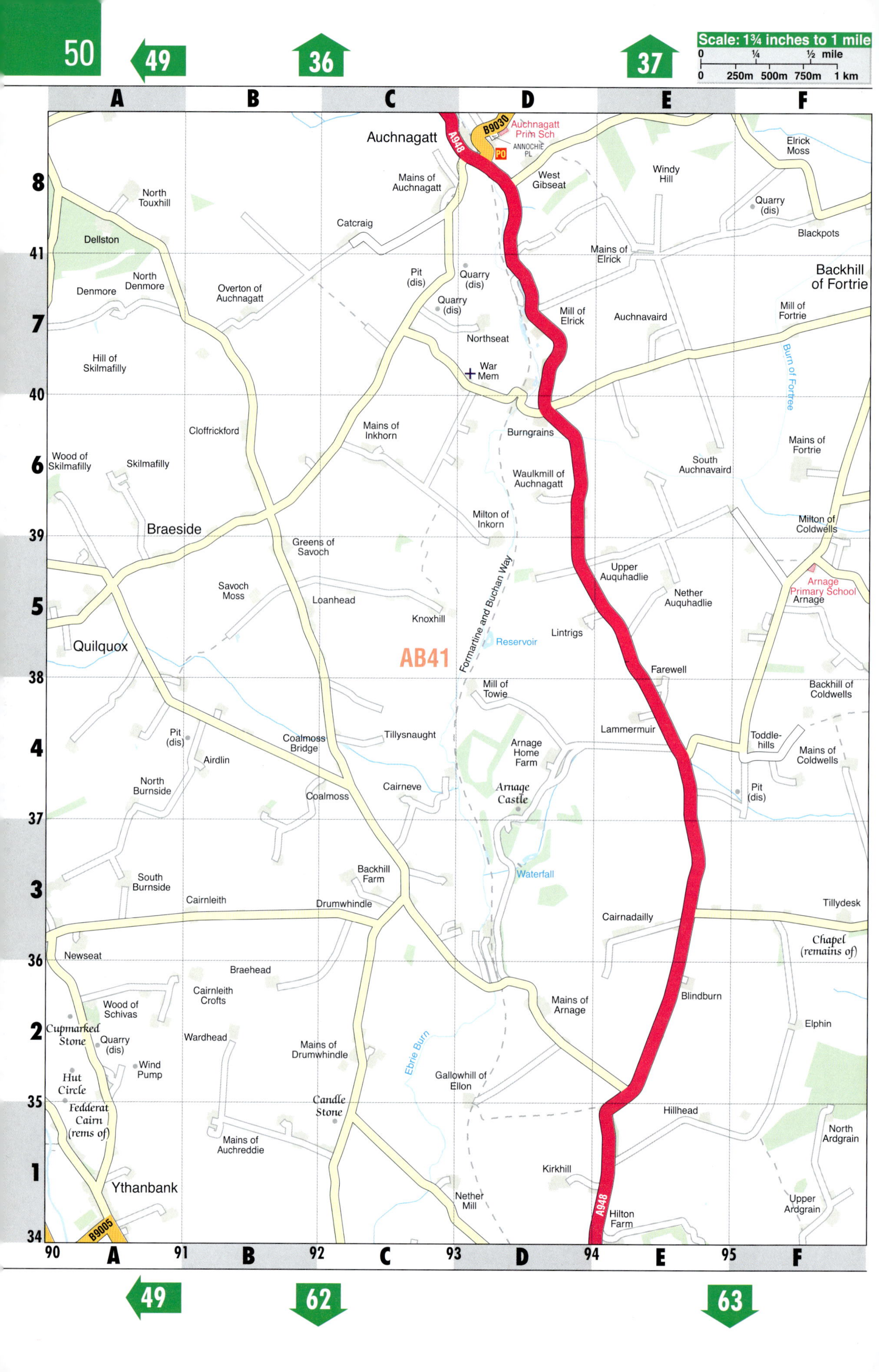
49
36
37
Scale: 1¾ inches to 1 mile
0 ¼ ½ mile
0 250m 500m 750m 1 km
A B C D E F
8 41 7 40 6 39 5 38 4 37 3 36 2 35 1 34
90 91 92 93 94 95
Auchnagatt
A948
B9030
Auchnagatt Prim Sch
ANNOCHIE PL
PO
Elrick Moss
Mains of Auchnagatt
West Gibseat
Windy Hill
North Touxhill
Quarry (dis)
Catcraig
Blackpots
Dellston
Mains of Elrick
Pit (dis)
Quarry (dis)
Backhill of Fortrie
Denmore
North Denmore
Overton of Auchnagatt
Quarry (dis)
Mill of Elrick
Auchnavaird
Mill of Fortrie
Northseat
Hill of Skilmafilly
War Mem
Burn of Fortree
Mains of Inkhorn
Burngrains
Cloffrickford
Mains of Fortrie
Wood of Skilmafilly
Skilmafilly
Waulkmill of Auchnagatt
South Auchnavaird
Braeside
Milton of Inkorn
Milton of Coldwells
Greens of Savoch
Upper Auquhadlie
Savoch Moss
Loanhead
Nether Auquhadlie
Arnage Primary School
Arnage
Knoxhill
Formartine and Buchan Way
Lintrigs
Quilquox
Reservoir
AB41
Farewell
Mill of Towie
Backhill of Coldwells
Lammermuir
Pit (dis)
Tillysnaught
Coalmoss Bridge
Arnage Home Farm
Toddle-hills
Mains of Coldwells
Airdlin
North Burnside
Cairneve
Arnage Castle
Pit (dis)
Coalmoss
Backhill Farm
Waterfall
South Burnside
Cairnleith
Drumwhindle
Tillydesk
Cairnadailly
Newseat
Chapel (remains of)
Braehead
Cairnleith Crofts
Mains of Arnage
Blindburn
Wood of Schivas
Cupmarked Stone
Quarry (dis)
Wardhead
Mains of Drumwhindle
Elphin
Ebrie Burn
Wind Pump
Hut Circle
Gallowhill of Ellon
Fedderat Cairn (rems of)
Candle Stone
Hillhead
North Ardgrain
Mains of Auchreddie
Kirkhill
Ythanbank
Nether Mill
Upper Ardgrain
Hilton Farm
B9005
49
62
63

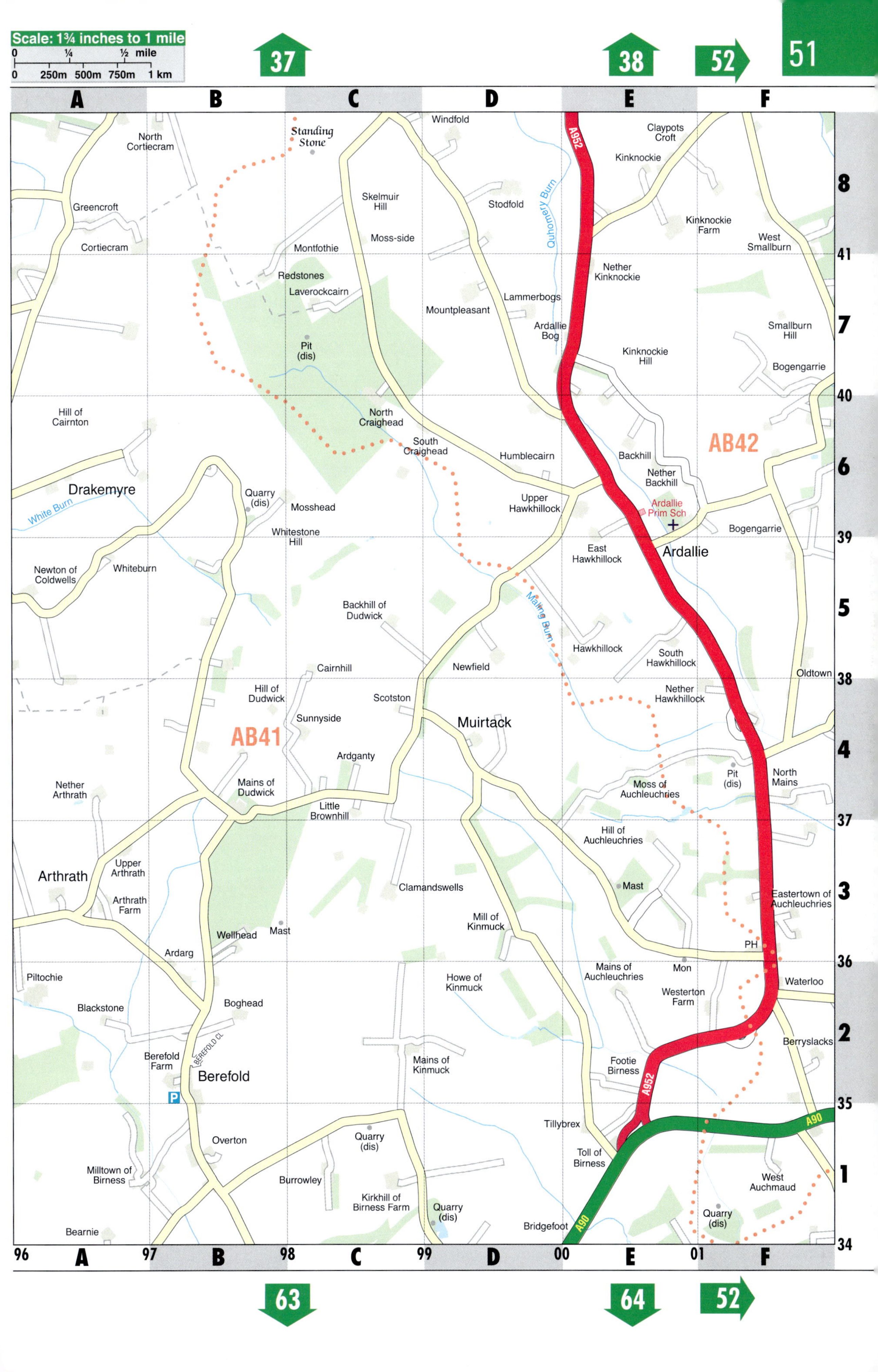

Scale: 1¾ inches to 1 mile
0 ¼ ½ mile
0 250m 500m 750m 1 km
37
38
52
A B C D E F
Standing Stone
Windfold
North Cortiecram
Claypots Croft
Kinknockie
A952
Greencroft
Skelmuir Hill
Stodfold
Quhomery Burn
Kinknockie Farm
Cortiecram
Montfothie
Moss-side
West Smallburn
Nether Kinknockie
Redstones
Laverockcairn
Lammerbogs
Mountpleasant
Ardallie Bog
Smallburn Hill
Pit (dis)
Kinknockie Hill
Bogengarrie
Hill of Cairnton
North Craighead
South Craighead
AB42
Humblecairn
Backhill
Nether Backhill
Drakemyre
Quarry (dis)
Mosshead
Upper Hawkhillock
Ardallie Prim Sch
White Burn
Whitestone Hill
Bogengarrie
East Hawkhillock
Ardallie
Newton of Coldwells
Whiteburn
Backhill of Dudwick
Maling Burn
Hawkhillock
South Hawkhillock
Cairnhill
Newfield
Oldtown
Hill of Dudwick
Scotston
Nether Hawkhillock
Sunnyside
Muirtack
AB41
Ardganty
Pit (dis)
North Mains
Nether Arthrath
Mains of Dudwick
Moss of Auchleuchries
Little Brownhill
Hill of Auchleuchries
Upper Arthrath
Arthrath
Clamandswells
Mast
Eastertown of Auchleuchries
Arthrath Farm
Mill of Kinmuck
Wellhead
Mast
PH
Ardarg
Mon
Piltochie
Mains of Auchleuchries
Howe of Kinmuck
Waterloo
Westerton Farm
Boghead
Blackstone
Berryslacks
BEREFOLD CL
Berefold Farm
Mains of Kinmuck
Footie Birness
Berefold
A952
P
Tillybrex
A90
Overton
Quarry (dis)
Toll of Birness
Milltown of Birness
Burrowley
West Auchmaud
Kirkhill of Birness Farm
Quarry (dis)
Quarry (dis)
Bridgefoot
A90
Bearnie
8 41 7 40 6 39 5 38 4 37 3 36 2 35 1 34
96 97 98 99 00 01
63
64
52

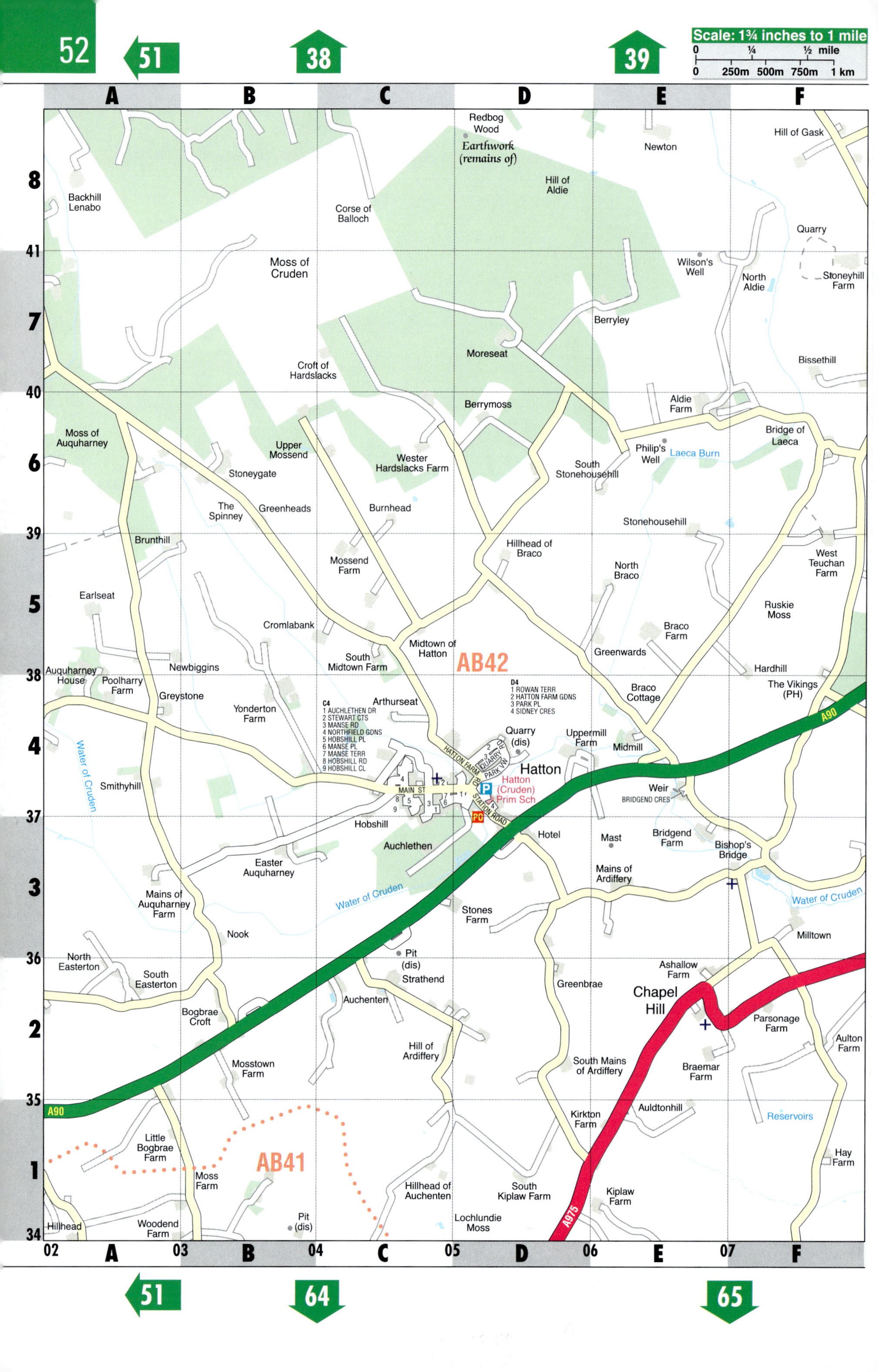
51
38
39
Scale: 1¾ inches to 1 mile
0 ¼ ½ mile
0 250m 500m 750m 1 km
Redbog Wood
Earthwork (remains of)
Newton
Hill of Gask
Hill of Aldie
Backhill Lenabo
Corse of Balloch
Quarry
Moss of Cruden
Wilson's Well
North Aldie
Stoneyhill Farm
Berryley
Moreseat
Bissethill
Croft of Hardslacks
Aldie Farm
Berrymoss
Bridge of Laeca
Moss of Auquharney
Upper Mossend
Philip's Well
Laeca Burn
Wester Hardslacks Farm
South Stonehousehill
Stoneygate
The Spinney
Greenheads
Burnhead
Stonehousehill
Brunthill
Hillhead of Braco
West Teuchan Farm
Mossend Farm
North Braco
Earlseat
Ruskie Moss
Cromlabank
Braco Farm
Midtown of Hatton
Greenwards
South Midtown Farm
AB42
Hardhill
Auquharney House
Newbiggins
Poolharry Farm
The Vikings (PH)
Braco Cottage
Greystone
Arthurseat
D4
1 ROWAN TERR
2 HATTON FARM GDNS
3 PARK PL
4 SIDNEY CRES
Yonderton Farm
C4
1 AUCHLETHEN DR
2 STEWART CTS
3 MANSE RD
4 NORTHFIELD GDNS
5 HOBSHILL PL
6 MANSE PL
7 MANSE TERR
8 HOBSHILL RD
9 HOBSHILL CL
Quarry (dis)
Uppermill Farm
Midmill
A90
Water of Cruden
HATTON FARM DR
QUARRY RD
PARK VW
Hatton
Smithyhill
MAIN ST
Hatton (Cruden) Prim Sch
Weir
BRIDGEND CRES
STATION ROAD
PO
Hobshill
Hotel
Mast
Bridgend Farm
Bishop's Bridge
Auchlethen
Easter Auquharney
Mains of Ardiffery
Water of Cruden
Water of Cruden
Mains of Auquharney Farm
Stones Farm
Nook
Milltown
Pit (dis)
North Easterton
South Easterton
Strathend
Ashallow Farm
Greenbrae
Chapel Hill
Auchenten
Bogbrae Croft
Parsonage Farm
Hill of Ardiffery
Aulton Farm
Mosstown Farm
South Mains of Ardiffery
Braemar Farm
A90
Kirkton Farm
Auldtonhill
Reservoirs
Little Bogbrae Farm
AB41
Hay Farm
Moss Farm
Hillhead of Auchenten
South Kiplaw Farm
Kiplaw Farm
A975
Pit (dis)
Lochlundie Moss
Hillhead
Woodend Farm
A B C D E F
8 41 7 40 6 39 5 38 4 37 3 36 2 35 1 34
02 03 04 05 06 07

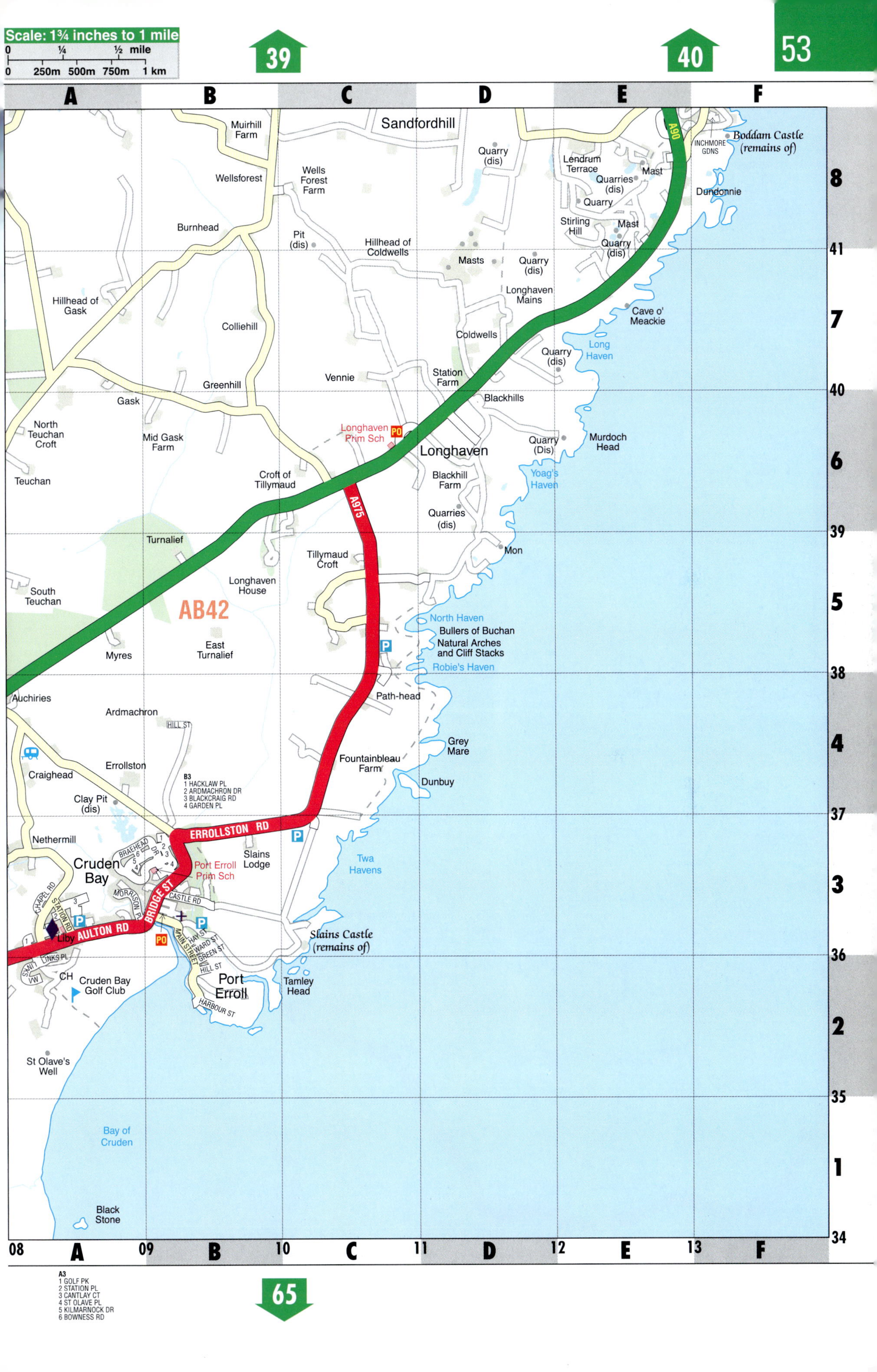
Scale: 1¾ inches to 1 mile
0 ¼ ½ mile
0 250m 500m 750m 1 km
39
40
A B C D E F
Sandfordhill
Muirhill Farm
Wellsforest
Wells Forest Farm
Quarry (dis)
Lendrum Terrace
INCHMORE GDNS
Boddam Castle (remains of)
Mast
Quarries (dis)
Dundonnie
Quarry
Stirling Hill
Mast
Quarry (dis)
A90
Burnhead
Pit (dis)
Hillhead of Coldwells
Masts
Quarry (dis)
Longhaven Mains
Hillhead of Gask
Colliehill
Coldwells
Cave o' Meackie
Quarry (dis)
Long Haven
Vennie
Station Farm
Greenhill
Blackhills
Gask
North Teuchan Croft
Mid Gask Farm
Longhaven Prim Sch
PO
Longhaven
Quarry (Dis)
Murdoch Head
Teuchan
Croft of Tillymaud
Blackhill Farm
Yoag's Haven
A975
Quarries (dis)
Turnalief
Tillymaud Croft
Mon
South Teuchan
Longhaven House
AB42
North Haven
Bullers of Buchan Natural Arches and Cliff Stacks
Robie's Haven
Myres
East Turnalief
P
Auchiries
Path-head
Ardmachron
HILL ST
Grey Mare
Errollston
Craighead
Fountainbleau Farm
Dunbuy
B3
1 HACKLAW PL
2 ARDMACHRON DR
3 BLACKCRAIG RD
4 GARDEN PL
Clay Pit (dis)
Nethermill
ERROLLSTON RD
BRAEHEAD DR
Cruden Bay
Slains Lodge
Port Erroll Prim Sch
Twa Havens
CHAPEL RD
STATION RD
MORRISON PL
CASTLE RD
BRIDGE ST
AULTON RD
Liby
PO
MAIN STREET
HAY ST
WARD ST
GREEN ST
HILL ST
Slains Castle (remains of)
LINKS PL
SANDY VW
CH
Cruden Bay Golf Club
Port Erroll
Tamley Head
HARBOUR ST
St Olave's Well
Bay of Cruden
Black Stone
41 40 39 38 37 36 35 34
8 7 6 5 4 3 2 1
08 09 10 11 12 13
A3
1 GOLF PK
2 STATION PL
3 CANTLAY CT
4 ST OLAVE PL
5 KILMARNOCK DR
6 BOWNESS RD
65

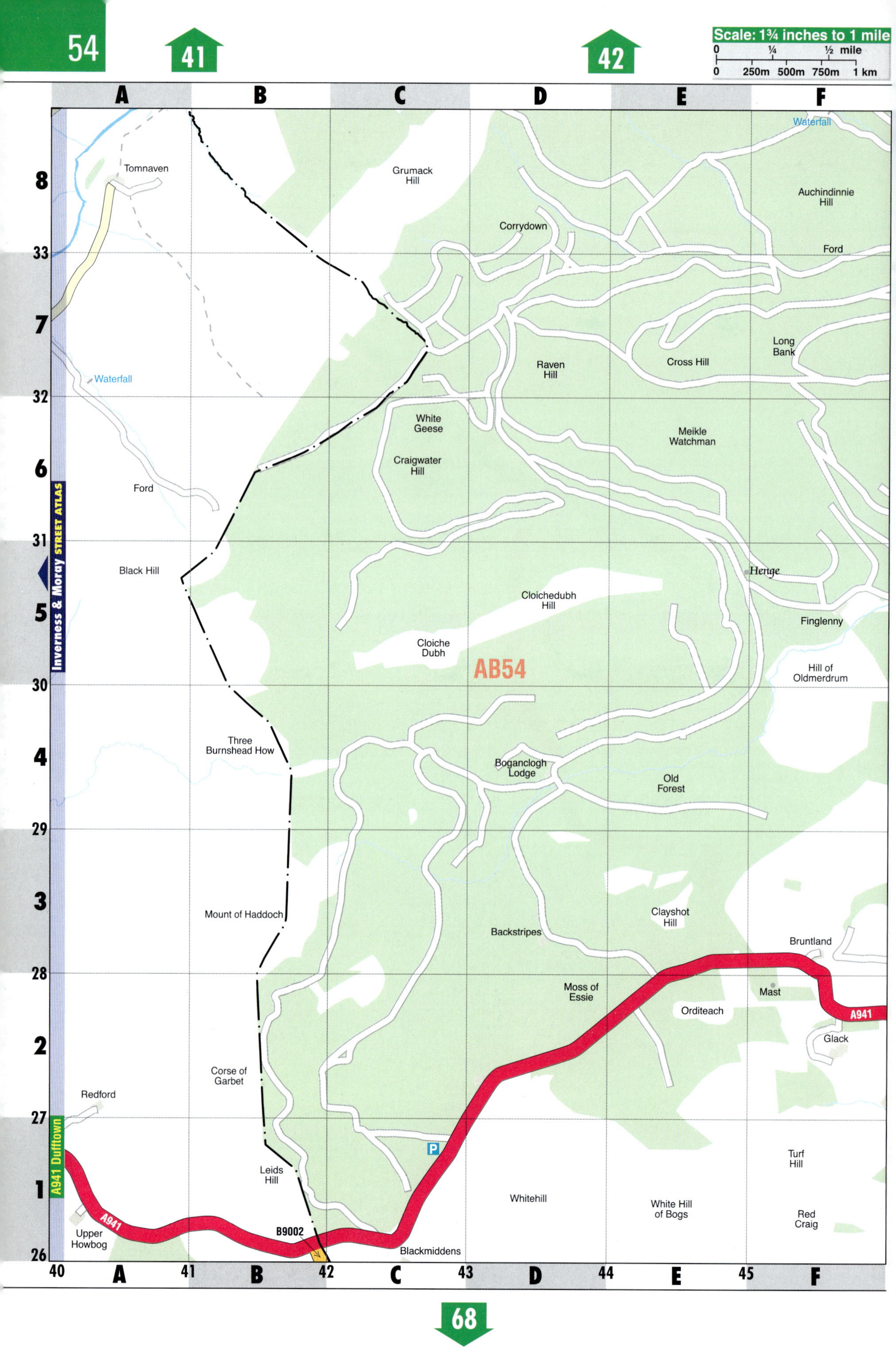
41
42
Scale: 1¾ inches to 1 mile
0 ¼ ½ mile
0 250m 500m 750m 1 km
A B C D E F
8 33 7 32 6 31 5 30 4 29 3 28 2 27 1 26
40 41 42 43 44 45
Tomnaven
Grumack Hill
Waterfall
Auchindinnie Hill
Corrydown
Ford
Long Bank
Cross Hill
Raven Hill
Waterfall
White Geese
Meikle Watchman
Craigwater Hill
Ford
Black Hill
Henge
Cloichedubh Hill
Finglenny
Cloiche Dubh
AB54
Hill of Oldmerdrum
Inverness & Moray STREET ATLAS
Three Burnshead How
Boganclogh Lodge
Old Forest
Mount of Haddoch
Clayshot Hill
Backstripes
Bruntland
Moss of Essie
Mast
Orditeach
A941
Glack
Corse of Garbet
Redford
A941 Dufftown
P
Turf Hill
Leids Hill
Whitehill
White Hill of Bogs
Red Craig
A941
B9002
Upper Howbog
Blackmiddens
68

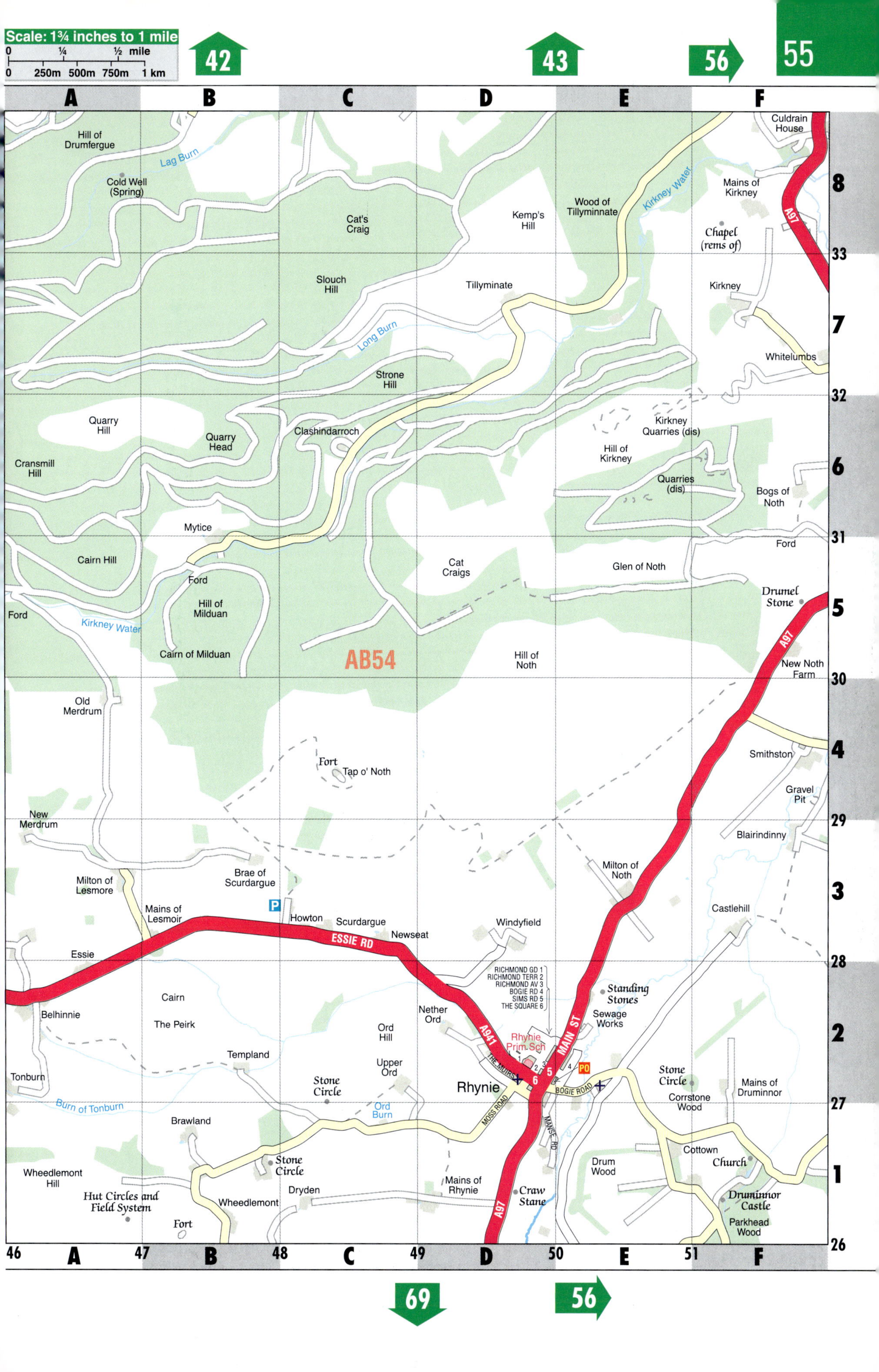

Scale: 1¾ inches to 1 mile
0 ¼ ½ mile
0 250m 500m 750m 1 km
42
43
56
A B C D E F
Hill of Drumfergue
Lag Burn
Cold Well (Spring)
Cat's Craig
Kemp's Hill
Wood of Tillyminnate
Kirkney Water
Culdrain House
Mains of Kirkney
Chapel (rems of)
A97
Slouch Hill
Tillyminate
Kirkney
Long Burn
Strone Hill
Whitelumbs
Quarry Hill
Quarry Head
Clashindarroch
Kirkney Quarries (dis)
Hill of Kirkney
Cransmill Hill
Quarries (dis)
Bogs of Noth
Mytice
Cairn Hill
Ford
Cat Craigs
Glen of Noth
Hill of Milduan
Drumel Stone
Kirkney Water
Cairn of Milduan
AB54
Hill of Noth
New Noth Farm
Old Merdrum
Fort
Tap o' Noth
Smithston
Gravel Pit
New Merdrum
Blairindinny
Milton of Lesmore
Brae of Scurdargue
Milton of Noth
Mains of Lesmoir
Howton
Scurdargue
Newseat
Windyfield
Castlehill
Essie
ESSIE RD
RICHMOND GD 1
RICHMOND TERR 2
RICHMOND AV 3
BOGIE RD 4
SIMS RD 5
THE SQUARE 6
Standing Stones
Cairn
Nether Ord
Sewage Works
Belhinnie
The Peirk
Ord Hill
A941
Rhynie Prim Sch
MAIN ST
Templand
Upper Ord
THE MUIRS
PO
Stone Circle
Tonburn
Stone Circle
Rhynie
BOGIE ROAD
Mains of Druminnor
Corrstone Wood
Burn of Tonburn
Ord Burn
MOSS ROAD
Brawland
MANSE RD
Cottown
Stone Circle
Drum Wood
Church
Wheedlemont Hill
Mains of Rhynie
Craw Stane
Dryden
Druminnor Castle
Hut Circles and Field System
Wheedlemont
Parkhead Wood
Fort
8 33 7 32 6 31 5 30 4 29 3 28 2 27 1 26
46 47 48 49 50 51
69
56

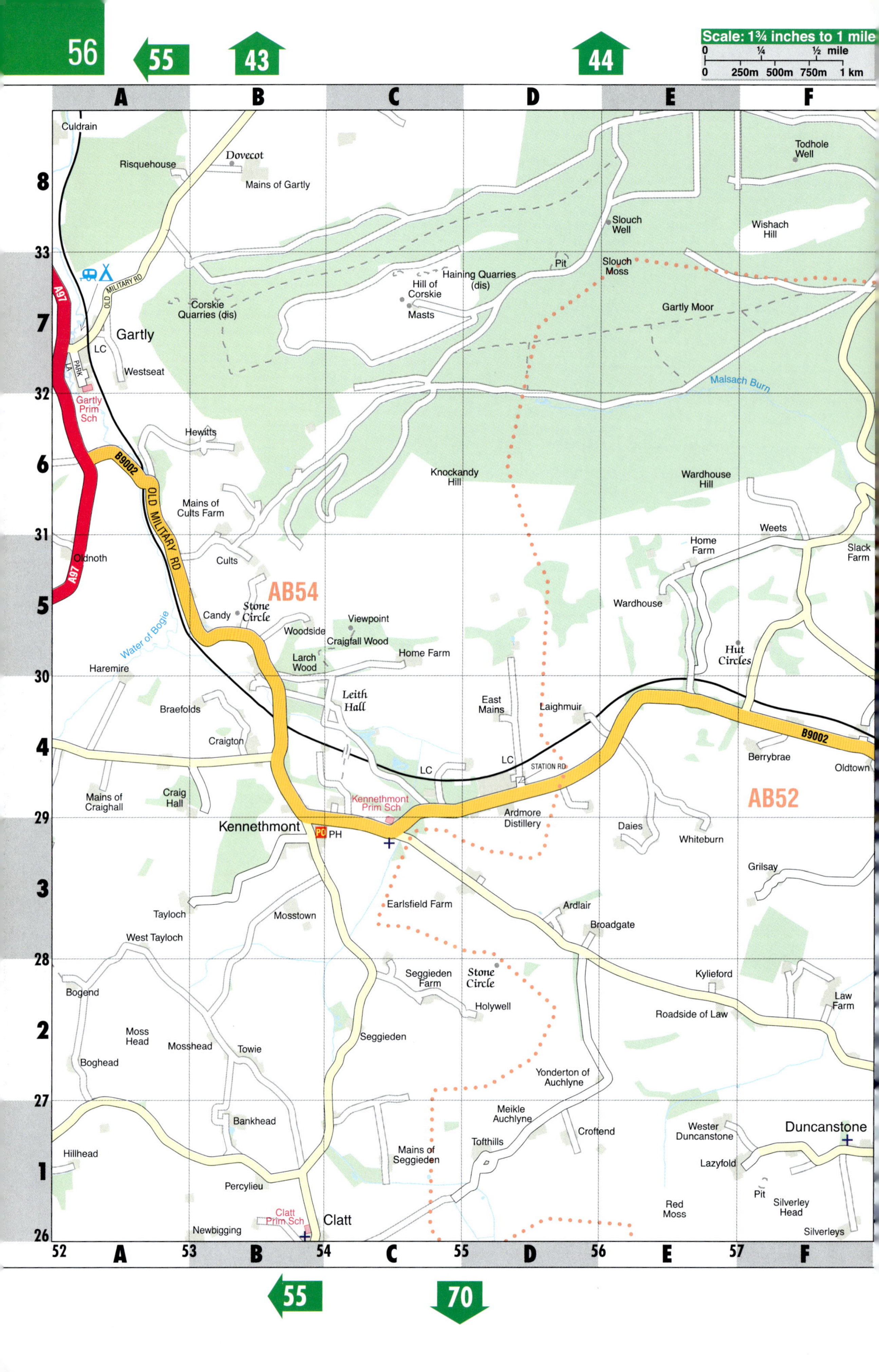
Scale: 1¾ inches to 1 mile
0 ¼ ½ mile
0 250m 500m 750m 1 km
A
B
C
D
E
F
Culdrain
Risquehouse
Dovecot
Mains of Gartly
Todhole Well
Slouch Well
Wishach Hill
Pit
Slouch Moss
Haining Quarries (dis)
Hill of Corskie
Masts
Corskie Quarries (dis)
Gartly Moor
OLD MILITARY RD
A97
Gartly
LC
PARK LA
Westseat
Gartly Prim Sch
Malsach Burn
Hewitts
B9002
OLD MILITARY RD
Knockandy Hill
Wardhouse Hill
Mains of Cults Farm
Weets
Home Farm
Slack Farm
Oldnoth
Cults
AB54
Wardhouse
Candy
Stone Circle
Viewpoint
Woodside
Craigfall Wood
Water of Bogie
Home Farm
Hut Circles
Larch Wood
Haremire
Leith Hall
East Mains
Laighmuir
Braefolds
Craigton
B9002
Berrybrae
Oldtown
LC
LC
STATION RD
AB52
Kennethmont Prim Sch
Mains of Craighall
Craig Hall
Ardmore Distillery
Kennethmont
PO
PH
Daies
Whiteburn
Grilsay
Earlsfield Farm
Ardlair
Tayloch
Mosstown
Broadgate
West Tayloch
Seggieden Farm
Stone Circle
Kylieford
Bogend
Holywell
Law Farm
Roadside of Law
Moss Head
Mosshead
Towie
Seggieden
Boghead
Yonderton of Auchlyne
Meikle Auchlyne
Bankhead
Croftend
Wester Duncanstone
Duncanstone
Tofthills
Hillhead
Mains of Seggieden
Lazyfold
Percylieu
Pit
Red Moss
Silverley Head
Clatt Prim Sch
Clatt
Newbigging
Silverleys
8
33
7
32
6
31
5
30
4
29
3
28
2
27
1
26
52
53
54
55
56
57

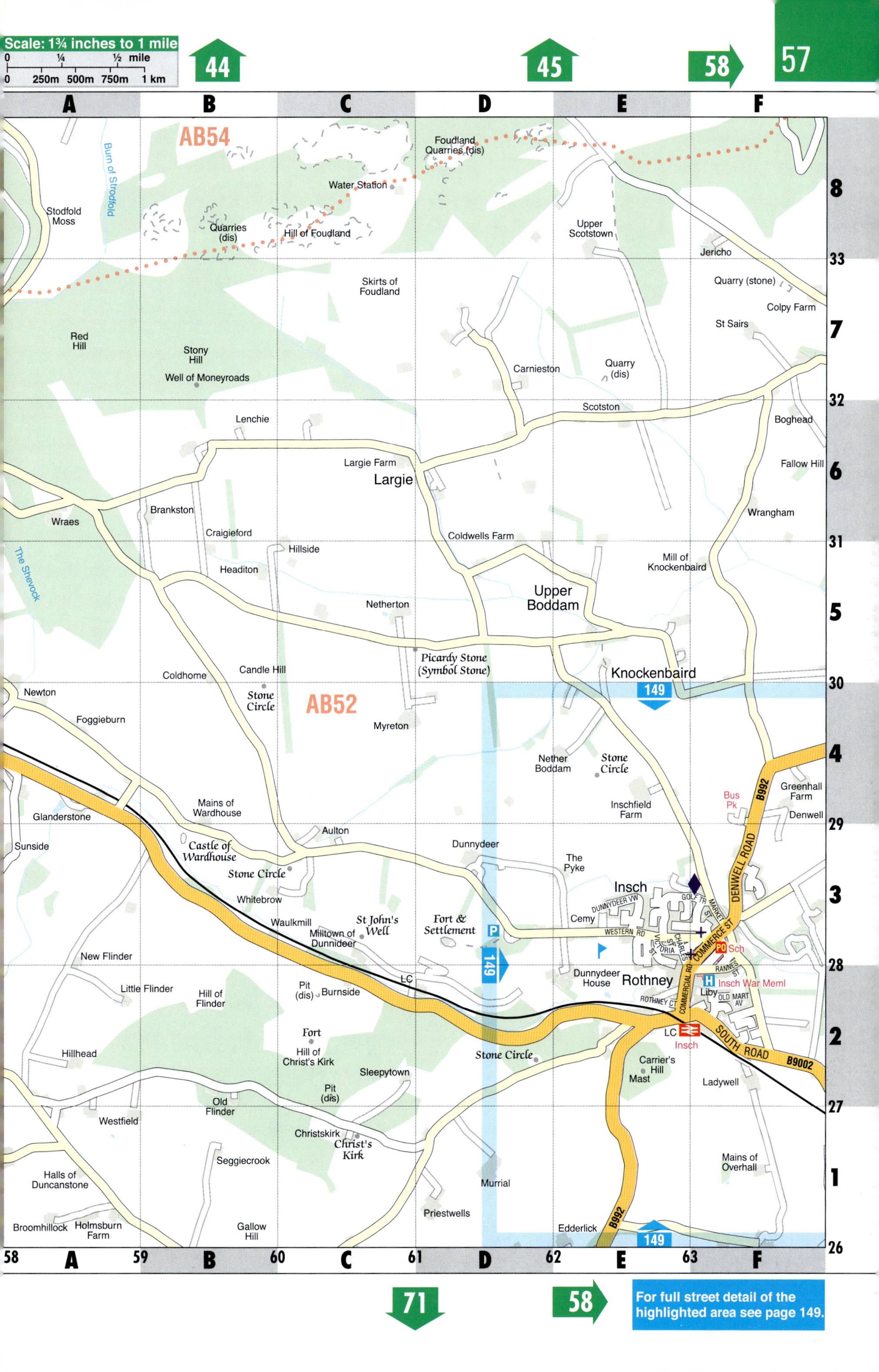

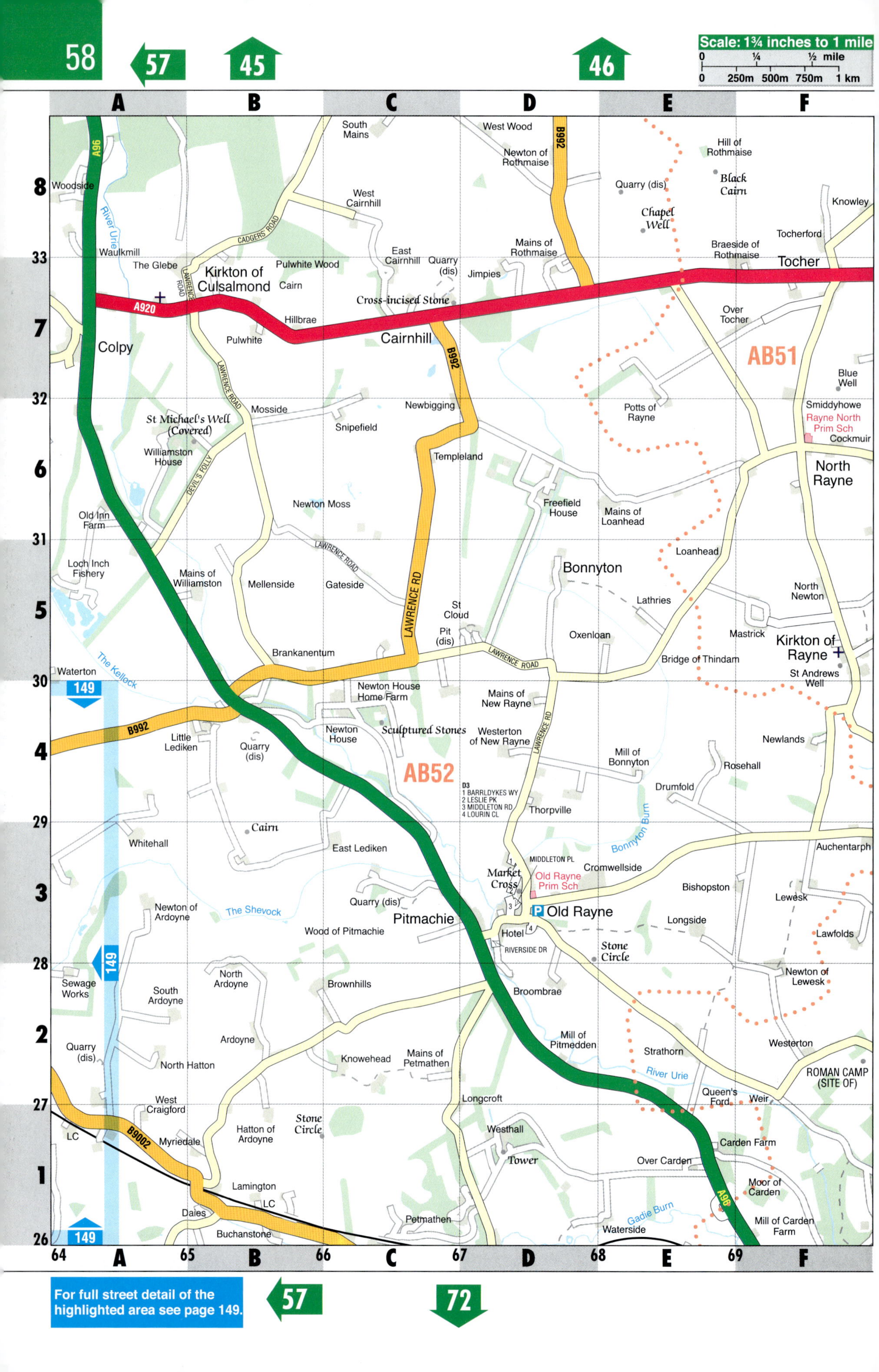

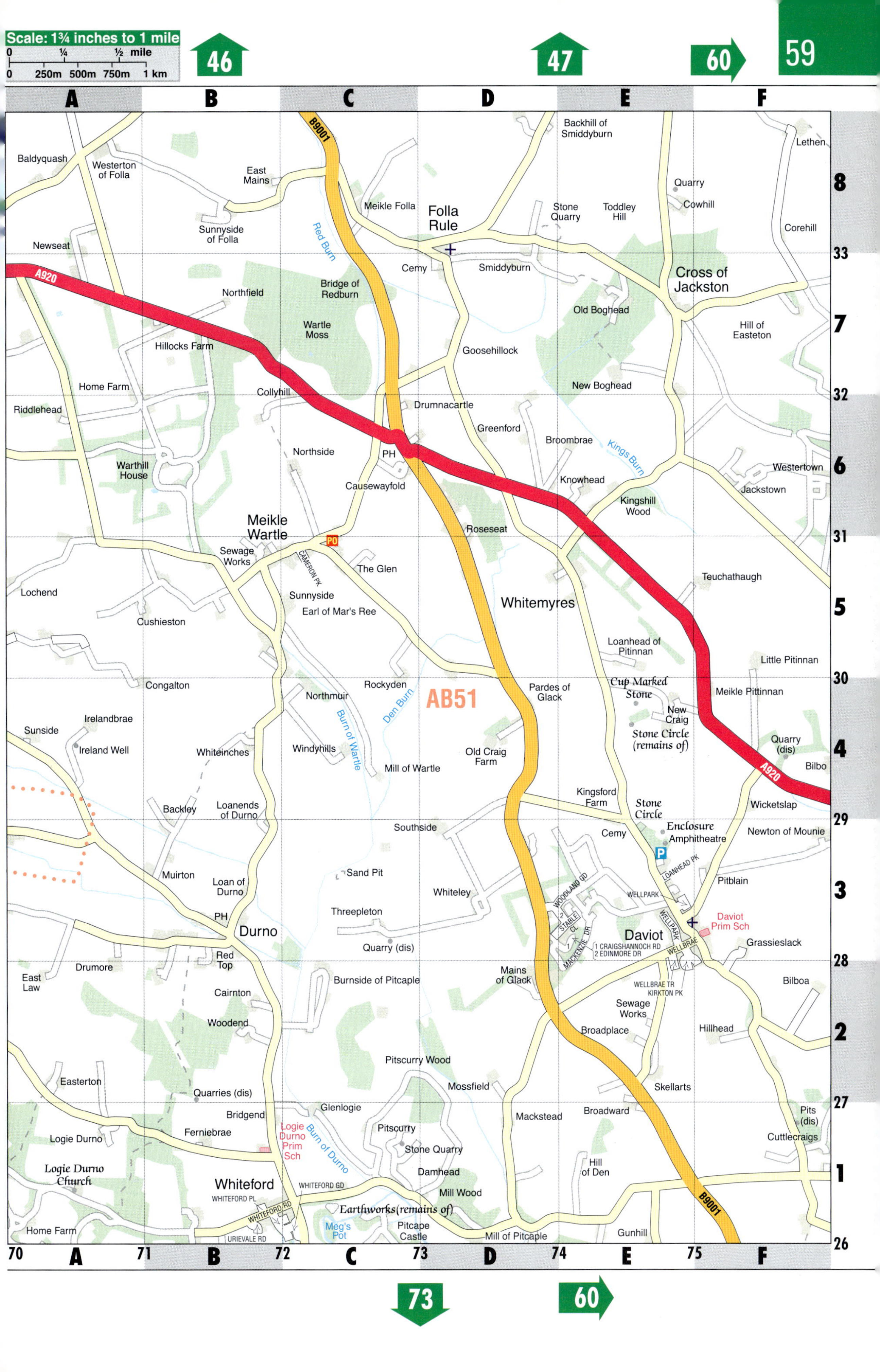

Scale: 1¾ inches to 1 mile
0
¼
½ mile
0
250m
500m
750m
1 km
46
47
60
59
A
B
C
D
E
F
B9001
A920
Baldyquash
Westerton of Folla
East Mains
Sunnyside of Folla
Meikle Folla
Folla Rule
Backhill of Smiddyburn
Stone Quarry
Toddley Hill
Quarry
Cowhill
Lethen
Corehill
Newseat
Red Burn
Cemy
Smiddyburn
Cross of Jackston
Northfield
Bridge of Redburn
Old Boghead
Hill of Easteton
Wartle Moss
Hillocks Farm
Goosehillock
New Boghead
Home Farm
Collyhill
Riddlehead
Drumnacartle
Greenford
Broombrae
Kings Burn
Northside
PH
Warthill House
Causewayfold
Knowhead
Westertown
Jackstown
Kingshill Wood
Meikle Wartle
Roseseat
PO
Sewage Works
CAMERON PK
The Glen
Lochend
Sunnyside
Earl of Mar's Ree
Whitemyres
Teuchathaugh
Cushieston
Loanhead of Pitinnan
Little Pitinnan
Congalton
Rockyden
Pardes of Glack
Cup Marked Stone
Meikle Pittinnan
Northmuir
AB51
Den Burn
Irelandbrae
Burn of Wartle
New Craig
Sunside
Ireland Well
Whiteinches
Windyhills
Old Craig Farm
Stone Circle (remains of)
Quarry (dis)
Bilbo
Mill of Wartle
Backley
Loanends of Durno
Kingsford Farm
Stone Circle
Wicketslap
Southside
Enclosure
Amphitheatre
Cemy
Newton of Mounie
Muirton
Loan of Durno
Sand Pit
Whiteley
LOANHEAD PK
Pitblain
WOODLAND GD
WELLPARK
PH
Durno
Threepleton
STABLE CL
MACKENZIE DR
Daviot
WELLPARK
WELLBRAE
Daviot Prim Sch
Grassieslack
1 CRAIGSHANNOCH RD
2 EDINMORE DR
Red Top
Quarry (dis)
East Law
Drumore
Burnside of Pitcaple
Mains of Glack
Bilboa
Cairnton
WELLBRAE TR
KIRKTON PK
Sewage Works
Woodend
Broadplace
Hillhead
Pitscurry Wood
Easterton
Mossfield
Skellarts
Quarries (dis)
Glenlogie
Bridgend
Mackstead
Broadward
Pits (dis)
Logie Durno Prim Sch
Burn of Durno
Pitscurry
Ferniebrae
Cuttlecraigs
Logie Durno
Stone Quarry
Hill of Den
Logie Durno Church
Whiteford
WHITEFORD GD
Damhead
WHITEFORD PL
Mill Wood
WHITEFORD RD
Earthworks(remains of)
Meg's Pot
Pitcape Castle
Home Farm
URIEVALE RD
Mill of Pitcaple
Gunhill
8
33
7
32
6
31
5
30
4
29
3
28
2
27
1
26
70
71
72
73
74
75
73
60

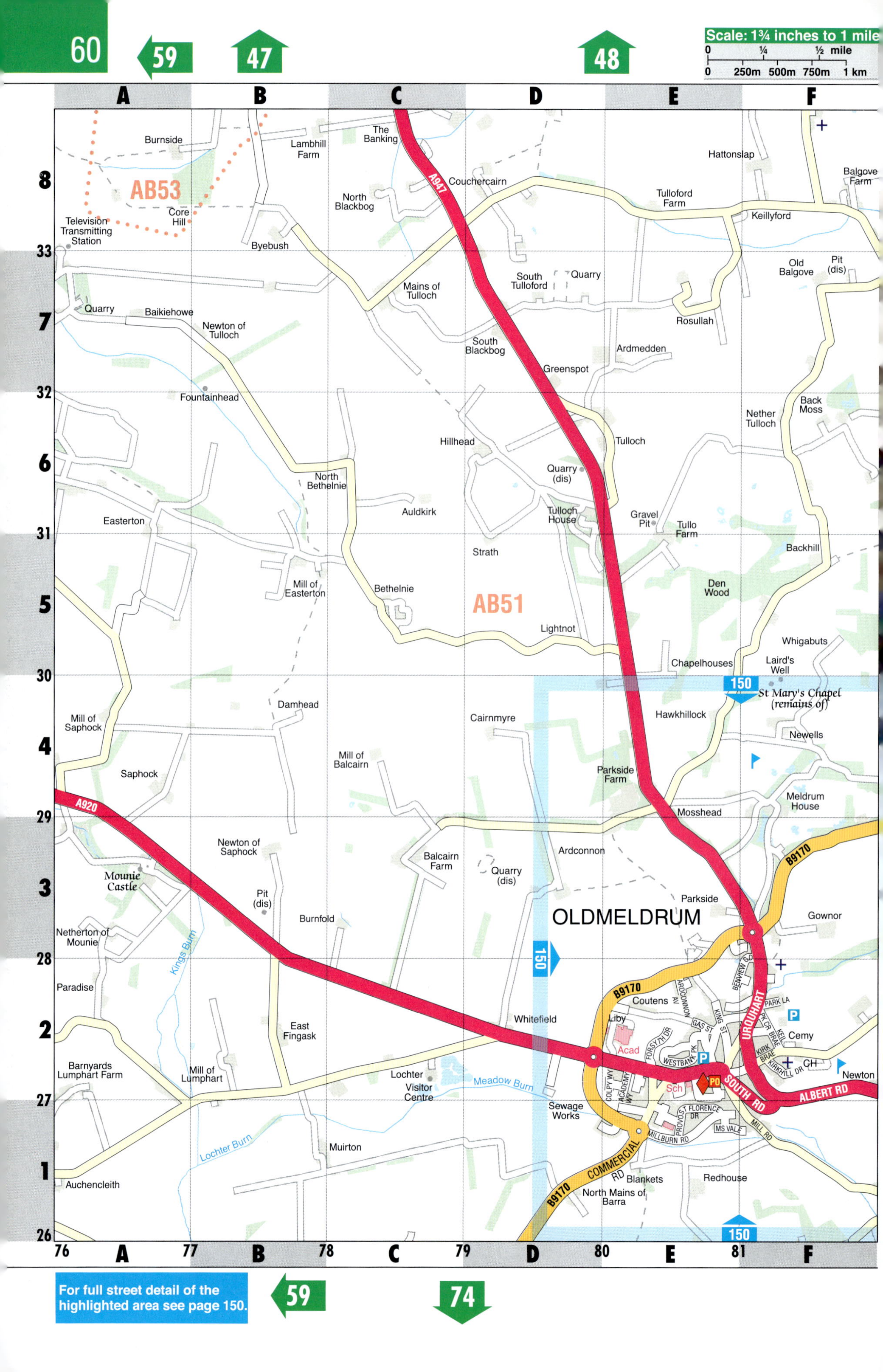

60
59
47
48
Scale: 1¾ inches to 1 mile
0
¼
½ mile
0
250m
500m
750m
1 km
A
B
C
D
E
F
Burnside
AB53
Core Hill
Television Transmitting Station
Lambhill Farm
The Banking
A947
Couchercairn
North Blackbog
Byebush
Hattonslap
Tulloford Farm
Keillyford
Balgove Farm
Old Balgove
Pit (dis)
South Tulloford
Quarry
Mains of Tulloch
Quarry
Baikiehowe
Newton of Tulloch
South Blackbog
Rosullah
Ardmedden
Greenspot
Fountainhead
Hillhead
Nether Tulloch
Back Moss
Tulloch
North Bethelnie
Quarry (dis)
Auldkirk
Easterton
Tulloch House
Gravel Pit
Tullo Farm
Strath
Backhill
Mill of Easterton
Bethelnie
AB51
Den Wood
Lightnot
Whigabuts
Chapelhouses
Laird's Well
150
St Mary's Chapel (remains of)
Damhead
Cairnmyre
Hawkhillock
Mill of Saphock
Newells
Mill of Balcairn
Saphock
Parkside Farm
Meldrum House
A920
Mosshead
Newton of Saphock
Ardconnon
B9170
Balcairn Farm
Quarry (dis)
Mounie Castle
Pit (dis)
Parkside
OLDMELDRUM
Burnfold
Gownor
Netherton of Mounie
Kings Burn
150
Paradise
BENWIEW CD
ARDCONNON AV
B9170
Coutens
URQUHART
PARK LA
East Fingask
Whitefield
Liby
GAS ST
KING ST
Cemy
Acad
FORSYTH DR
KIRK BRAE
CH
Barnyards Lumphart Farm
Mill of Lumphart
Lochter Visitor Centre
Meadow Burn
WESTBANK PK
Sch
PO
SOUTH RD
ALBERT RD
Newton
COLPY WY
ACADEMY WY
Sewage Works
FLORENCE DR
PROVOST
MS VALE
MILL RD
MILLBURN RD
Lochter Burn
Muirton
COMMERCIAL RD
Blankets
Redhouse
Auchencleith
B9170
North Mains of Barra
150
26
27
1
2
28
3
29
4
30
5
31
6
32
7
33
8
76
77
78
79
80
81
For full street detail of the highlighted area see page 150.
59
74

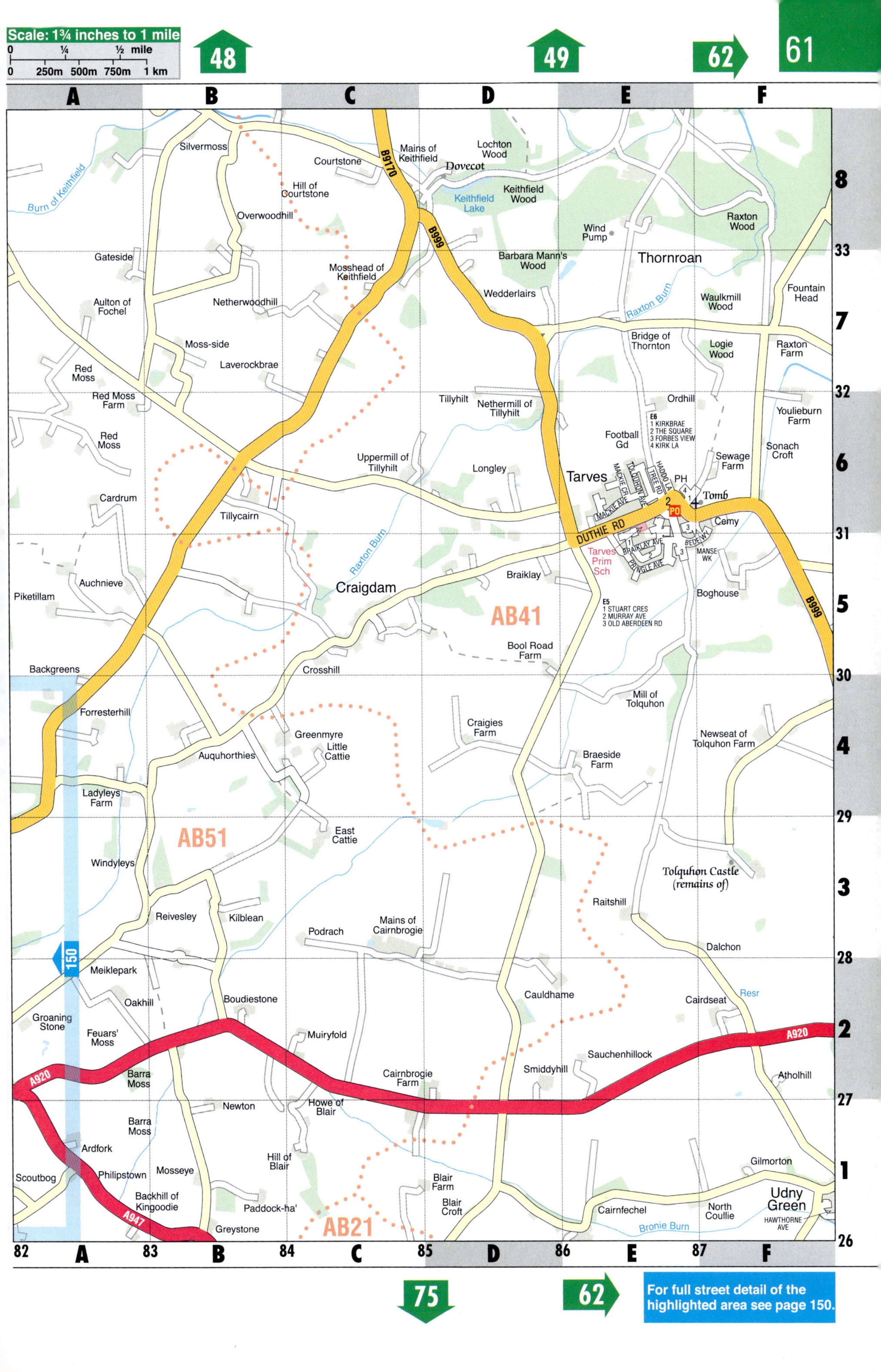

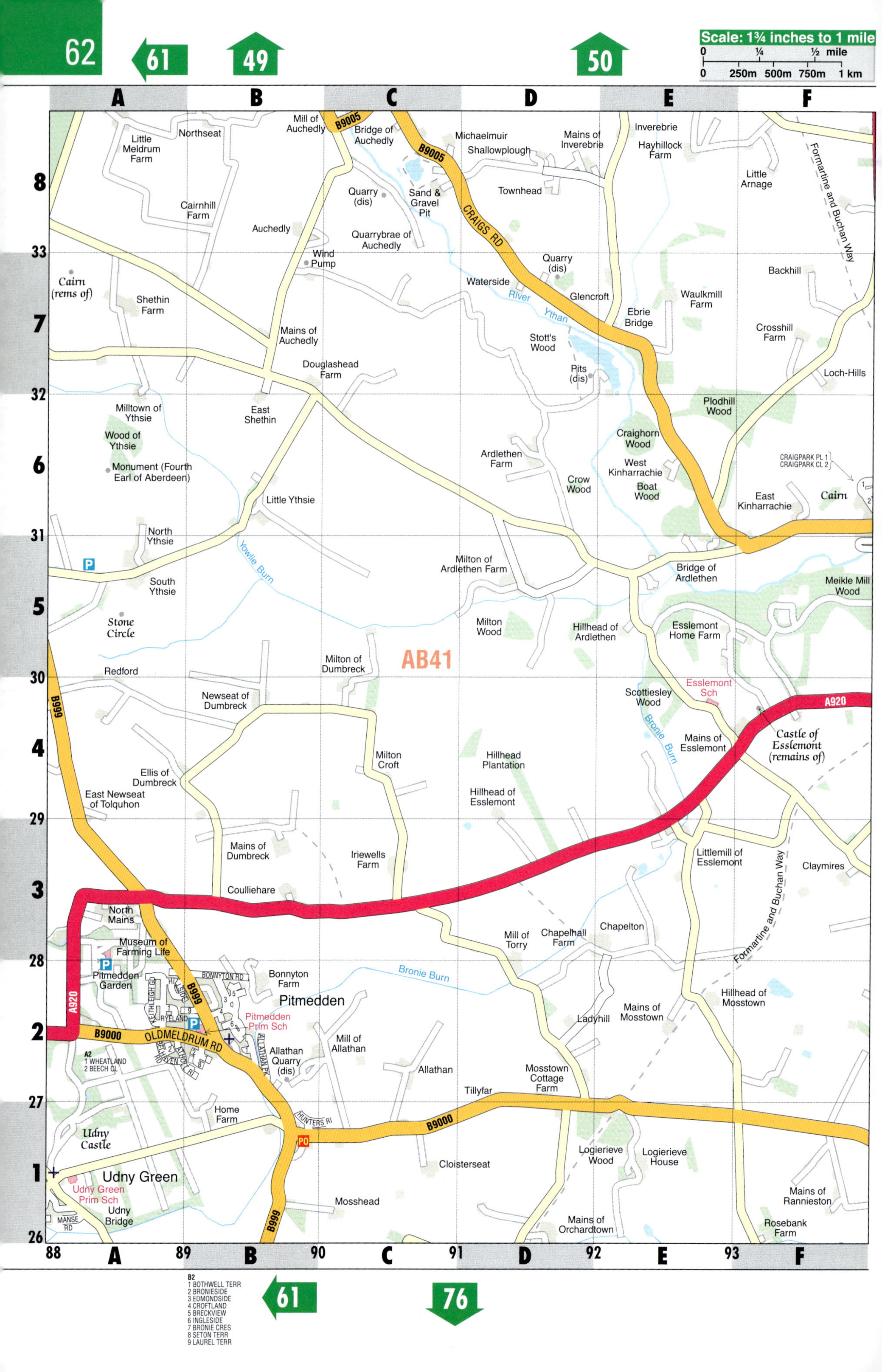
62
61
49
50
Scale: 1¾ inches to 1 mile
0 ¼ ½ mile
0 250m 500m 750m 1 km
A B C D E F
8 33 7 32 6 31 5 30 4 29 3 28 2 27 1 26
88 89 90 91 92 93
Little Meldrum Farm
Northseat
Mill of Auchedly
B9005
Bridge of Auchedly
Michaelmuir
Shallowplough
Mains of Inverebrie
Inverebrie
Hayhillock Farm
Formartine and Buchan Way
Little Arnage
Cairnhill Farm
Quarry (dis)
Sand & Gravel Pit
Townhead
CRAIGS RD
Auchedly
Quarrybrae of Auchedly
Wind Pump
Quarry (dis)
Backhill
Cairn (rems of)
Shethin Farm
Waterside
River Ythan
Glencroft
Waulkmill Farm
Ebrie Bridge
Crosshill Farm
Mains of Auchedly
Stott's Wood
Douglashead Farm
Pits (dis)
Loch-Hills
Plodhill Wood
Milltown of Ythsie
East Shethin
Craighorn Wood
Wood of Ythsie
Ardlethen Farm
West Kinharrachie
CRAIGPARK PL 1
CRAIGPARK CL 2
Monument (Fourth Earl of Aberdeen)
Crow Wood
Boat Wood
East Kinharrachie
Cairn
Little Ythsie
North Ythsie
Ythsie Burn
Milton of Ardlethen Farm
Bridge of Ardlethen
South Ythsie
Meikle Mill Wood
Stone Circle
Milton Wood
Hillhead of Ardlethen
Esslemont Home Farm
AB41
Milton of Dumbreck
Redford
Esslemont Sch
Scottiesley Wood
A920
B999
Newseat of Dumbreck
Bronie Burn
Castle of Esslemont (remains of)
Milton Croft
Hillhead Plantation
Mains of Esslemont
Ellis of Dumbreck
East Newseat of Tolquhon
Hillhead of Esslemont
Mains of Dumbreck
Irievells Farm
Littlemill of Esslemont
Claymires
Coulliehare
North Mains
Chapelhall Farm
Chapelton
Mill of Torry
Museum of Farming Life
Pitmedden Garden
BONNYTON RD
Bonnyton Farm
Bronie Burn
Hillhead of Mosstown
Pitmedden
KEITHLEIGH GR
HILLSIDE
RYELAND
Pitmedden Prim Sch
Ladyhill
Mains of Mosstown
B9000
OLDMELDRUM RD
Mill of Allathan
ALLATHAN PK
Allathan Quarry (dis)
A2
1 WHEATLAND
2 BEECH CL
Allathan
Mosstown Cottage Farm
Tillyfar
Home Farm
HUNTERS RI
B9000
Udny Castle
PO
Cloisterseat
Logierieve Wood
Logierieve House
Udny Green
Udny Green Prim Sch
Mains of Rannieston
Udny Bridge
MANSE RD
Mosshead
Mains of Orchardtown
Rosebank Farm
B2
1 BOTHWELL TERR
2 BRONIESIDE
3 EDMONDSIDE
4 CROFTLAND
5 BRECKVIEW
6 INGLESIDE
7 BRONIE CRES
8 SETON TERR
9 LAUREL TERR
61
76

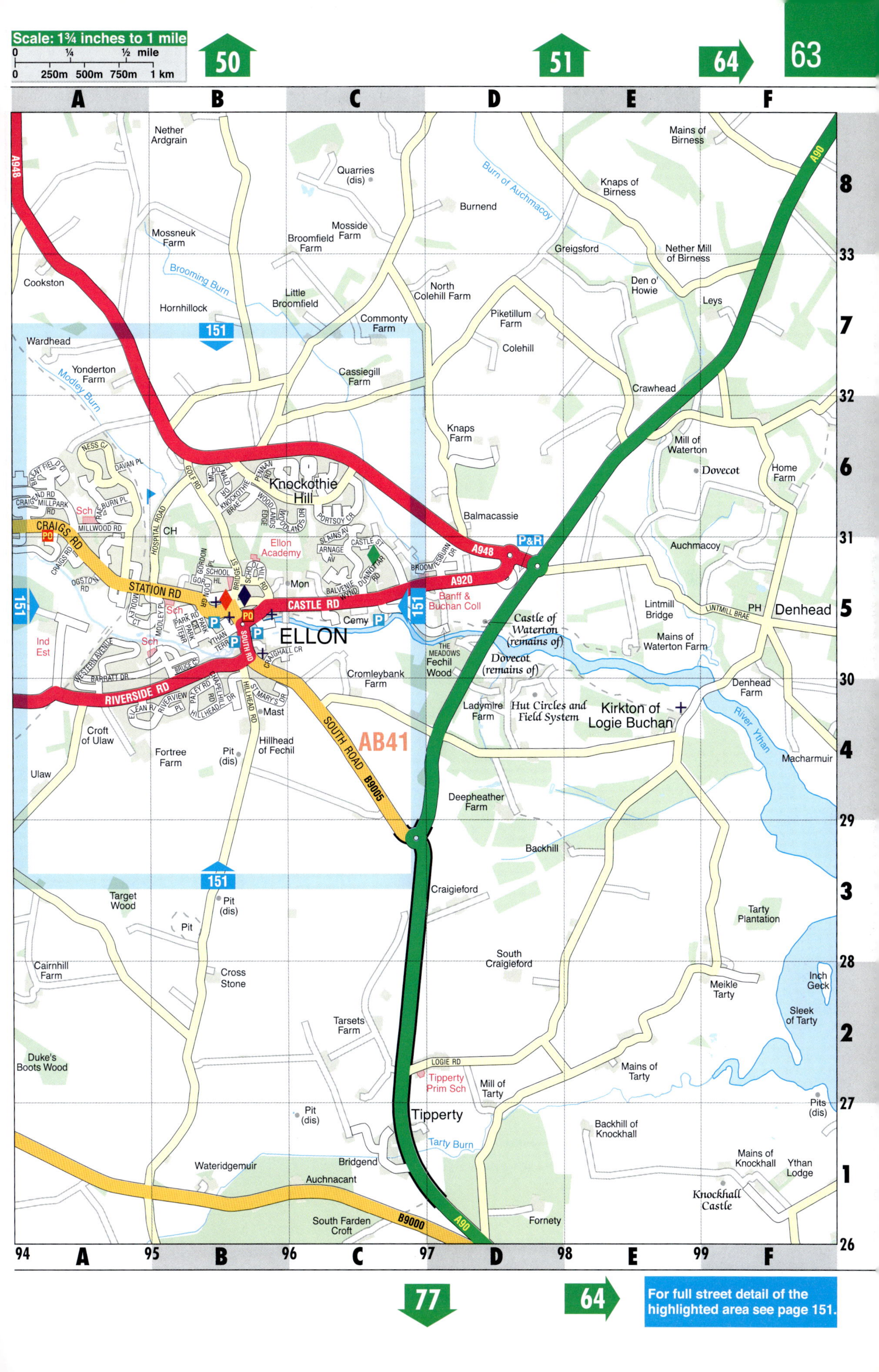
Scale: 1¾ inches to 1 mile
0 ¼ ½ mile
0 250m 500m 750m 1 km
50
51
64
A B C D E F
8
33
7
32
6
31
5
30
4
29
3
28
2
27
1
26
94 95 96 97 98 99
Nether Ardgrain
Quarries (dis)
Mains of Birness
Burn of Auchmacoy
Knaps of Birness
Burnend
Mossneuk Farm
Mosside Farm
Broomfield Farm
Greigsford
Nether Mill of Birness
Brooming Burn
Cookston
Little Broomfield
North Colehill Farm
Den o' Howie
Leys
Hornhillock
Commonty Farm
Piketillum Farm
151
Wardhead
Colehill
Yonderton Farm
Modley Burn
Cassiegill Farm
Crawhead
Knaps Farm
Mill of Waterton
Dovecot
Home Farm
Knockothie Hill
Balmacassie
Ellon Academy
Auchmacoy
P&R
A948
A920
CASTLE RD
STATION RD
CRAIGS RD
RIVERSIDE RD
SOUTH RD
Mon
Banff & Buchan Coll
Lintmill Bridge
LINTMILL BRAE
PH
Denhead
Castle of Waterton (remains of)
Cemy
ELLON
Ind Est
Sch
Mains of Waterton Farm
Fechil Wood
Dovecot (remains of)
Cromleybank Farm
Denhead Farm
Ladymire Farm
Hut Circles and Field System
Kirkton of Logie Buchan
River Ythan
Mast
Croft of Ulaw
Fortree Farm
Pit (dis)
Hillhead of Fechil
AB41
SOUTH ROAD
B9005
Macharmuir
Ulaw
Deepheather Farm
Backhill
Target Wood
Pit
Craigieford
Tarty Plantation
Cairnhill Farm
Cross Stone
South Craigieford
Meikle Tarty
Inch Geck
Sleek of Tarty
Tarsets Farm
Duke's Boots Wood
LOGIE RD
Tipperty Prim Sch
Mill of Tarty
Mains of Tarty
Tipperty
Backhill of Knockhall
Pits (dis)
Tarty Burn
Bridgend
Wateridgemuir
Auchnacant
Mains of Knockhall
Ythan Lodge
Knockhall Castle
South Farden Croft
B9000
A90
Forneyt
77
64
For full street detail of the highlighted area see page 151.

63
51
52
Scale: 1¾ inches to 1 mile

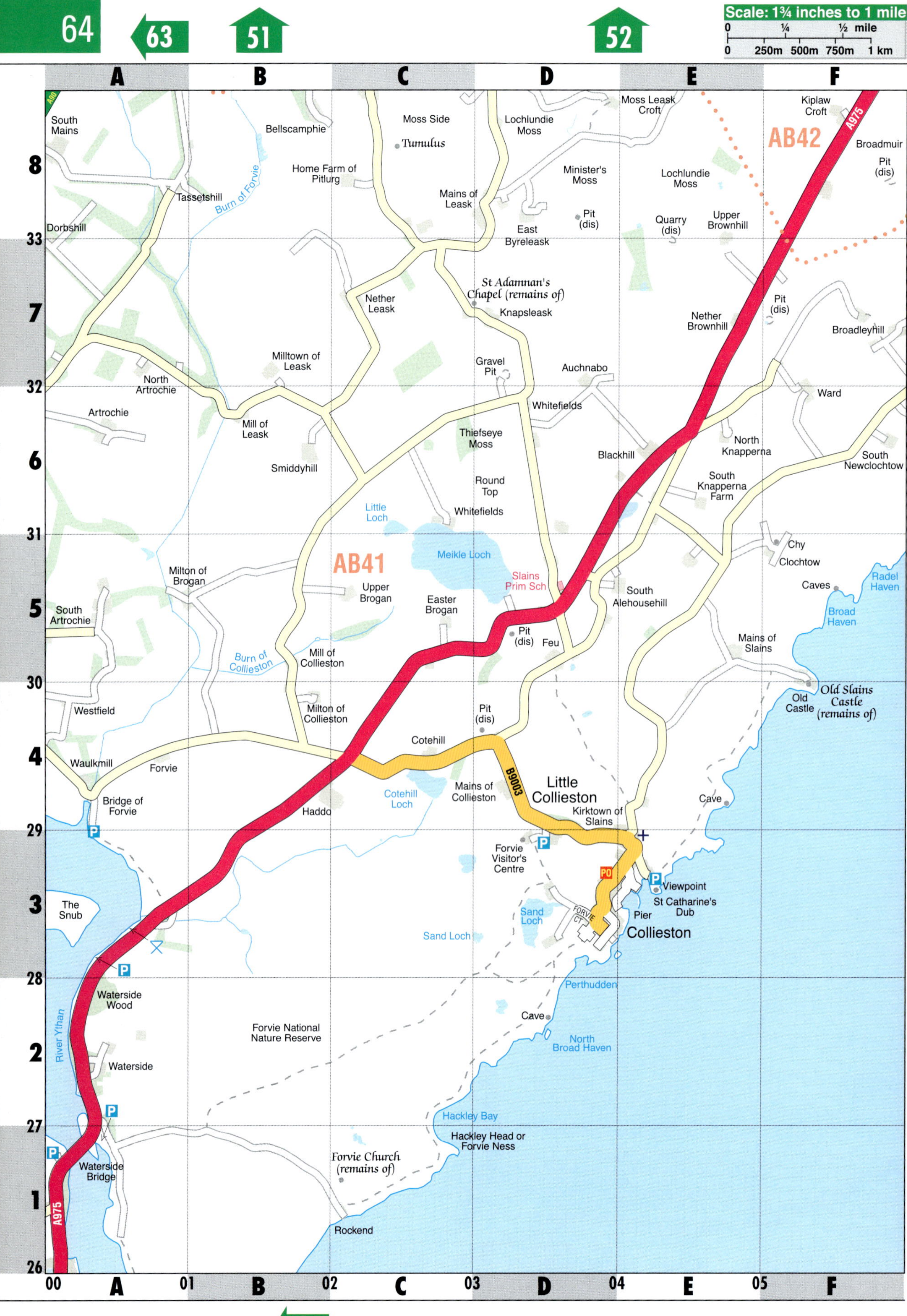
A
B
C
D
E
F
8
33
7
32
6
31
5
30
4
29
3
28
2
27
1
26
00
01
02
03
04
05
South Mains
Bellscamphie
Moss Side
Tumulus
Lochlundie Moss
Moss Leask Croft
Kiplaw Croft
AB42
A975
Broadmuir
Pit (dis)
Home Farm of Pitlurg
Burn of Forvie
Tassetshill
Mains of Leask
Minister's Moss
Lochlundie Moss
Dorbshill
Pit (dis)
East Byreleask
Quarry (dis)
Upper Brownhill
St Adamnan's Chapel (remains of)
Nether Leask
Knapsleask
Pit (dis)
Nether Brownhill
Broadleyhill
Milltown of Leask
Gravel Pit
Auchnabo
North Artrochie
Whitefields
Ward
Artrochie
Mill of Leask
Thiefseye Moss
North Knapperna
Blackhill
South Newclochtow
Smiddyhill
Round Top
South Knapperna Farm
Little Loch
Whitefields
Meikle Loch
Chy
Clochtow
AB41
Milton of Brogan
Upper Brogan
Slains Prim Sch
Caves
Radel Haven
South Artrochie
Easter Brogan
South Alehousehill
Broad Haven
Mains of Slains
Burn of Collieston
Mill of Collieston
Pit (dis)
Feu
Old Slains Castle (remains of)
Old Castle
Westfield
Milton of Collieston
Pit (dis)
Cotehill
Waulkmill
Forvie
B9003
Little Collieston
Bridge of Forvie
Cotehill Loch
Mains of Collieston
Cave
Haddo
Kirktown of Slains
Forvie Visitor's Centre
PO
Viewpoint
St Catharine's Dub
The Snub
Sand Loch
Forvie Ct
Pier
Collieston
Sand Loch
Perthudden
Waterside Wood
Cave
River Ythan
Forvie National Nature Reserve
North Broad Haven
Waterside
Hackley Bay
Hackley Head or Forvie Ness
Waterside Bridge
Forvie Church (remains of)
Rockend
A975
mile
km

63

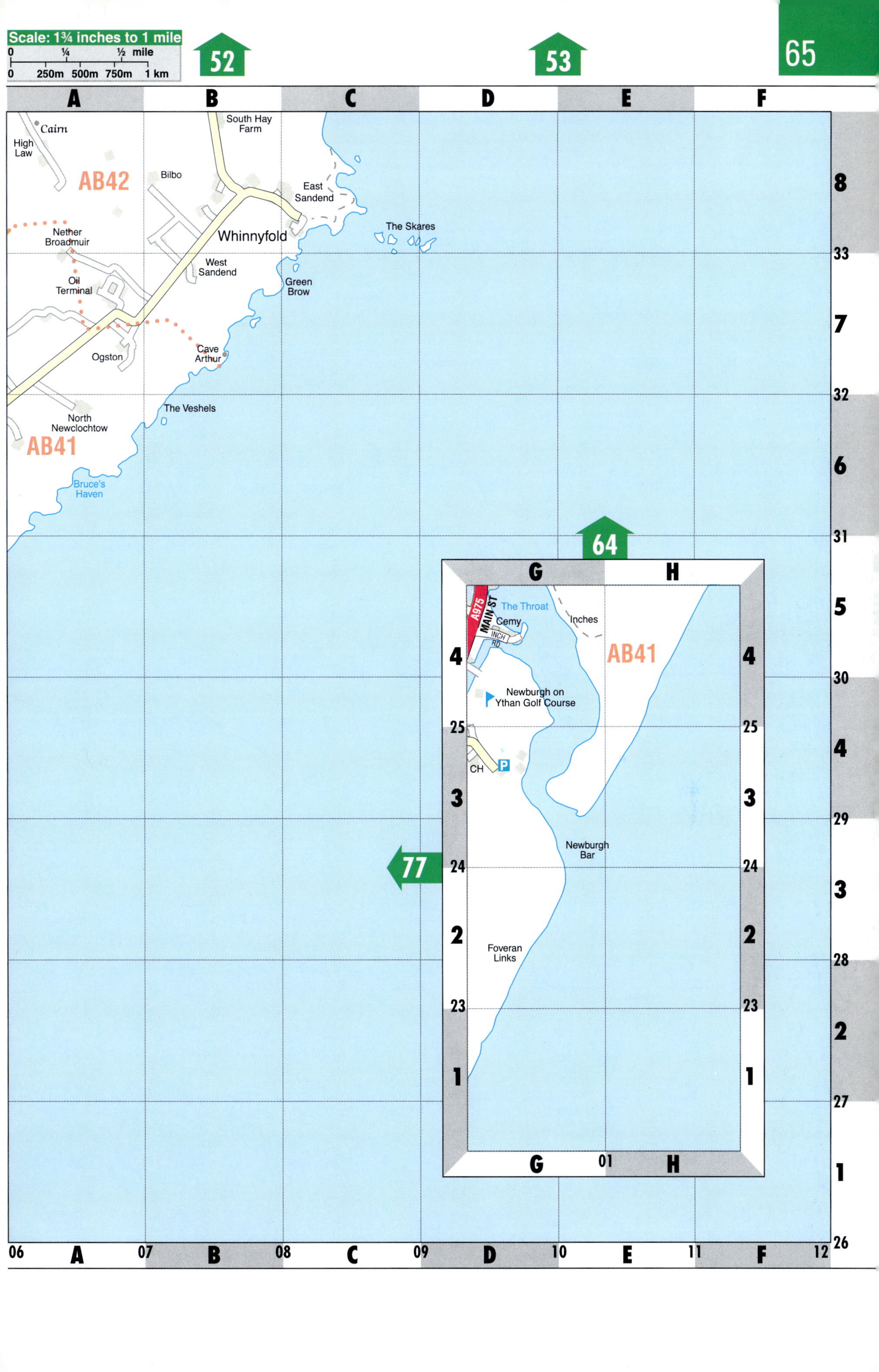
Scale: 1¾ inches to 1 mile
0 ¼ ½ mile
0 250m 500m 750m 1 km
52
53
A B C D E F
Cairn
High Law
AB42
Bilbo
South Hay Farm
East Sandend
Nether Broadmuir
Whinnyfold
The Skares
West Sandend
Oil Terminal
Green Brow
Ogston
Cave Arthur
The Veshels
North Newclochtow
AB41
Bruce's Haven
64
G H
A975
MAIN ST
The Throat
Cemy
INCH RD
Inches
AB41
Newburgh on Ythan Golf Course
CH
P
77
Newburgh Bar
Foveran Links
G 01 H
8 33 7 32 6 31 5 30 4 29 3 28 2 27 1 26
06 07 08 09 10 11 12

Scale: 1¾ inches to 1 mile
0
¼
½ mile
0
250m
500m
750m
1 km

A
B
C
D
E
F
Inverness & Moray STREET ATLAS
Carn na Bruar
Cairns
Allt na Craoibhe-caorainn
AB54
Fords
Cairnbrallan (ruins)
Cairnbrallan
Kneedeep
Lochs of Allt na Craoibhe-caorainn
Ford
Bachd Buidhe
The Eachrach
Allt na Craoibhe-cuilinn
Scors of Blackwater
Round Hill
Ford
Kymah Burn
Scors Burn
Carn na Glascoill
Crespet Hill
Caochandye Hill
Geal Charn
AB36
Mid Wood
Ford
Ryntaing
Ford
Meikle Geal Charn
Little Geal Charn
The Socach
Glenbuchat Lodge
Coulins Burn
Fords
Ford
Ford
Howe Moss
THE LADDER RD
Backies Croft
8
25
7
24
6
23
5
22
4
21
3
20
2
19
1
18
28
29
30
31
32
33

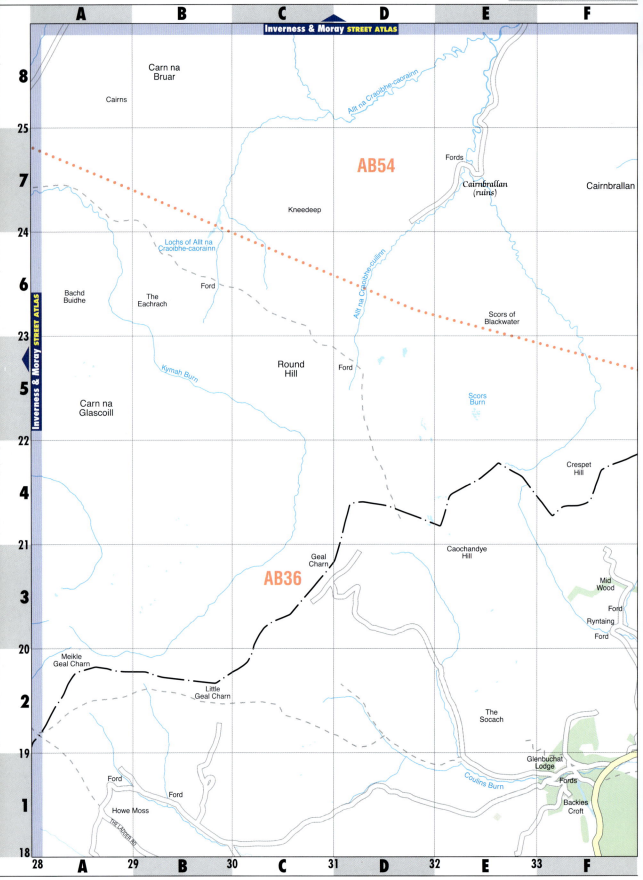

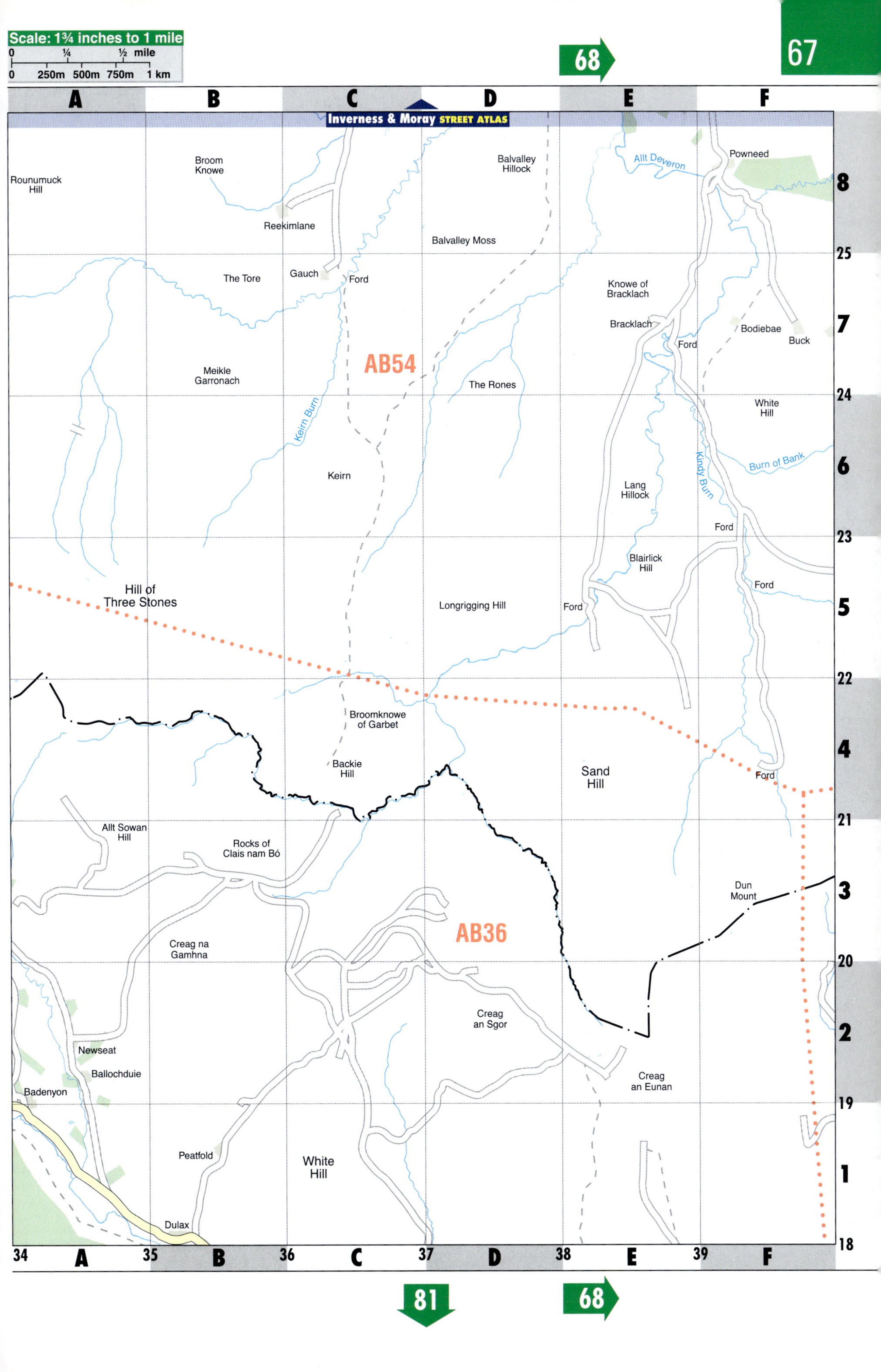
Scale: 1¾ inches to 1 mile
0 ¼ ½ mile
0 250m 500m 750m 1 km
68
Inverness & Moray STREET ATLAS
A B C D E F
Rounumuck Hill
Broom Knowe
Reekimlane
Balvalley Hillock
Balvalley Moss
Allt Deveron
Powneed
The Tore
Gauch
Ford
Knowe of Bracklach
Bracklach
Ford
Bodiebae
Buck
Meikle Garronach
AB54
The Rones
White Hill
Keirn Burn
Keirn
Kindy Burn
Burn of Bank
Lang Hillock
Ford
Blairlick Hill
Ford
Hill of Three Stones
Longrigging Hill
Ford
Broomknowe of Garbet
Backie Hill
Sand Hill
Ford
Allt Sowan Hill
Rocks of Clais nam Bó
Dun Mount
Creag na Gamhna
AB36
Creag an Sgor
Newseat
Ballochduie
Badenyon
Creag an Eunan
Peatfold
White Hill
Dulax
8 25 7 24 6 23 5 22 4 21 3 20 2 19 1 18
34 35 36 37 38 39
81
68

67
54

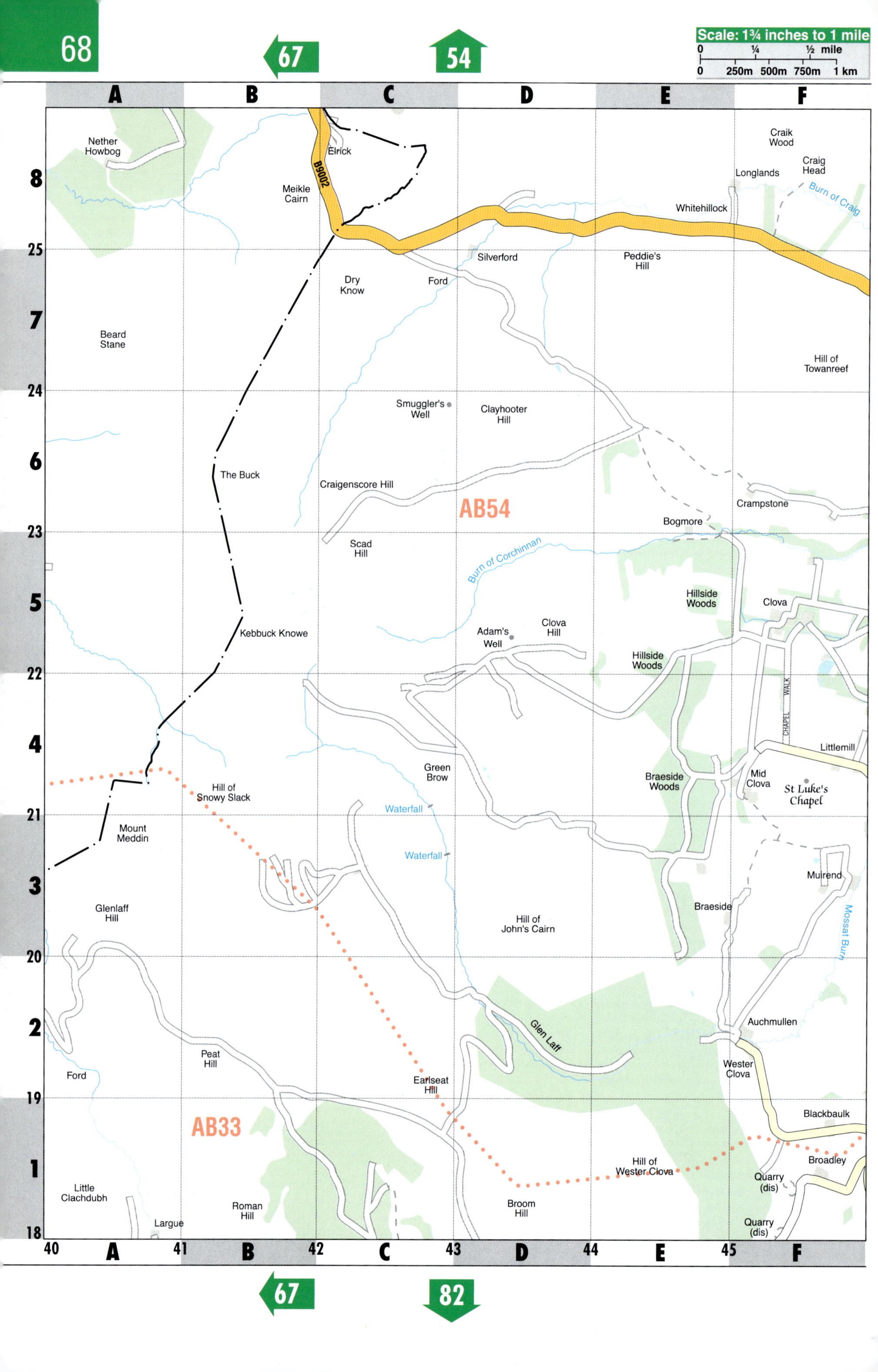
Scale: 1¾ inches to 1 mile
0 ¼ ½ mile
0 250m 500m 750m 1 km
A B C D E F
8 25 7 24 6 23 5 22 4 21 3 20 2 19 1 18
40 41 42 43 44 45
Nether Howbog
Elrick
B9002
Meikle Cairn
Craik Wood
Craig Head
Longlands
Burn of Craig
Whitehillock
Silverford
Peddie's Hill
Dry Know
Ford
Beard Stane
Hill of Towanreef
Smuggler's Well
Clayhooter Hill
The Buck
Craigenscore Hill
AB54
Crampstone
Bogmore
Scad Hill
Burn of Corchinnan
Hillside Woods
Clova
Adam's Well
Clova Hill
Kebbuck Knowe
Hillside Woods
CHAPEL WALK
Littlemill
Green Brow
Hill of Snowy Slack
Braeside Woods
Mid Clova
St Luke's Chapel
Waterfall
Mount Meddin
Waterfall
Muirend
Glenlaff Hill
Hill of John's Cairn
Braeside
Mossat Burn
Auchmullen
Glen Laff
Peat Hill
Wester Clova
Ford
Earlseat Hill
AB33
Blackbaulk
Broadley
Hill of Wester Clova
Quarry (dis)
Little Clachdubh
Roman Hill
Broom Hill
Largue
Quarry (dis)

67
82

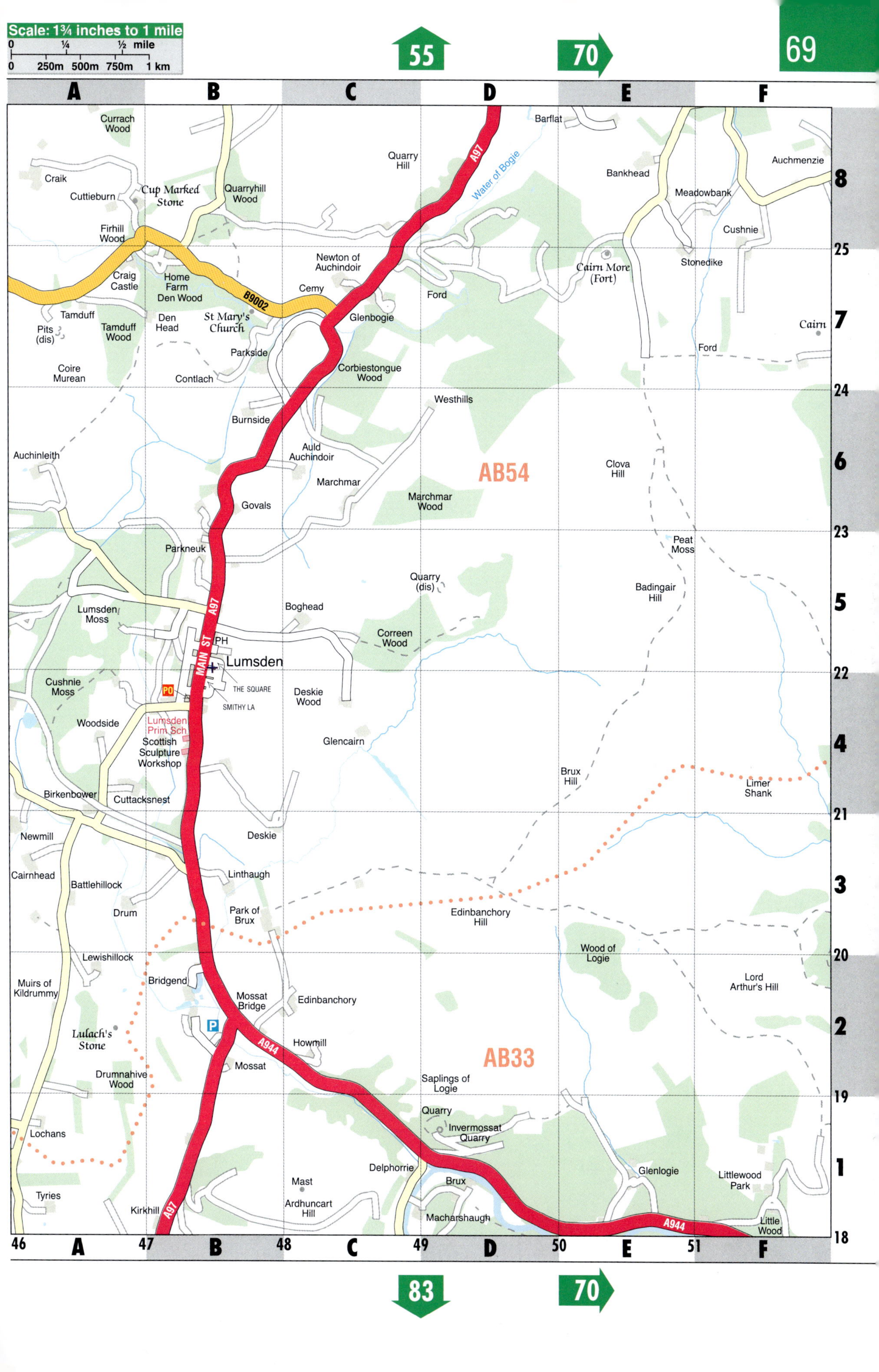
Scale: 1¾ inches to 1 mile
0 ¼ ½ mile
0 250m 500m 750m 1 km
55
70
A B C D E F
Currach Wood
Craik
Cuttieburn
Cup Marked Stone
Quarryhill Wood
Quarry Hill
A97
Water of Bogie
Barflat
Bankhead
Auchmenzie
Meadowbank
Cushnie
Firhill Wood
Craig Castle
Home Farm
Den Wood
B9002
Newton of Auchindoir
Cemy
Glenbogie
Ford
Cairn More (Fort)
Stonedike
Tamduff
Pits (dis)
Tamduff Wood
Den Head
St Mary's Church
Parkside
Cairn
Ford
Coire Murean
Contlach
Corbiestongue Wood
Westhills
Burnside
Auchinleith
Auld Auchindoir
Marchmar
AB54
Clova Hill
Govals
Marchmar Wood
Parkneuk
Peat Moss
Quarry (dis)
Badingair Hill
Lumsden Moss
Boghead
PH
MAIN ST
Corteen Wood
Lumsden
THE SQUARE
SMITHY LA
PO
Cushnie Moss
Deskie Wood
Woodside
Lumsden Prim Sch
Scottish Sculpture Workshop
Glencairn
Brux Hill
Limer Shank
Birkenbower
Cuttacksnest
Newmill
Deskie
Cairnhead
Linthaugh
Battlehillock
Drum
Park of Brux
Edinbanchory Hill
Wood of Logie
Lewishillock
Muirs of Kildrummy
Bridgend
Lord Arthur's Hill
Mossat Bridge
Edinbanchory
P
Lulach's Stone
A944
Howmill
AB33
Mossat
Drumnahive Wood
Saplings of Logie
Quarry
Invermossat Quarry
Lochans
Delphorrie
Glenlogie
Littlewood Park
Mast
Brux
Tyries
Ardhuncart Hill
Kirkhill
Macharshaugh
Little Wood
8 25 7 24 6 23 5 22 4 21 3 20 2 19 1 18
46 47 48 49 50 51
83
70

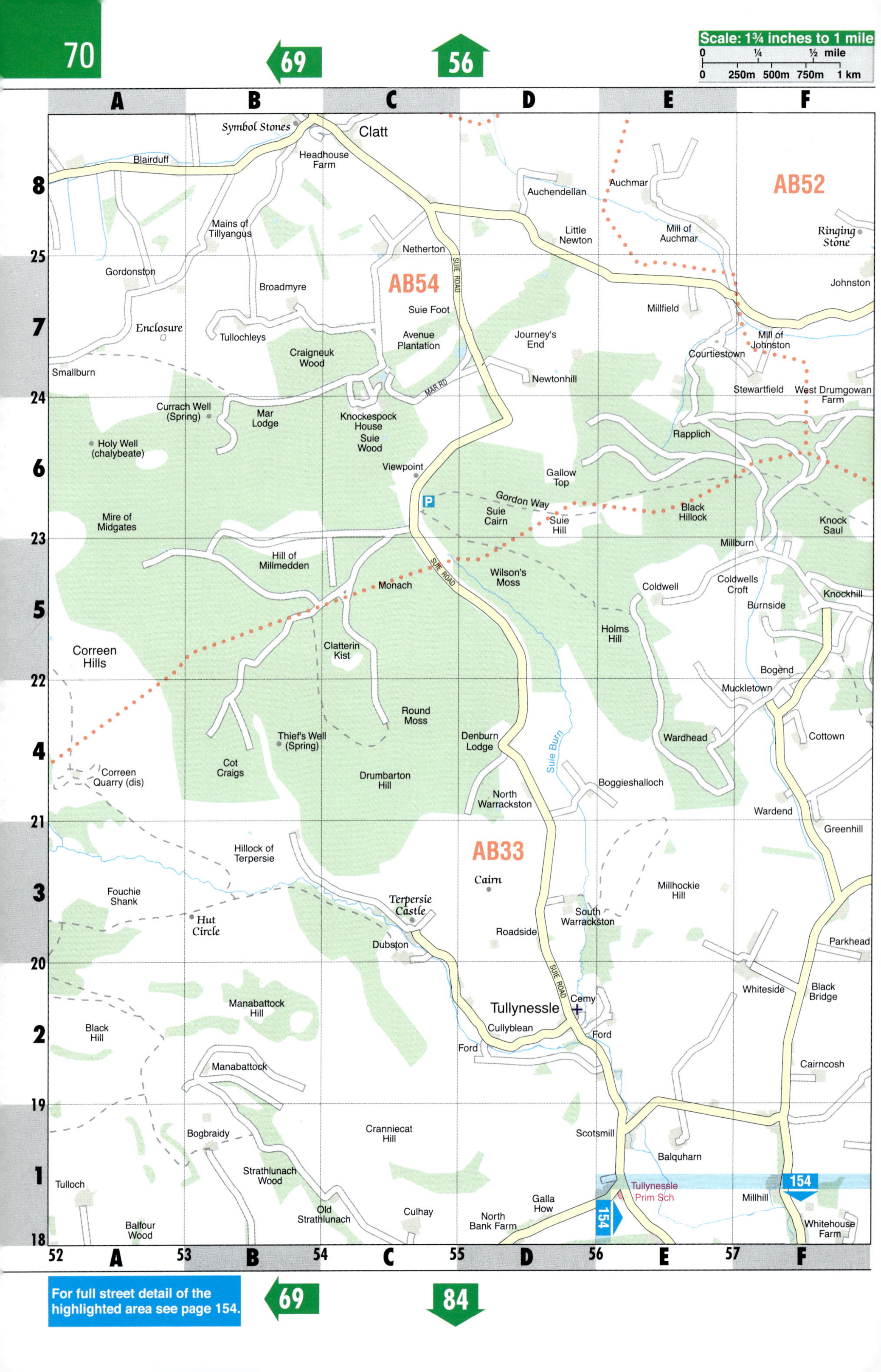

Scale: 1¾ inches to 1 mile

0 ¼ ½ mile

0 250m 500m 750m 1 km

57
72

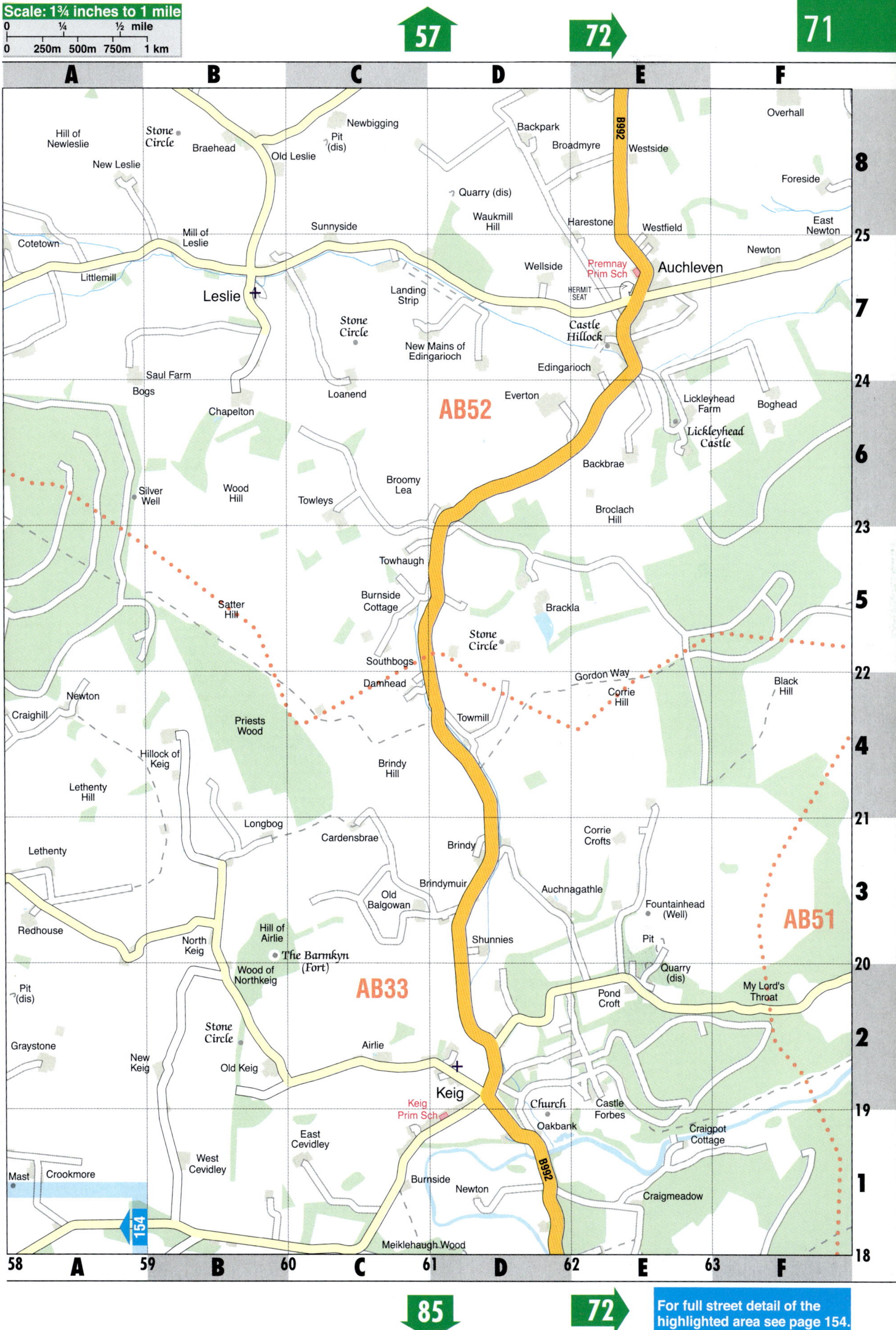

85
72
For full street detail of the highlighted area see page 154.

71
58

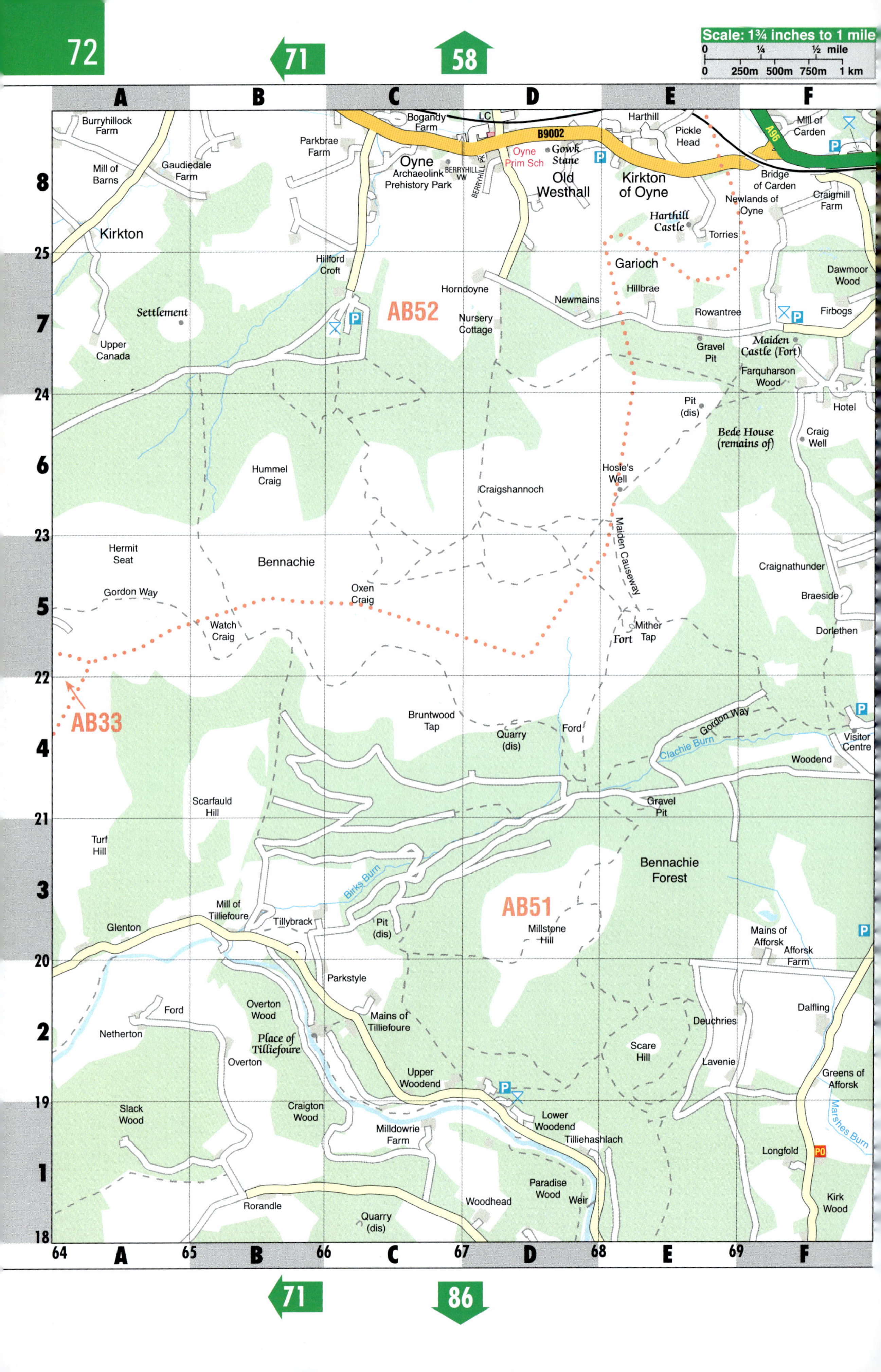
Scale: 1¾ inches to 1 mile
0 ¼ ½ mile
0 250m 500m 750m 1 km
A B C D E F
8
25
7
24
6
23
5
22
4
21
3
20
2
19
1
18
64 65 66 67 68 69
Burryhillock Farm
Mill of Barns
Gaudiedale Farm
Kirkton
Parkbrae Farm
Bogandy Farm
LC
B9002
Oyne
Archaeolink Prehistory Park
BERRYHILL VW
BERRYHILL PK
Oyne Prim Sch
Gowk Stane
Old Westhall
Harthill
Pickle Head
Kirkton of Oyne
A96
Mill of Carden
Bridge of Carden
Newlands of Oyne
Craigmill Farm
Harthill Castle
Torries
Garioch
Hillbrae
Dawmoor Wood
Hillford Croft
Horndoyne
Newmains
AB52
Settlement
Nursery Cottage
Rowantree
Firbogs
Upper Canada
Gravel Pit
Maiden Castle (Fort)
Farquharson Wood
Pit (dis)
Hotel
Bede House (remains of)
Craig Well
Hummel Craig
Hosie's Well
Craigshannoch
Maiden Causeway
Hermit Seat
Bennachie
Craignathunder
Gordon Way
Oxen Craig
Braeside
Watch Craig
Mither Tap
Fort
Dorlethen
AB33
Bruntwood Tap
Quarry (dis)
Ford
Gordon Way
Clachie Burn
Visitor Centre
Woodend
Scarfauld Hill
Gravel Pit
Turf Hill
Bennachie Forest
Birks Burn
AB51
Mill of Tilliefoure
Tillybrack
Pit (dis)
Millstone Hill
Glenton
Mains of Afforsk
Afforsk Farm
Parkstyle
Ford
Overton Wood
Mains of Tilliefoure
Dalfling
Netherton
Place of Tilliefoure
Deuchries
Overton
Scare Hill
Lavenie
Upper Woodend
Greens of Afforsk
Slack Wood
Craigton Wood
Lower Woodend
Marshes Burn
Milldowrie Farm
Tilliehashlach
Longfold
PO
Paradise Wood
Kirk Wood
Woodhead
Weir
Rorandle
Quarry (dis)

71
86

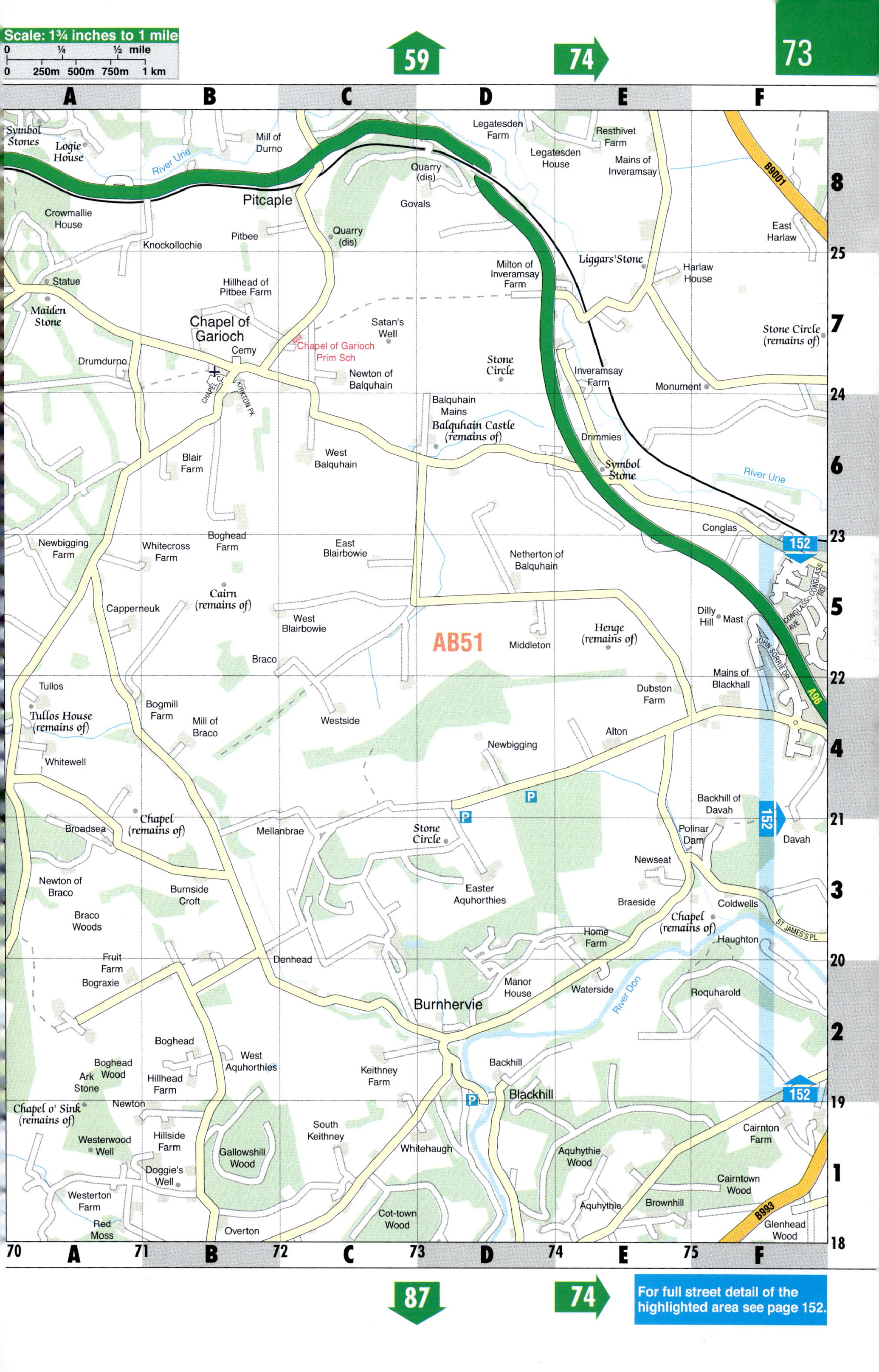
Scale: 1¾ inches to 1 mile
0 ¼ ½ mile
0 250m 500m 750m 1 km
59
74
Symbol Stones
Logie House
Mill of Durno
River Urie
Pitcaple
Legatesden Farm
Legatesden House
Resthivet Farm
Mains of Inveramsay
Quarry (dis)
Govals
B9001
Crowmallie House
Knockollochie
Pitbee
Quarry (dis)
East Harlaw
Statue
Hillhead of Pitbee Farm
Milton of Inveramsay Farm
Liggars'Stone
Harlaw House
Maiden Stone
Chapel of Garioch
Satan's Well
Stone Circle (remains of)
Drumdurno
Cemy
Chapel of Garioch Prim Sch
Stone Circle
Inveramsay Farm
CHAPEL CL
KIRKTON PK
Newton of Balquhain
Monument
Balquhain Mains
Balquhain Castle (remains of)
Drimmies
Blair Farm
West Balquhain
Symbol Stone
River Urie
Conglas
Newbigging Farm
Whitecross Farm
Boghead Farm
East Blairbowie
Netherton of Balquhain
152
CONGLASS RD
CONGLASS AVE
Cairn (remains of)
Capperneuk
West Blairbowie
Dilly Hill
Mast
JOHN SORRIE DR
AB51
Middleton
Henge (remains of)
Braco
Tullos
Mains of Blackhall
Dubston Farm
A96
Tullos House (remains of)
Bogmill Farm
Mill of Braco
Westside
Alton
Newbigging
Whitewell
Backhill of Davah
152
Chapel (remains of)
Broadsea
Mellanbrae
Stone Circle
Polinar Dam
Davah
Newseat
Newton of Braco
Burnside Croft
Easter Aquhorthies
Braeside
Coldwells
Braco Woods
Chapel (remains of)
ST JAMES'S PL
Home Farm
Haughton
Fruit Farm
Denhead
Bograxie
Manor House
Waterside
River Don
Roquharold
Burnhervie
Boghead
West Aquhorthies
Backhill
Boghead Wood
Ark Stone
Hillhead Farm
Keithney Farm
Blackhill
152
Newton
Chapel o' Sink (remains of)
South Keithney
Cairnton Farm
Westerwood Well
Hillside Farm
Gallowshill Wood
Whitehaugh
Aquhythie Wood
Doggie's Well
Cairntown Wood
Westerton Farm
Cot-town Wood
Aquhythie
Brownhill
B993
Red Moss
Overton
Glenhead Wood
A B C D E F
70 71 72 73 74 75
8 25 7 24 6 23 5 22 4 21 3 20 2 19 1 18
87
74
For full street detail of the highlighted area see page 152.

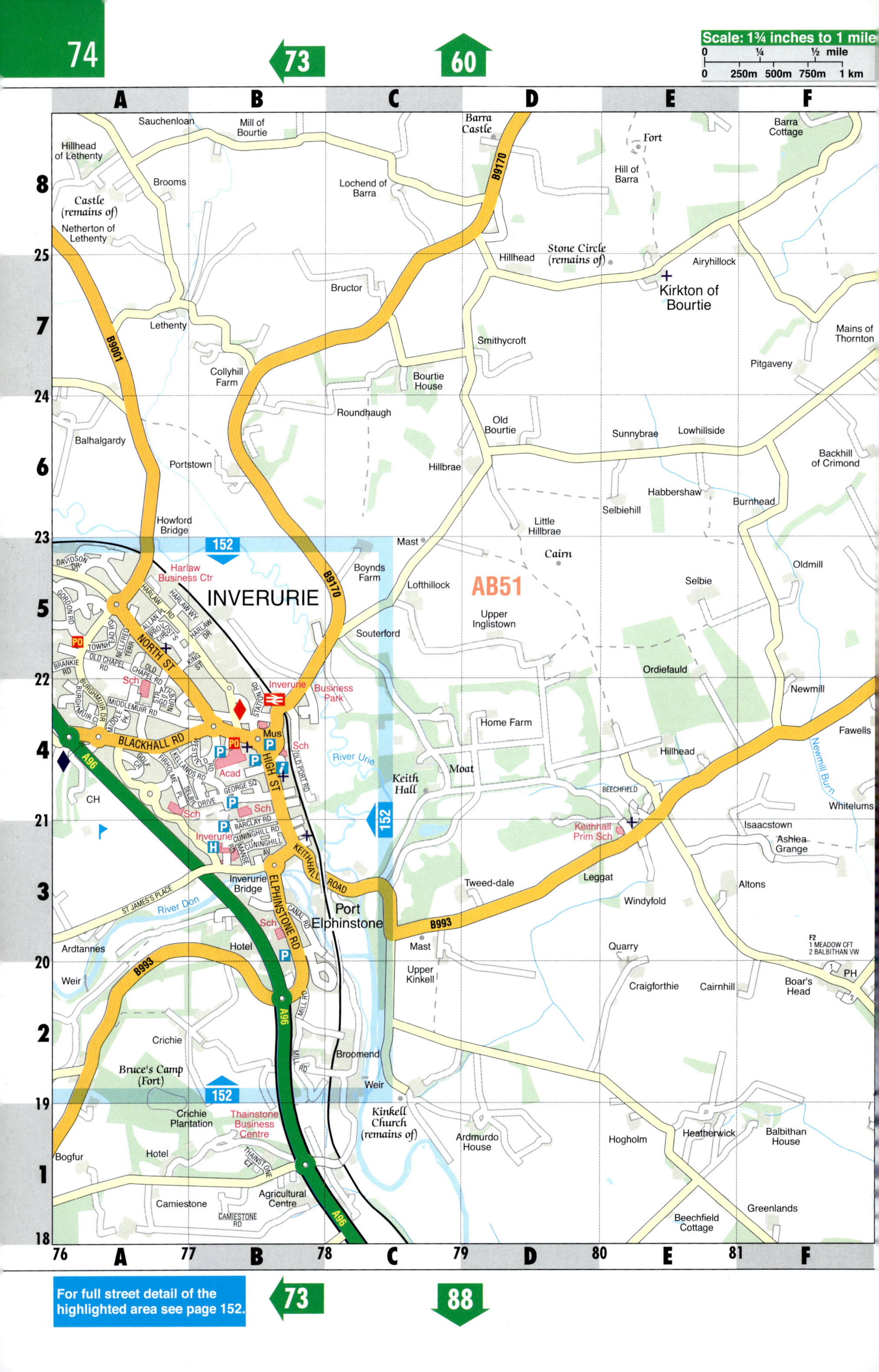

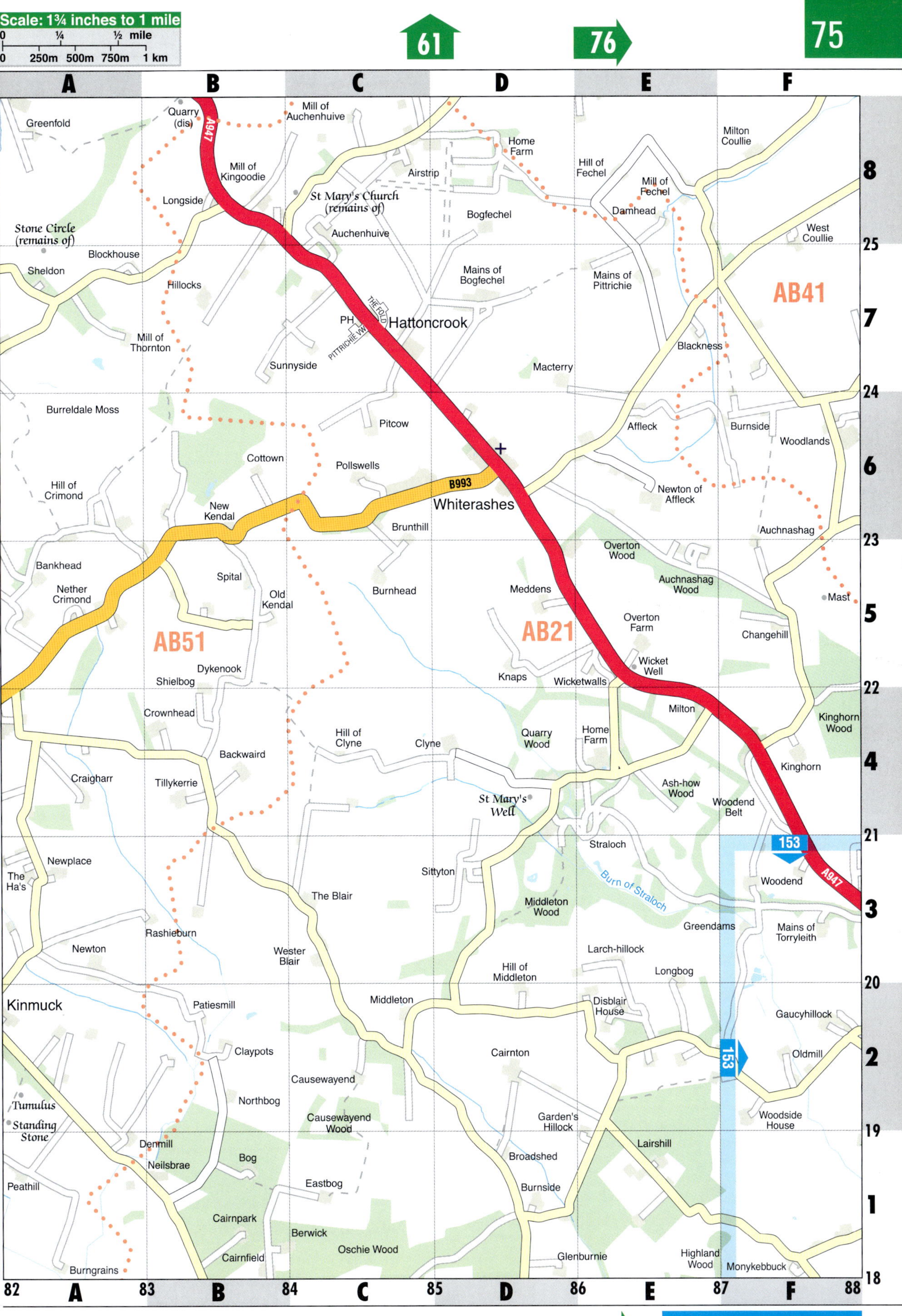

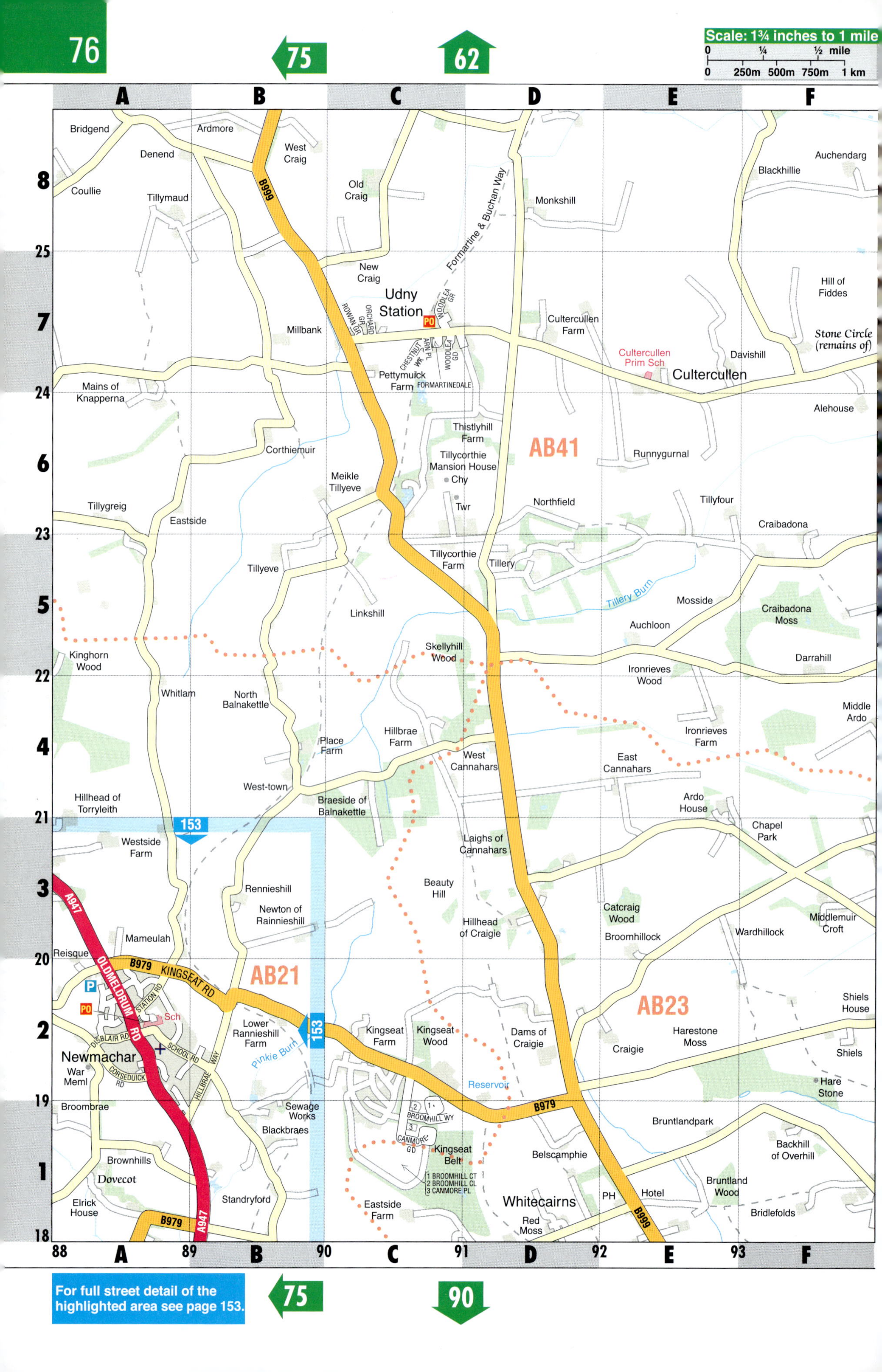

Scale: 1¾ inches to 1 mile
0 ¼ ½ mile
0 250m 500m 750m 1 km

63

F8
1 MATHERS PL
2 AIRYHILL VW
3 ST CLAIR WYND
4 ST CLAIR WY
5 SCHOOL CRES
6 KNOCKHALL RD
7 MAVIS BANK
8 LAVEROCK RD
9 MERLIN TERR
10 KESTREL RD
11 MALLARD RD
12 MALLARD CT
13 CURLEW AVE
14 BRIDGE TERR
15 STEPHEN'S LA
16 ST CLAIR GDNS

65

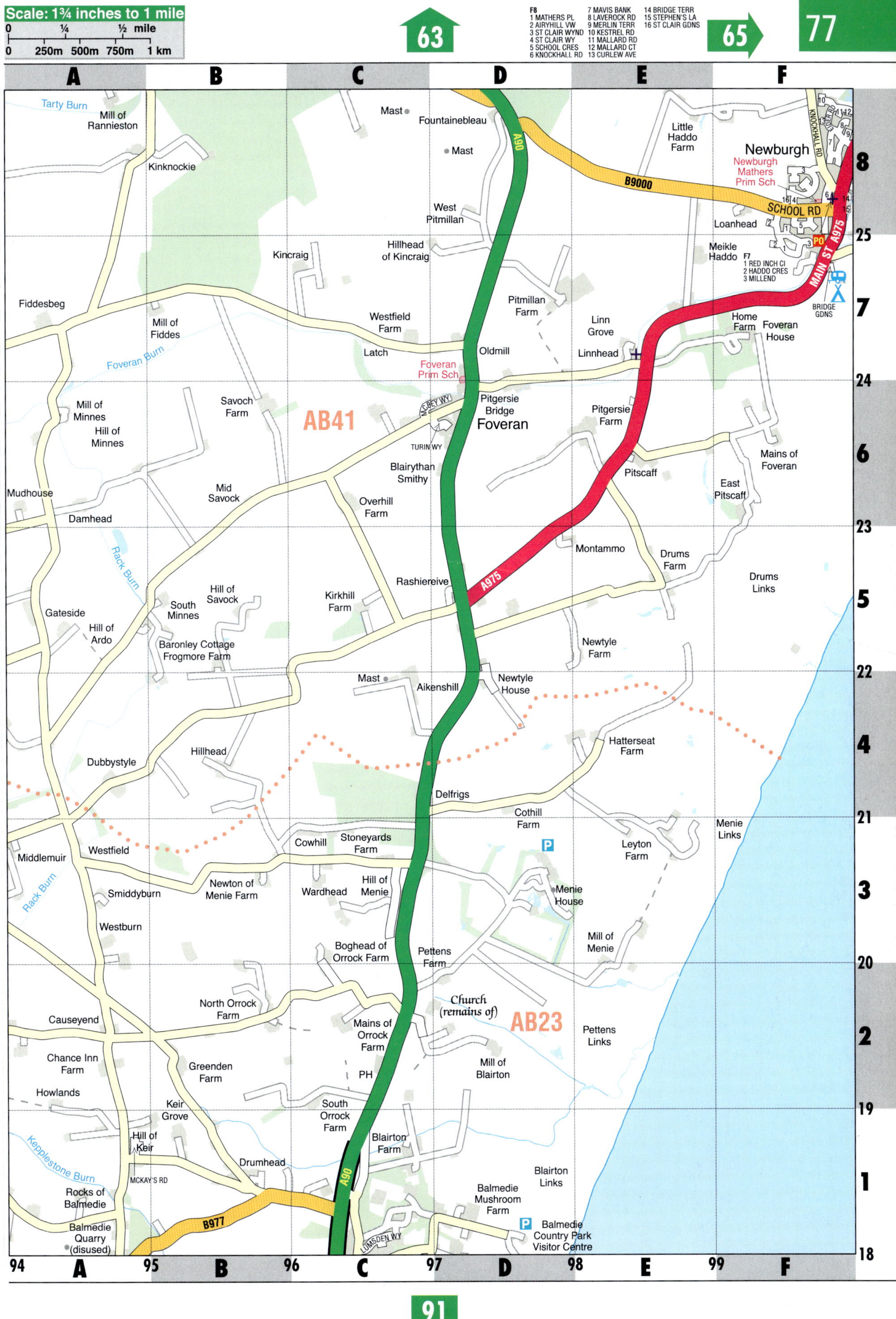

91

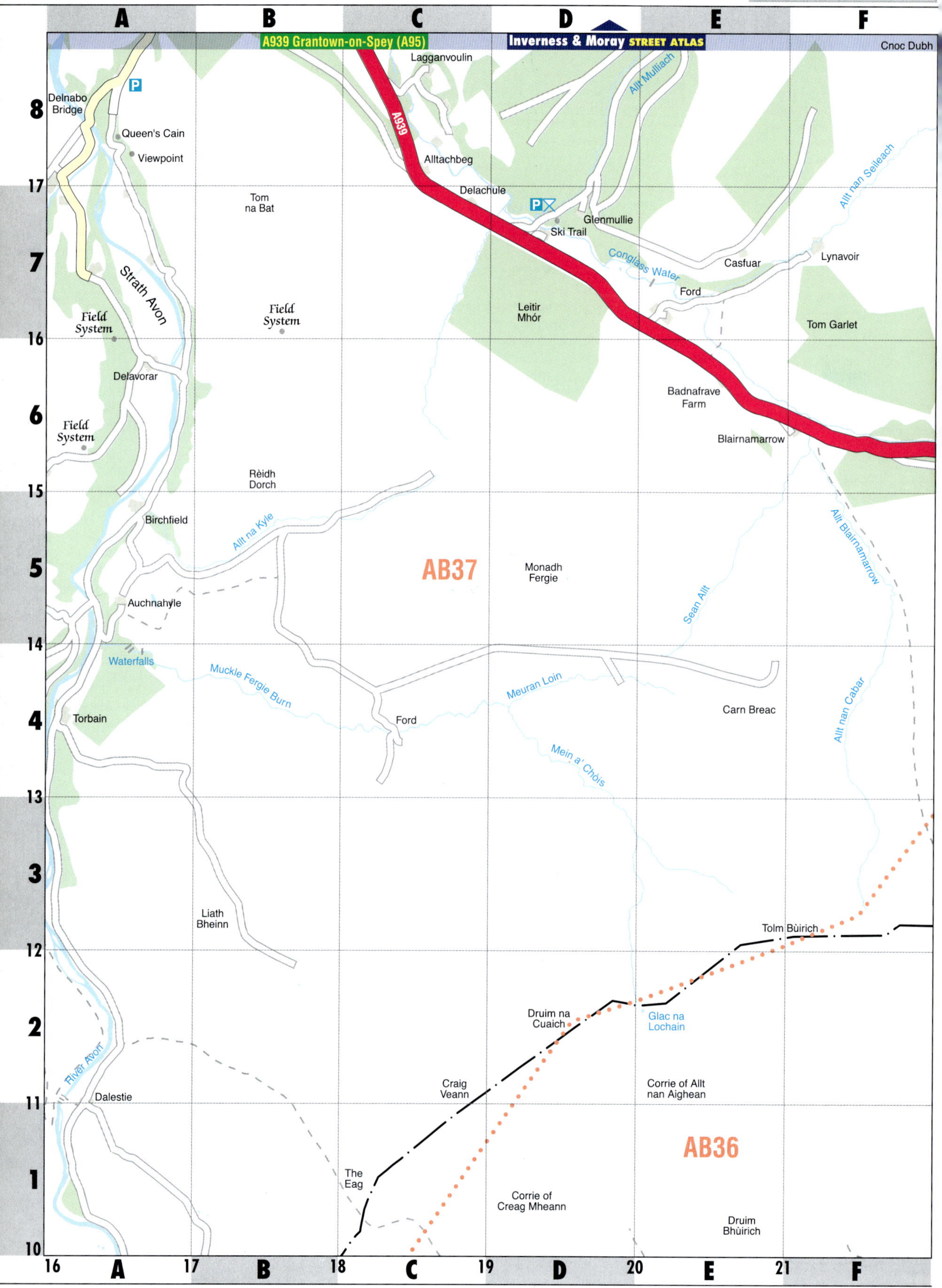

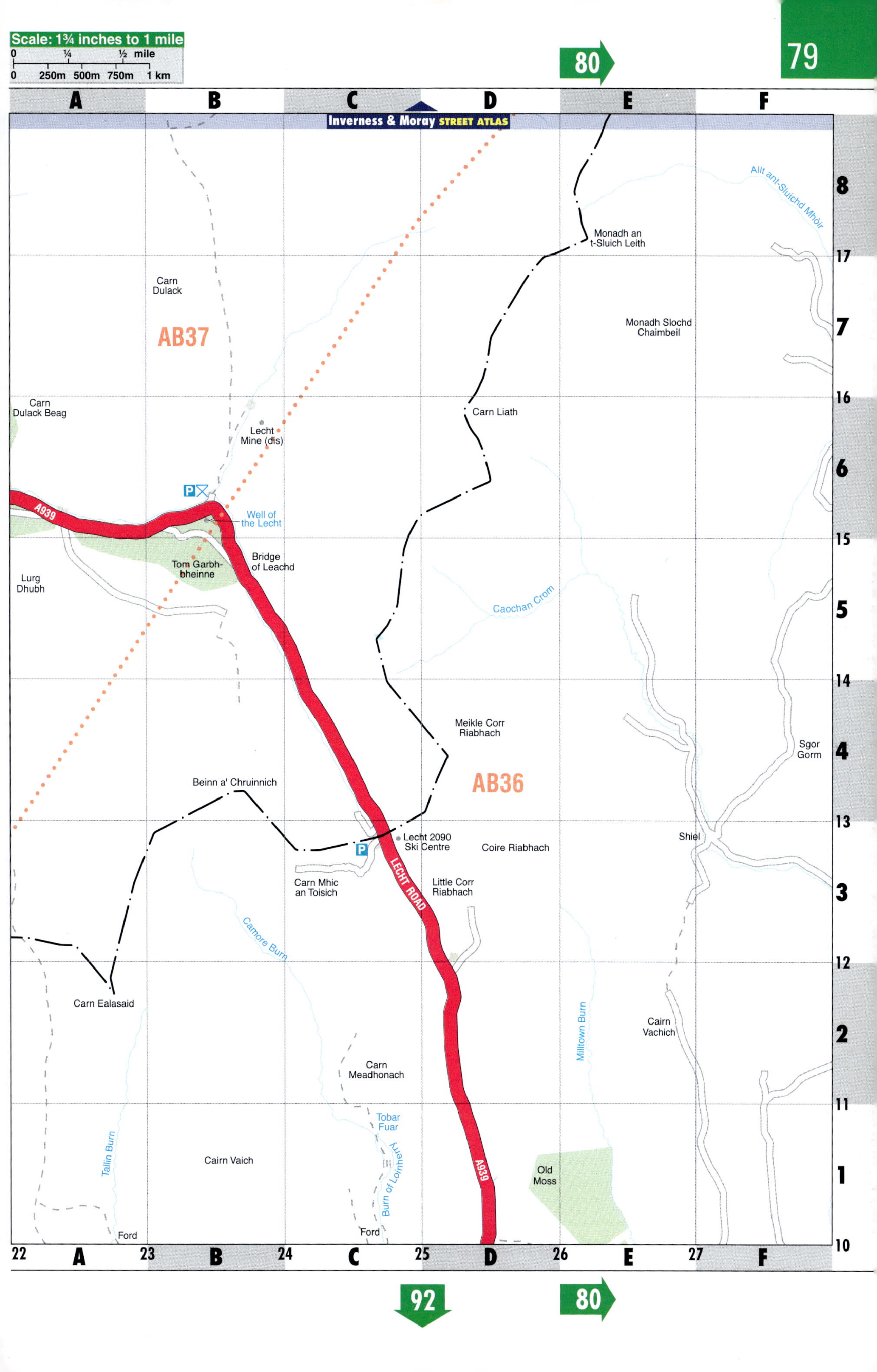

Scale: 1¾ inches to 1 mile
0
¼
½ mile
0
250m
500m
750m
1 km
80
Inverness & Moray STREET ATLAS
A
B
C
D
E
F
Allt ant-Sluichd Mhòir
Monadh an t-Sluich Leith
Carn Dulack
AB37
Monadh Slochd Chaimbeil
Carn Dulack Beag
Carn Liath
Lecht Mine (dis)
A939
Well of the Lecht
Tom Garbh-bheinne
Bridge of Leachd
Lurg Dhubh
Caochan Crom
Meikle Corr Riabhach
Sgor Gorm
Beinn a' Chruinnich
AB36
Lecht 2090 Ski Centre
Coire Riabhach
Shiel
Carn Mhic an Toisich
LECHT ROAD
Little Corr Riabhach
Camore Burn
Carn Ealasaid
Cairn Vachich
Milltown Burn
Carn Meadhonach
Tobar Fuar
Tailin Burn
Cairn Vaich
Burn of Loinherry
Old Moss
Ford
Ford
8
17
7
16
6
15
5
14
4
13
3
12
2
11
1
10
22
23
24
25
26
27
92
80

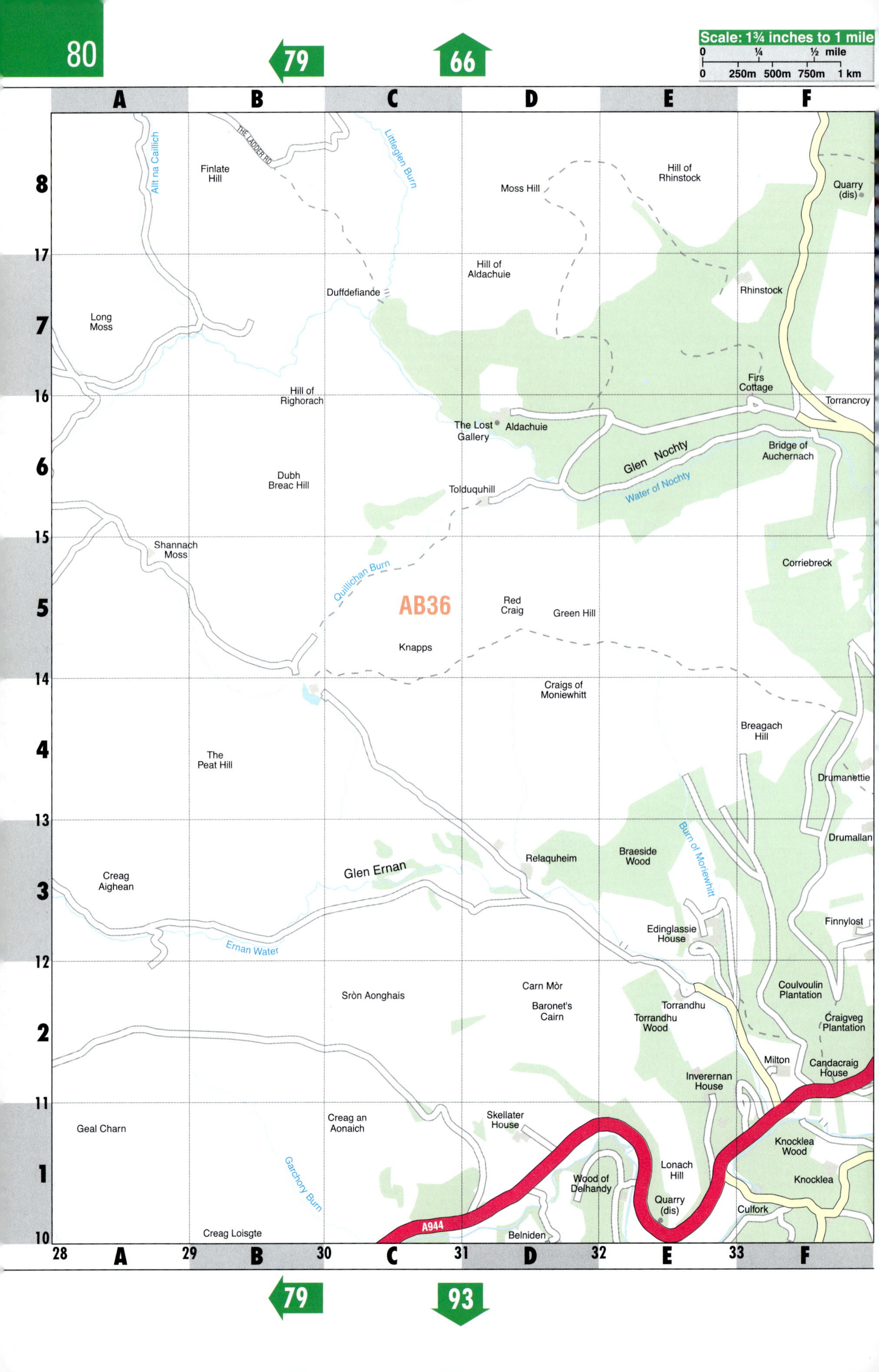
79
66
Scale: 1¾ inches to 1 mile
0 ¼ ½ mile
0 250m 500m 750m 1 km
A B C D E F
8 17 7 16 6 15 5 14 4 13 3 12 2 11 1 10
28 29 30 31 32 33
Allt na Caillich
Finlate Hill
THE LADDER RD
Littleglen Burn
Moss Hill
Hill of Rhinstock
Quarry (dis)
Hill of Aldachuie
Duffdefiance
Rhinstock
Long Moss
Firs Cottage
Hill of Righorach
Torrancroy
The Lost Gallery
Aldachuie
Glen Nochty
Bridge of Auchernach
Dubh Breac Hill
Water of Nochty
Tolduquhill
Shannach Moss
Corriebreck
Quillichan Burn
AB36
Red Craig
Green Hill
Knapps
Craigs of Moniewhitt
Breagach Hill
The Peat Hill
Drumanettie
Drumallan
Relaquheim
Braeside Wood
Burn of Moriewhitt
Creag Aighean
Glen Ernan
Finnylost
Edinglassie House
Ernan Water
Coulvoulin Plantation
Carn Mòr
Sròn Aonghais
Baronet's Cairn
Torrandhu
Torrandhu Wood
Craigveg Plantation
Milton
Candacraig House
Inverernan House
Skellater House
Geal Charn
Creag an Aonaich
Knocklea Wood
Lonach Hill
Garchory Burn
Wood of Delhandy
Knocklea
Quarry (dis)
Culfork
A944
Creag Loisgte
Belniden
79
93

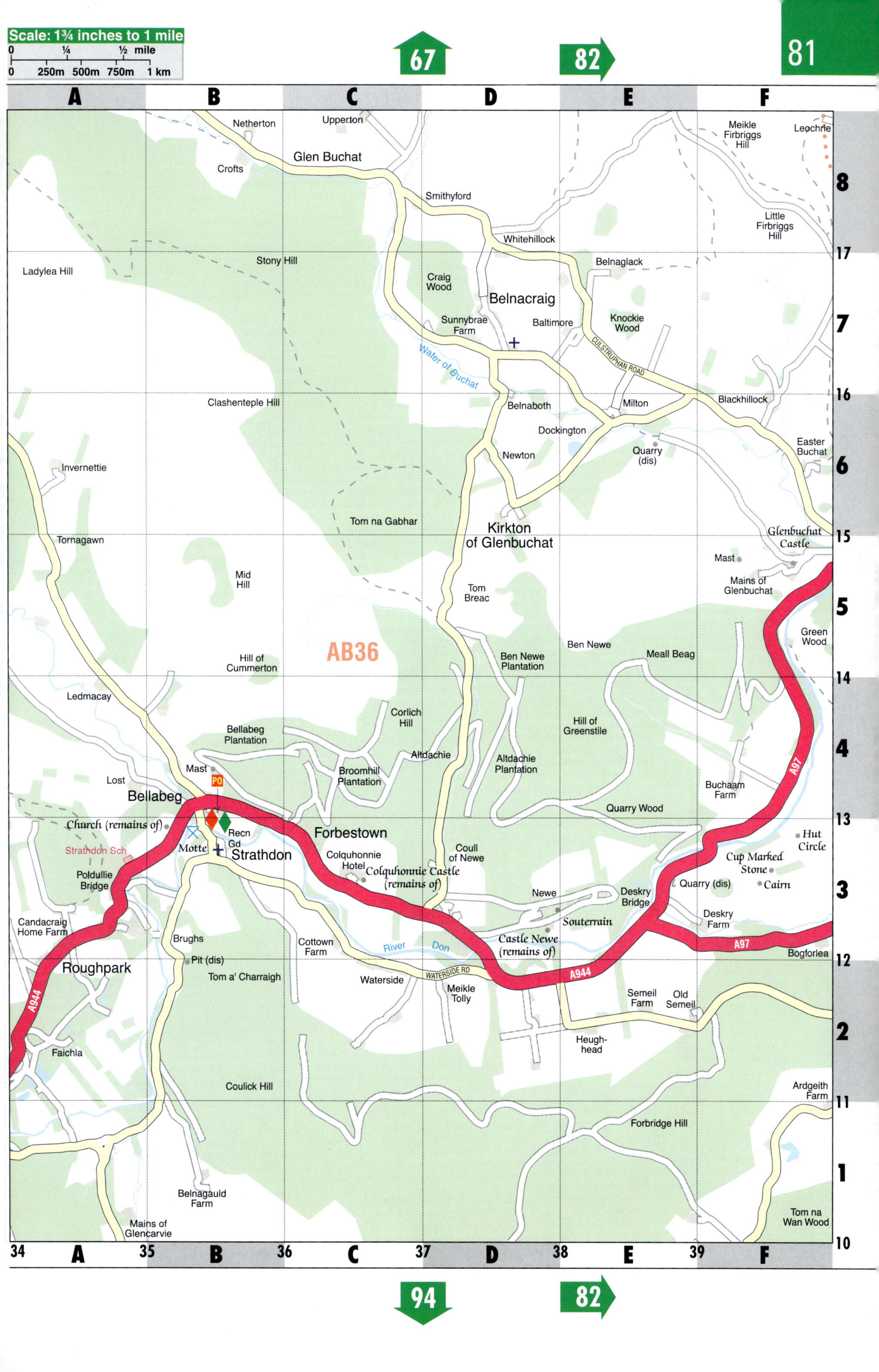
Scale: 1¾ inches to 1 mile
0 ¼ ½ mile
0 250m 500m 750m 1 km
67
82
A B C D E F
Netherton
Upperton
Glen Buchat
Crofts
Meikle Firbriggs Hill
Leochrie
Smithyford
Little Firbriggs Hill
Whitehillock
Stony Hill
Ladylea Hill
Belnaglack
Craig Wood
Belnacraig
Sunnybrae Farm
Baltimore
Knockie Wood
Water of Buchat
CULSTRUPHAN ROAD
Clashenteple Hill
Belnaboth
Milton
Blackhillock
Dockington
Quarry (dis)
Easter Buchat
Invernettie
Newton
Tom na Gabhar
Kirkton of Glenbuchat
Glenbuchat Castle
Tornagawn
Mast
Mains of Glenbuchat
Mid Hill
Tom Breac
Green Wood
AB36
Hill of Cummerton
Ben Newe Plantation
Ben Newe
Meall Beag
Ledmacay
Corlich Hill
Bellabeg Plantation
Hill of Greenstile
Altdachie
Altdachie Plantation
Mast
Broomhill Plantation
PO
Lost
Bellabeg
Buchaam Farm
A97
Quarry Wood
Church (remains of)
Recn Gd
Forbestown
Hut Circle
Strathdon Sch
Motte
Strathdon
Coull of Newe
Cup Marked Stone
Colquhonnie Hotel
Colquhonnie Castle (remains of)
Quarry (dis)
Cairn
Poldullie Bridge
Newe
Deskry Bridge
Souterrain
Deskry Farm
Candacraig Home Farm
Brughs
Cottown Farm
Castle Newe (remains of)
River Don
A97
Bogforlea
Pit (dis)
Roughpark
Tom a' Charraigh
Waterside
WATERSIDE RD
A944
Meikle Tolly
Semeil Farm
Old Semeil
A944
Heugh-head
Faichla
Coulick Hill
Ardgeith Farm
Forbridge Hill
Belnagauld Farm
Mains of Glencarvie
Tom na Wan Wood
8 17 7 16 6 15 5 14 4 13 3 12 2 11 1 10
34 35 36 37 38 39
94
82

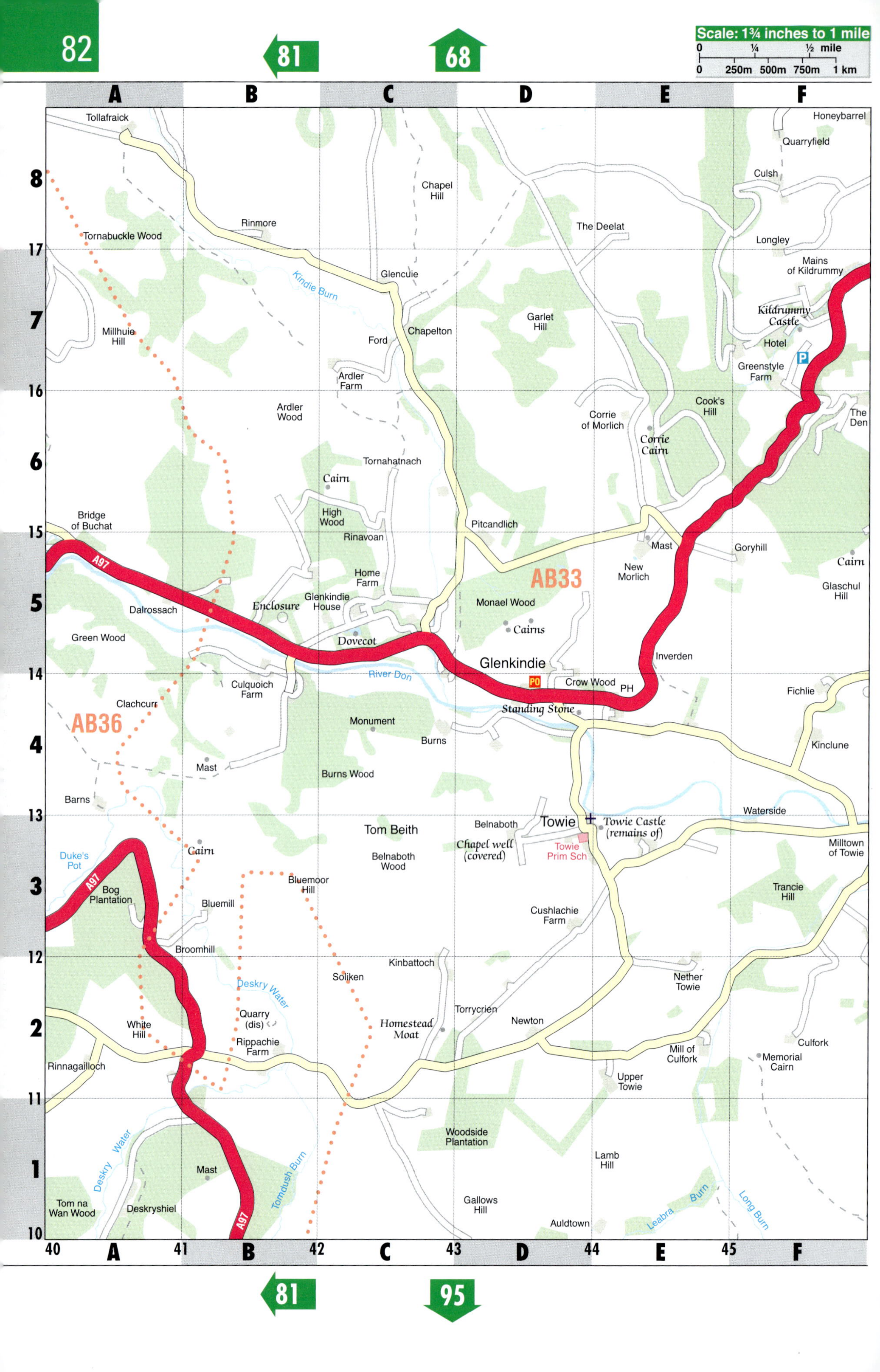
81
68
Scale: 1¾ inches to 1 mile
0 ¼ ½ mile
0 250m 500m 750m 1 km
A B C D E F
Tollafraick
Honeybarrel
Quarryfield
Culsh
Chapel Hill
Rinmore
The Deelat
Tornabuckle Wood
Longley
Mains of Kildrummy
Kindie Burn
Glencuie
Kildrummy Castle
Garlet Hill
Millhuie Hill
Chapelton
Ford
Hotel
Greenstyle Farm
Ardler Farm
Cook's Hill
The Den
Ardler Wood
Corrie of Morlich
Corrie Cairn
Tornahatnach
Cairn
High Wood
Bridge of Buchat
Pitcandlich
Rinavoan
Mast
Goryhill
A97
Home Farm
AB33
New Morlich
Cairn
Glaschul Hill
Monael Wood
Enclosure
Glenkindie House
Dalrossach
Cairns
Green Wood
Dovecot
Inverden
Glenkindie
River Don
PO
Crow Wood
PH
Fichlie
Culquoich Farm
Clachcurr
Standing Stone
AB36
Monument
Burns
Kinclune
Mast
Burns Wood
Barns
Waterside
Tom Beith
Belnaboth
Towie
Towie Castle (remains of)
Chapel well (covered)
Towie Prim Sch
Milltown of Towie
Duke's Pot
Cairn
Belnaboth Wood
Bluemoor Hill
Bog Plantation
Trancie Hill
Bluemill
Cushlachie Farm
Broomhill
Kinbattoch
Soliken
Nether Towie
Deskry Water
Torrycrien
Quarry (dis)
Homestead Moat
Newton
White Hill
Rippachie Farm
Culfork
Mill of Culfork
Memorial Cairn
Rinnagailloch
Upper Towie
Woodside Plantation
Deskry Water
Tomdush Burn
Lamb Hill
Mast
Tom na Wan Wood
Deskryshiel
Gallows Hill
Leabra Burn
Long Burn
Auldtown
8 17 7 16 6 15 5 14 4 13 3 12 2 11 1 10
40 41 42 43 44 45
81
95

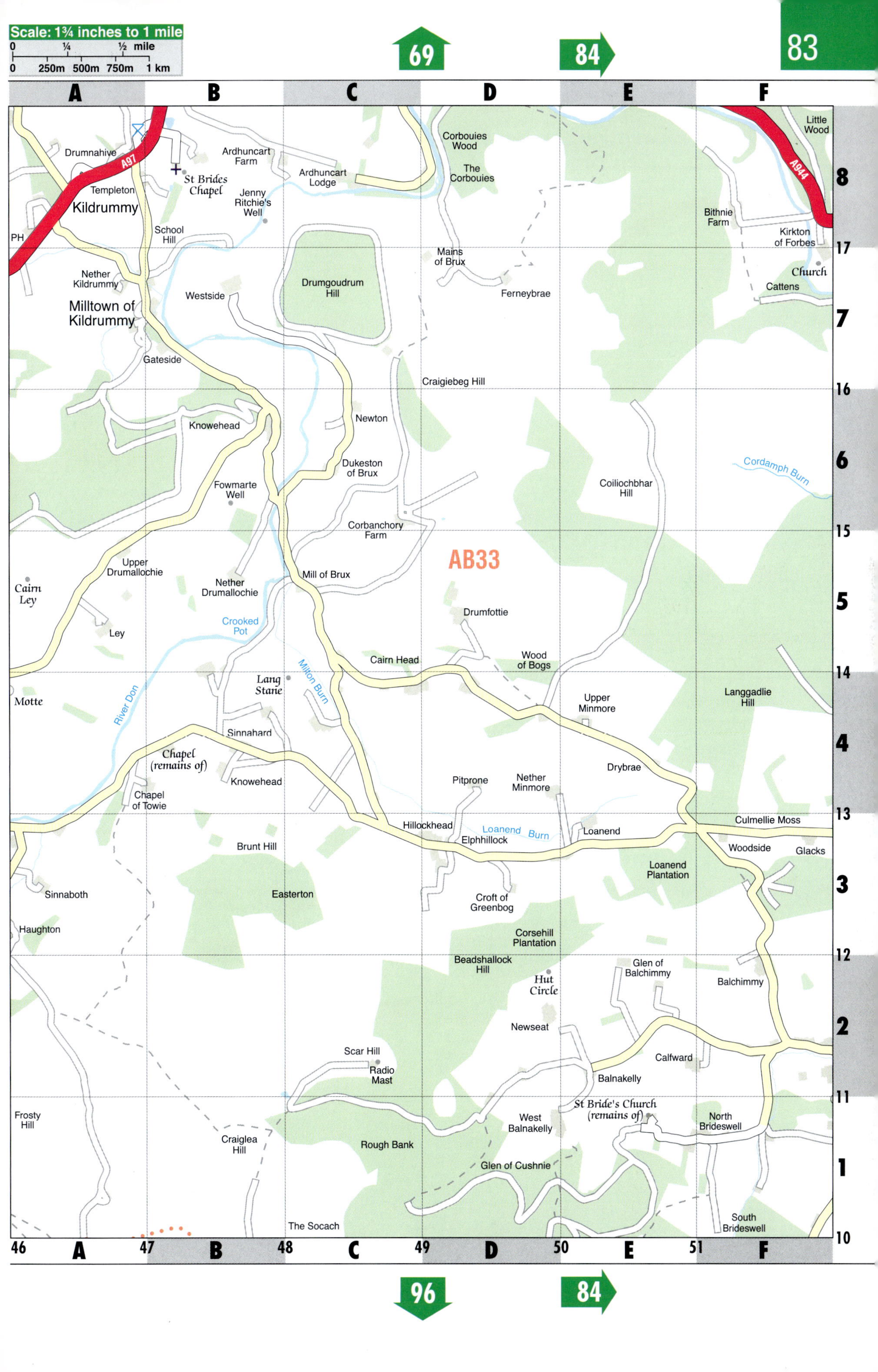
Scale: 1¾ inches to 1 mile
0 ¼ ½ mile
0 250m 500m 750m 1 km
69
84
A B C D E F
Drumnahive
A97
Ardhuncart Farm
Ardhuncart Lodge
St Brides Chapel
Templeton
Kildrummy
Jenny Ritchie's Well
Corbouies Wood
The Corbouies
Little Wood
A944
Bithnie Farm
Kirkton of Forbes
PH
School Hill
Mains of Brux
Church
Cattens
Nether Kildrummy
Drumgoudrum Hill
Westside
Ferneybrae
Milltown of Kildrummy
Gateside
Craigiebeg Hill
Newton
Knowehead
Dukeston of Brux
Cordamph Burn
Fowmarte Well
Coiliochbhar Hill
Corbanchory Farm
AB33
Upper Drumallochie
Mill of Brux
Cairn Ley
Nether Drumallochie
Drumfottie
Crooked Pot
Ley
Wood of Bogs
Cairn Head
Milton Burn
Lang Stane
Motte
River Don
Upper Minmore
Langgadlie Hill
Sinnahard
Chapel (remains of)
Drybrae
Pitprone
Nether Minmore
Knowehead
Chapel of Towie
Hillockhead
Loanend Burn
Loanend
Culmellie Moss
Elphhillock
Brunt Hill
Woodside
Glacks
Loanend Plantation
Sinnaboth
Easterton
Croft of Greenbog
Haughton
Corsehill Plantation
Beadshallock Hill
Glen of Balchimmy
Balchimmy
Hut Circle
Newseat
Scar Hill
Calfward
Radio Mast
Balnakelly
Frosty Hill
St Bride's Church (remains of)
West Balnakelly
North Brideswell
Craiglea Hill
Rough Bank
Glen of Cushnie
The Socach
South Brideswell
8 17 7 16 6 15 5 14 4 13 3 12 2 11 1 10
46 47 48 49 50 51
96
84

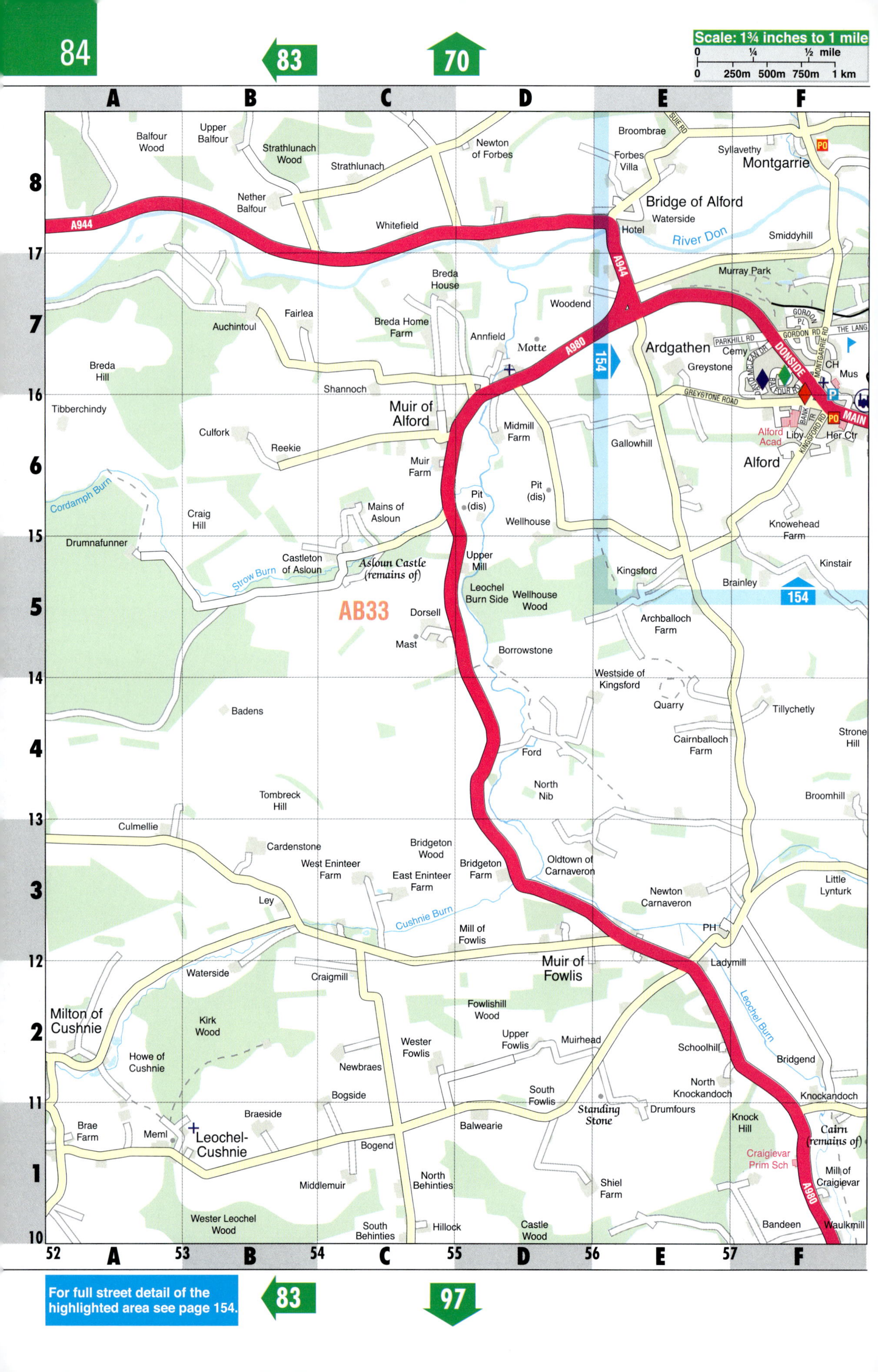

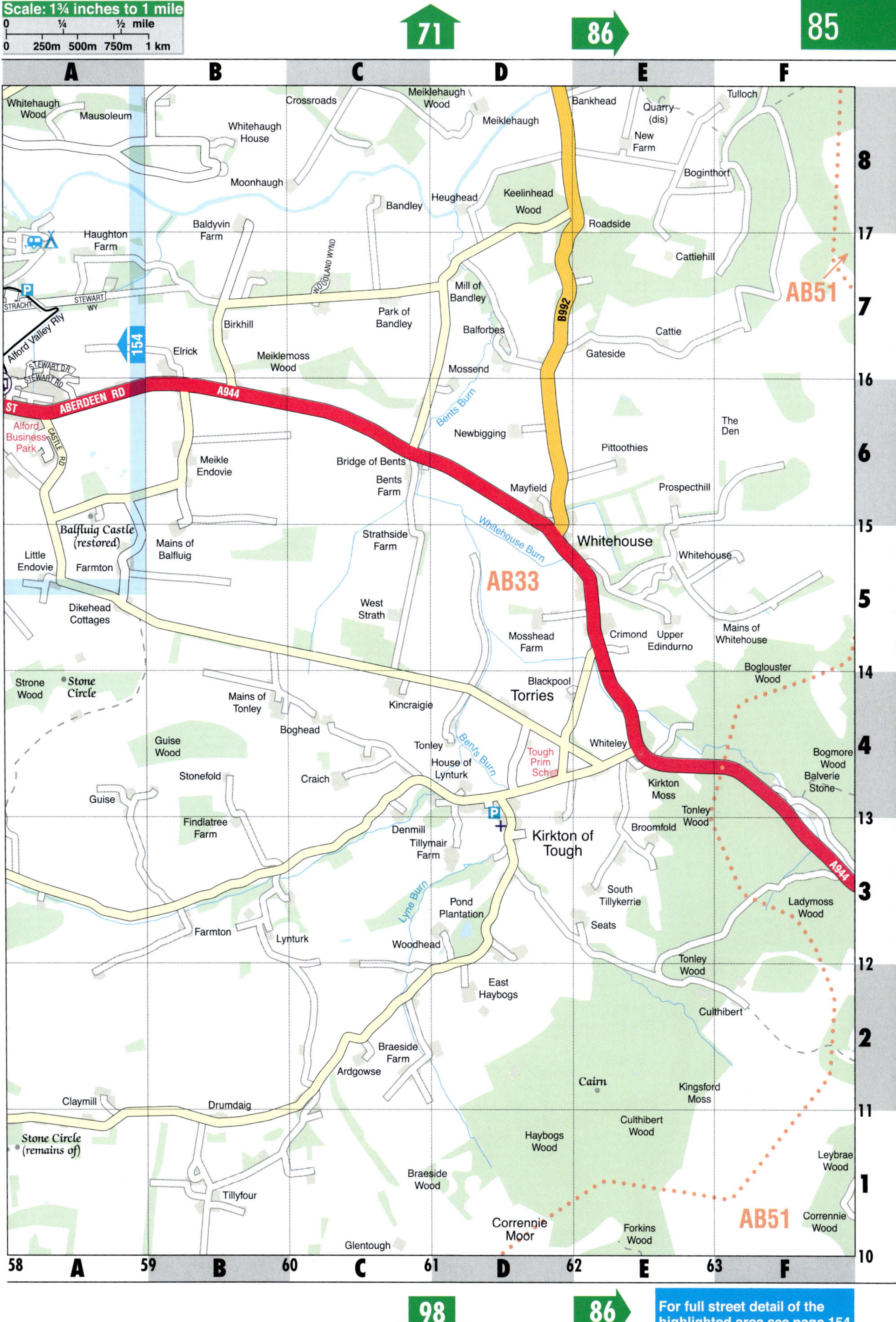
Whitehaugh Wood
Mausoleum
Crossroads
Meiklehaugh Wood
Meiklehaugh
Bankhead
Quarry (dis)
New Farm
Tulloch
Whitehaugh House
Moonhaugh
Boginthort
Bandley
Heughead
Keelinhead Wood
Roadside
Baldyvin Farm
Haughton Farm
Cattiehill
AB51
Mill of Bandley
Park of Bandley
Birkhill
Balforbes
Cattie
Gateside
B992
Elrick
Meiklemoss Wood
Mossend
154
Alford Valley Rly
ABERDEEN RD
A944
Bents Burn
Newbigging
The Den
Alford Business Park
CASTLE RD
Pittoothies
Meikle Endovie
Bridge of Bents
Bents Farm
Mayfield
Prospecthill
Balfluig Castle (restored)
Mains of Balfluig
Strathside Farm
Whitehouse Burn
Whitehouse
Little Endovie
Farmton
AB33
Dikehead Cottages
West Strath
Mosshead Farm
Crimond
Upper Edindurno
Mains of Whitehouse
Boglouster Wood
Strone Wood
Stone Circle
Mains of Tonley
Blackpool
Torries
Kincraigie
Boghead
Guise Wood
Tonley
House of Lynturk
Tough Prim Sch
Whiteley
Bogmore Wood
Balverie Stone
Stonefold
Craich
Kirkton Moss
Guise
Tonley Wood
Findlatree Farm
Denmill
Tillymair Farm
Kirkton of Tough
Broomfold
Lyne Burn
South Tillykerrie
Ladymoss Wood
Pond Plantation
Farmton
Lynturk
Seats
Woodhead
Tonley Wood
East Haybogs
Culthibert
Braeside Farm
Ardgowse
Cairn
Kingsford Moss
Claymill
Drumdaig
Culthibert Wood
Stone Circle (remains of)
Haybogs Wood
Leybrae Wood
Braeside Wood
Tillyfour
Corrennie Moor
Forkins Wood
AB51
Corrennie Wood
Glentough

85
72

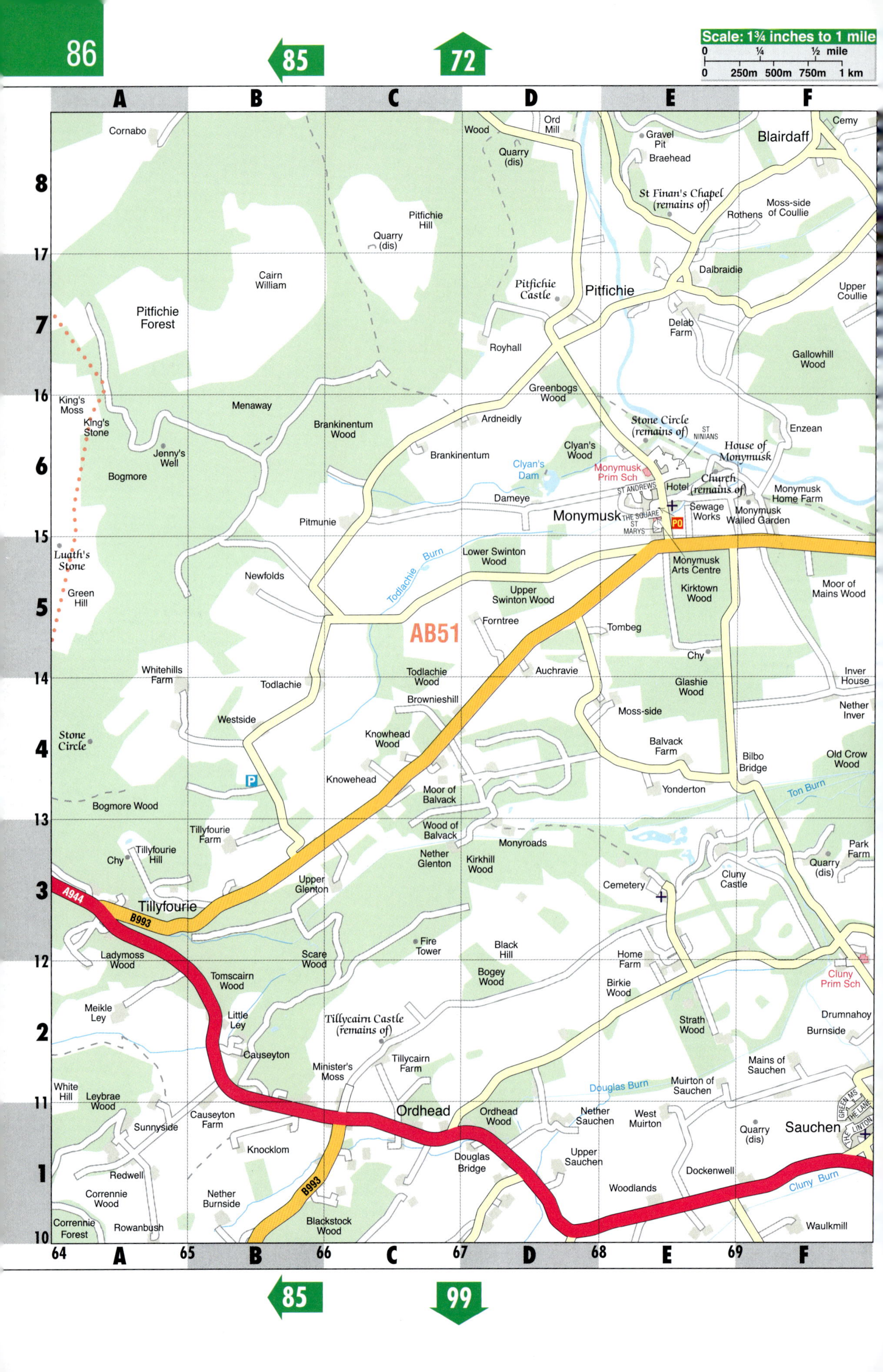
Scale: 1¾ inches to 1 mile
0 ¼ ½ mile
0 250m 500m 750m 1 km
A B C D E F
Cornabo
Wood
Ord Mill
Quarry (dis)
Gravel Pit
Braehead
Blairdaff
Cemy
St Finan's Chapel (remains of)
Rothens
Moss-side of Coullie
Pitfichie Hill
Quarry (dis)
Cairn William
Pitfichie Forest
Pitfichie Castle
Pitfichie
Dalbraidie
Upper Coullie
Delab Farm
Royhall
Gallowhill Wood
Greenbogs Wood
King's Moss
King's Stone
Menaway
Brankinentum Wood
Ardneidly
Stone Circle (remains of)
ST NINIANS
Enzean
Jenny's Well
Brankinentum
Clyan's Wood
House of Monymusk
Bogmore
Clyan's Dam
Monymusk Prim Sch
Church (remains of)
ST ANDREWS
Hotel
Monymusk Home Farm
Dameye
Sewage Works
Monymusk Walled Garden
Pitmunie
Monymusk
THE SQUARE
ST MARYS
PO
Luath's Stone
Todlachie Burn
Lower Swinton Wood
Monymusk Arts Centre
Newfolds
Upper Swinton Wood
Kirktown Wood
Moor of Mains Wood
Green Hill
Forntree
AB51
Tombeg
Chy
Whitehills Farm
Todlachie
Todlachie Wood
Auchravie
Inver House
Glashie Wood
Brownieshill
Nether Inver
Westside
Moss-side
Stone Circle
Knowhead Wood
Balvack Farm
Bilbo Bridge
Old Crow Wood
P
Knowehead
Yonderton
Ton Burn
Moor of Balvack
Bogmore Wood
Tillyfourie Farm
Wood of Balvack
Monyroads
Park Farm
Tillyfourie Hill
Chy
Nether Glenton
Kirkhill Wood
Quarry (dis)
Cluny Castle
A944
Upper Glenton
Cemetery
Tillyfourie
B993
Fire Tower
Black Hill
Ladymoss Wood
Scare Wood
Home Farm
Bogey Wood
Cluny Prim Sch
Tomscairn Wood
Birkie Wood
Meikle Ley
Little Ley
Drumnahoy
Tillycairn Castle (remains of)
Strath Wood
Burnside
Causeyton
Minister's Moss
Tillycairn Farm
Mains of Sauchen
White Hill
Douglas Burn
Muirton of Sauchen
Leybrae Wood
Ordhead
Ordhead Wood
Nether Sauchen
West Muirton
GREEN MS
THE LANE
LINTON
THE
Sunnyside
Causeyton Farm
Quarry (dis)
Sauchen
Knocklom
Douglas Bridge
Upper Sauchen
Dockenwell
Redwell
Cluny Burn
Corrennie Wood
Nether Burnside
Woodlands
Corrennie Forest
Rowanbush
Blackstock Wood
Waulkmill
8 17 7 16 6 15 5 14 4 13 3 12 2 11 1 10
64 65 66 67 68 69

85
99

73
88

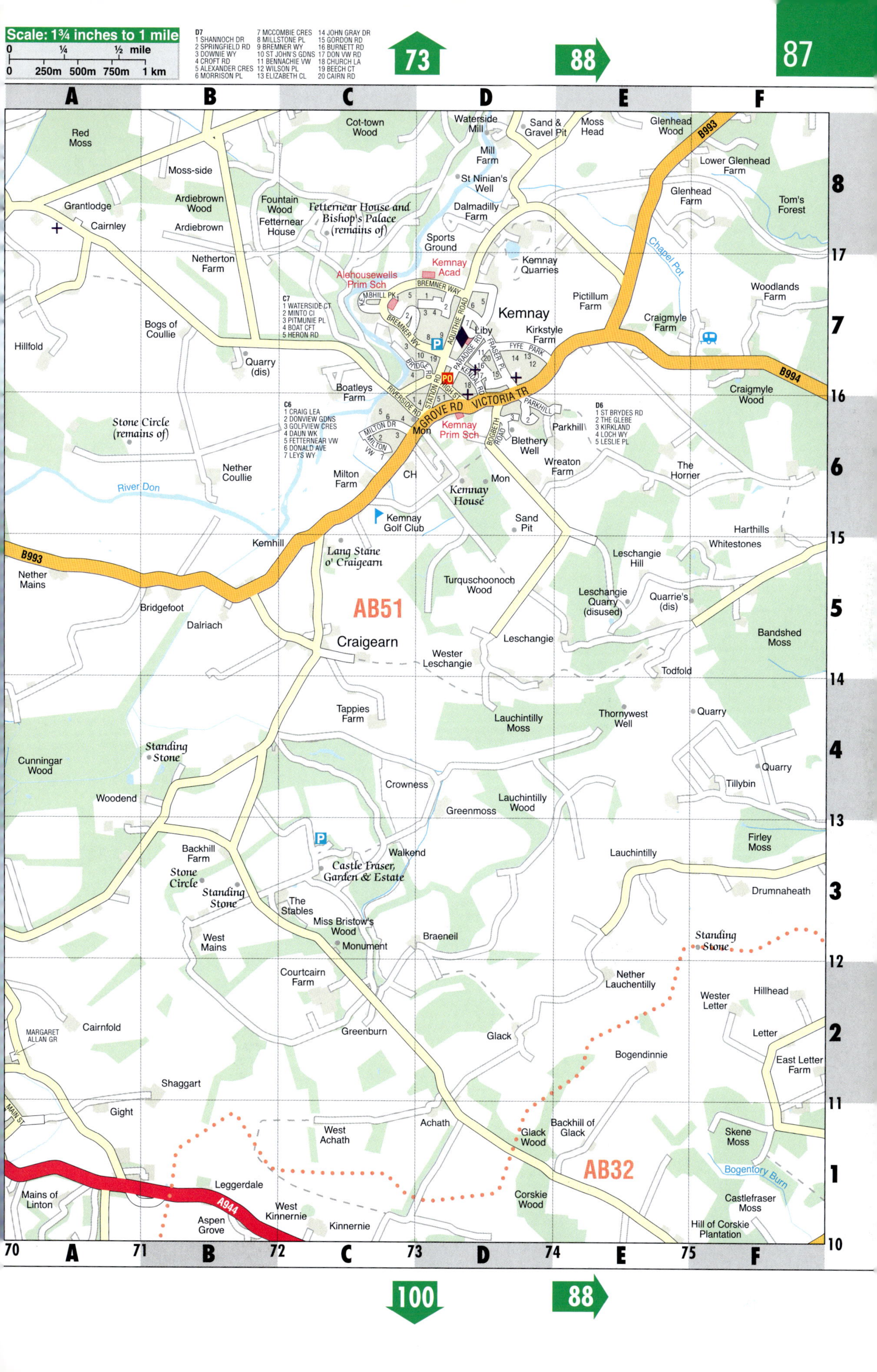
Scale: 1¾ inches to 1 mile
0 ¼ ½ mile
0 250m 500m 750m 1 km
D7
1 SHANNOCH DR
2 SPRINGFIELD RD
3 DOWNIE WY
4 CROFT RD
5 ALEXANDER CRES
6 MORRISON PL
7 MCCOMBIE CRES
8 MILLSTONE PL
9 BREMNER WY
10 ST JOHN'S GDNS
11 BENNACHIE VW
12 WILSON PL
13 ELIZABETH CL
14 JOHN GRAY DR
15 GORDON RD
16 BURNETT RD
17 DON VW RD
18 CHURCH LA
19 BEECH CT
20 CAIRN RD
A
B
C
D
E
F
Red Moss
Cot-town Wood
Waterside Mill
Sand & Gravel Pit
Moss Head
Glenhead Wood
B993
Mill Farm
Moss-side
Lower Glenhead Farm
St Ninian's Well
Glenhead Farm
Tom's Forest
Grantlodge
Ardiebrown Wood
Fountain Wood
Fetternear House and Bishop's Palace (remains of)
Dalmadilly Farm
Cairnley
Ardiebrown
Fetternear House
Sports Ground
Chapel Pot
Netherton Farm
Kemnay Acad
Kemnay Quarries
Alehousewells Prim Sch
BREMNER WAY
Woodlands Farm
C7
1 WATERSIDE CT
2 MINTO CI
3 PITMUNIE PL
4 BOAT CFT
5 HERON RD
Pictillum Farm
Kemnay
Bogs of Coullie
Craigmyle Farm
Hillfold
Liby
Kirkstyle Farm
AQUITHIE ROAD
PARADISE RD
FRASER PL
FYFE PARK
BREMNER WY
Quarry (dis)
BRIDGE RD
B994
STATION RD
HIGH ST
KENDAL RD
PO
Boatleys Farm
RIVERSIDE RD
Craigmyle Wood
VICTORIA TR
PARKHILL
C6
1 CRAIG LEA
2 DONVIEW GDNS
3 GOLFVIEW CRES
4 DAUN WK
5 FETTERNEAR VW
6 DONALD AVE
7 LEYS WY
MILTON DR
MILTON VW
GROVE RD
D6
1 ST BRYDES RD
2 THE GLEBE
3 KIRKLAND
4 LOCH WY
5 LESLIE PL
Stone Circle (remains of)
Mon
Kemnay Prim Sch
BOGBETH ROAD
Parkhill
Blethery Well
Wreaton Farm
Nether Coullie
Milton Farm
CH
Mon
The Horner
River Don
Kemnay House
Kemnay Golf Club
Sand Pit
Harthills
Kemhill
Whitestones
B993
Lang Stane o' Craigearn
Leschangie Hill
Nether Mains
Turquschoonoch Wood
Leschangie Quarry (disused)
Quarrie's (dis)
AB51
Bridgefoot
Dalriach
Bandshed Moss
Craigearn
Leschangie
Wester Leschangie
Todfold
Tappies Farm
Lauchintilly Moss
Thornywest Well
Quarry
Standing Stone
Cunningar Wood
Quarry
Crowness
Tillybin
Woodend
Lauchintilly Wood
Greenmoss
Firley Moss
Backhill Farm
Walkend
Lauchintilly
Stone Circle
Castle Fraser, Garden & Estate
Standing Stone
Drumnaheath
The Stables
Miss Bristow's Wood
West Mains
Braeneil
Standing Stone
Monument
Courtcairn Farm
Nether Lauchentilly
Hillhead
Wester Letter
MARGARET ALLAN GR
Cairnfold
Letter
Greenburn
Glack
Bogendinnie
East Letter Farm
Shaggart
Gight
MAIN ST
Achath
Backhill of Glack
West Achath
Glack Wood
Skene Moss
AB32
Bogentory Burn
Leggerdale
Mains of Linton
A944
Corskie Wood
West Kinnernie
Castlefraser Moss
Aspen Grove
Kinnernie
Hill of Corskie Plantation
70
71
72
73
74
75
8
17
7
16
6
15
5
14
4
13
3
12
2
11
1
10

100
88

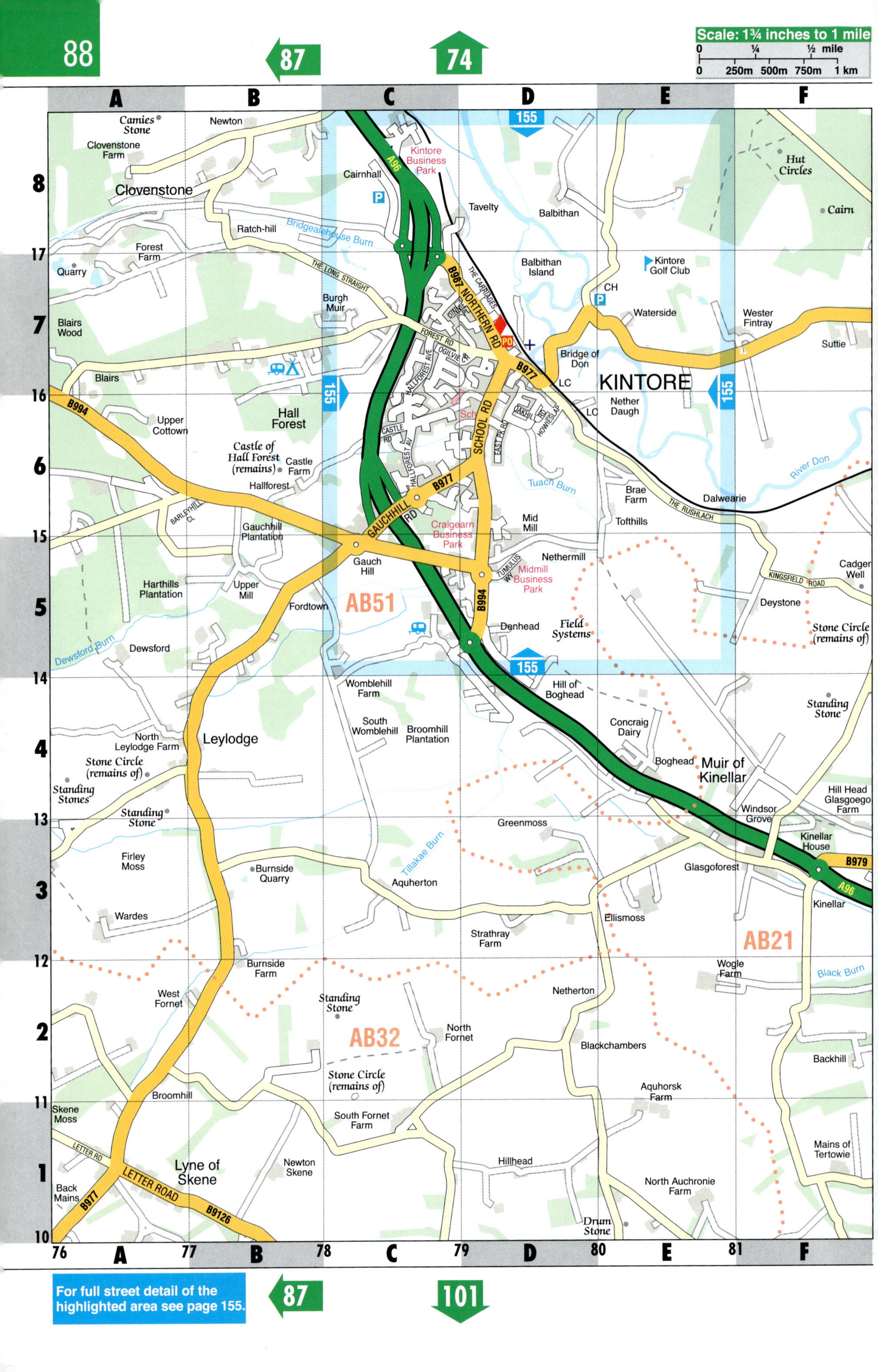

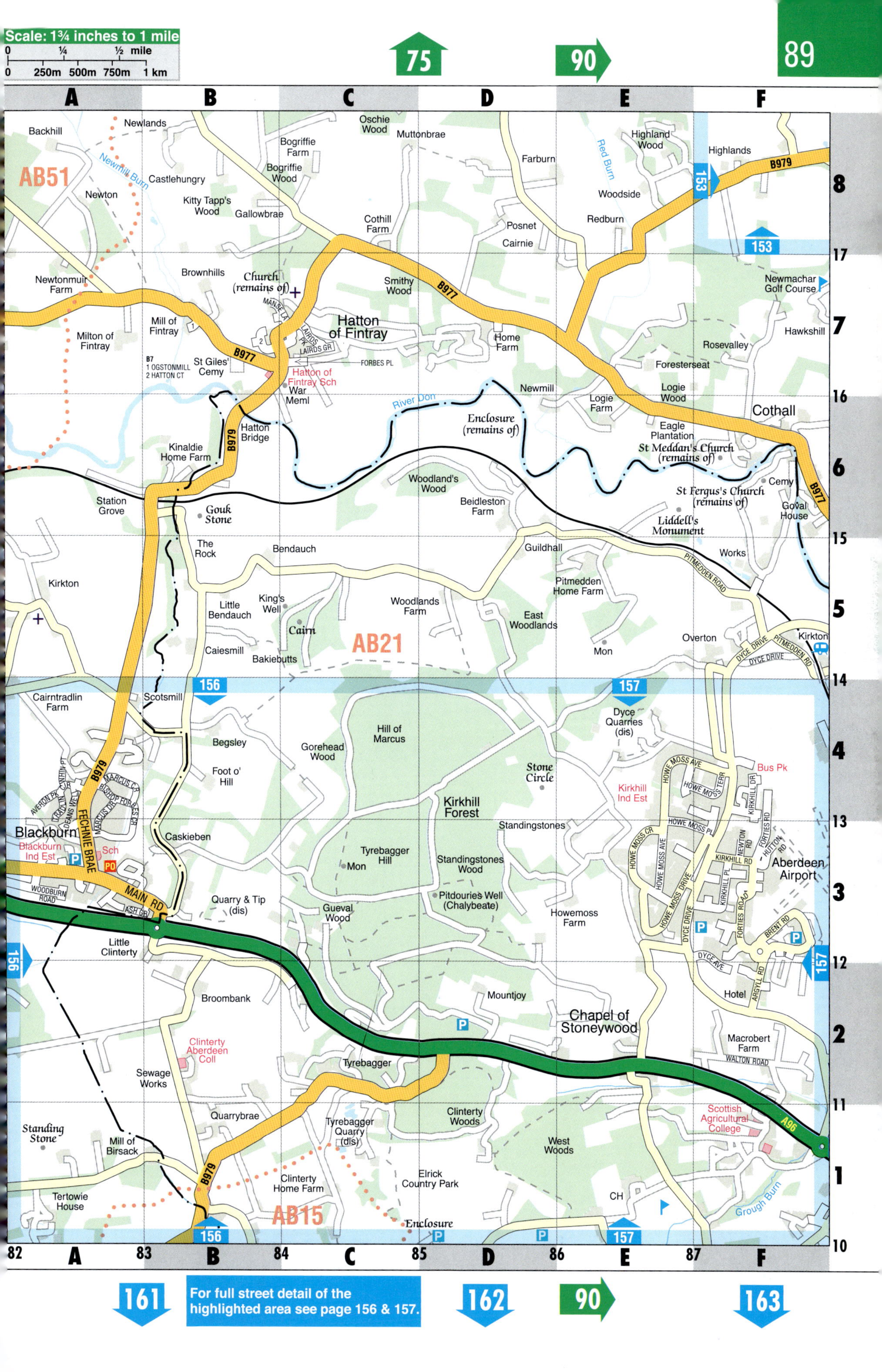

For full street detail of the highlighted area see page 153.
89
76

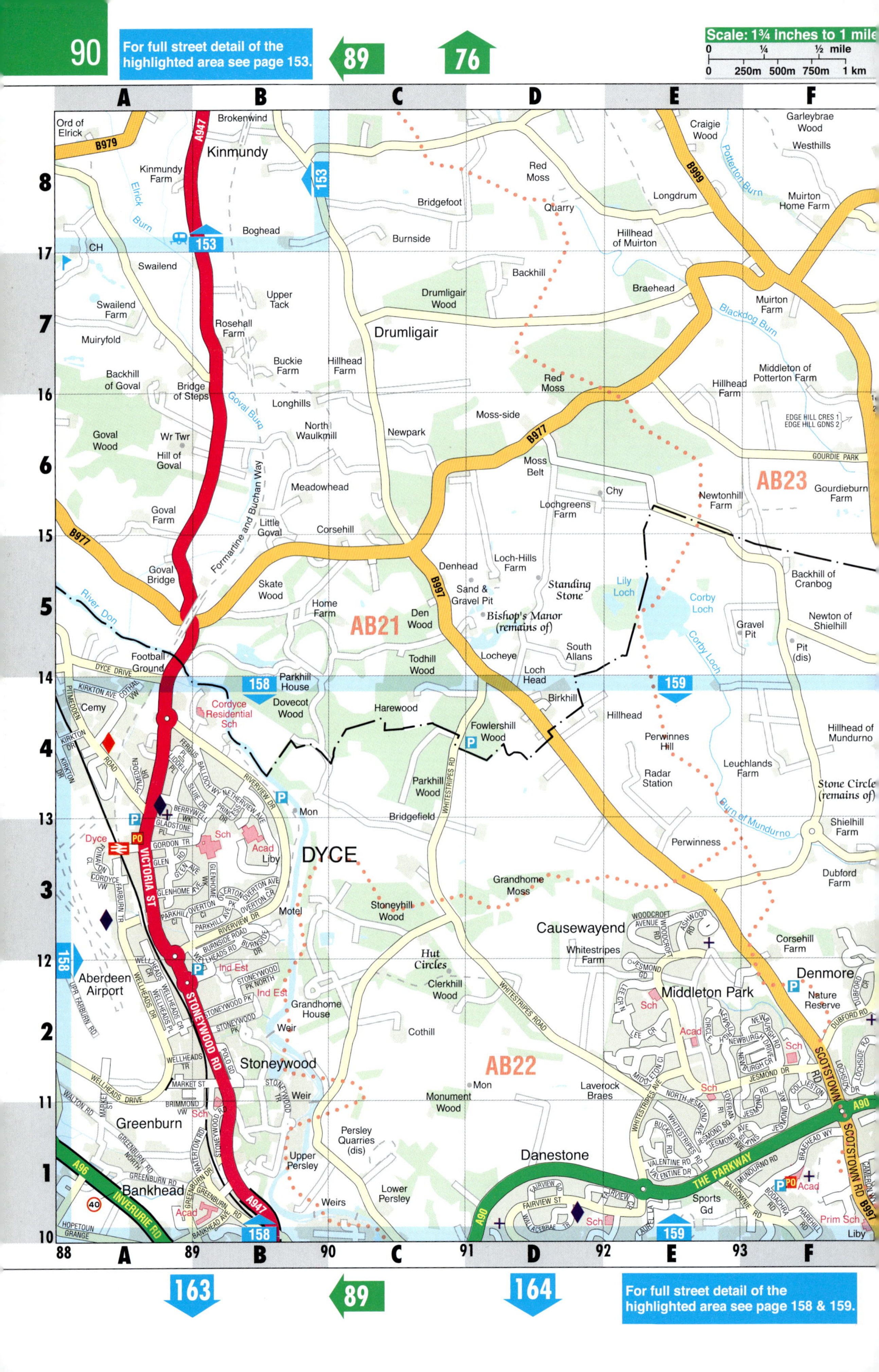

163
89
164
For full street detail of the highlighted area see page 158 & 159.

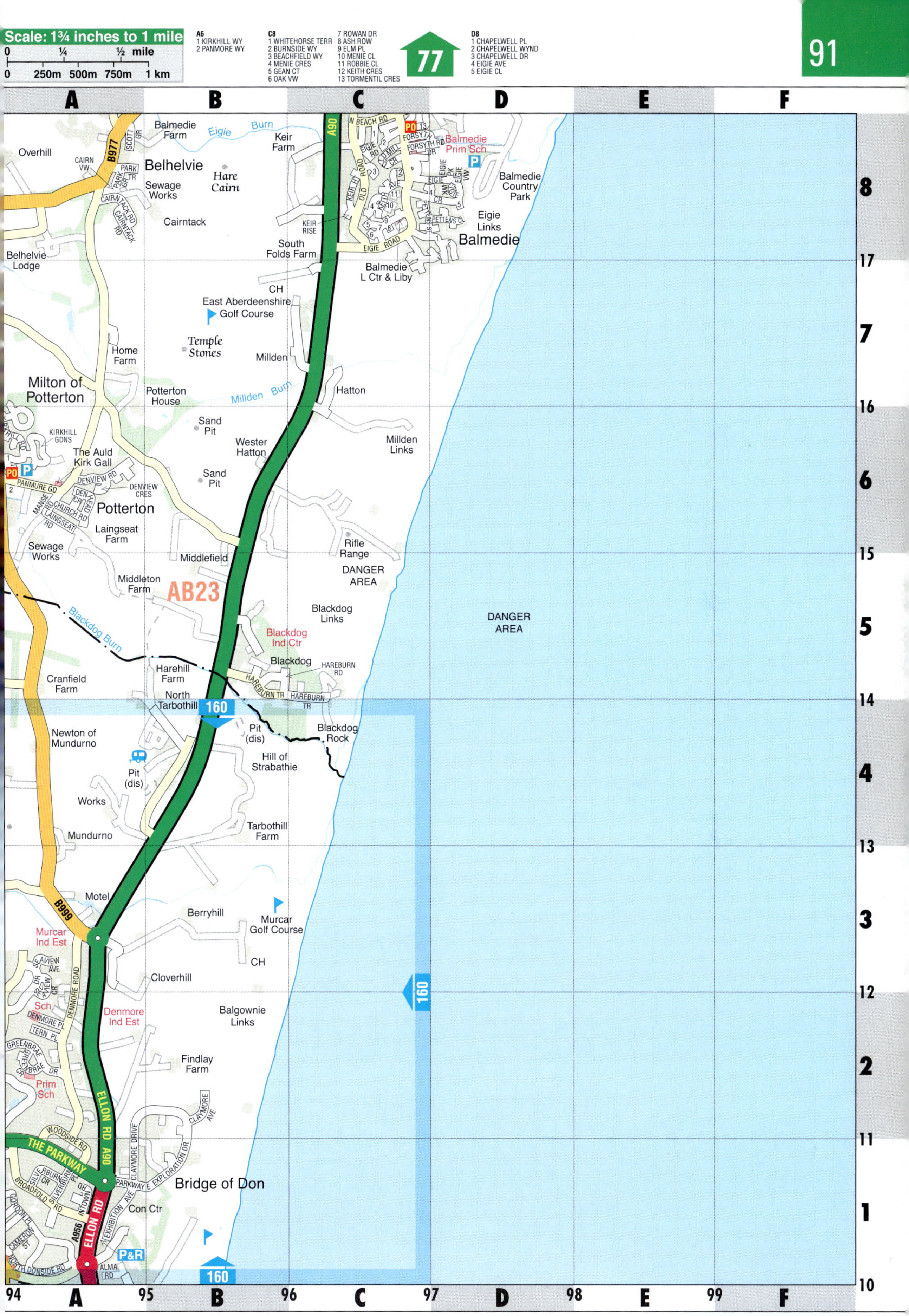

79

Scale: 1¾ inches to 1 mile
0
¼
½ mile
0
250m
500m
750m
1 km

A
B
C
D
E
F
8
09
7
08
6
07
5
06
4
05
3
04
2
03
1
02
22
23
24
25
26
27
Radio Mast
LECHT RD
Allargue House
Loinherry
Clais Toul
Badnabein
Ford
Dunanfiew
PH
Milltown
Bunkhouse
Weir
River Don
Dunandhu
Bruach Ruada
Badochurn
Cock Bridge
A939
Dykehead
The Luib
Toran Dubh
Corgarff Castle
Ford
Delnadamph
Ordgarff
Corgarff
River
Don
Ordachoy
Delachuper
AB36
Cock Burn
Carn Oighreag
Carn Mòr
Allt Damh
Easgach
The Torr
Caochan Luachair
Carn Leac Saighdeir
Clach Choutsaich
Carn Meadhonach
Druim a' Chaochain Cdair
Millstone Cairn
Camock Hill
Brown Cow Hill
Tom a' Chatha
Tom Odhar
Allt Ruigh na Cuilleige
AB35
Sleach Burn
Corndavon Lodge (ruin)
Ford
Black Hillock

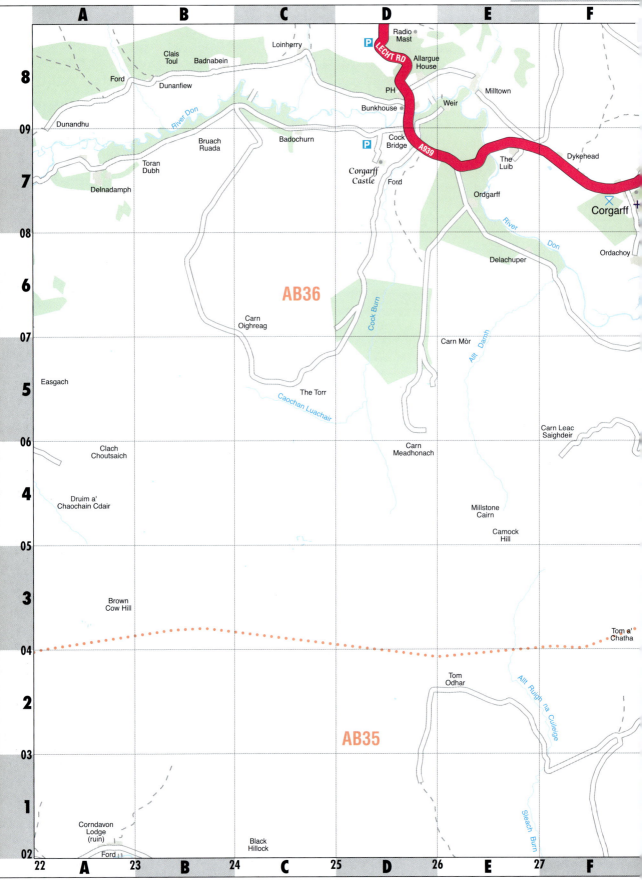

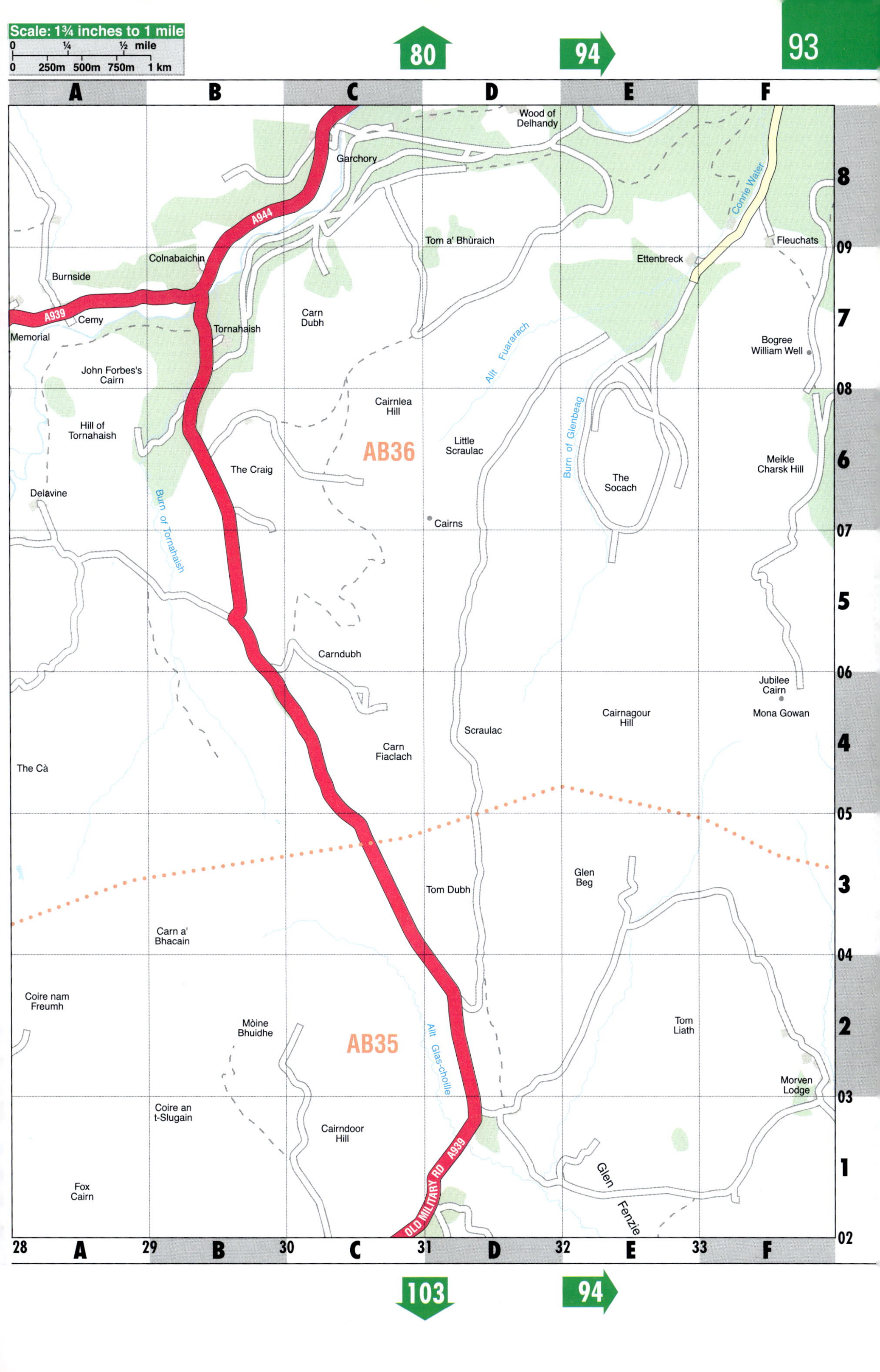
Scale: 1¾ inches to 1 mile
0 ¼ ½ mile
0 250m 500m 750m 1 km
80
94
A B C D E F
8 09 7 08 6 07 5 06 4 05 3 04 2 03 1 02
28 29 30 31 32 33
Wood of Delhandy
Garchory
A944
A939
Tom a' Bhùraich
Ettenbreck
Fleuchats
Conrie Water
Colnabaichin
Burnside
Cemy
Memorial
Tornahaish
Carn Dubh
Allt Fuararach
Bogree William Well
John Forbes's Cairn
Cairnlea Hill
Hill of Tornahaish
AB36
Little Scraulac
Burn of Glenbeag
Meikle Charsk Hill
The Craig
The Socach
Delavine
Burn of Tornahaish
Cairns
Carndubh
Jubilee Cairn
Cairnagour Hill
Mona Gowan
Scraulac
Carn Fiaclach
The Cà
Glen Beg
Tom Dubh
Carn a' Bhacain
Coire nam Freumh
Mòine Bhuidhe
AB35
Allt Glas-choille
Tom Liath
Morven Lodge
Coire an t-Slugain
Cairndoor Hill
A939
OLD MILITARY RD
Glen Fenzie
Fox Cairn
103
94

93
81

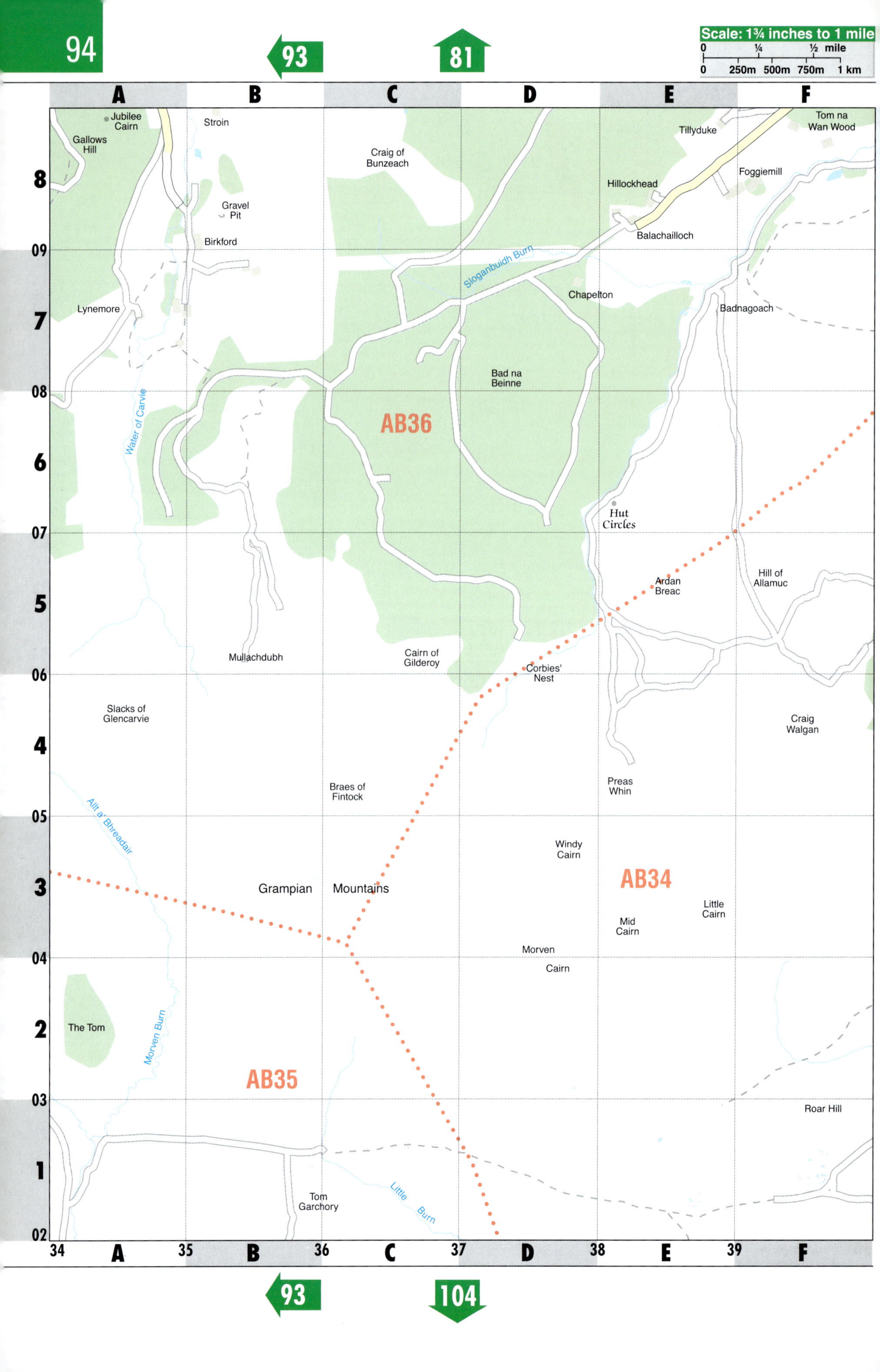
Scale: 1¾ inches to 1 mile
0 ¼ ½ mile
0 250m 500m 750m 1 km
A B C D E F
8 09 7 08 6 07 5 06 4 05 3 04 2 03 1 02
34 35 36 37 38 39
Jubilee Cairn
Gallows Hill
Stroin
Craig of Bunzeach
Tillyduke
Tom na Wan Wood
Foggiemill
Hillockhead
Gravel Pit
Birkford
Balachailloch
Sloganbuidh Burn
Chapelton
Lynemore
Badnagoach
Bad na Beinne
Water of Carvie
AB36
Hut Circles
Ardan Breac
Hill of Allamuc
Mullachdubh
Cairn of Gilderoy
Corbies' Nest
Slacks of Glencarvie
Craig Walgan
Preas Whin
Braes of Fintock
Allt a' Bhreadair
Windy Cairn
AB34
Grampian Mountains
Little Cairn
Mid Cairn
Morven
Cairn
The Tom
Morven Burn
AB35
Roar Hill
Tom Garchory
Little Burn

93
104

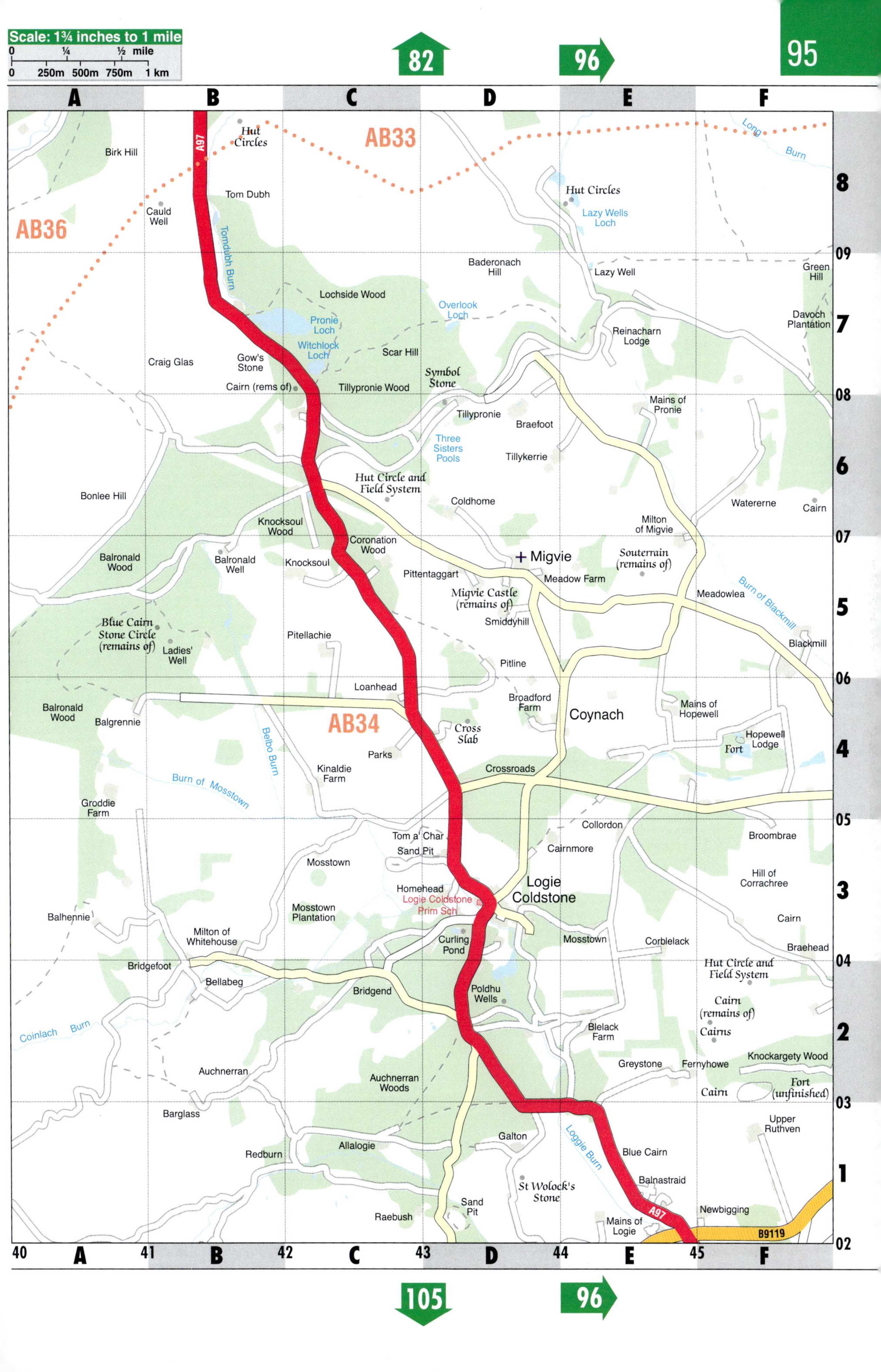
Scale: 1¾ inches to 1 mile
0 ¼ ½ mile
0 250m 500m 750m 1 km
82
96
AB33
AB36
AB34
Hut Circles
Birk Hill
Tom Dubh
Cauld Well
Tomdubh Burn
Hut Circles
Lazy Wells Loch
Long Burn
Baderonach Hill
Lazy Well
Green Hill
Lochside Wood
Overlook Loch
Pronie Loch
Witchlock Loch
Reinacharn Lodge
Davoch Plantation
Craig Glas
Gow's Stone
Scar Hill
Symbol Stone
Cairn (rems of)
Tillypronie Wood
Mains of Pronie
Tillypronie
Braefoot
Three Sisters Pools
Tillykerrie
Hut Circle and Field System
Bonlee Hill
Coldhome
Watererne
Cairn
Milton of Migvie
Knocksoul Wood
Coronation Wood
Balronald Wood
Balronald Well
Knocksoul
Migvie
Souterrain (remains of)
Pittentaggart
Meadow Farm
Burn of Blackmill
Migvie Castle (remains of)
Meadowlea
Smiddyhill
Blue Cairn Stone Circle (remains of)
Ladies' Well
Pitellachie
Blackmill
Pitline
Loanhead
Broadford Farm
Balronald Wood
Balgrennie
Coynach
Mains of Hopewell
Cross Slab
Hopewell Lodge
Fort
Belbo Burn
Parks
Kinaldie Farm
Crossroads
Burn of Mosstown
Groddie Farm
Collordon
Tom a' Char
Broombrae
Sand Pit
Cairnmore
Mosstown
Hill of Corrachree
Homehead
Logie Coldstone
Logie Coldstone Prim Sch
Mosstown Plantation
Balhennie
Cairn
Milton of Whitehouse
Curling Pond
Mosstown
Corblelack
Braehead
Bridgefoot
Bellabeg
Hut Circle and Field System
Bridgend
Poldhu Wells
Cairn (remains of)
Coinlach Burn
Blelack Farm
Cairns
Auchnerran
Greystone
Fernyhowe
Knockargety Wood
Auchnerran Woods
Fort (unfinished)
Cairn
Barglass
Upper Ruthven
Galton
Logie Burn
Blue Cairn
Allalogie
Redburn
Balnastraid
St Wolock's Stone
Sand Pit
Raebush
Newbigging
Mains of Logie
A97
B9119
A B C D E F
8 7 6 5 4 3 2 1
09 08 07 06 05 04 03 02
40 41 42 43 44 45
105
96

95
83

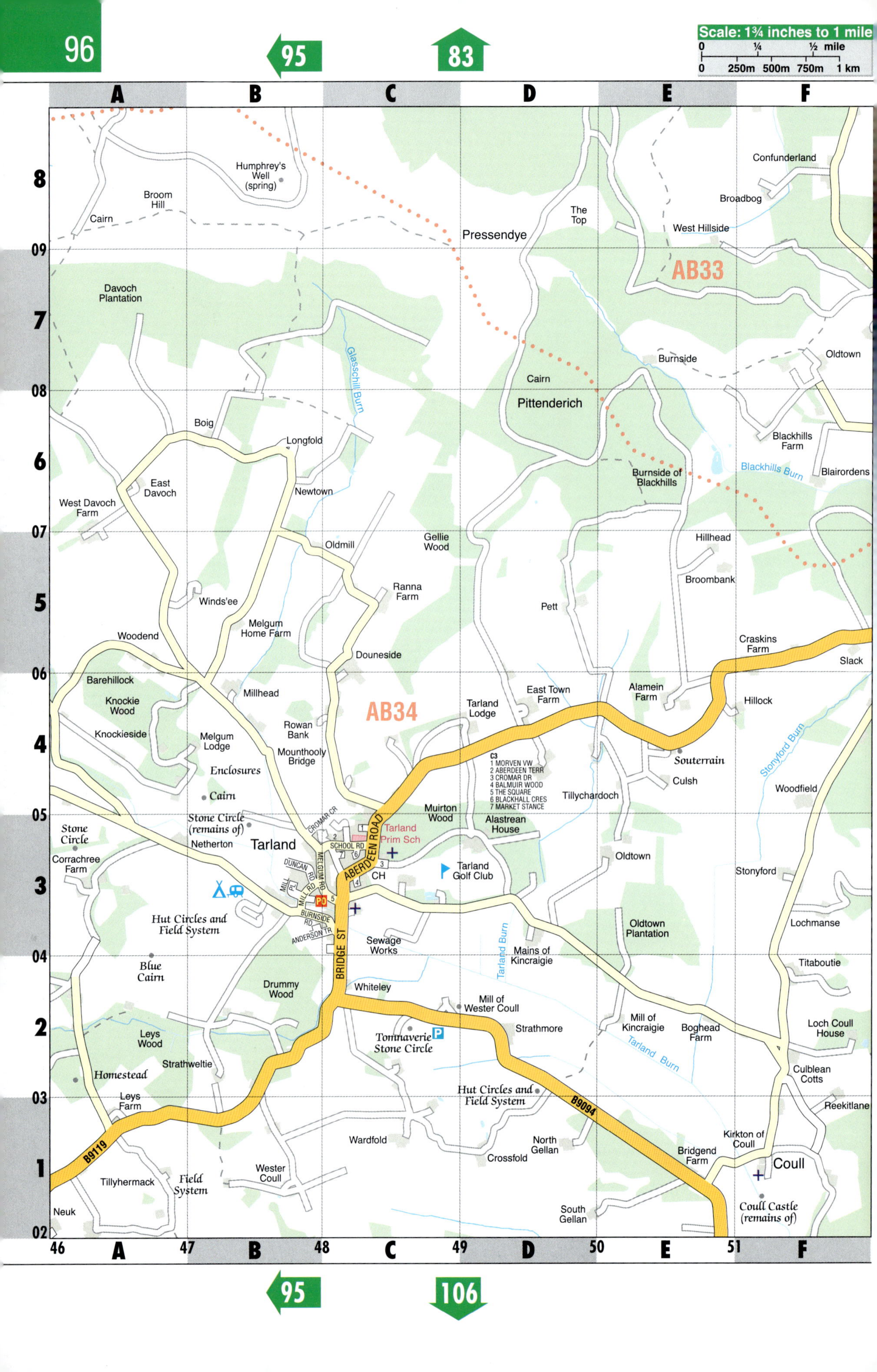
Scale: 1¾ inches to 1 mile
0 ¼ ½ mile
0 250m 500m 750m 1 km
A B C D E F
8 09 7 08 6 07 5 06 4 05 3 04 2 03 1 02
46 47 48 49 50 51
Humphrey's Well (spring)
Broom Hill
Cairn
Pressendye
The Top
Confunderland
Broadbog
West Hillside
AB33
Davoch Plantation
Glasschill Burn
Burnside
Oldtown
Cairn
Pittenderich
Boig
Longfold
Blackhills Farm
Blackhills Burn
Blairordens
East Davoch
West Davoch Farm
Newtown
Burnside of Blackhills
Oldmill
Gellie Wood
Hillhead
Broombank
Ranna Farm
Winds'ee
Pett
Woodend
Melgum Home Farm
Craskins Farm
Slack
Douneside
Barehillock
Millhead
Alamein Farm
East Town Farm
Hillock
Knockie Wood
Tarland Lodge
AB34
Knockieside
Rowan Bank
Melgum Lodge
Mounthooly Bridge
Souterrain
Stonyford Burn
Culsh
Enclosures
C3
1 MORVEN VW
2 ABERDEEN TERR
3 CROMAR DR
4 BALMUIR WOOD
5 THE SQUARE
6 BLACKHALL CRES
7 MARKET STANCE
Woodfield
Cairn
Tillychardoch
Stone Circle (remains of)
Muirton Wood
Alastrean House
Stone Circle
CROMAR CR
Tarland Prim Sch
Netherton
Tarland
SCHOOL RD
ABERDEEN ROAD
Oldtown
Corrachree Farm
DUNCAN RD
MELGUM RD
Tarland Golf Club
Stonyford
CH
MILL PL
MILL RD
PO
BURNSIDE RD
Hut Circles and Field System
ANDERSON TR
BRIDGE ST
Sewage Works
Oldtown Plantation
Lochmanse
Tarland Burn
Mains of Kincraigie
Blue Cairn
Titaboutie
Drummy Wood
Whiteley
Mill of Wester Coull
Mill of Kincraigie
Leys Wood
Tomnaverie Stone Circle
P
Strathmore
Boghead Farm
Loch Coull House
Tarland Burn
Strathweltie
Homestead
Culblean Cotts
Hut Circles and Field System
B9094
Leys Farm
Reekitlane
Wardfold
North Gellan
Kirkton of Coull
B9119
Crossfold
Bridgend Farm
Coull
Tillyhermack
Field System
Wester Coull
Coull Castle (remains of)
Neuk
South Gellan

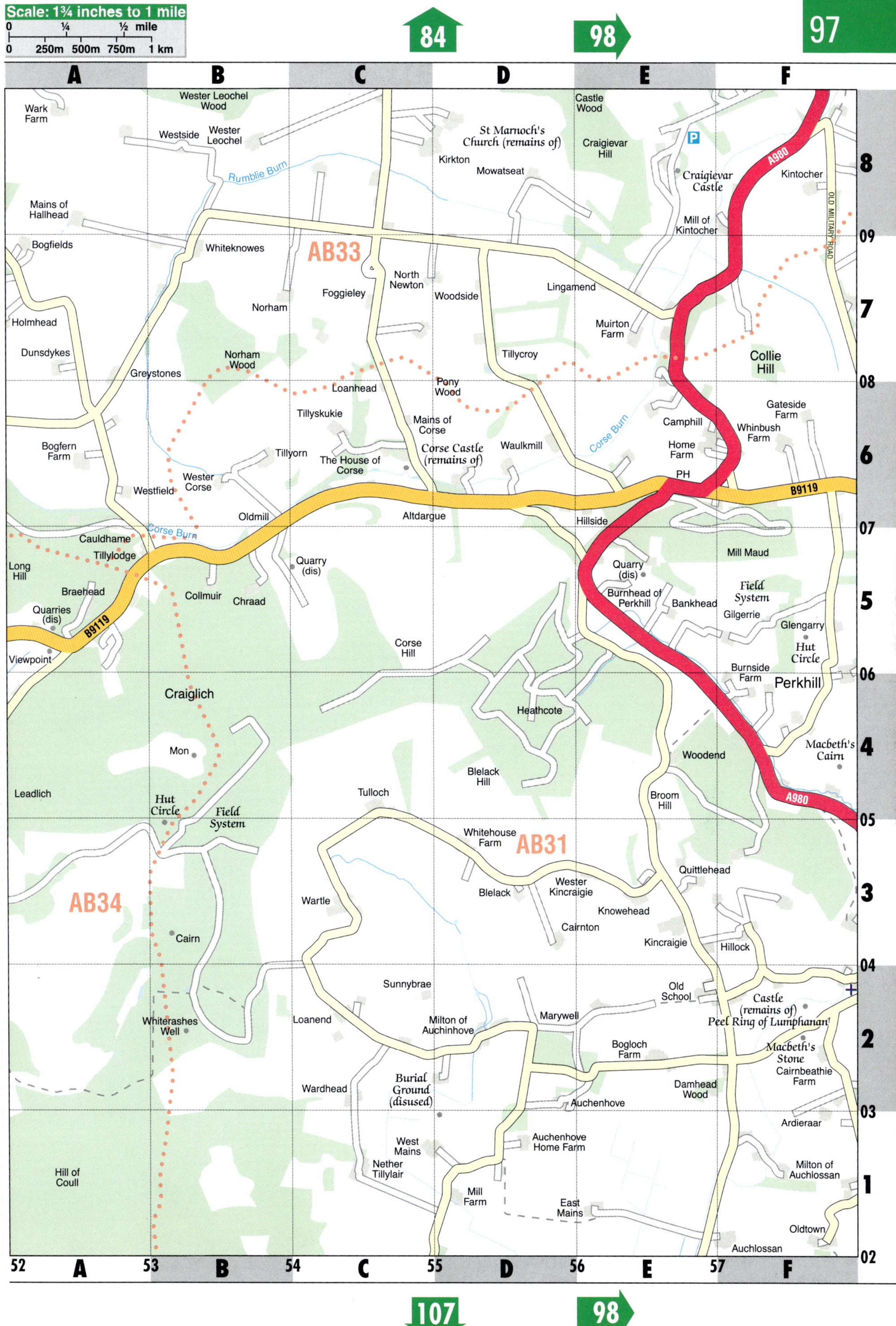

Scale: 1¾ inches to 1 mile
0 ¼ ½ mile
0 250m 500m 750m 1 km
84
98
A B C D E F
8 09 7 08 6 07 5 06 4 05 3 04 2 03 1 02
52 A 53 B 54 C 55 D 56 E 57 F
Wark Farm
Wester Leochel Wood
Westside
Wester Leochel
Rumblie Burn
Castle Wood
St Marnoch's Church (remains of)
Kirkton
Mowatseat
Craigievar Hill
Craigievar Castle
Mill of Kintocher
Kintocher
A980
OLD MILITARY ROAD
Mains of Hallhead
Bogfields
Whiteknowes
AB33
North Newton
Foggieley
Woodside
Lingamend
Norham
Holmhead
Muirton Farm
Dunsdykes
Norham Wood
Tillycroy
Collie Hill
Greystones
Loanhead
Pony Wood
Gateside Farm
Tillyskukie
Mains of Corse
Camphill
Whinbush Farm
Bogfern Farm
Tillyorn
Corse Castle (remains of)
Waulkmill
Corse Burn
Home Farm
The House of Corse
Wester Corse
PH
Westfield
B9119
Oldmill
Altdargue
Hillside
Cauldhame
Corse Burn
Tillylodge
Mill Maud
Long Hill
Quarry (dis)
Quarry (dis)
Braehead
Field System
Collmuir
Chraad
Burnhead of Perkhill
Bankhead
Quarries (dis)
Gilgerrie
Glengarry
B9119
Hut Circle
Viewpoint
Corse Hill
Burnside Farm
Perkhill
Craiglich
Heathcote
Mon
Macbeth's Cairn
Woodend
Blelack Hill
Leadlich
Tulloch
Broom Hill
A980
Hut Circle
Field System
Whitehouse Farm
AB31
Quittlehead
Wester Kincraigie
Blelack
AB34
Wartle
Knowehead
Cairnton
Cairn
Kincraigie
Hillock
Sunnybrae
Old School
Castle (remains of)
Peel Ring of Lumphanan
Loanend
Milton of Auchinhove
Marywell
Whiterashes Well
Bogloch Farm
Macbeth's Stone
Cairnbeathie Farm
Burial Ground (disused)
Wardhead
Damhead Wood
Auchenhove
Ardieraar
West Mains
Auchenhove Home Farm
Nether Tillylair
Hill of Coull
Milton of Auchlossan
Mill Farm
East Mains
Oldtown
Auchlossan

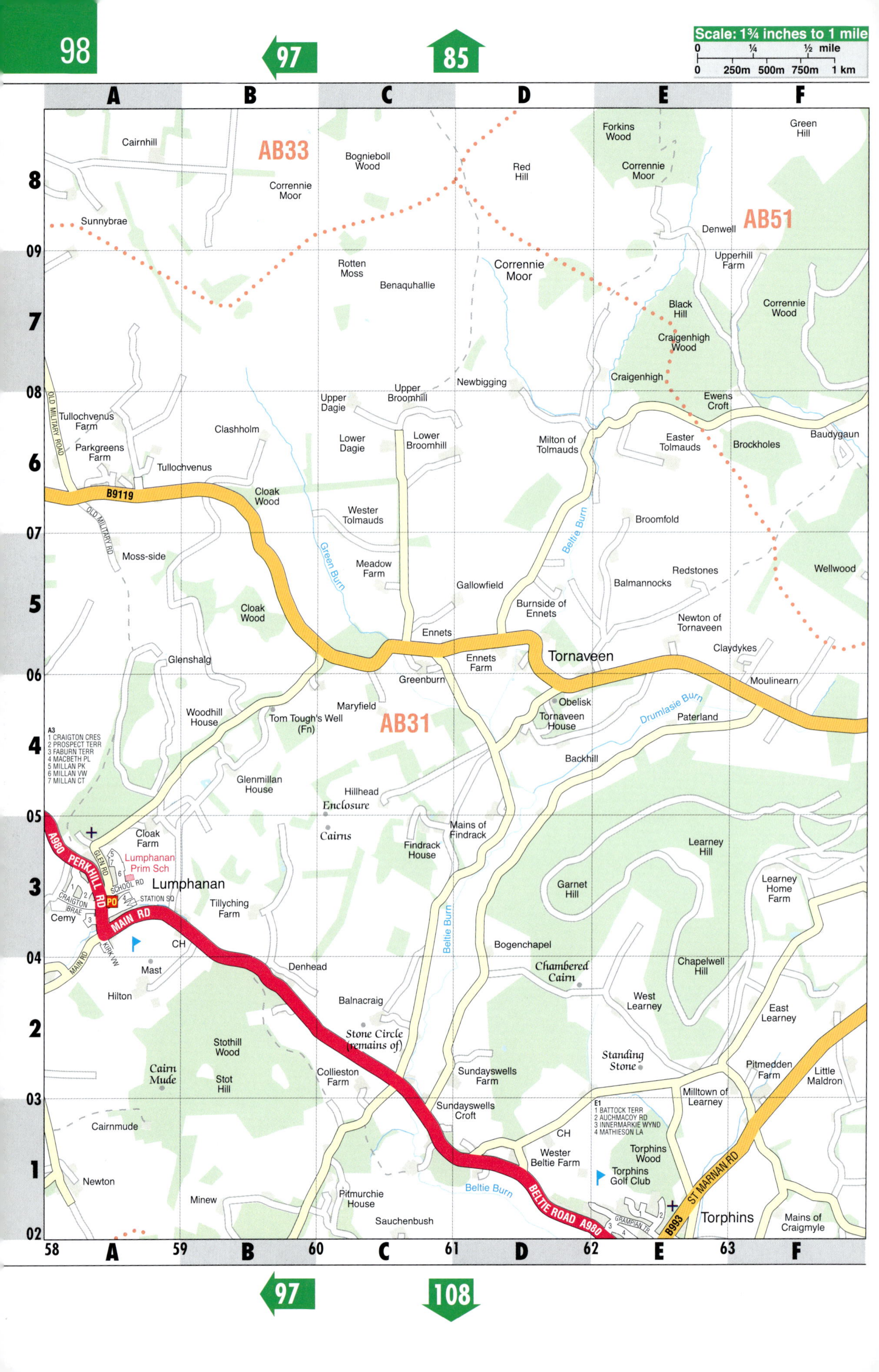
97
85
Scale: 1¾ inches to 1 mile
0 ¼ ½ mile
0 250m 500m 750m 1 km
A B C D E F
8 09 7 08 6 07 5 06 4 05 3 04 2 03 1 02
58 59 60 61 62 63
AB33
AB51
AB31
Cairnhill
Bognieboll Wood
Corrennie Moor
Red Hill
Forkins Wood
Corrennie Moor
Green Hill
Sunnybrae
Denwell
Upperhill Farm
Rotten Moss
Benaquhallie
Corrennie Moor
Black Hill
Corrennie Wood
Craigenhigh Wood
Craigenhigh
Newbigging
Upper Dagie
Upper Broomhill
Ewens Croft
OLD MILITARY ROAD
Tullochvenus Farm
Clashholm
Lower Dagie
Lower Broomhill
Milton of Tolmauds
Easter Tolmauds
Brockholes
Baudygaun
Parkgreens Farm
Tullochvenus
B9119
Cloak Wood
Wester Tolmauds
Broomfold
OLD MILITARY RD
Moss-side
Green Burn
Meadow Farm
Beltie Burn
Redstones
Wellwood
Gallowfield
Balmannocks
Cloak Wood
Burnside of Ennets
Newton of Tornaveen
Ennets
Claydykes
Glenshalg
Ennets Farm
Tornaveen
Greenburn
Moulinearn
Obelisk
Woodhill House
Maryfield
Tom Tough's Well (Fn)
Tornaveen House
Drumlasie Burn
Paterland
A3
1 CRAIGTON CRES
2 PROSPECT TERR
3 FABURN TERR
4 MACBETH PL
5 MILLAN PK
6 MILLAN VW
7 MILLAN CT
Backhill
Glenmillan House
Hillhead
Enclosure
Cairns
Mains of Findrack
A980 PERKHILL RD
Cloak Farm
GLEN RD
Lumphanan Prim Sch
Findrack House
Learney Hill
Learney Home Farm
Lumphanan
SCHOOL RD
CRAIGTON BRAE
PO
STATION SQ
Tillyching Farm
Garnet Hill
Cemy
MAIN RD
Beltie Burn
CH
KIRK VW
Bogenchapel
MAIN RD
Mast
Denhead
Chambered Cairn
Chapelwell Hill
Hilton
Balnacraig
West Learney
East Learney
Stone Circle (remains of)
Stothill Wood
Standing Stone
Cairn Mude
Stot Hill
Collieston Farm
Sundayswells Farm
Pitmedden Farm
Little Maldron
Milltown of Learney
Sundayswells Croft
E1
1 BATTOCK TERR
2 AUCHMACOY RD
3 INNERMARKIE WYND
4 MATHIESON LA
Cairnmude
CH
Torphins Wood
Wester Beltie Farm
Newton
Torphins Golf Club
ST MARNAN RD
Beltie Burn
Pitmurchie House
Minew
BELTIE ROAD A980
GRAMPIAN TR
B993
Torphins
Mains of Craigmyle
Sauchenbush
97
108

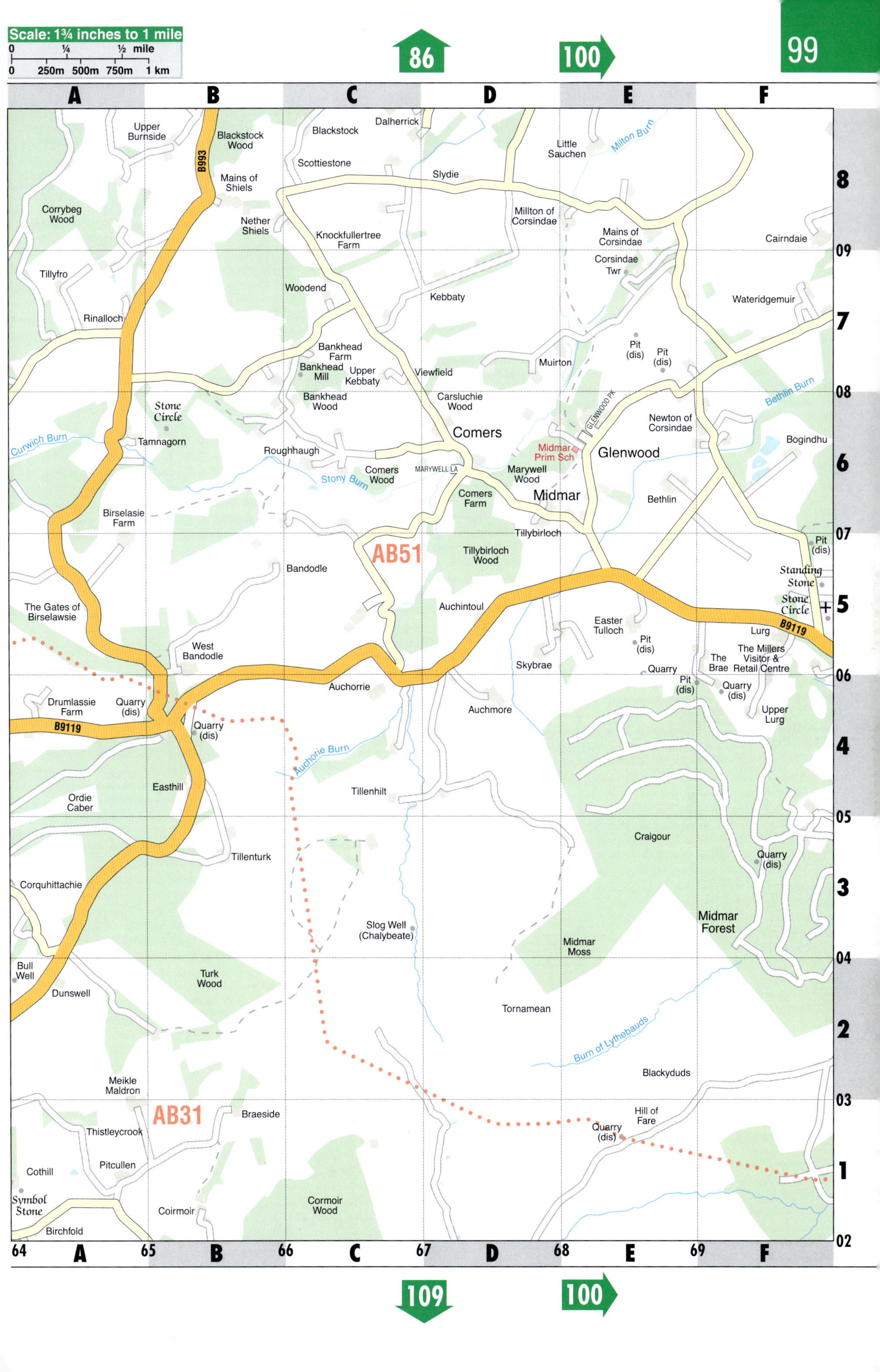
Scale: 1¾ inches to 1 mile
0 ¼ ½ mile
0 250m 500m 750m 1 km
86
100
A B C D E F
Upper Burnside
Blackstock Wood
Blackstock
Dalherrick
Scottiestone
Little Sauchen
Milton Burn
B993
Mains of Shiels
Slydie
Corrybeg Wood
Nether Shiels
Millton of Corsindae
Knockfullertree Farm
Mains of Corsindae
Cairndaie
Corsindae Twr
Tillyfro
Woodend
Kebbaty
Wateridgemuir
Rinalloch
Bankhead Farm
Pit (dis)
Pit (dis)
Bankhead Mill
Upper Kebbaty
Viewfield
Muirton
Stone Circle
Bankhead Wood
Carsluchie Wood
GLENWOOD PK
Newton of Corsindae
Bethlin Burn
Curwich Burn
Tamnagorn
Comers
Midmar Prim Sch
Glenwood
Bogindhu
Roughhaugh
Comers Wood
MARYWELL LA
Marywell Wood
Stony Burn
Comers Farm
Midmar
Bethlin
Birselasie Farm
Tillybirloch
Pit (dis)
AB51
Tillybirloch Wood
Bandodle
Standing Stone
Stone Circle
The Gates of Birselawsie
Auchintoul
Easter Tulloch
B9119
Lurg
West Bandodle
Pit (dis)
The Millers Visitor & Retail Centre
The Brae
Skybrae
Quarry
Auchorrie
Pit (dis)
Quarry (dis)
Drumlassie Farm
Quarry (dis)
Auchmore
Upper Lurg
B9119
Quarry (dis)
Auchorie Burn
Tillenhilt
Easthill
Ordie Caber
Craigour
Tillenturk
Quarry (dis)
Corquhittachie
Slog Well (Chalybeate)
Midmar Forest
Midmar Moss
Bull Well
Turk Wood
Dunswell
Tornamean
Burn of Lythebauds
Blackyduds
Meikle Maldron
AB31
Braeside
Hill of Fare
Thistleycrook
Quarry (dis)
Cothill
Pitcullen
Symbol Stone
Coirmoir
Cormoir Wood
Birchfold
8 09 7 08 6 07 5 06 4 05 3 04 2 03 1 02
64 65 66 67 68 69
109
100

99
87

Scale: 1¾ inches to 1 mile

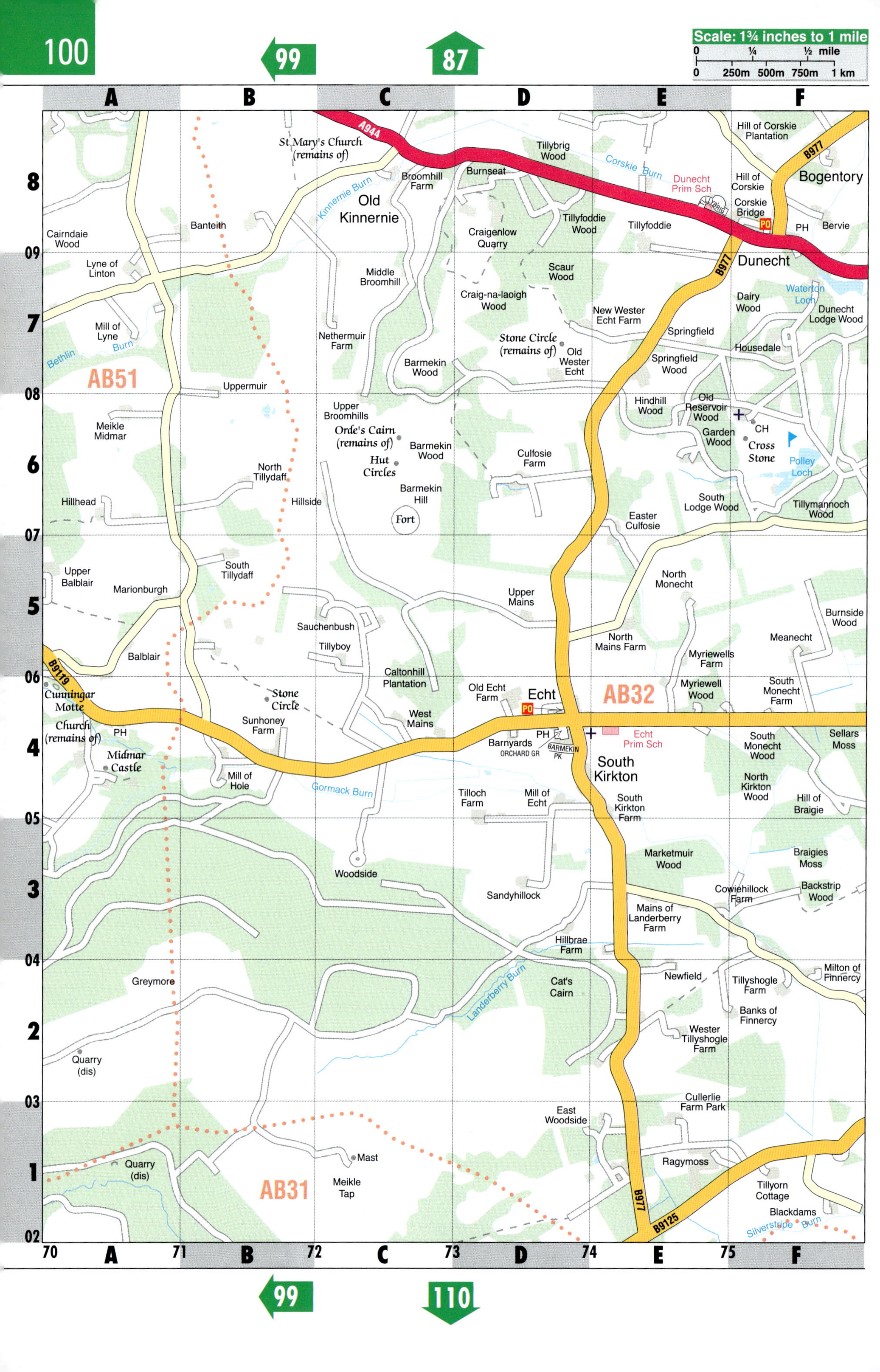
A944
B977
B9119
B9125
AB51
AB32
AB31
St Mary's Church (remains of)
Old Kinnernie
Kinnernie Burn
Broomhill Farm
Burnseat
Tillybrig Wood
Corskie Burn
Dunecht Prim Sch
Hill of Corskie Plantation
Hill of Corskie
Bogentory
Corskie Bridge
PO
PH
Bervie
Dunecht
Cairndaie Wood
Banteith
Lyne of Linton
Craigenlow Quarry
Tillyfoddie Wood
Tillyfoddie
Middle Broomhill
Scaur Wood
Craig-na-laoigh Wood
New Wester Echt Farm
Waterton Loch
Dairy Wood
Dunecht Lodge Wood
Mill of Lyne
Bethlin Burn
Nethermuir Farm
Stone Circle (remains of)
Old Wester Echt
Springfield
Housedale
Barmekin Wood
Springfield Wood
Uppermuir
Hindhill Wood
Old Reservoir Wood
Meikle Midmar
Upper Broomhills
Orde's Cairn (remains of)
Barmekin Wood
Garden Wood
CH
Cross Stone
Polley Loch
Hut Circles
Culfosie Farm
North Tillydaff
Barmekin Hill
Hillhead
Hillside
Fort
South Lodge Wood
Easter Culfosie
Tillymannoch Wood
Upper Balblair
South Tillydaff
Marionburgh
North Monecht
Upper Mains
Burnside Wood
Sauchenbush
North Mains Farm
Meanecht
Tillyboy
Balblair
Myriewells Farm
Caltonhill Plantation
South Monecht Farm
Myriewell Wood
Cunningar Motte
Stone Circle
Old Echt Farm
Echt
Church (remains of)
Sunhoney Farm
West Mains
Barnyards
ORCHARD GR
BARMEKIN PK
Echt Prim Sch
Sellars Moss
South Monecht Wood
Midmar Castle
Mill of Hole
South Kirkton
Gormack Burn
North Kirkton Wood
Tilloch Farm
Mill of Echt
South Kirkton Farm
Hill of Braigie
Marketmuir Wood
Braigies Moss
Woodside
Backstrip Wood
Cowiehillock Farm
Sandyhillock
Mains of Landerberry Farm
Hillbrae Farm
Newfield
Milton of Finnercy
Greymore
Cat's Cairn
Tillyshogle Farm
Landerberry Burn
Banks of Finnercy
Wester Tillyshogle Farm
Quarry (dis)
Cullerlie Farm Park
East Woodside
Mast
Ragymoss
Quarry (dis)
Meikle Tap
Tillyorn Cottage
Blackdams
Silverstripe Burn

99
110

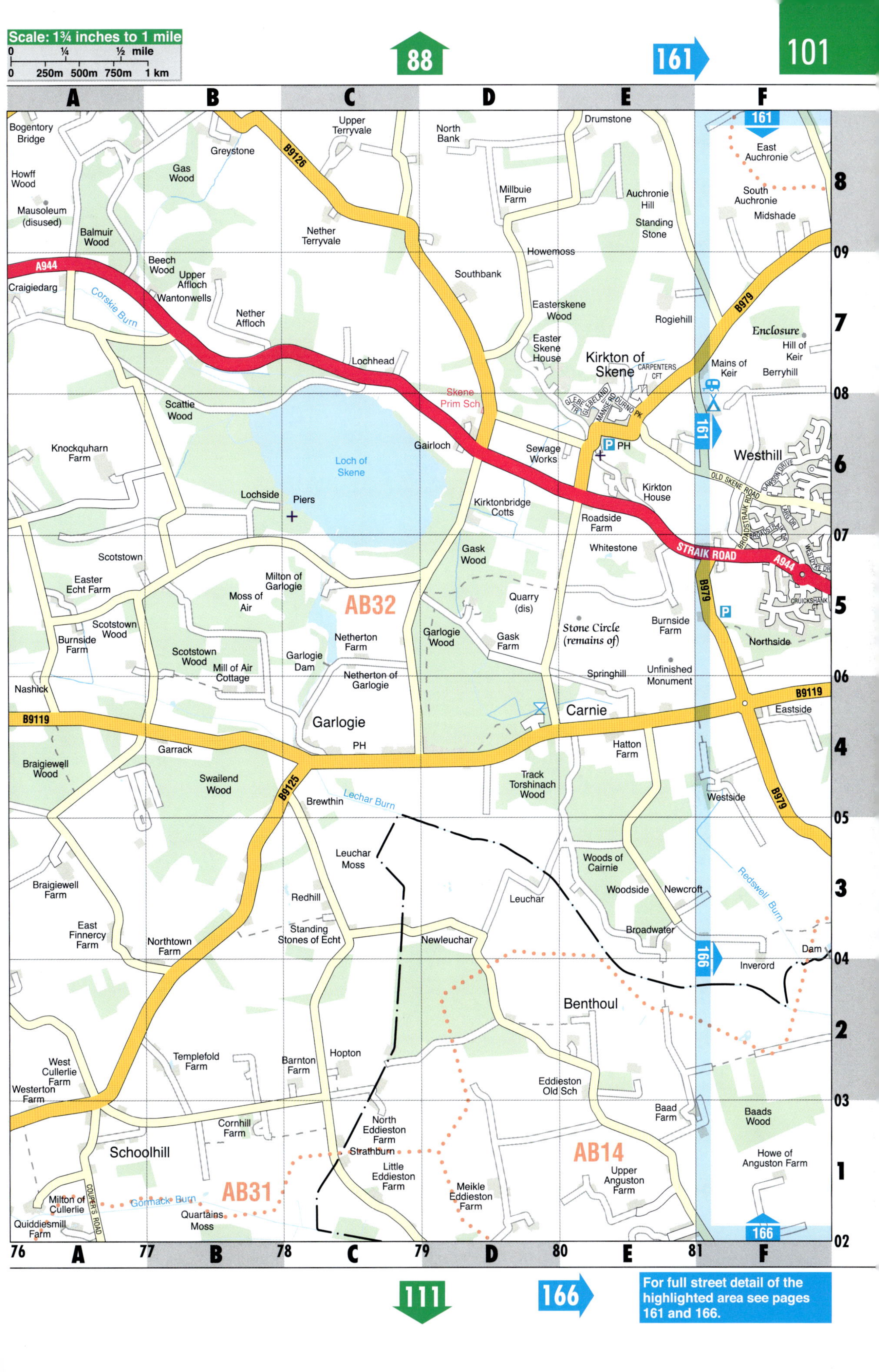
Scale: 1¾ inches to 1 mile
0 ¼ ½ mile
0 250m 500m 750m 1 km
88
161
A B C D E F
Bogentory Bridge
Howff Wood
Mausoleum (disused)
Balmuir Wood
Gas Wood
Greystone
Upper Terryvale
Nether Terryvale
North Bank
Millbuie Farm
Drumstone
Auchronie Hill
Standing Stone
East Auchronie
South Auchronie
Midshade
Howemoss
Southbank
Beech Wood
Upper Affloch
Wantonwells
Craigiedarg
Corskie Burn
Nether Affloch
Easterskene Wood
Easter Skene House
Rogiehill
Enclosure
Hill of Keir
Mains of Keir
Berryhill
Kirkton of Skene
CARPENTERS CFT
Lochhead
Skene Prim Sch
Scattie Wood
Loch of Skene
Gairloch
Sewage Works
PH
Westhill
Knockquharn Farm
Lochside
Piers
Kirktonbridge Cotts
Kirkton House
Roadside Farm
OLD SKENE ROAD
STRAIK ROAD
Whitestone
Scotstown
Easter Echt Farm
Milton of Garlogie
Moss of Air
AB32
Gask Wood
Quarry (dis)
Stone Circle (remains of)
Burnside Farm
Northside
Scotstown Wood
Burnside Farm
Scotstown Wood
Mill of Air Cottage
Netherton Farm
Garlogie Wood
Gask Farm
Garlogie Dam
Netherton of Garlogie
Springhill
Unfinished Monument
Nashick
Garlogie
PH
Carnie
Eastside
Garrack
Hatton Farm
Braigiewell Wood
Swailend Wood
Track Torshinach Wood
Westside
Brewthin
Lechar Burn
Leuchar Moss
Woods of Cairnie
Braigiewell Farm
Redhill
Leuchar
Woodside
Newcroft
Redswell Burn
East Finnercy Farm
Northtown Farm
Standing Stones of Echt
Newleuchar
Broadwater
Dam
Inverord
Benthoul
Hopton
Templefold Farm
Barnton Farm
West Cullerlie Farm
Westerton Farm
Eddieston Old Sch
Baad Farm
Baads Wood
Cornhill Farm
North Eddieston Farm
Strathburn
Schoolhill
AB14
Howe of Anguston Farm
Little Eddieston Farm
Upper Anguston Farm
AB31
Meikle Eddieston Farm
Milton of Cullerlie
Gormack Burn
Quartains Moss
Quiddiesmill Farm
COUPER'S ROAD
A944
B9126
B979
B9119
B9125
8 09 7 08 6 07 5 06 4 05 3 04 2 03 1 02
76 77 78 79 80 81
166
111
For full street detail of the highlighted area see pages 161 and 166.

92

Scale: 1¾ inches to 1 mile

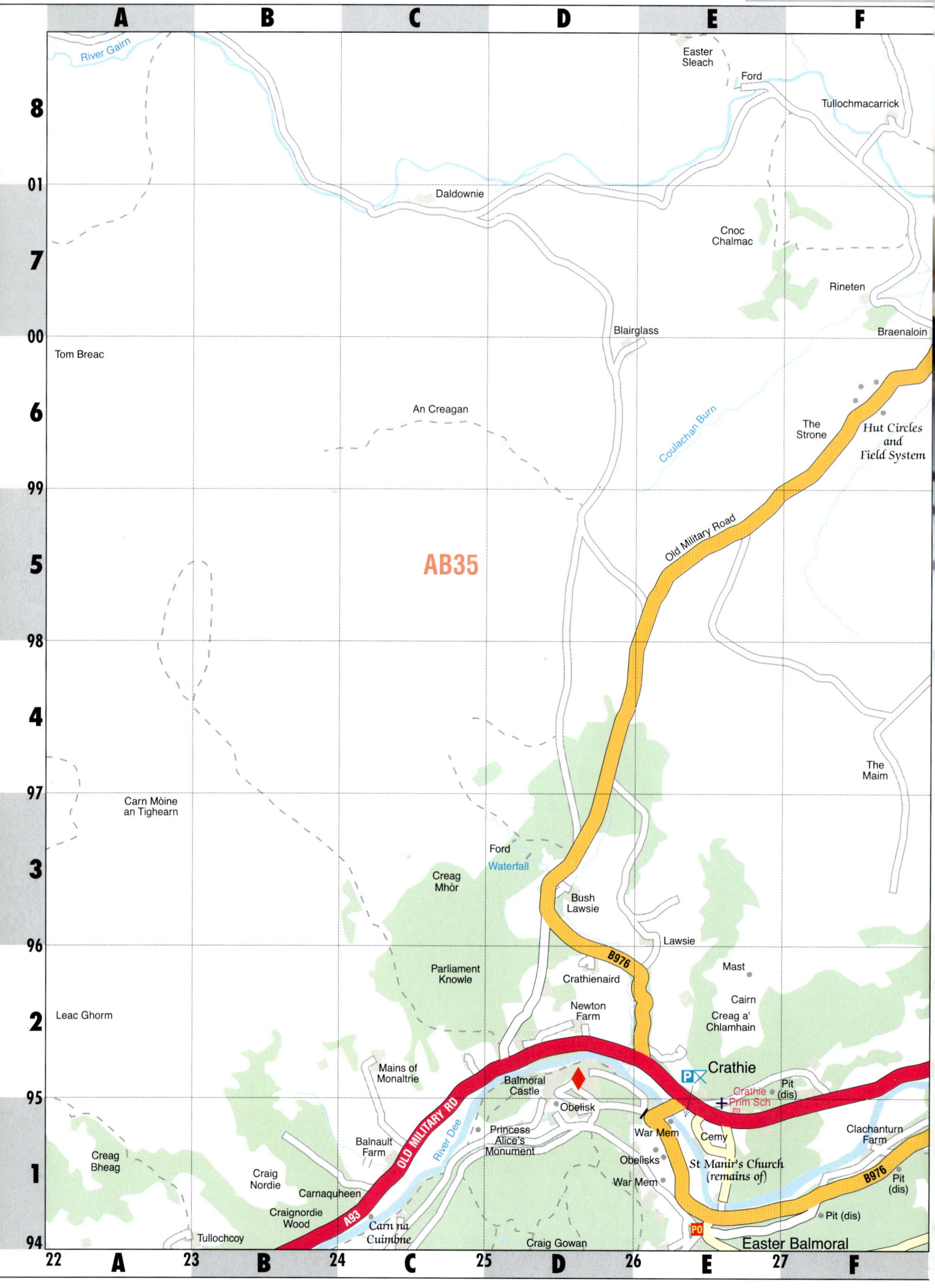

A
B
C
D
E
F
8
01
7
00
6
99
5
98
4
97
3
96
2
95
1
94
22
23
24
25
26
27
River Gairn
Easter Sleach
Ford
Tullochmacarrick
Daldownie
Cnoc Chalmac
Rineten
Blairglass
Braenaloin
Tom Breac
An Creagan
The Strone
Hut Circles and Field System
Coulachan Burn
AB35
Old Military Road
The Maim
Carn Mòine an Tighearn
Ford
Waterfall
Creag Mhòr
Bush Lawsie
Lawsie
B976
Crathienaird
Parliament Knowle
Mast
Newton Farm
Cairn
Creag a' Chlamhain
Leac Ghorm
Mains of Monaltrie
Crathie
Balmoral Castle
Pit (dis)
Crathie Prim Sch
Obelisk
Princess Alice's Monument
War Mem
Cemy
Clachanturn Farm
Balnault Farm
OLD MILITARY RD
River Dee
Obelisks
St Manir's Church (remains of)
Creag Bheag
Craig Nordie
War Mem
Carnaquheen
B976
Pit (dis)
Craignordie Wood
A93
Carn na Cuimbne
Pit (dis)
Tullochcoy
Craig Gowan
PO
Easter Balmoral

115

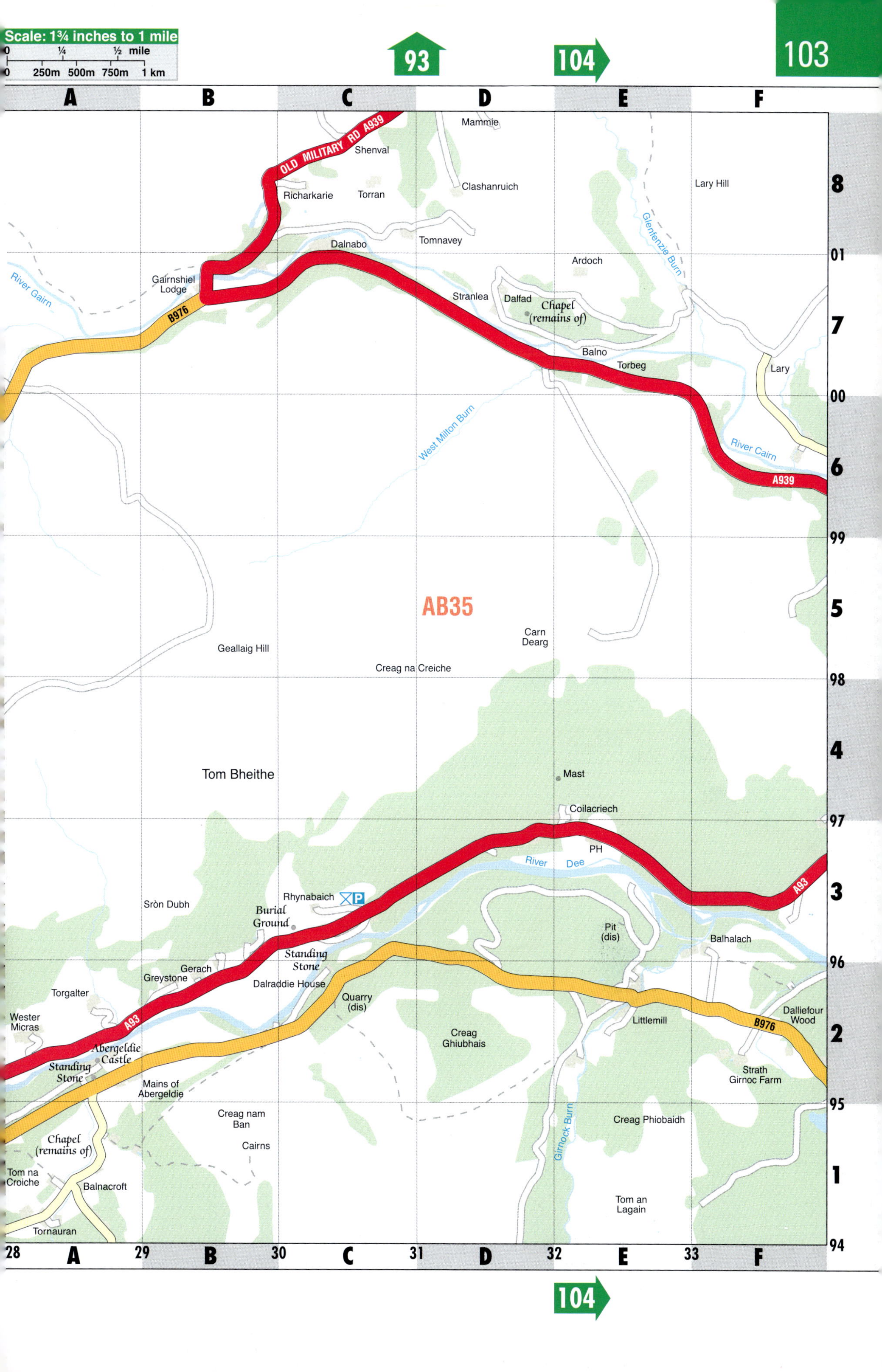
Scale: 1¾ inches to 1 mile
0 ¼ ½ mile
0 250m 500m 750m 1 km
93
104
A B C D E F
8
01
7
00
6
99
5
98
4
97
3
96
2
95
1
94
28 29 30 31 32 33
OLD MILITARY RD A939
Mammie
Shenval
Richarkarie
Torran
Clashanruich
Lary Hill
Tomnavey
Dalnabo
Glenfenzie Burn
Ardoch
River Gairn
Gairnshiel Lodge
B976
Stranlea
Dalfad
Chapel (remains of)
Balno
Torbeg
Lary
West Milton Burn
River Cairn
A939
AB35
Carn Dearg
Geallaig Hill
Creag na Creiche
Tom Bheithe
Mast
Coilacriech
PH
River Dee
A93
Rhynabaich
Sròn Dubh
Burial Ground
Pit (dis)
Balhalach
Standing Stone
Gerach
Greystone
Dalraddie House
Torgalter
Quarry (dis)
Dalliefour Wood
Wester Micras
Littlemill
B976
Abergeldie Castle
Creag Ghiubhais
Standing Stone
Strath Girnoc Farm
Mains of Abergeldie
Creag nam Ban
Creag Phiobaidh
Chapel (remains of)
Cairns
Girnock Burn
Tom na Croiche
Balnacroft
Tom an Lagain
Tornauran

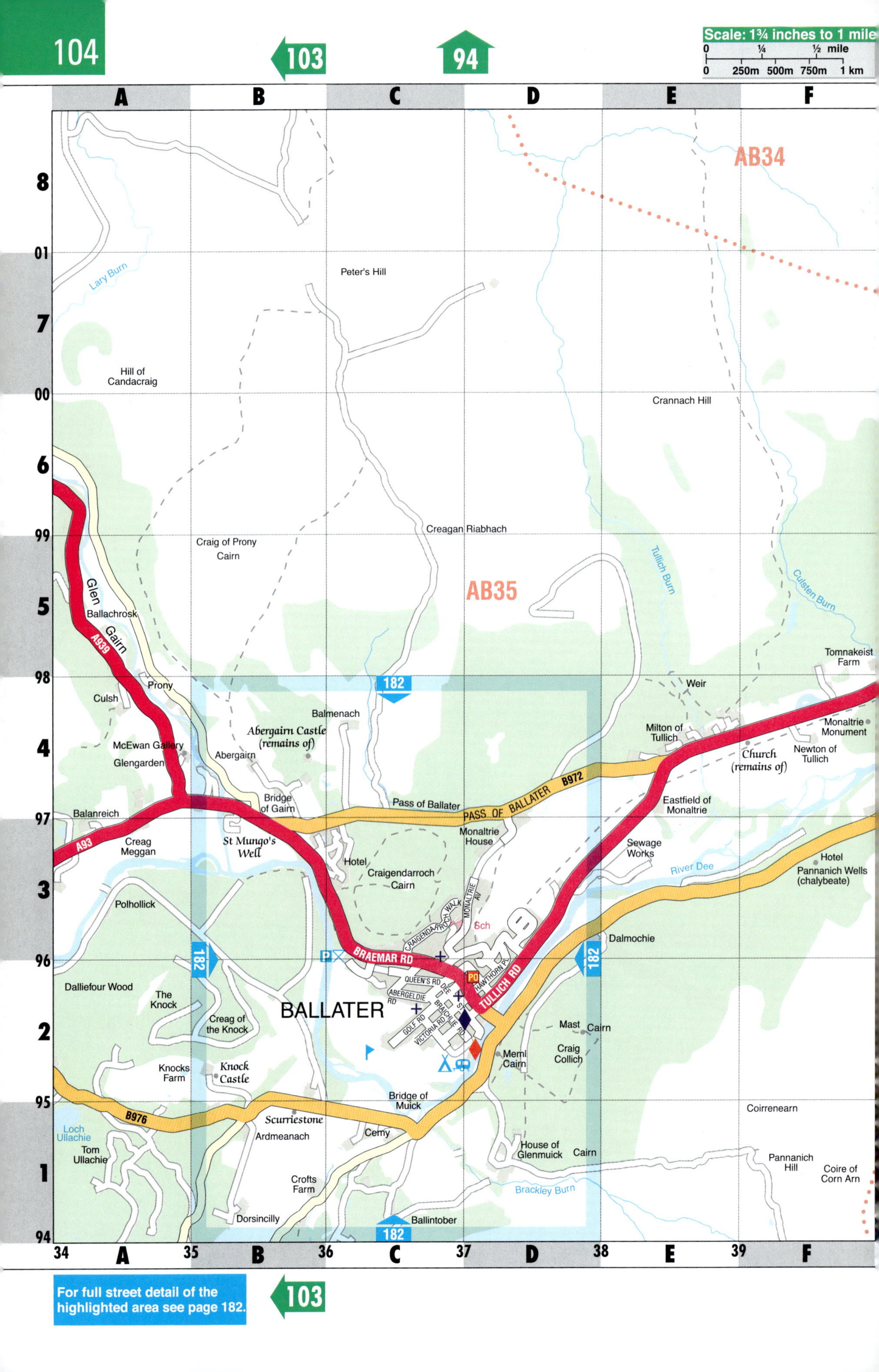

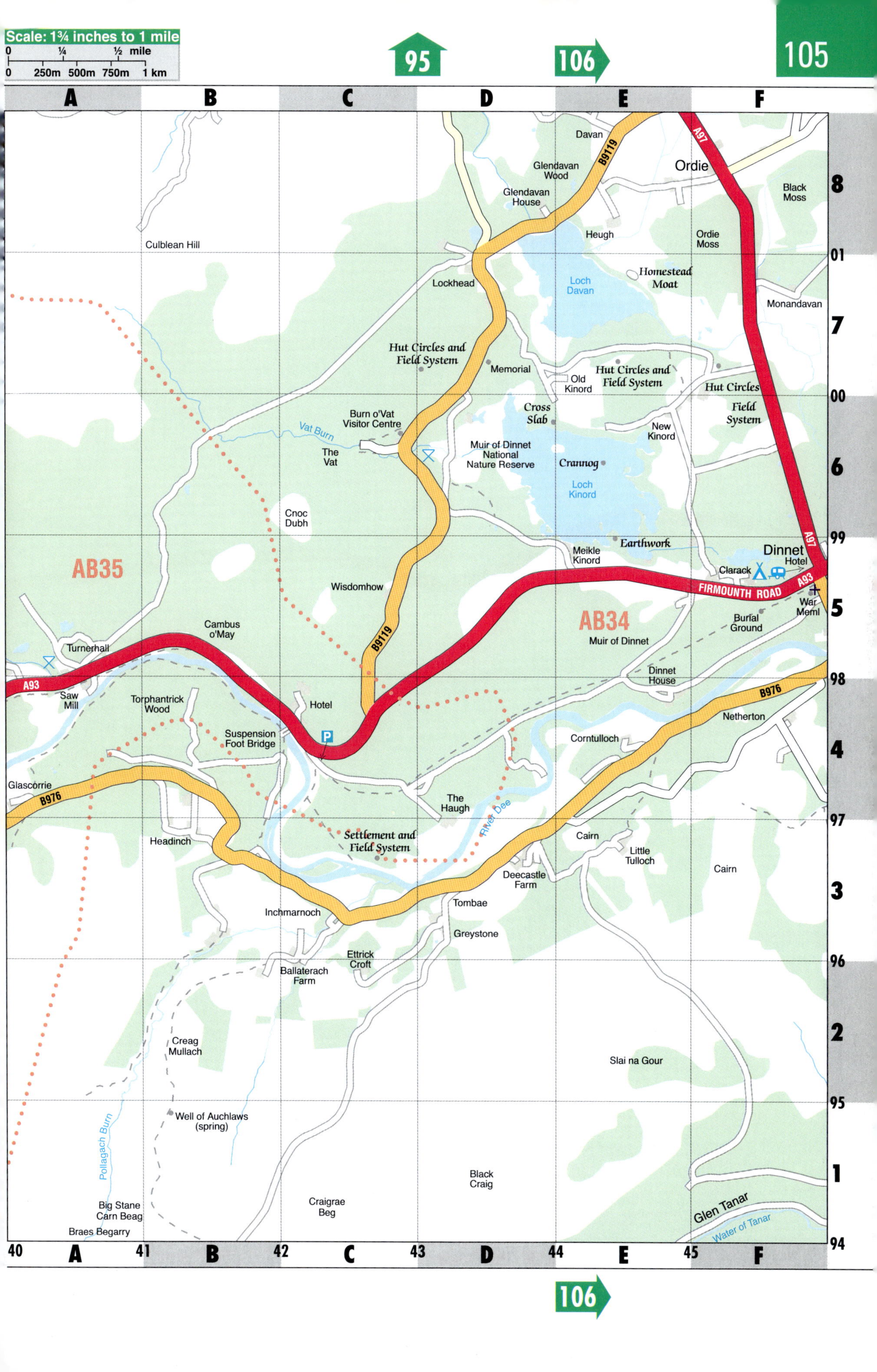

Scale: 1¾ inches to 1 mile
0 ¼ ½ mile
0 250m 500m 750m 1 km
95
106
A B C D E F
8
01
7
00
6
99
5
98
4
97
3
96
2
95
1
94
40 41 42 43 44 45
Davan
Glendavan Wood
B9119
A97
Ordie
Glendavan House
Black Moss
Culblean Hill
Heugh
Ordie Moss
Lockhead
Loch Davan
Homestead Moat
Monandavan
Hut Circles and Field System
Memorial
Old Kinord
Hut Circles and Field System
Hut Circles Field System
Burn o'Vat Visitor Centre
Cross Slab
Vat Burn
New Kinord
The Vat
Muir of Dinnet National Nature Reserve
Crannog
Loch Kinord
Cnoc Dubh
Earthwork
Meikle Kinord
Dinnet
Hotel
AB35
Clarack
Wisdomhow
FIRMOUNTH ROAD
A93
War Meml
Cambus o'May
AB34
Burial Ground
Muir of Dinnet
Turnerhall
Dinnet House
Saw Mill
Torphantrick Wood
Hotel
B976
Netherton
Suspension Foot Bridge
P
Corntulloch
Glascorrie
The Haugh
River Dee
Headinch
Settlement and Field System
Cairn
Little Tulloch
Cairn
Deecastle Farm
Tombae
Inchmarnoch
Greystone
Ettrick Croft
Ballaterach Farm
Creag Mullach
Slai na Gour
Well of Auchlaws (spring)
Pollagach Burn
Black Craig
Big Stane Carn Beag
Craigrae Beg
Glen Tanar
Water of Tanar
Braes Begarry

106

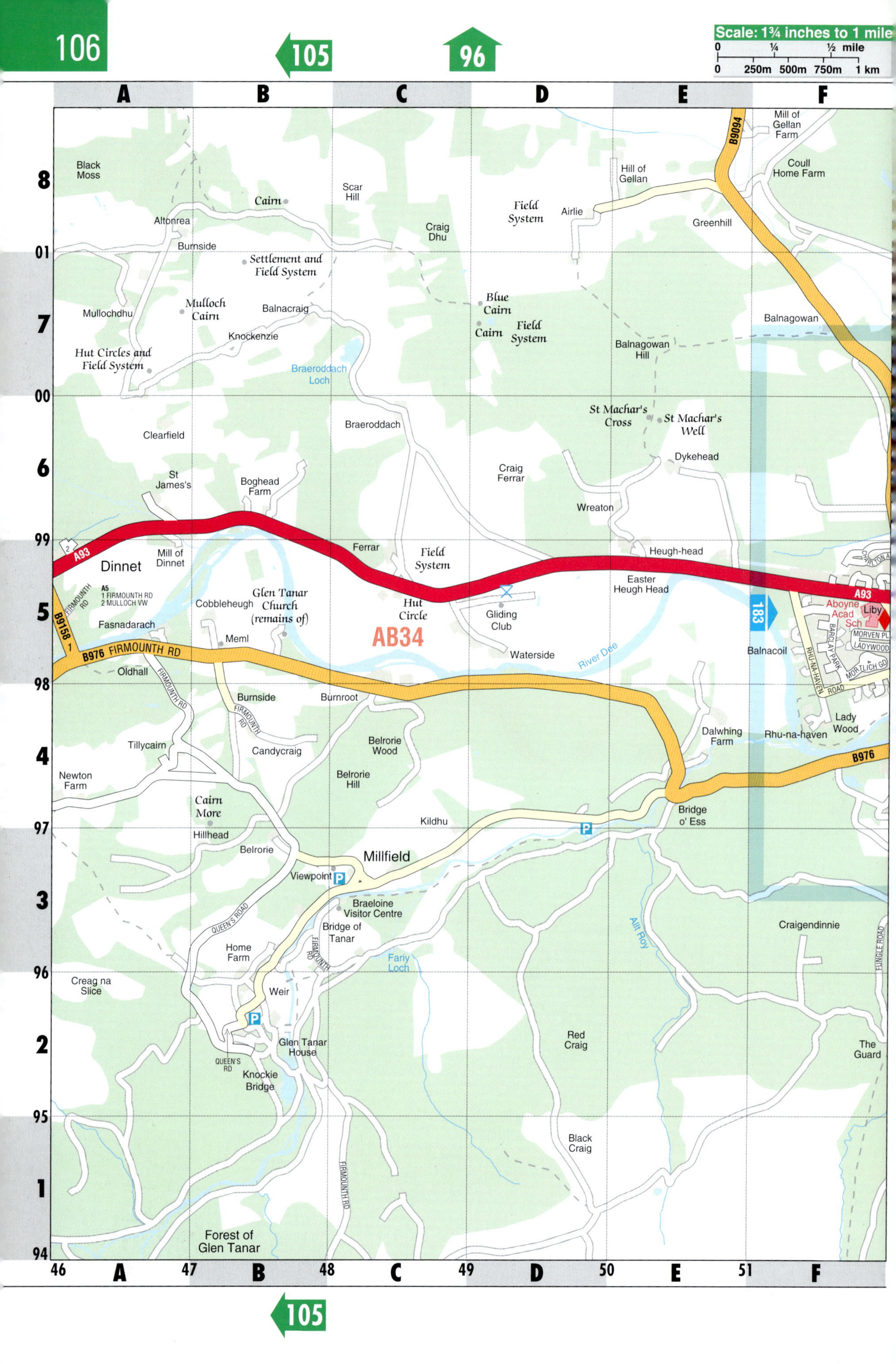
105
96
Scale: 1¾ inches to 1 mile
0 ¼ ½ mile
0 250m 500m 750m 1 km
A B C D E F
8 01 7 00 6 99 5 98 4 97 3 96 2 95 1 94
46 47 48 49 50 51
Black Moss
Cairn
Scar Hill
Altonrea
Burnside
Craig Dhu
Field System
Airlie
Hill of Gellan
Mill of Gellan Farm
Coull Home Farm
Greenhill
B9094
Settlement and Field System
Mulloch Cairn
Balnacraig
Mullochdhu
Blue Cairn
Cairn
Field System
Knockenzie
Hut Circles and Field System
Braeroddach Loch
Balnagowan Hill
Balnagowan
Clearfield
Braeroddach
St Machar's Cross
St Machar's Well
Dykehead
St James's
Boghead Farm
Craig Ferrar
Wreaton
A93
Mill of Dinnet
Dinnet
Ferrar
Field System
Heugh-head
Easter Heugh Head
FIRMOUNTH RD
A5
1 FIRMOUNTH RD
2 MULLOCH VW
Cobbleheugh
Glen Tanar Church (remains of)
Hut Circle
Gliding Club
183
Aboyne Acad Sch
Liby
CHARLTON A
MORVEN PL
LADYWOOD
MORTLICH GD
BARCLAY PARK
RHU-NA-HAVEN ROAD
B9158
Fasnadarach
Meml
AB34
Waterside
River Dee
Balnacoil
B976 FIRMOUNTH RD
Oldhall
FIRMOUNTH RD
Burnside
Burnroot
Lady Wood
Dalwhing Farm
Rhu-na-haven
Tillycairn
Candycraig
Belrorie Wood
B976
Newton Farm
Belrorie Hill
Cairn More
Kildhu
Bridge o' Ess
Hillhead
Belrorie
Millfield
Viewpoint
P
Braeloine Visitor Centre
QUEEN'S ROAD
Bridge of Tanar
Allt Roy
Craigendinnie
Home Farm
FIRMOUNTH RD
Fariy Loch
FUNGLE ROAD
Creag na Slice
Weir
P
Glen Tanar House
Red Craig
The Guard
QUEEN'S RD
Knockie Bridge
Black Craig
FIRMOUNTH RD
Forest of Glen Tanar
105

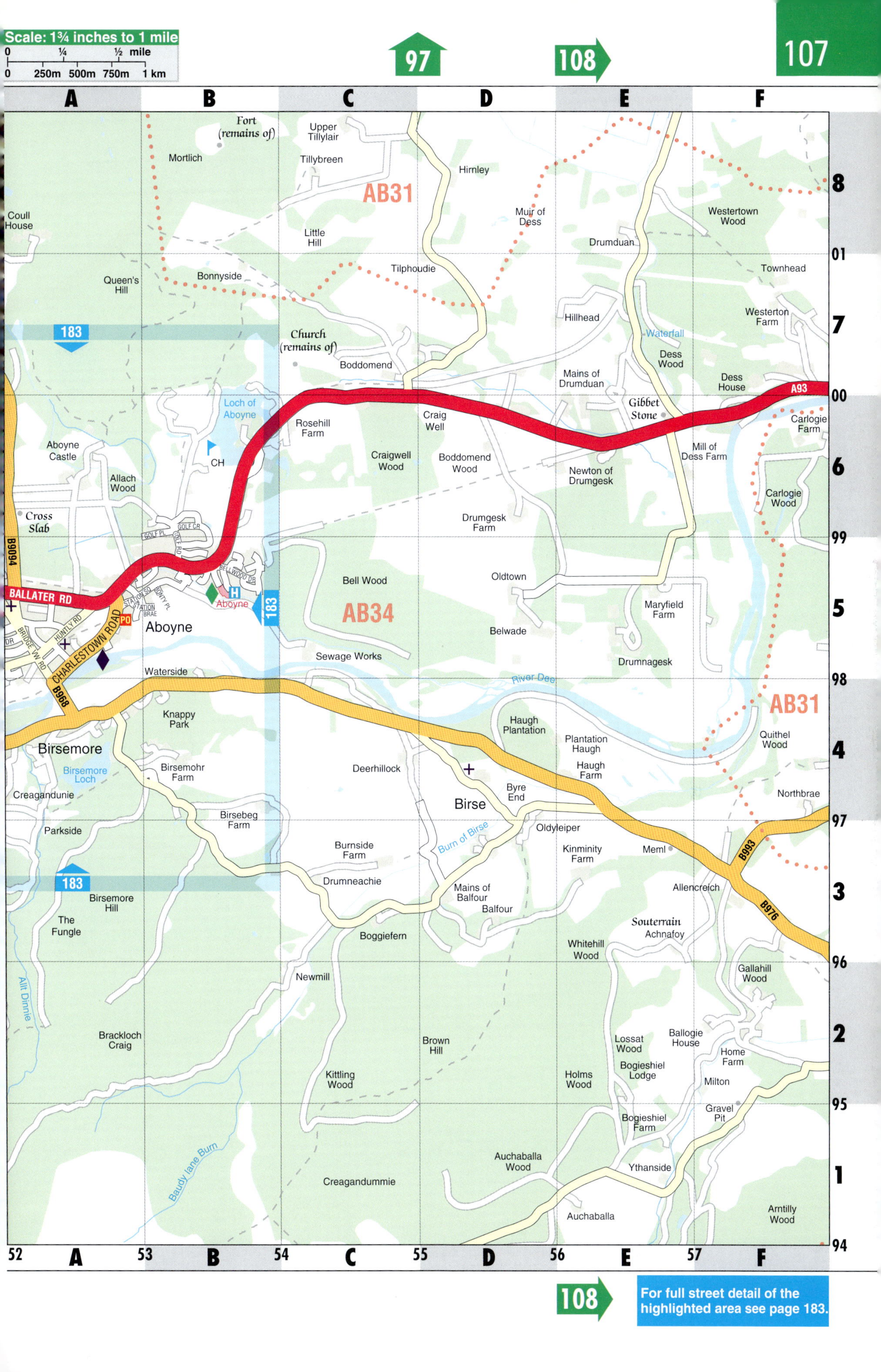

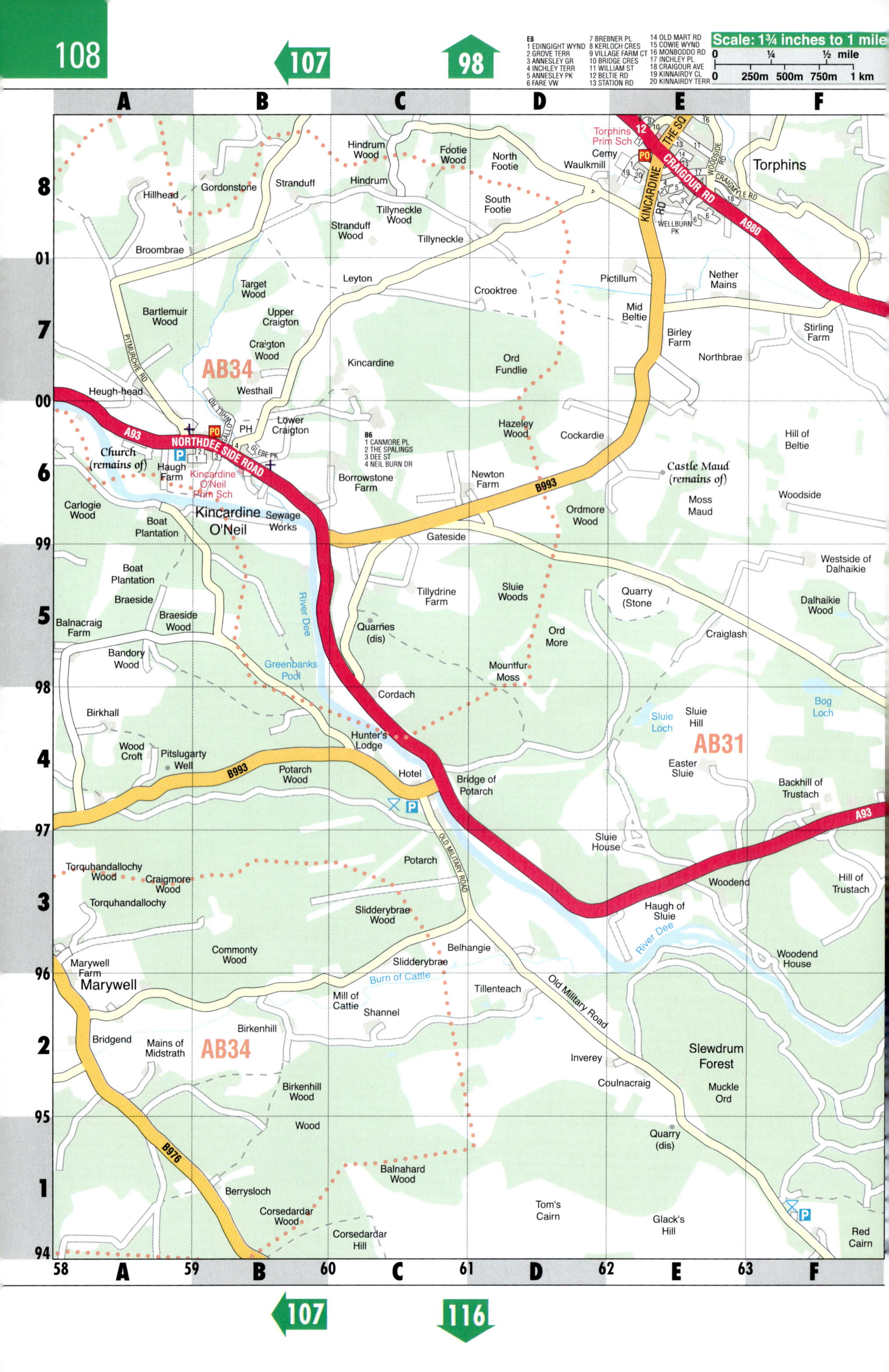
108
107
98
E8
1 EDINGIGHT WYND
2 GROVE TERR
3 ANNESLEY GR
4 INCHLEY TERR
5 ANNESLEY PK
6 FARE VW
7 BREBNER PL
8 KERLOCH CRES
9 VILLAGE FARM CT
10 BRIDGE CRES
11 WILLIAM ST
12 BELTIE RD
13 STATION RD
14 OLD MART RD
15 COWIE WYND
16 MONBODDO RD
17 INCHLEY PL
18 CRAIGOUR AVE
19 KINNAIRDY CL
20 KINNAIRDY TERR
Scale: 1¾ inches to 1 mile
0 ¼ ½ mile
0 250m 500m 750m 1 km
A B C D E F
8
01
7
00
6
99
5
98
4
97
3
96
2
95
1
94
58 59 60 61 62 63
Hindrum Wood
Footie Wood
North Footie
Torphins Prim Sch
Cemy
Waulkmill
Torphins
THE SQ
CRAIGOUR RD
A980
KINCARDINE RD
WOODSIDE RD
CRAIGMYLE RD
WELLBURN PK
Hillhead
Gordonstone
Stranduff
Hindrum
Tillyneckle Wood
South Footie
Stranduff Wood
Tillyneckle
Broombrae
Leyton
Crooktree
Pictillum
Nether Mains
Target Wood
Bartlemuir Wood
Upper Craigton
Mid Beltie
Birley Farm
Stirling Farm
Craigton Wood
PITMURCHIE RD
AB34
Kincardine
Ord Fundlie
Northbrae
Heugh-head
Westhall
Lower Craigton
Hazeley Wood
Cockardie
Hill of Beltie
A93
NORTHDEE SIDE ROAD
WHITE HILL RD
GLEBE PK
PH
B6
1 CANMORE PL
2 THE SPALINGS
3 DEE ST
4 NEIL BURN DR
Church (remains of)
Haugh Farm
Kincardine O'Neil Prim Sch
Borrowstone Farm
Newton Farm
B993
Castle Maud (remains of)
Moss Maud
Woodside
Carlogie Wood
Boat Plantation
Kincardine O'Neil
Sewage Works
Ordmore Wood
Gateside
Boat Plantation
Braeside
Tillydrine Farm
Sluie Woods
Quarry (Stone
Westside of Dalhaikie
Dalhaikie Wood
Balnacraig Farm
Braeside Wood
River Dee
Quarries (dis)
Ord More
Craiglash
Bandory Wood
Greenbanks Pool
Mountfur Moss
Cordach
Birkhall
Sluie Loch
Sluie Hill
Bog Loch
Hunter's Lodge
AB31
Wood Croft
Pitslugarty Well
B993
Potarch Wood
Hotel
Bridge of Potarch
Easter Sluie
Backhill of Trustach
A93
OLD MILITARY ROAD
Sluie House
Potarch
Torquhandallochy Wood
Craigmore Wood
Torquhandallochy
Woodend
Hill of Trustach
Sliddérybrae Wood
Haugh of Sluie
River Dee
Commonty Wood
Belhangie
Woodend House
Marywell Farm
Marywell
Sliddérybrae
Burn of Cattie
Tillenteach
Old Military Road
Mill of Cattie
Shannel
Birkenhill
Bridgend
Mains of Midstrath
AB34
Slewdrum Forest
Inverey
Coulnacraig
Muckle Ord
Birkenhill Wood
Wood
Quarry (dis)
B976
Balnahard Wood
Berrysloch
Corsedardar Wood
Tom's Cairn
Glack's Hill
Corsedardar Hill
Red Cairn
107
116

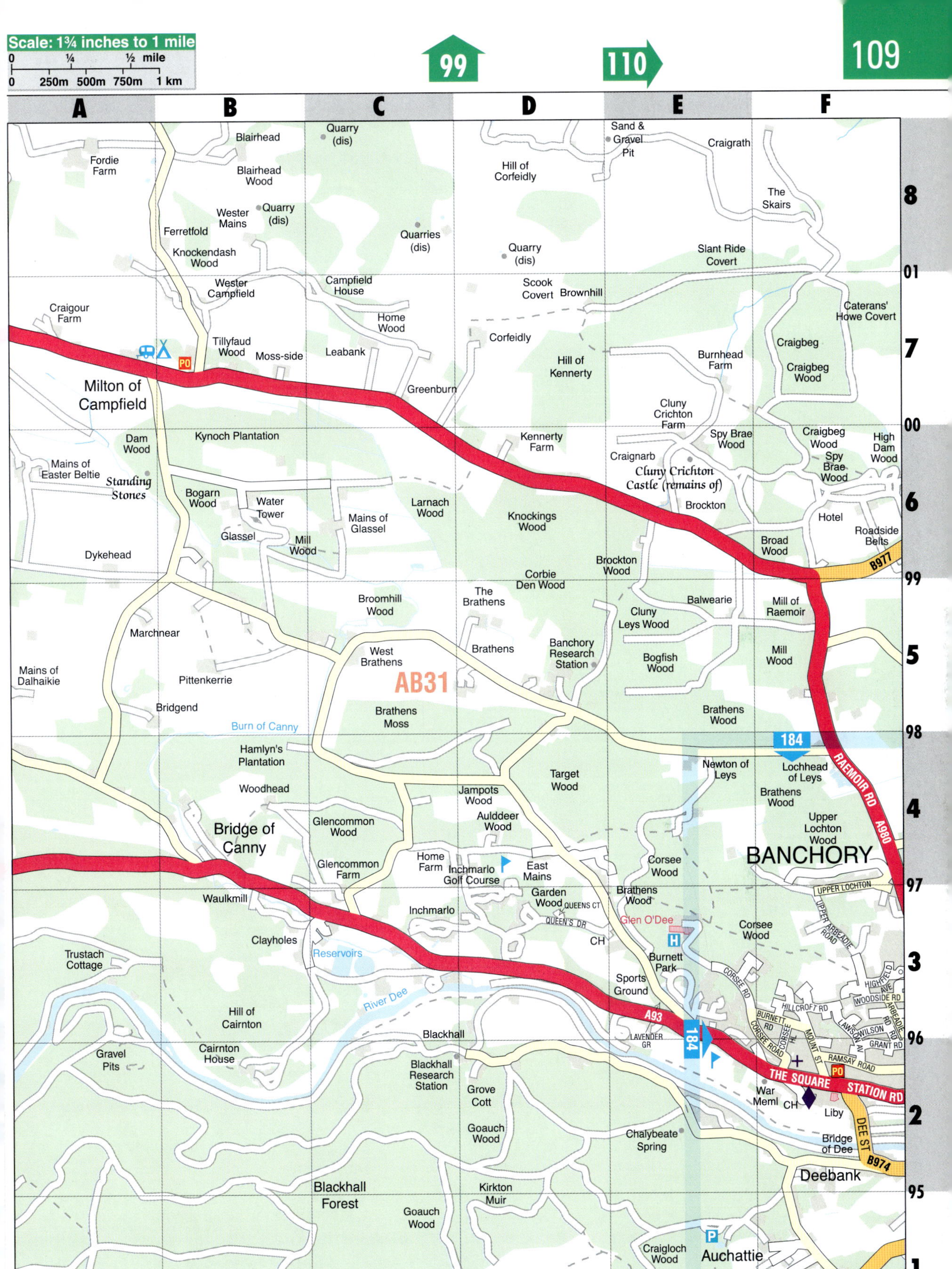

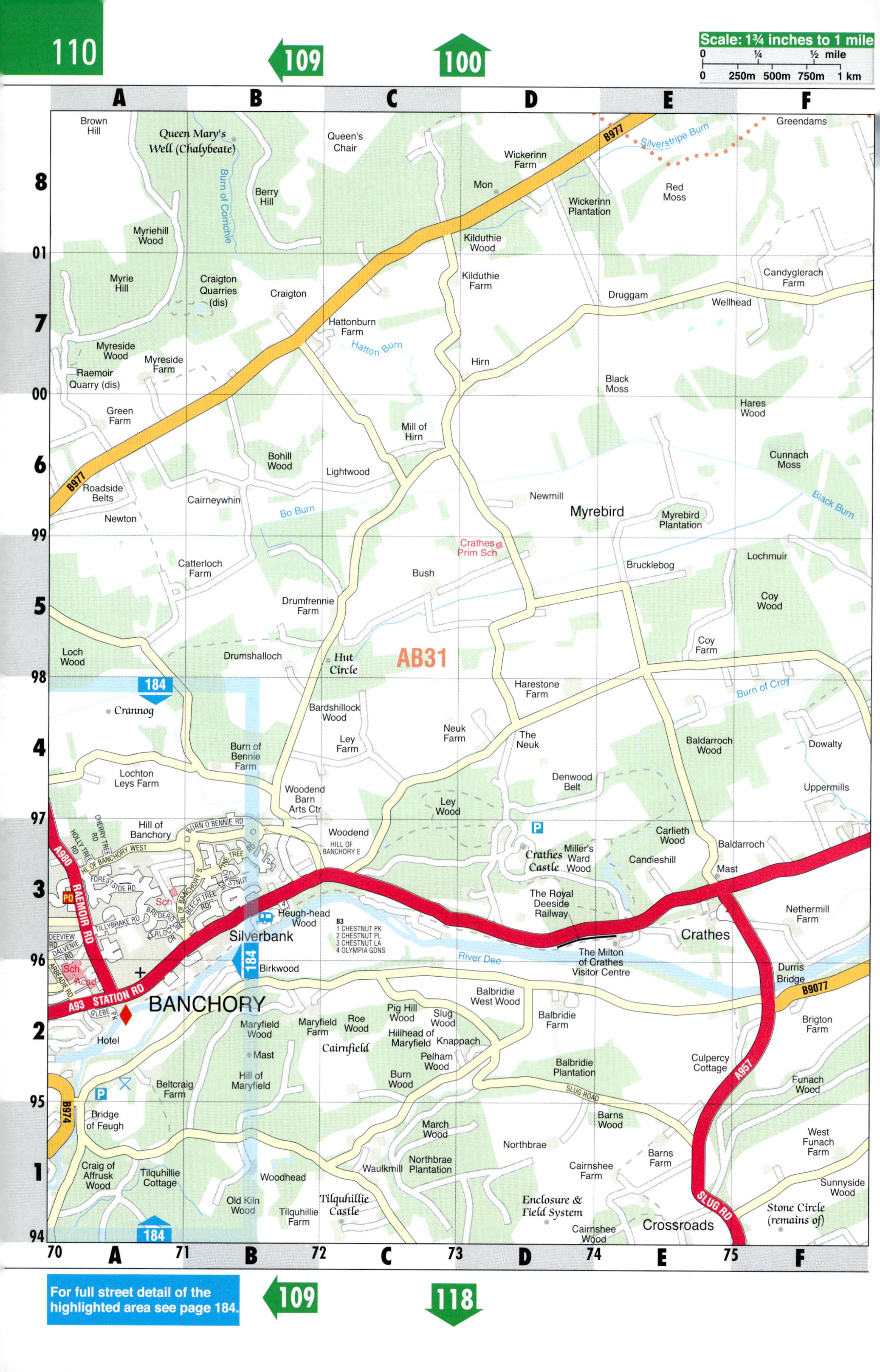

101
172

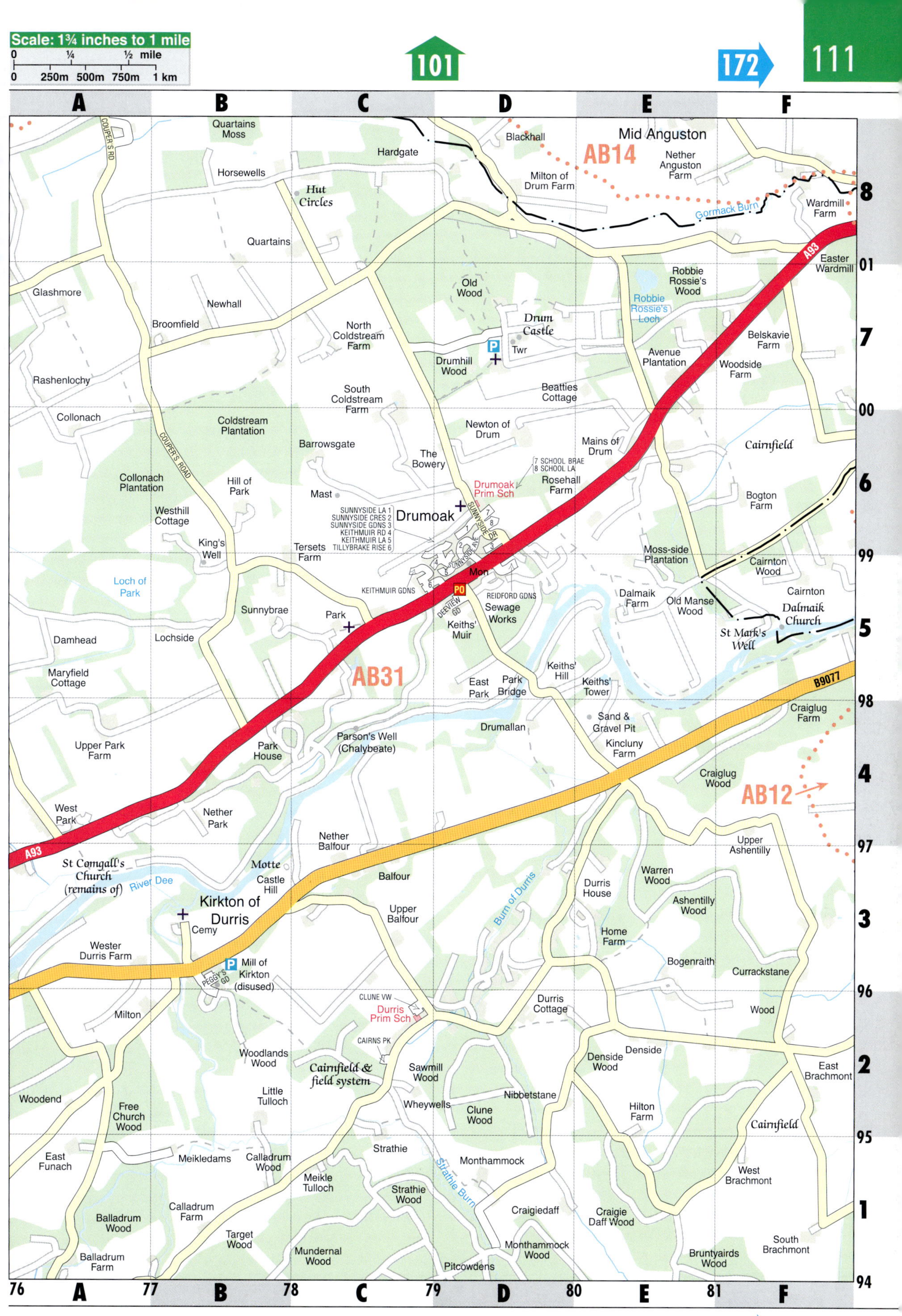
Scale: 1¾ inches to 1 mile
0 ¼ ½ mile
0 250m 500m 750m 1 km
A B C D E F
Quartains Moss
Hardgate
Blackhall
Mid Anguston
AB14
Nether Anguston Farm
Horsewells
Milton of Drum Farm
Hut Circles
Gormack Burn
Wardmill Farm
Quartains
A93
Easter Wardmill
Glashmore
Old Wood
Robbie Rossie's Wood
Robbie Rossie's Loch
Newhall
Broomfield
North Coldstream Farm
Drum Castle
Twr
Belskavie Farm
Avenue Plantation
Drumhill Wood
Woodside Farm
Rashenlochy
South Coldstream Farm
Beatties Cottage
Collonach
Coldstream Plantation
Newton of Drum
Mains of Drum
Barrowsgate
Cairnfield
The Bowery
7 SCHOOL BRAE
8 SCHOOL LA
Collonach Plantation
Hill of Park
Rosehall Farm
Drumoak Prim Sch
Mast
Bogton Farm
Westhill Cottage
SUNNYSIDE LA 1
SUNNYSIDE CRES 2
SUNNYSIDE GDNS 3
KEITHMUIR RD 4
KEITHMUIR LA 5
TILLYBRAKE RISE 6
Drumoak
SUNNYSIDE DR
King's Well
Tersets Farm
Moss-side Plantation
Cairnton Wood
Mon
Loch of Park
KEITHMUIR GDNS
PO
Cairnton
Dalmaik Farm
REIDFORD GDNS
Sewage Works
Old Manse Wood
Dalmaik Church
Sunnybrae
Park
DEEVIEW GD
Keiths' Muir
St Mark's Well
Damhead
Lochside
Maryfield Cottage
AB31
Keiths' Hill
East Park
Park Bridge
Keiths' Tower
B9077
Craiglug Farm
Sand & Gravel Pit
Drumallan
Upper Park Farm
Parson's Well (Chalybeate)
Park House
Kincluny Farm
Craiglug Wood
AB12
West Park
Nether Park
Nether Balfour
Upper Ashentilly
St Comgall's Church (remains of)
Motte
Castle Hill
River Dee
Balfour
Warren Wood
Durris House
Ashentilly Wood
Kirkton of Durris
Upper Balfour
Burn of Durris
Cemy
Home Farm
Wester Durris Farm
Bogenraith
Mill of Kirkton (disused)
Currackstane
PEGGY'S GD
Durris Cottage
CLUNE VW
Wood
Durris Prim Sch
Milton
Denside
CAIRNS PK
Woodlands Wood
Denside Wood
East Brachmont
Cairnfield & field system
Sawmill Wood
Little Tulloch
Nibbetstane
Hilton Farm
Woodend
Free Church Wood
Wheywells
Clune Wood
Cairnfield
Strathie
East Funach
Meikledams
Calladrum Wood
Monthammock
West Brachmont
Strathie Burn
Meikle Tulloch
Strathie Wood
Calladrum Farm
Craigiedaff
Craigie Daff Wood
Balladrum Wood
Target Wood
South Brachmont
Munderal Wood
Monthammock Wood
Bruntyairds Wood
Balladrum Farm
Pitcowdens
8 01 7 00 6 99 5 98 4 97 3 96 2 95 1 94
76 77 78 79 80 81

119
177

Scale: 1¾ inches to 1 mile
0 ¼ ½ mile
0 250m 500m 750m 1 km

A
B
C
D
E
F
8
93
7
92
6
91
5
90
4
89
3
88
2
87
1
86
04
05
06
07
08
09
Derry Lodge
Clais Fhearnaig
Allt Clais Fhernaig
Ford
Carn Elrig Beag
Glen Quoich
Glen Lui
Lui Water
Forest of Mar
Creag an Diuchd
Creag Bhalg
Doire Bhraghad
Carn an 'lc Duibhe
Waterfall
AB35
Waterfall
Linn of Dee
Muir Cottage
Youth Hostel
Claybokie
Mar Lodge Estate
River Dee
Muir
Inverey
Inverey Castle (rems of)
Monument
Creag an Fhithich
Creag Bad an Eas
Loin-a-veaich
Colonel's Cave
Creag a' Chait
Carn an Leth-allt
Tom Anthon
Glac Anthon
Carn na Moine
The Colonel's Bed
Carn Bhithir
Glen Ey
Carn Dearg
Allt Cristie Beag
Allt Cristie Mór
Allt Corrie
Auchelie
Ey Burn

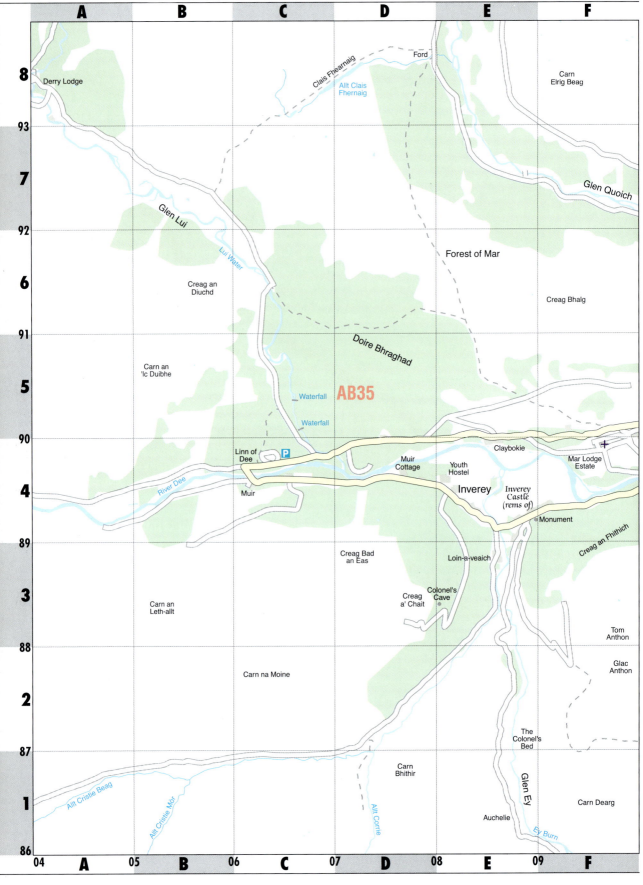

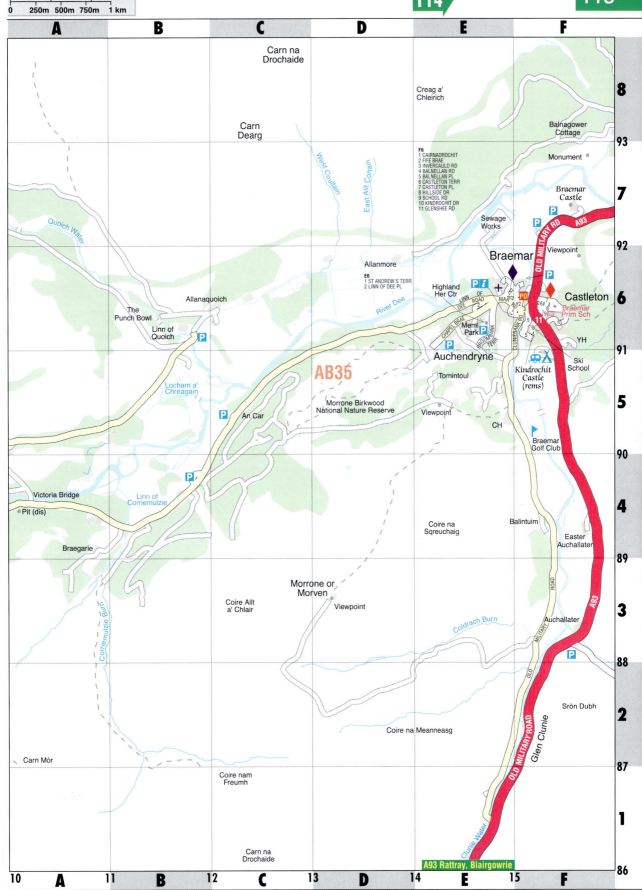

113

Scale: 1¾ inches to 1 mile

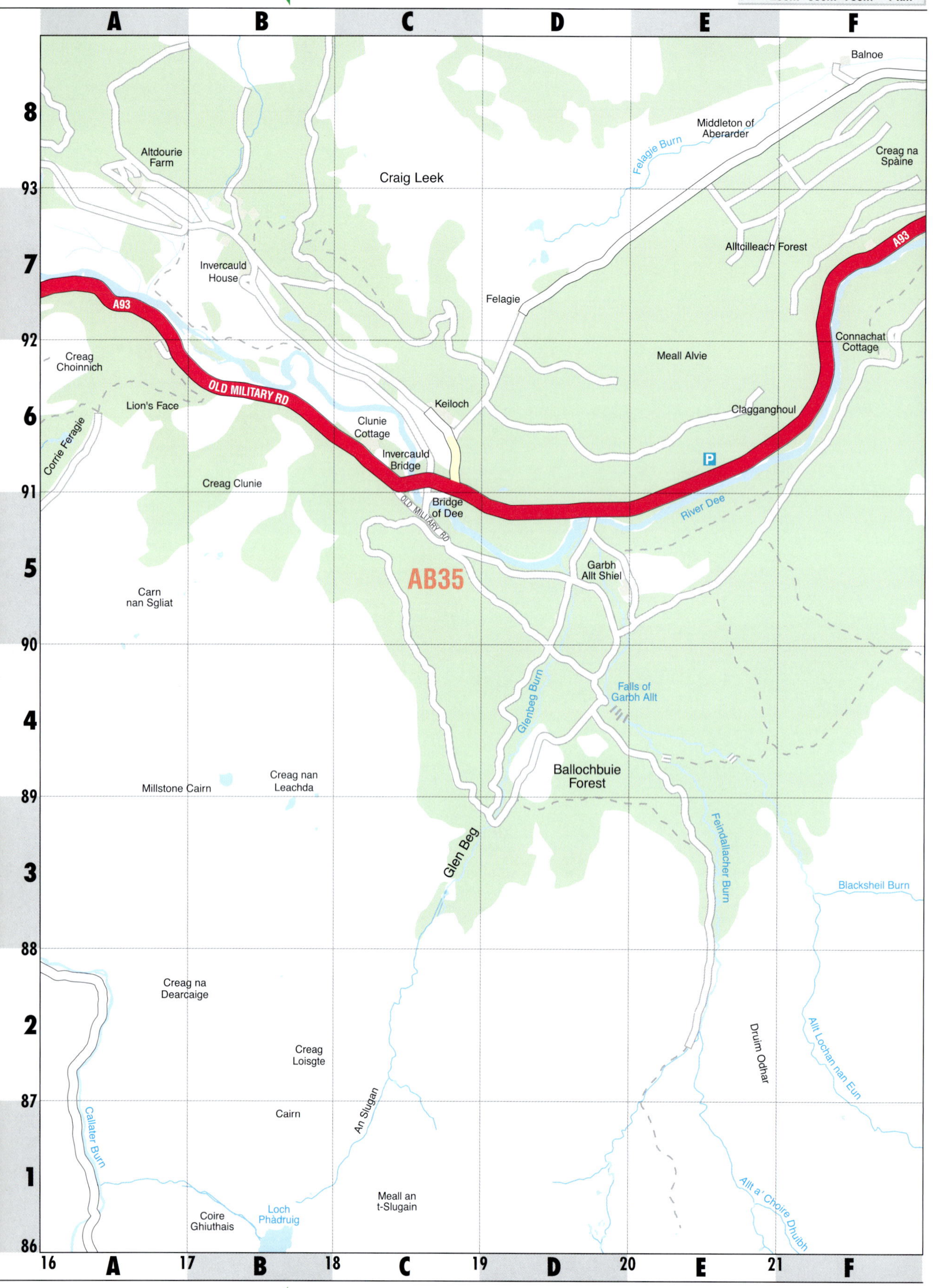

0 ¼ ½ mile
0 250m 500m 750m 1 km
A B C D E F
8
93
7
92
6
91
5
90
4
89
3
88
2
87
1
86
16 17 18 19 20 21
Balnoe
Middleton of Aberarder
Creag na Spàine
Felagie Burn
Altdourie Farm
Craig Leek
Alltcilleach Forest
A93
Invercauld House
Felagie
Connachat Cottage
Creag Choinnich
Meall Alvie
OLD MILITARY RD
Keiloch
Clagganghoul
Lion's Face
Clunie Cottage
Corrie Feragie
Invercauld Bridge
P
Creag Clunie
Bridge of Dee
River Dee
OLD MILITARY RD
Garbh Allt Shiel
AB35
Carn nan Sgliat
Glenbeg Burn
Falls of Garbh Allt
Ballochbuie Forest
Millstone Cairn
Creag nan Leachda
Glen Beg
Feindallacher Burn
Blacksheil Burn
Creag na Dearcaige
Druim Odhar
Allt Lochan nan Eun
Creag Loisgte
Callater Burn
Cairn
An Slugan
Allt a' Choire Dhuibh
Meall an t-Slugain
Coire Ghiuthais
Loch Phàdruig

113

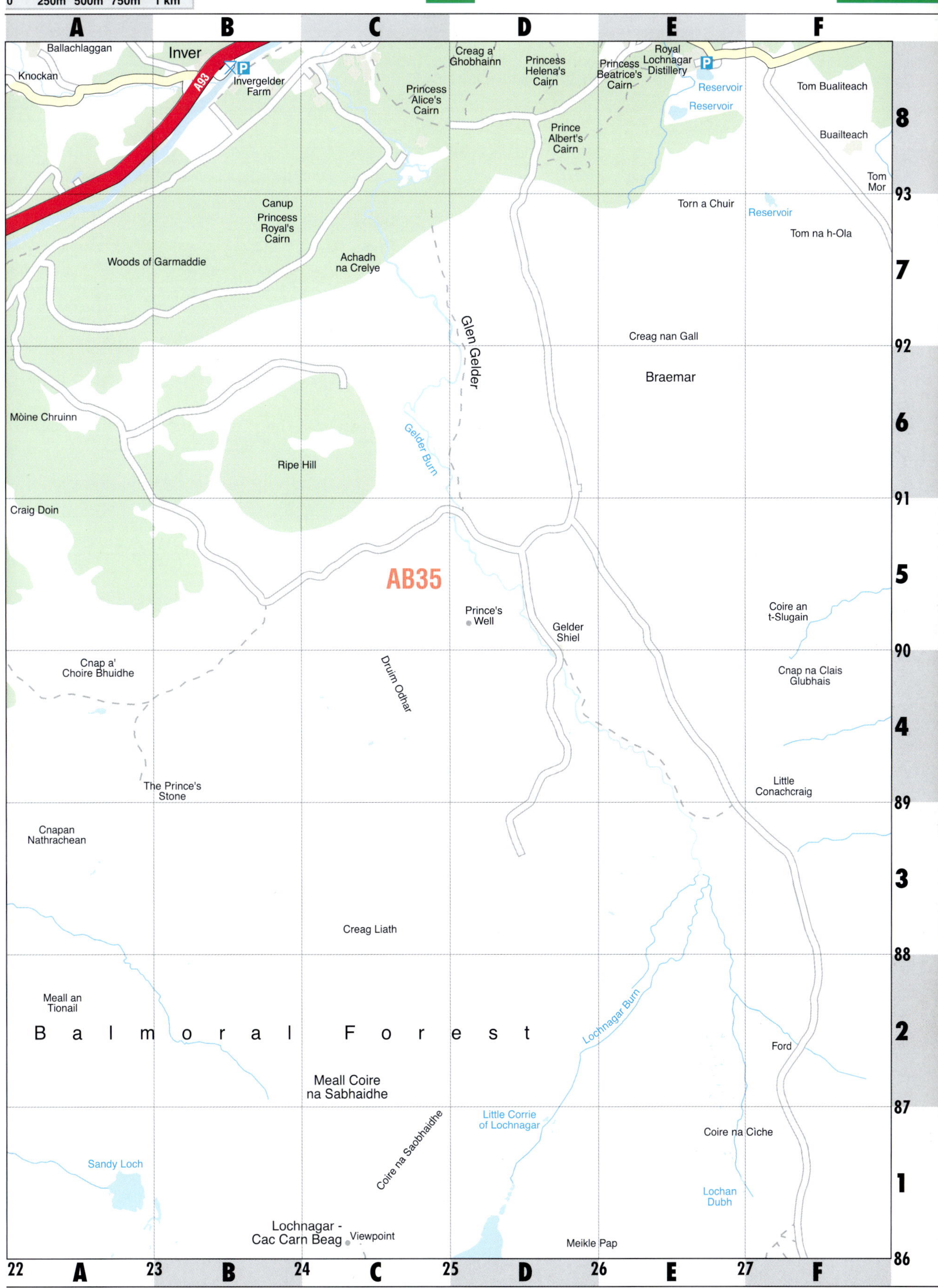

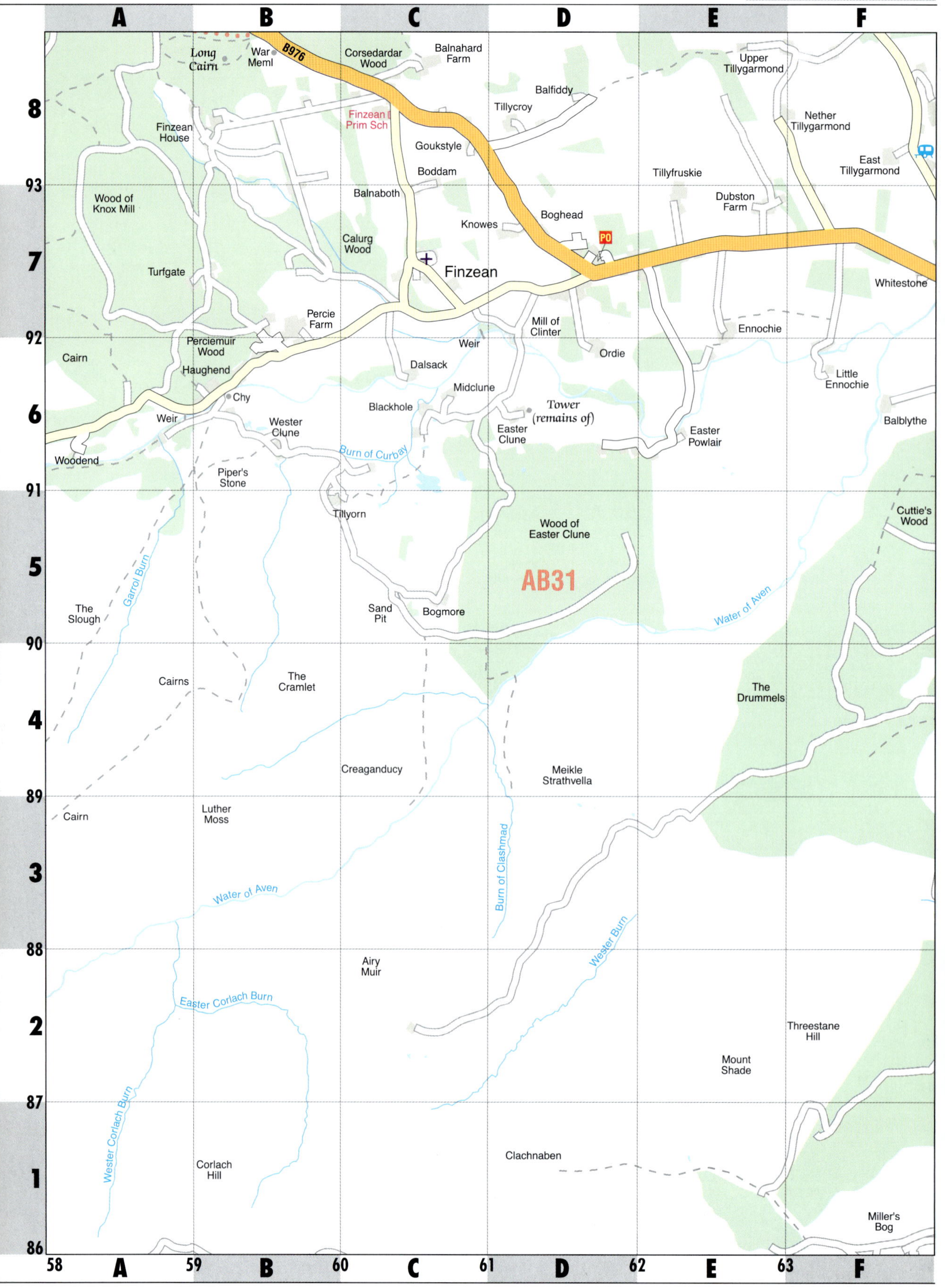
A B C D E F
8
93
7
92
6
91
5
90
4
89
3
88
2
87
1
86
58 59 60 61 62 63
Long Cairn
War Meml
B976
Corsedardar Wood
Balnahard Farm
Upper Tillygarmond
Balfiddy
Tillycroy
Finzean House
Finzean Prim Sch
Nether Tillygarmond
Goukstyle
East Tillygarmond
Boddam
Tillyfruskie
Wood of Knox Mill
Balnaboth
Dubston Farm
Boghead
Knowes
PO
Calurg Wood
Finzean
Turfgate
Whitestone
Percie Farm
Mill of Clinter
Ennochie
Perciemuir Wood
Weir
Cairn
Ordie
Dalsack
Haughend
Little Ennochie
Midclune
Chy
Blackhole
Tower (remains of)
Weir
Wester Clune
Easter Clune
Easter Powlair
Balblythe
Woodend
Burn of Curbay
Piper's Stone
Tillyorn
Cuttie's Wood
Wood of Easter Clune
Garrol Burn
AB31
The Slough
Sand Pit
Bogmore
Water of Aven
Cairns
The Cramlet
The Drummels
Creaganducy
Meikle Strathvella
Cairn
Luther Moss
Burn of Clashmad
Water of Aven
Wester Burn
Airy Muir
Easter Corlach Burn
Threestane Hill
Mount Shade
Western Corlach Burn
Clachnaben
Corlach Hill
Miller's Bog

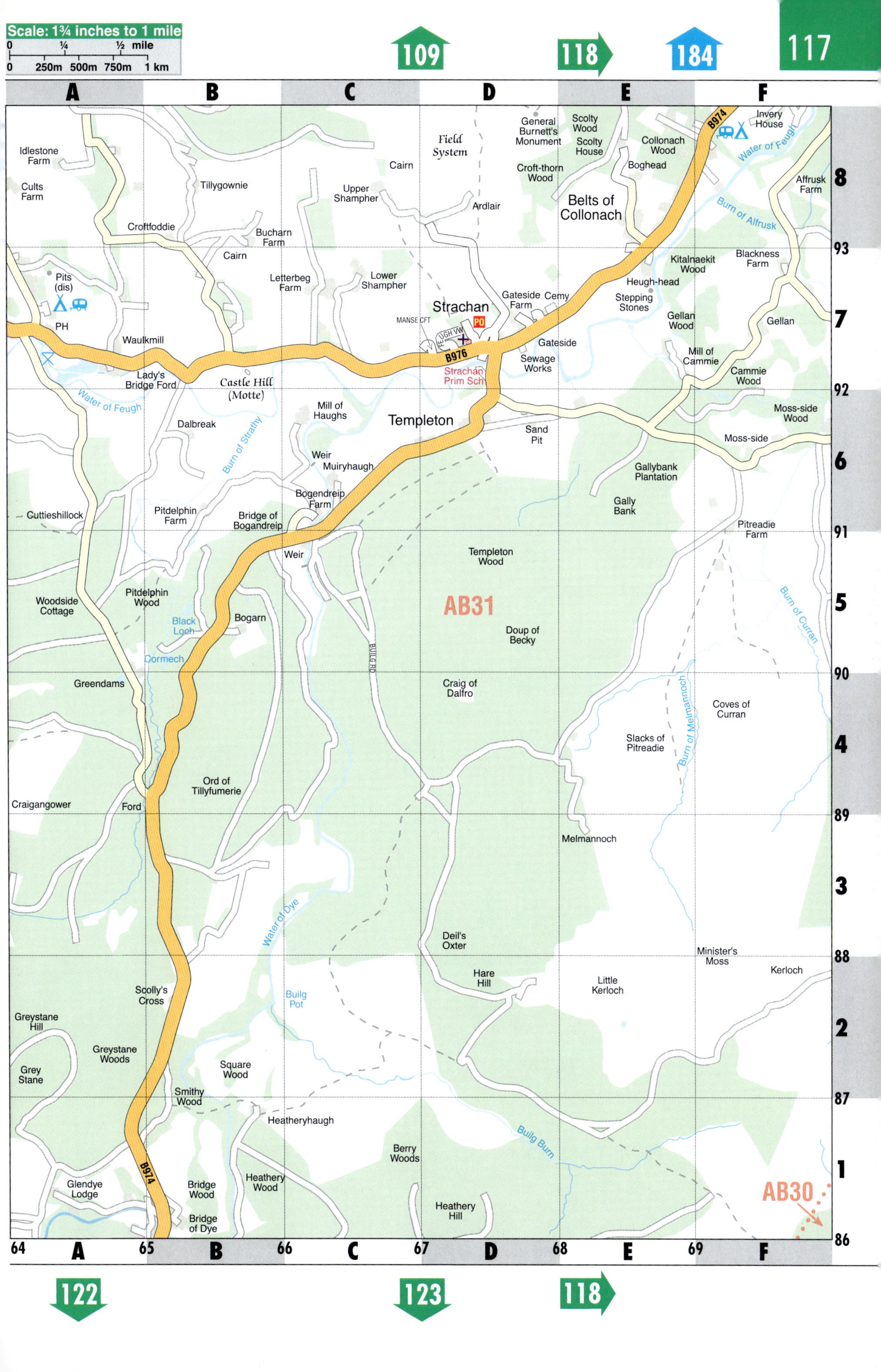
Scale: 1¾ inches to 1 mile
0 ¼ ½ mile
0 250m 500m 750m 1 km
109
118
184
A B C D E F
Idlestone Farm
Cults Farm
Tillygownie
Croftfoddie
Bucharn Farm
Cairn
Pits (dis)
PH
Waulkmill
Lady's Bridge Ford
Castle Hill (Motte)
Water of Feugh
Dalbreak
Burn of Strathy
Letterbeg Farm
Upper Shampher
Cairn
Field System
Lower Shampher
Strachan
MANSE CFT
PO
B976
Strachan Prim Sch
Ardlair
General Burnett's Monument
Scolty Wood
Scolty House
Croft-thorn Wood
Belts of Collonach
Collonach Wood
Boghead
B974
Invery House
Water of Feugh
Affrusk Farm
Burn of Alfrusk
Kitalnaekit Wood
Blackness Farm
Heugh-head
Stepping Stones
Gellan Wood
Gellan
Gateside Farm
Cemy
Gateside
Sewage Works
Mill of Cammie
Cammie Wood
Moss-side Wood
Moss-side
Mill of Haughs
Templeton
Sand Pit
Weir
Muiryhaugh
Bogendreip Farm
Gallybank Plantation
Gally Bank
Cuttieshillock
Pitdelphin Farm
Bridge of Bogandreip
Weir
Pitreadie Farm
Templeton Wood
Woodside Cottage
Pitdelphin Wood
Black Loch
Bogarn
AB31
Doup of Becky
Burn of Curran
BUILG RD
Cormech
Greendams
Craig of Dalfro
Coves of Curran
Burn of Melmannoch
Slacks of Pitreadie
Ord of Tillyfumerie
Craigangower
Ford
Melmannoch
Bogarn
Water of Dye
Deil's Oxter
Minister's Moss
Kerloch
Hare Hill
Little Kerloch
Scolly's Cross
Builg Pot
Greystane Hill
Greystane Woods
Grey Stane
Square Wood
Smithy Wood
Heatheryhaugh
Builg Burn
Berry Woods
B974
Glendye Lodge
Bridge Wood
Heathery Wood
Bridge of Dye
Heathery Hill
AB30
8 93 7 92 6 91 5 90 4 89 3 88 2 87 1 86
64 A 65 B 66 C 67 D 68 E 69 F
122
123
118

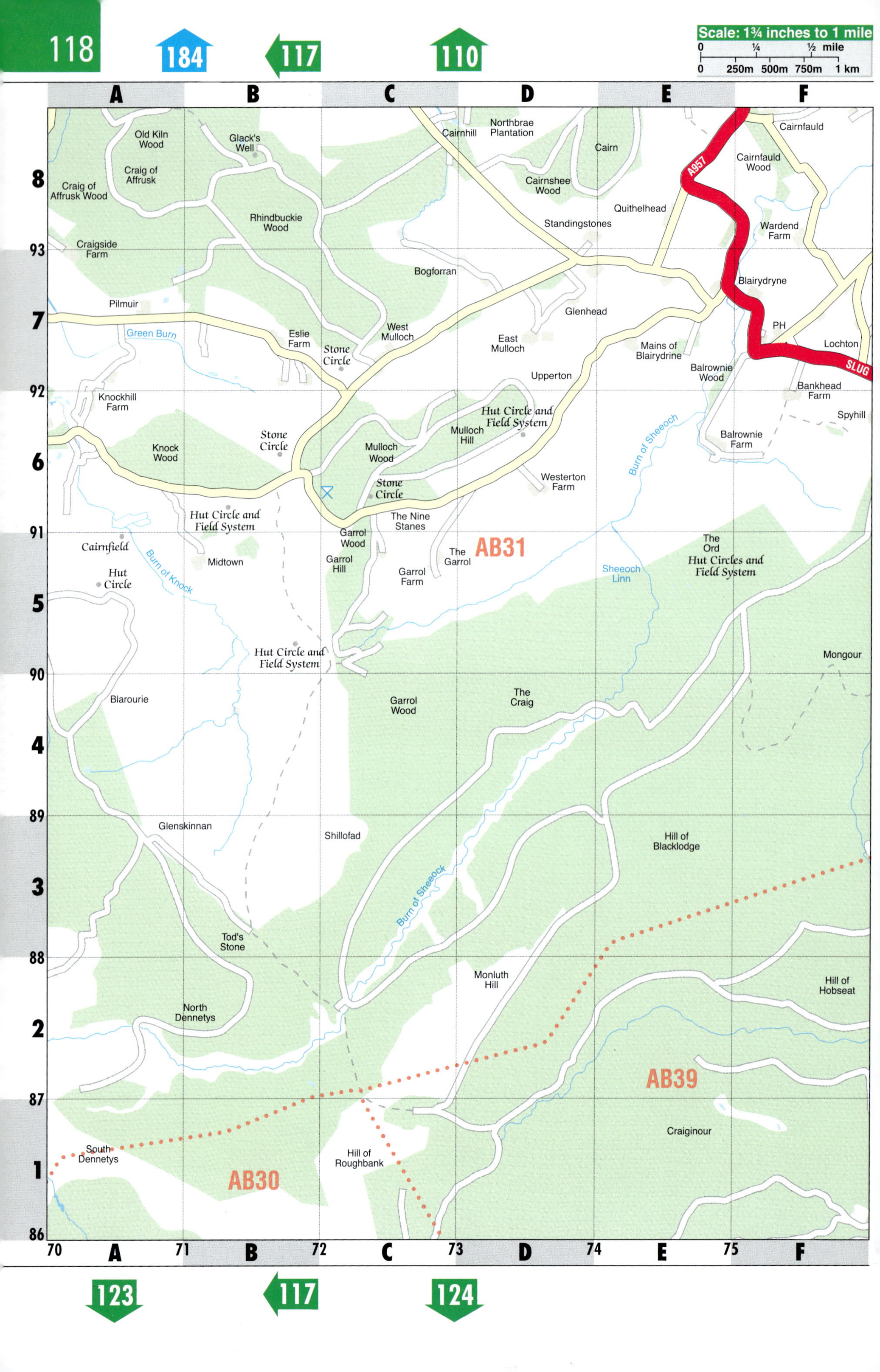
184
117
110
Scale: 1¾ inches to 1 mile
0 ¼ ½ mile
0 250m 500m 750m 1 km
A B C D E F
Old Kiln Wood
Glack's Well
Cairnhill
Northbrae Plantation
Cairnfauld
Cairn
Craig of Affrusk
Craig of Affrusk Wood
Cairnfauld Wood
A957
Cairnshee Wood
Rhindbuckie Wood
Quithelhead
Standingstones
Wardend Farm
Craigside Farm
Bogforran
Blairydryne
Pilmuir
Glenhead
PH
Green Burn
West Mulloch
Eslie Farm
Stone Circle
East Mulloch
Mains of Blairydrine
Lochton
Upperton
Balrownie Wood
SLUG
Knockhill Farm
Bankhead Farm
Hut Circle and Field System
Spyhill
Stone Circle
Mulloch Hill
Balrownie Farm
Knock Wood
Mulloch Wood
Burn of Sheeoch
Westerton Farm
Stone Circle
Hut Circle and Field System
The Nine Stanes
Garrol Wood
Cairnfield
The Garrol
AB31
The Ord
Hut Circles and Field System
Sheeoch Linn
Garrol Hill
Midtown
Burn of Knock
Garrol Farm
Hut Circle
Hut Circle and Field System
Mongour
Blarourie
Garrol Wood
The Craig
Glenskinnan
Shillofad
Hill of Blacklodge
Burn of Sheeock
Tod's Stone
Monluth Hill
Hill of Hobseat
North Dennetys
AB39
Craiginour
South Dennetys
Hill of Roughbank
AB30
8 93 7 92 6 91 5 90 4 89 3 88 2 87 1 86
70 71 72 73 74 75

123
117
124

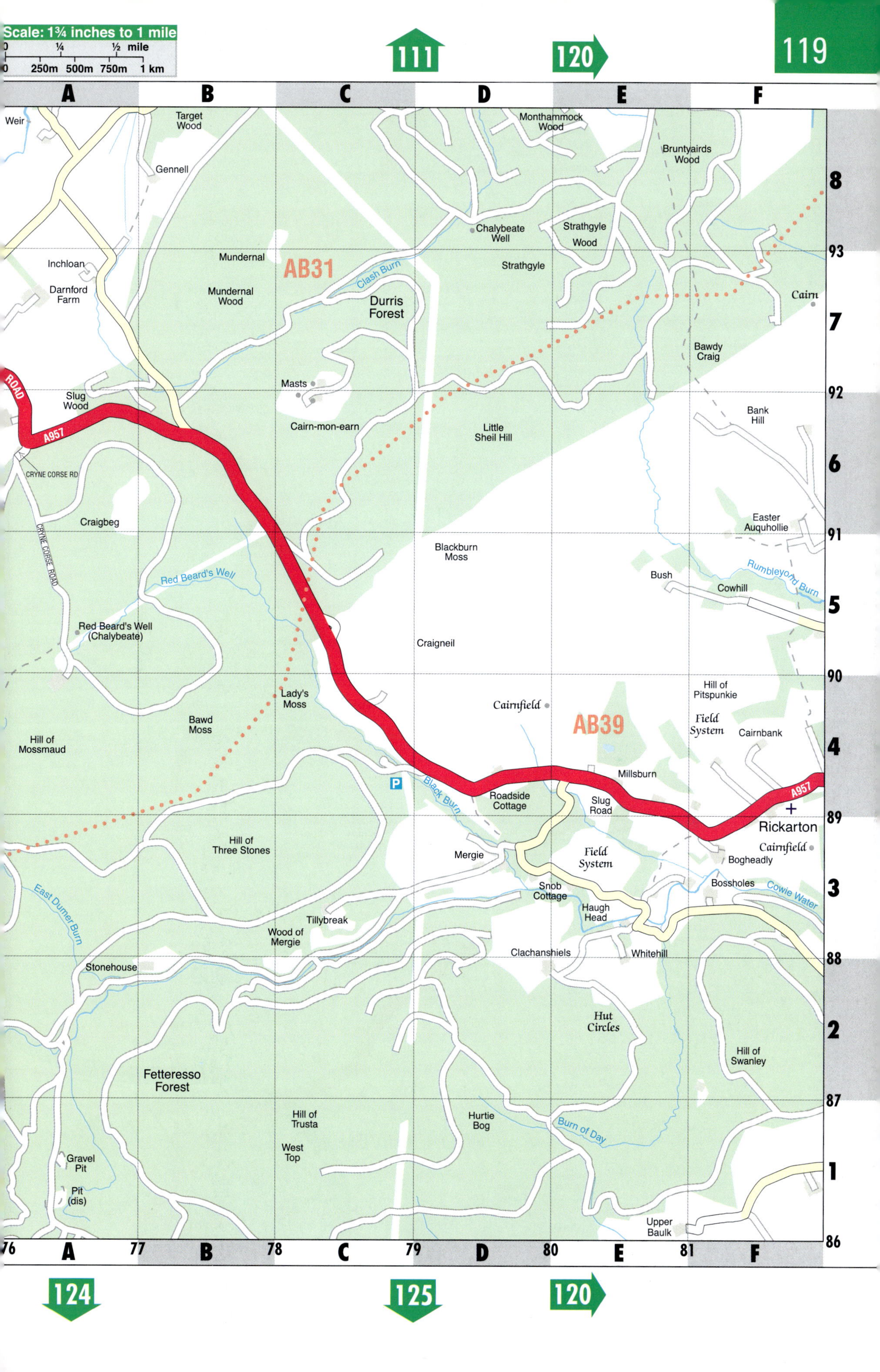
Scale: 1¾ inches to 1 mile
0 ¼ ½ mile
0 250m 500m 750m 1 km
111
120
A B C D E F
Weir
Target Wood
Monthammock Wood
Bruntyairds Wood
Gennell
Chalybeate Well
Strathgyle Wood
Inchloan
Munderna l
AB31
Clash Burn
Strathgyle
Darnford Farm
Munderna l Wood
Durris Forest
Cairn
Bawdy Craig
ROAD
Slug Wood
Masts
A957
Cairn-mon-earn
Little Sheil Hill
Bank Hill
CRYNE CORSE RD
Craigbeg
CRYNE CORSE ROAD
Blackburn Moss
Easter Auquhollie
Red Beard's Well
Bush
Cowhill
Rumbleyond Burn
Red Beard's Well (Chalybeate)
Craigneil
Lady's Moss
Cairnfield
AB39
Hill of Pitspunkie
Field System
Cairnbank
Bawd Moss
Hill of Mossmaud
Millsburn
Black Burn
Roadside Cottage
Slug Road
Rickarton
Hill of Three Stones
Mergie
Field System
Cairnfield
Bogheadly
East Dumer Burn
Bossholes
Cowie Water
Snob Cottage
Haugh Head
Tillybreak
Wood of Mergie
Clachanshiels
Whitehill
Stonehouse
Hut Circles
Hill of Swanley
Fetteresso Forest
Hill of Trusta
Hurtie Bog
Burn of Day
West Top
Gravel Pit
Pit (dis)
Upper Baulk
93 92 91 90 89 88 87 86
8 7 6 5 4 3 2 1
76 77 78 79 80 81
124
125
120

119
177
178

Scale: 1¾ inches to 1 mile
0 ¼ ½ mile
0 250m 500m 750m 1 km

A B C D E F
82 83 84 85 86 87
8 93 7 92 6 91 5 90 4 89 3 88 2 87 1 86

125
119
126
For full street detail of the highlighted area see page 185.

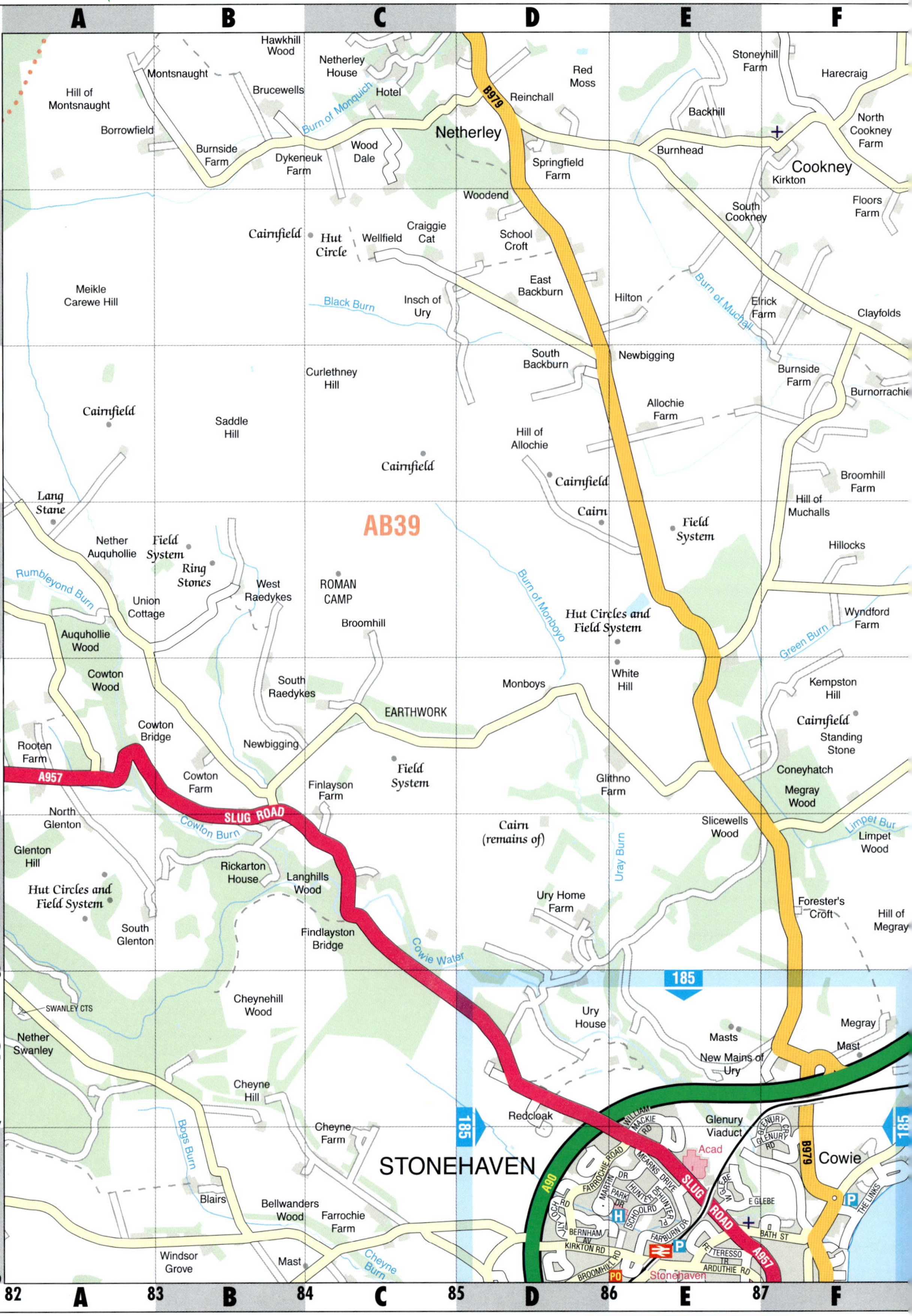

Scale: 1¾ inches to 1 mile
0 ¼ ½ mile
0 250m 500m 750m 1 km

179

180

126

For full street detail of the highlighted area see page 181.

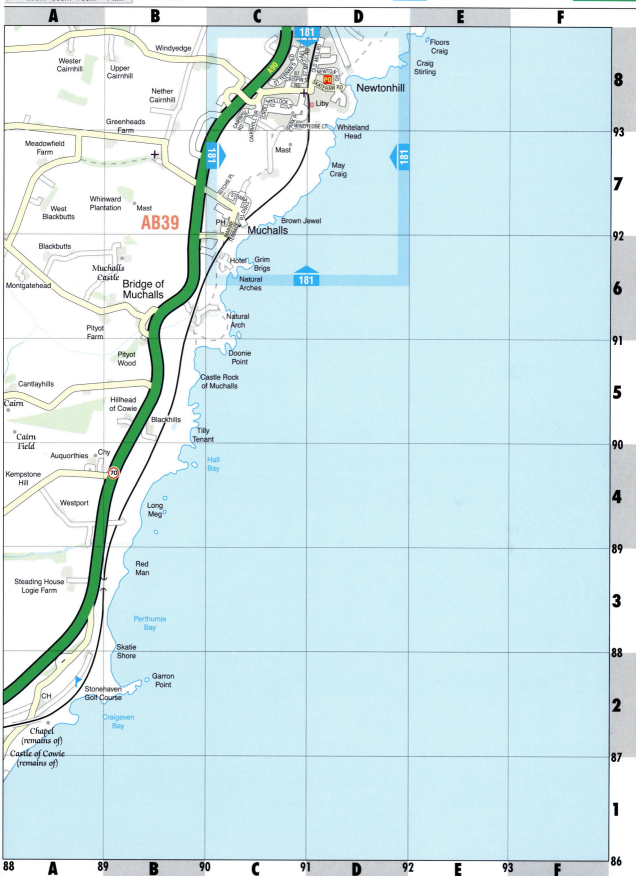

116

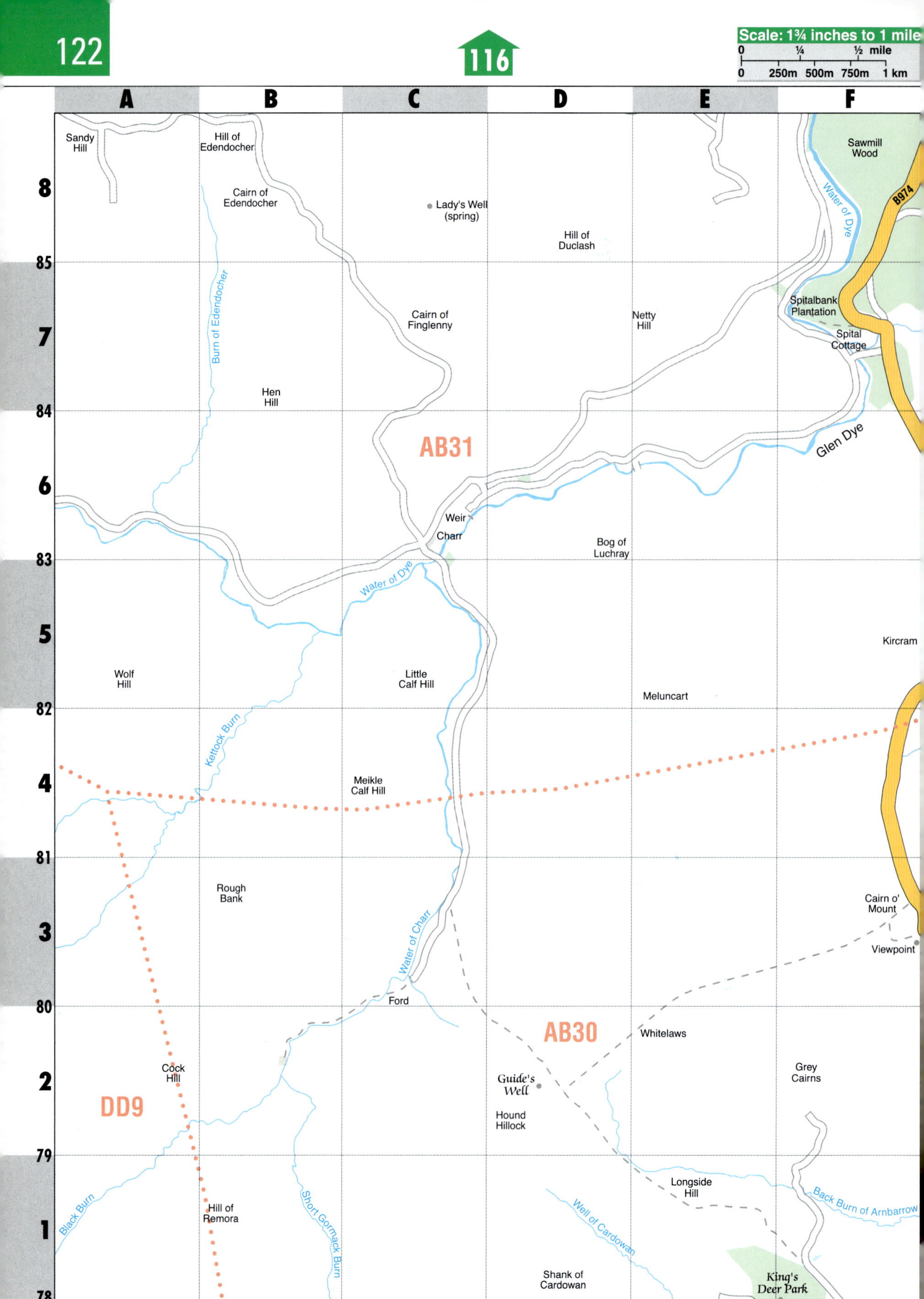

Scale: 1¾ inches to 1 mile
0
¼
½ mile
0
250m
500m
750m
1 km
A
B
C
D
E
F
Sandy Hill
Hill of Edendocher
Cairn of Edendocher
Lady's Well (spring)
Hill of Duclash
Sawmill Wood
Water of Dye
B974
Burn of Edendocher
Cairn of Finglenny
Netty Hill
Spitalbank Plantation
Spital Cottage
Hen Hill
AB31
Glen Dye
Weir
Charr
Bog of Luchray
Water of Dye
Kircram
Wolf Hill
Little Calf Hill
Meluncart
Kettock Burn
Meikle Calf Hill
Rough Bank
Cairn o' Mount
Viewpoint
Water of Charr
Ford
AB30
Whitelaws
Cock Hill
Guide's Well
Grey Cairns
DD9
Hound Hillock
Longside Hill
Back Burn of Arnbarrow
Black Burn
Hill of Remora
Short Gormack Burn
Well of Cardowan
Shank of Cardowan
King's Deer Park
8
85
7
84
6
83
5
82
4
81
3
80
2
79
1
78
59
60
61
62
63
64

127

128

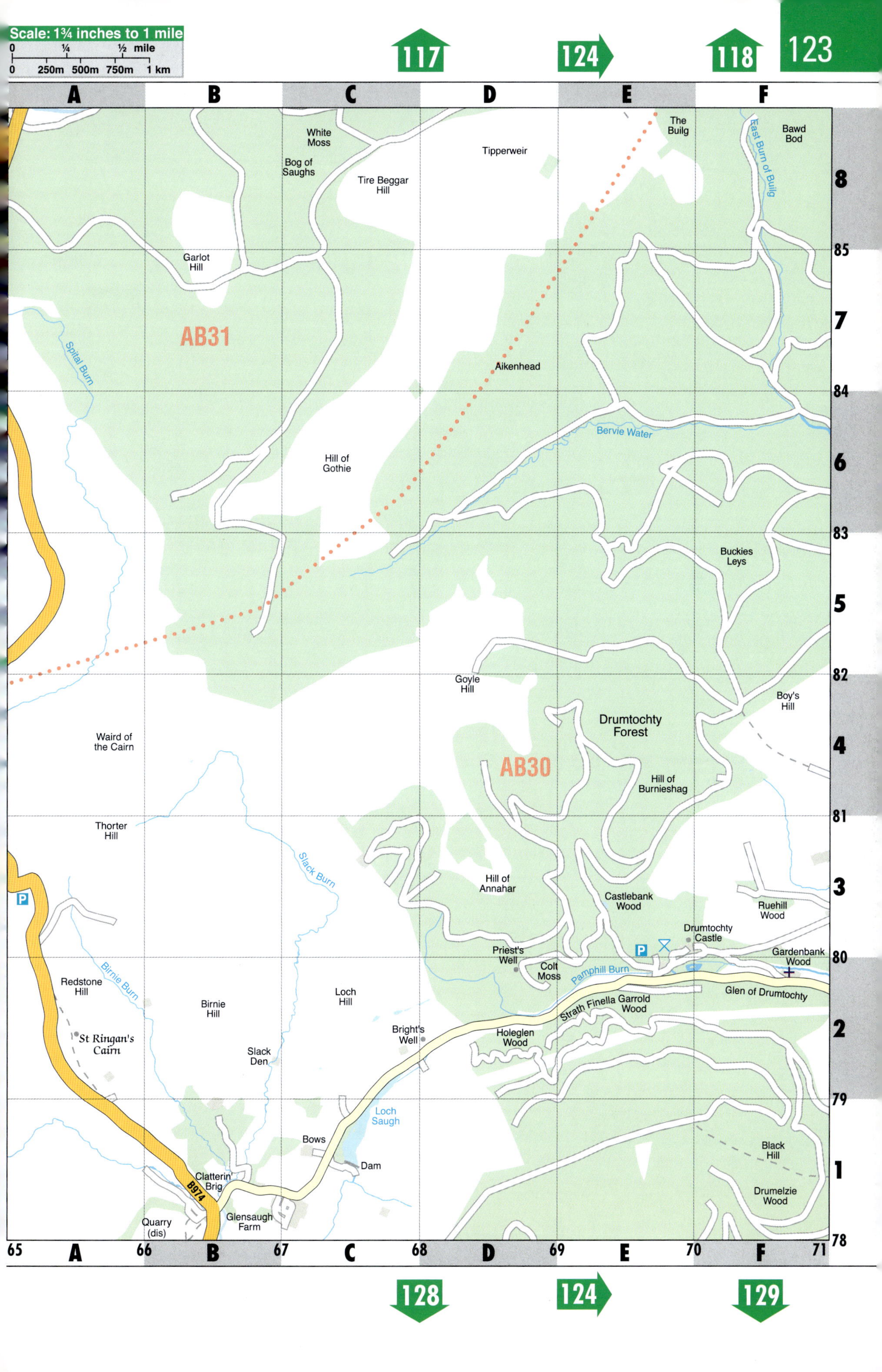
Scale: 1¾ inches to 1 mile
0
¼
½ mile
0
250m
500m
750m
1 km
117
124
118
A
B
C
D
E
F
White Moss
Bog of Saughs
Tire Beggar Hill
Tipperweir
The Builg
Bawd Bod
East Burn of Builg
Garlot Hill
AB31
Spital Burn
Aikenhead
Bervie Water
Hill of Gothie
Buckies Leys
Goyle Hill
Boy's Hill
Waird of the Cairn
Drumtochty Forest
AB30
Hill of Burnieshag
Thorter Hill
Slack Burn
Hill of Annahar
Castlebank Wood
Ruehill Wood
Drumtochty Castle
Priest's Well
Colt Moss
Pamphill Burn
Gardenbank Wood
Glen of Drumtochty
Redstone Hill
Birnie Burn
Birnie Hill
Loch Hill
Strath Finella
Garrold Wood
Bright's Well
Holeglen Wood
St Ringan's Cairn
Slack Den
Loch Saugh
Bows
Dam
Black Hill
Clatterin' Brig
B974
Drumelzie Wood
Quarry (dis)
Glensaugh Farm
8
85
7
84
6
83
5
82
4
81
3
80
2
79
1
78
65
66
67
68
69
70
71
128
124
129

123
118

Scale: 1¾ inches to 1 mile

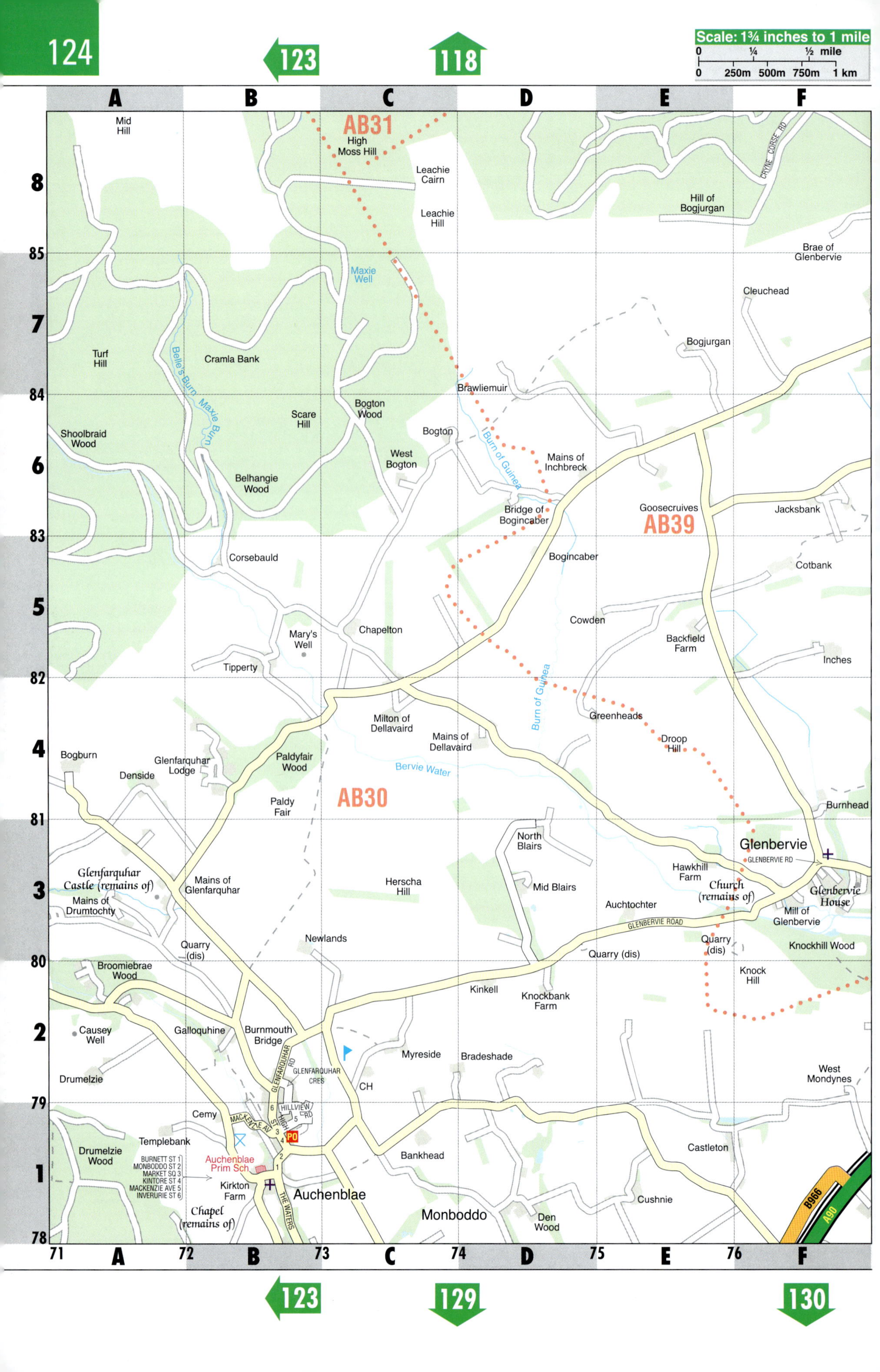

AB31
AB39
AB30
Mid Hill
High Moss Hill
Leachie Cairn
Leachie Hill
Hill of Bogjurgan
CRYNE CORSE RD
Brae of Glenbervie
Cleuchead
Maxie Well
Bogjurgan
Turf Hill
Cramla Bank
Belle's Burn
Maxie Burn
Brawliemuir
Shoolbraid Wood
Scare Hill
Bogton Wood
Bogton
West Bogton
Burn of Guinea
Mains of Inchbreck
Belhangie Wood
Bridge of Bogincaber
Goosecruives
Jacksbank
Corsebauld
Bogincaber
Cotbank
Cowden
Mary's Well
Chapelton
Backfield Farm
Tipperty
Inches
Milton of Dellavaird
Mains of Dellavaird
Greenheads
Bogburn
Glenfarquhar Lodge
Paldyfair Wood
Droop Hill
Denside
Bervie Water
Paldy Fair
Burnhead
North Blairs
Glenbervie
GLENBERVIE RD
Glenfarquhar Castle (remains of)
Mains of Glenfarquhar
Herscha Hill
Hawkhill Farm
Mid Blairs
Church (remains of)
Glenbervie House
Mains of Drumtochty
Auchtochter
Mill of Glenbervie
GLENBERVIE ROAD
Newlands
Quarry (dis)
Knockhill Wood
Broomiebrae Wood
Knock Hill
Kinkell
Knockbank Farm
Causey Well
Galloquhine
Burnmouth Bridge
GLENFARQUHAR RD
Myreside
Bradeshade
GLENFARQUHAR CRES
Drumelzie
CH
West Mondynes
HILLVIEW RD
Cemy
MACKENZIE AV
HIGH ST
PO
Templebank
Castleton
Drumelzie Wood
Auchenblae Prim Sch
Bankhead
BURNETT ST 1
MONBODDO ST 2
MARKET SQ 3
KINTORE ST 4
MACKENZIE AVE 5
INVERURIE ST 6
Kirkton Farm
Auchenblae
THE WATERS
Cushnie
Chapel (remains of)
Monboddo
Den Wood
B966
A90

123
129
130

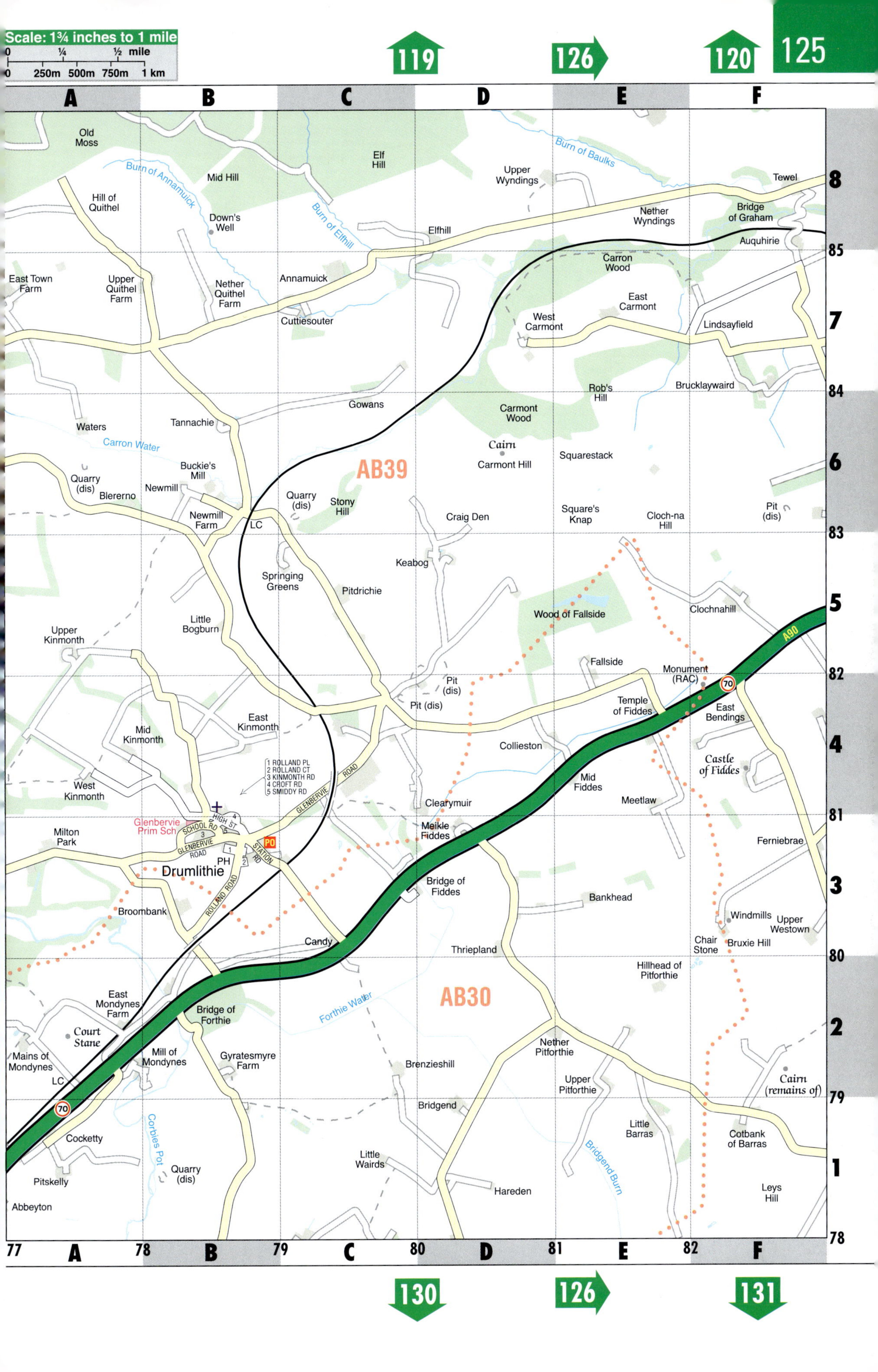
Scale: 1¾ inches to 1 mile
0 ¼ ½ mile
0 250m 500m 750m 1 km
119
126
120
Old Moss
Elf Hill
Burn of Annamuick
Mid Hill
Hill of Quithel
Down's Well
Burn of Elfhill
Upper Wyndings
Burn of Baulks
Tewel
Nether Wyndings
Bridge of Graham
Elfhill
Auquhirie
Carron Wood
East Town Farm
Upper Quithel Farm
Nether Quithel Farm
Annamuick
East Carmont
West Carmont
Cuttiesouter
Lindsayfield
Rob's Hill
Brucklaywaird
Gowans
Carmont Wood
Waters
Tannachie
Carron Water
Cairn
Carmont Hill
Squarestack
AB39
Buckie's Mill
Quarry (dis)
Blererno
Newmill
Newmill Farm
LC
Quarry (dis)
Stony Hill
Craig Den
Square's Knap
Cloch-na Hill
Pit (dis)
Keabog
Springing Greens
Pitdrichie
Wood of Fallside
Clochnahill
Little Bogburn
Upper Kinmonth
A90
Fallside
Monument (RAC)
Pit (dis)
Pit (dis)
Temple of Fiddes
East Bendings
East Kinmonth
Mid Kinmonth
Collieston
Castle of Fiddes
1 ROLLAND PL
2 ROLLAND CT
3 KINMONTH RD
4 CROFT RD
5 SMIDDY RD
ROAD
GLENBERVIE
Mid Fiddes
West Kinmonth
Meetlaw
Clearymuir
Glenbervie Prim Sch
SCHOOL RD
HIGH ST
Meikle Fiddes
Milton Park
GLENBERVIE ROAD
PO
STATION RD
Ferniebrae
PH
Drumlithie
Bridge of Fiddes
ROLLAND ROAD
Bankhead
Broombank
Windmills
Upper Westown
Candy
Chair Stone
Bruxie Hill
Thriepland
Hillhead of Pitforthie
AB30
East Mondynes Farm
Bridge of Forthie
Forthie Water
Court Stane
Nether Pitforthie
Mill of Mondynes
Gyratesmyre Farm
Mains of Mondynes
Brenzieshill
Cairn (remains of)
Upper Pitforthie
LC
Bridgend
Little Barras
Cocketty
Corbies Pot
Cotbank of Barras
Bridgend Burn
Little Wairds
Quarry (dis)
Pitskelly
Hareden
Leys Hill
Abbeyton
A B C D E F
8 85 7 84 6 83 5 82 4 81 3 80 2 79 1 78
77 78 79 80 81 82
130
126
131

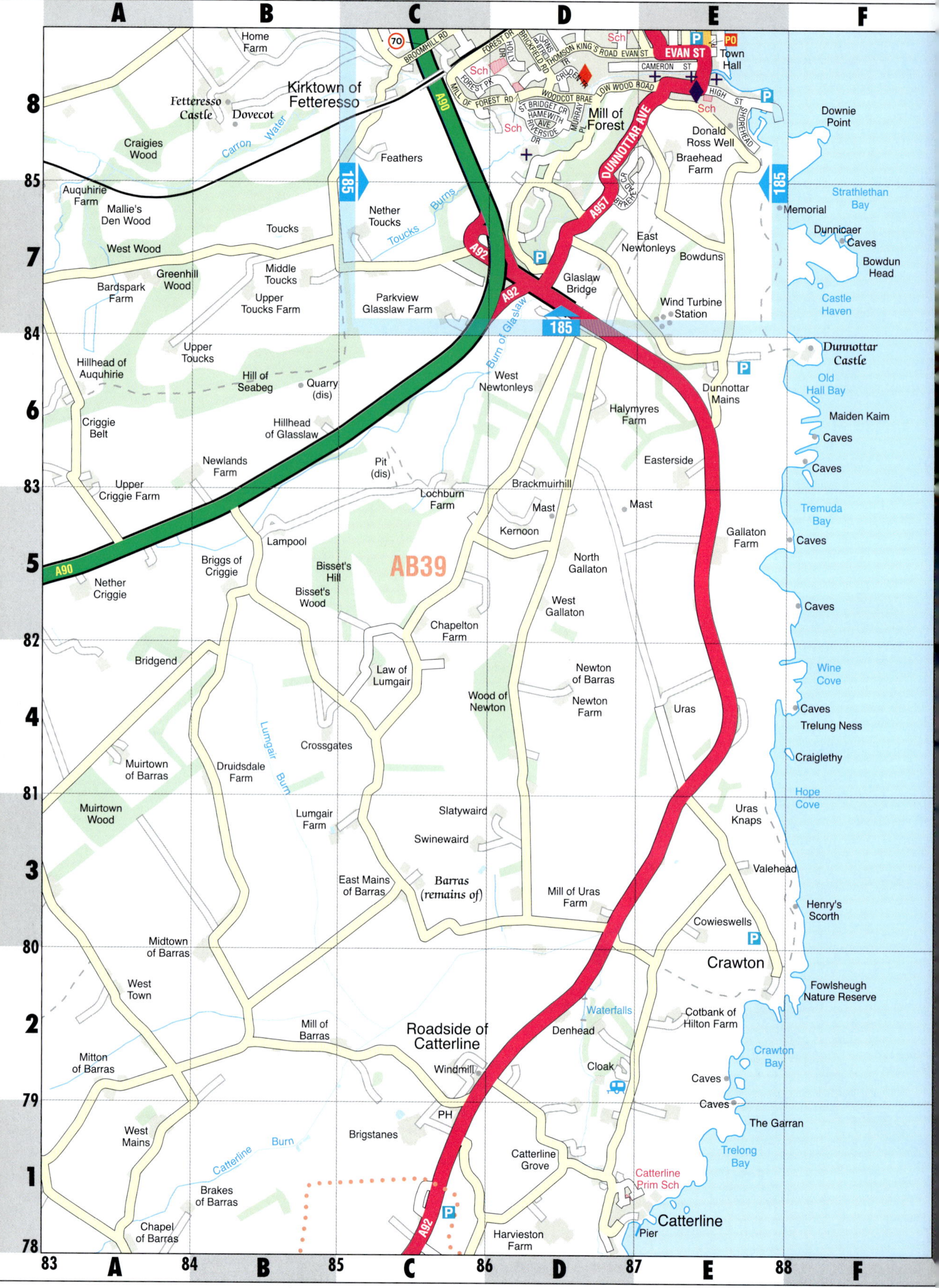

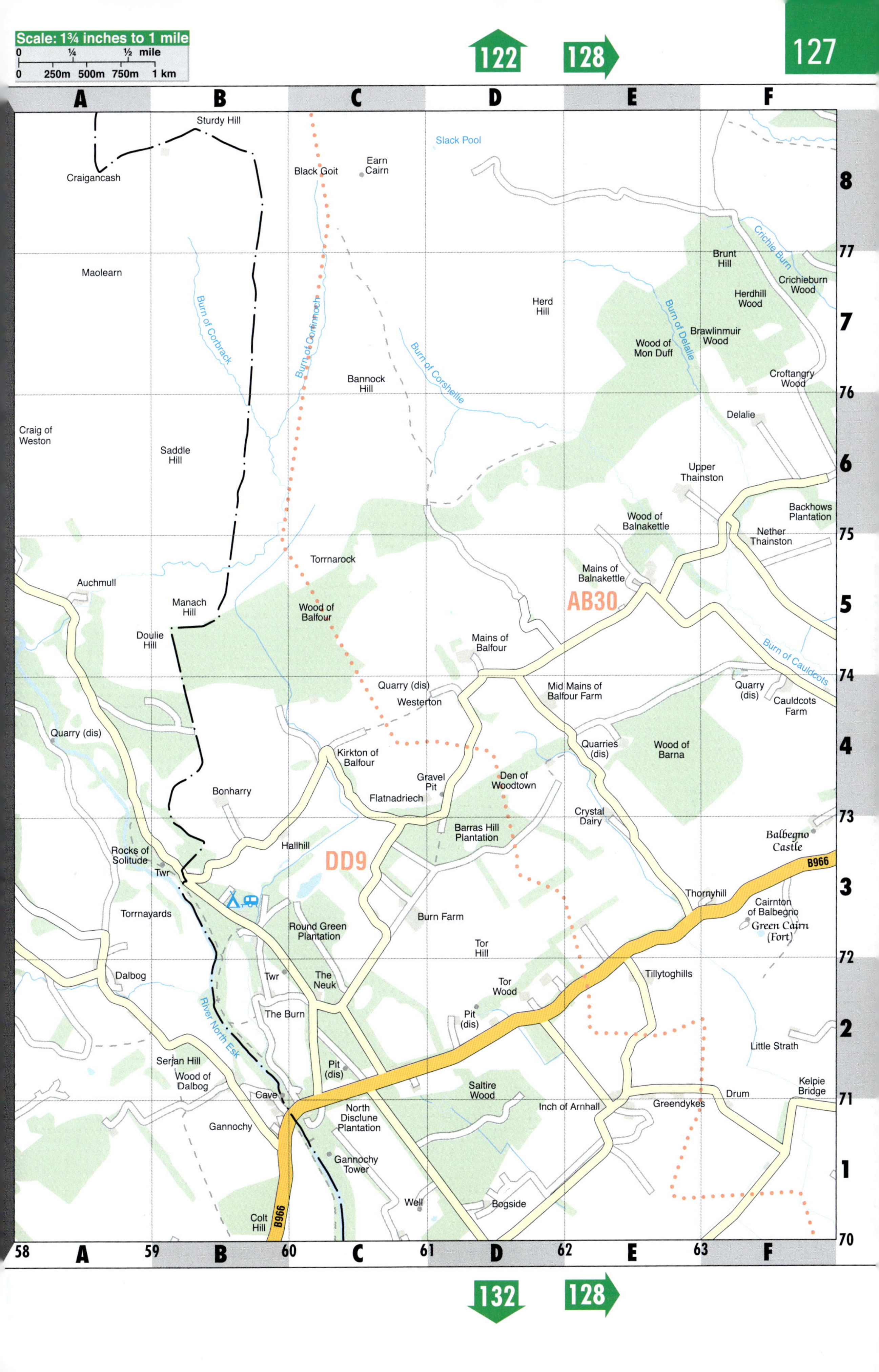

Scale: 1¾ inches to 1 mile
0 ¼ ½ mile
0 250m 500m 750m 1 km
122
128
127
A
B
C
D
E
F
Sturdy Hill
Craigancash
Black Goit
Earn Cairn
Slack Pool
Maolearn
Burn of Corbrack
Burn of Corlinnoch
Burn of Corshellie
Herd Hill
Brunt Hill
Crichie Burn
Crichieburn Wood
Herdhill Wood
Burn of Delalie
Brawlinmuir Wood
Wood of Mon Duff
Croftangry Wood
Bannock Hill
Delalie
Craig of Weston
Saddle Hill
Upper Thainston
Backhows Plantation
Wood of Balnakettle
Nether Thainston
Torrnarock
Auchmull
Mains of Balnakettle
AB30
Manach Hill
Wood of Balfour
Doulie Hill
Mains of Balfour
Burn of Cauldcots
Quarry (dis)
Westerton
Mid Mains of Balfour Farm
Quarry (dis)
Cauldcots Farm
Quarry (dis)
Kirkton of Balfour
Quarries (dis)
Wood of Barna
Gravel Pit
Den of Woodtown
Bonharry
Flatnadriech
Crystal Dairy
Barras Hill Plantation
Balbegno Castle
Rocks of Solitude
Hallhill
DD9
B966
Twr
Thornyhill
Cairnton of Balbegno
Green Cairn (Fort)
Torrnayards
Round Green Plantation
Burn Farm
Tor Hill
Dalbog
Twr
The Neuk
Tillytoghills
Tor Wood
River North Esk
The Burn
Pit (dis)
Little Strath
Serjan Hill
Wood of Dalbog
Pit (dis)
Saltire Wood
Kelpie Bridge
Cave
Drum
Inch of Arnhall
Greendykes
North Disclune Plantation
Gannochy
Gannochy Tower
Well
Bogside
Colt Hill
B966
8
77
7
76
6
75
5
74
4
73
3
72
2
71
1
70
58
59
60
61
62
63
132
128

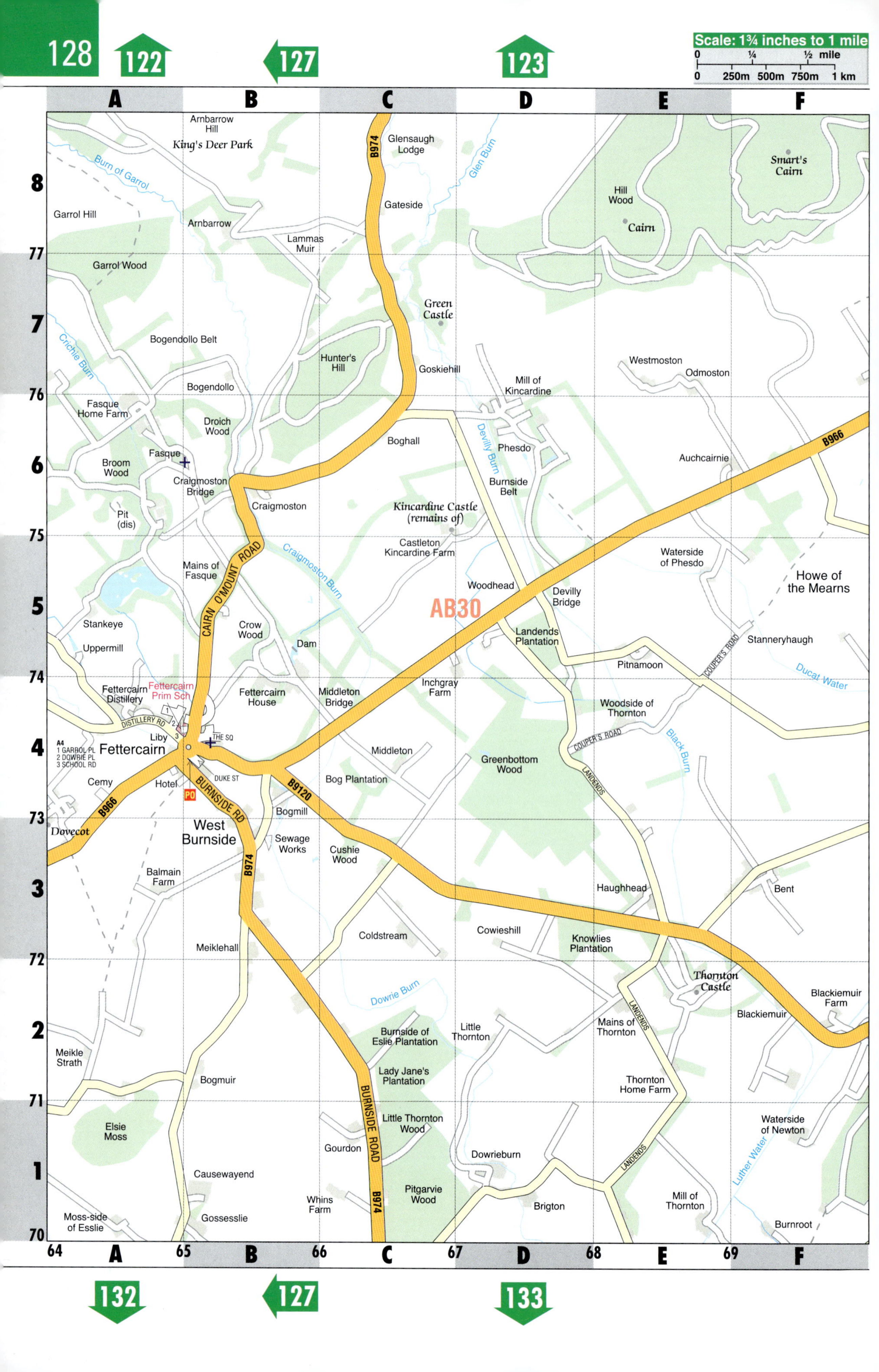
122
127
123
Scale: 1¾ inches to 1 mile
0 ¼ ½ mile
0 250m 500m 750m 1 km
A B C D E F
Arnbarrow Hill
King's Deer Park
Burn of Garrol
Glensaugh Lodge
Glen Burn
Smart's Cairn
Garrol Hill
Arnbarrow
Gateside
Hill Wood
Cairn
Lammas Muir
Garrol Wood
Green Castle
Crichie Burn
Bogendollo Belt
Hunter's Hill
Goskiehill
Westmoston
Odmoston
Mill of Kincardine
Bogendollo
Fasque Home Farm
Droich Wood
Boghall
Devilly Burn
Phesdo
Auchcairnie
Broom Wood
Fasque
Craigmoston Bridge
Burnside Belt
B966
Craigmoston
Kincardine Castle (remains of)
Pit (dis)
Castleton Kincardine Farm
Craigmoston Burn
Waterside of Phesdo
Mains of Fasque
CAIRN O'MOUNT ROAD
Woodhead
Howe of the Mearns
AB30
Devilly Bridge
Stankeye
Crow Wood
Landends Plantation
Uppermill
Dam
Stanneryhaugh
Pitnamoon
COUPER'S ROAD
Ducat Water
Fettercairn Distillery
Fettercairn Prim Sch
Fettercairn House
Middleton Bridge
Inchgray Farm
Woodside of Thornton
DISTILLERY RD
Liby
THE SQ
A4
1 GARROL PL
2 DOWRIE PL
3 SCHOOL RD
Fettercairn
Middleton
Greenbottom Wood
Black Burn
Cemy
Hotel
DUKE ST
Bog Plantation
LANDENDS
PO
B9120
BURNSIDE RD
Bogmill
Dovecot
West Burnside
Sewage Works
Cushie Wood
Balmain Farm
B974
Haughhead
Bent
Cowieshill
Coldstream
Knowlies Plantation
Meiklehall
Thornton Castle
Dowrie Burn
Blackiemuir Farm
Blackiemuir
Mains of Thornton
Burnside of Eslie Plantation
Little Thornton
Meikle Strath
Lady Jane's Plantation
Bogmuir
Thornton Home Farm
Little Thornton Wood
Waterside of Newton
Elsie Moss
Gourdon
Dowrieburn
Luther Water
Causewayend
Pitgarvie Wood
Whins Farm
Brigton
Mill of Thornton
Burnroot
Moss-side of Esslie
Gossesslie
BURNSIDE ROAD
8 77 7 76 6 75 5 74 4 73 3 72 2 71 1 70
64 65 66 67 68 69
132
127
133

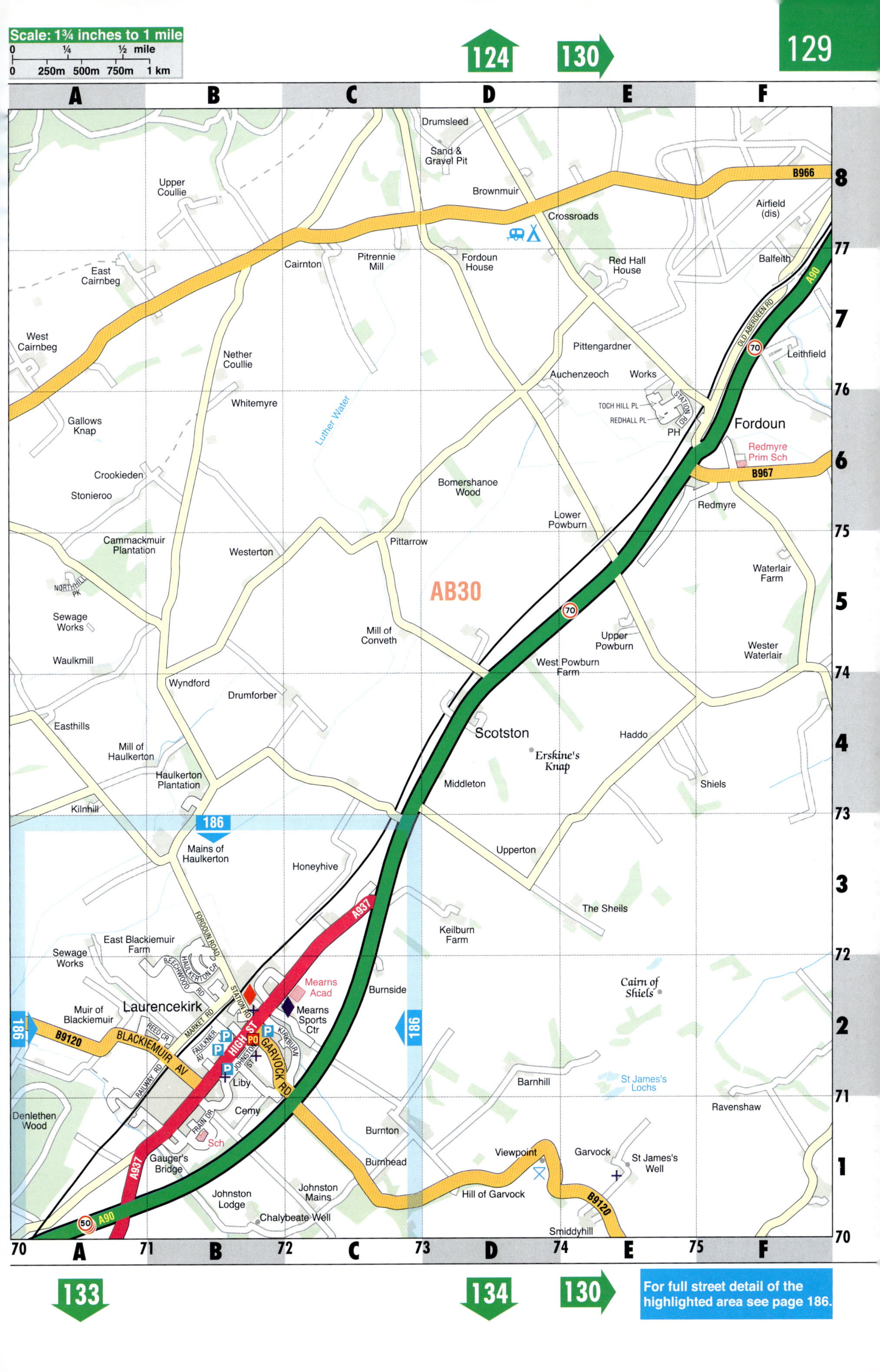

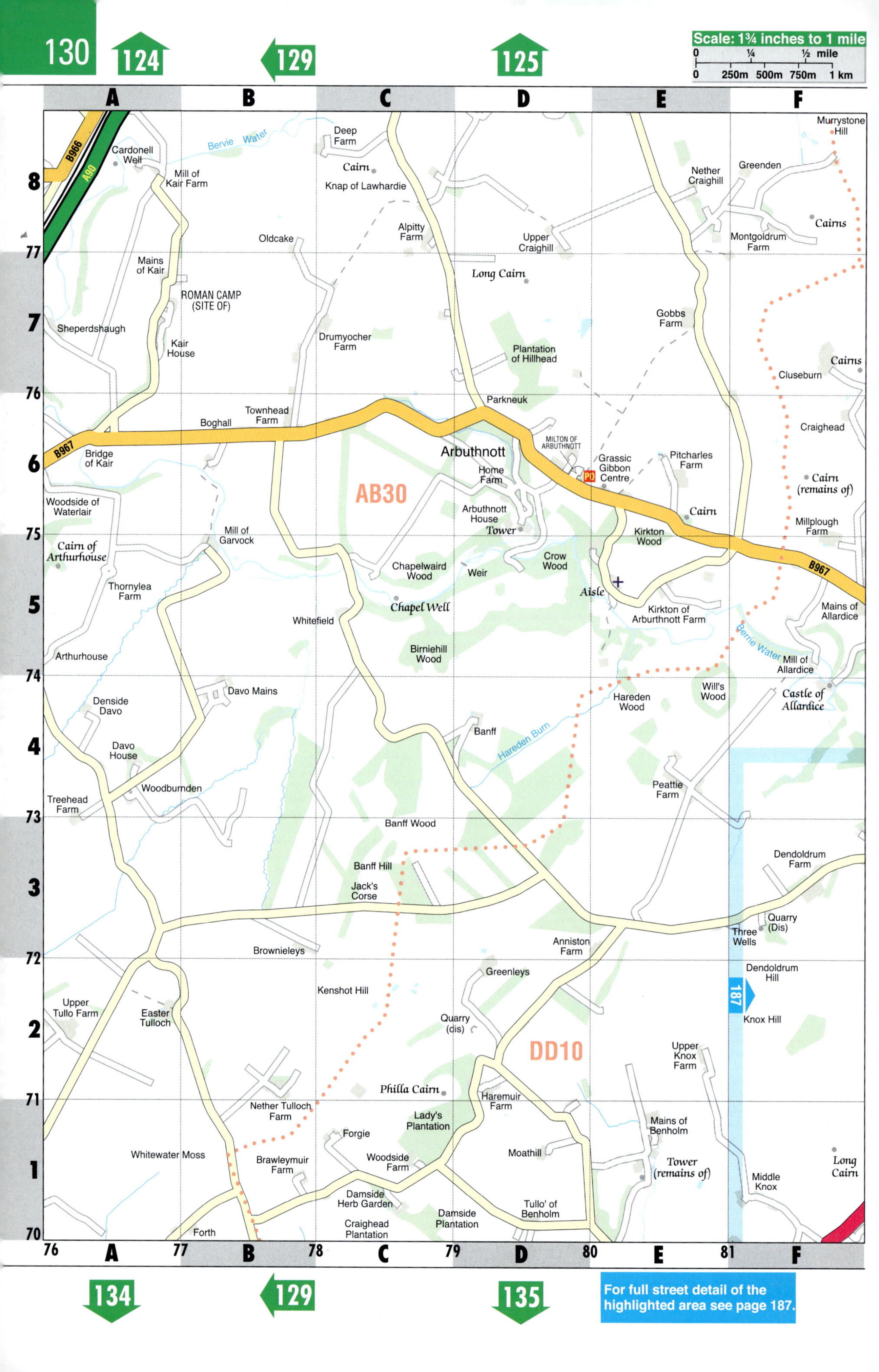

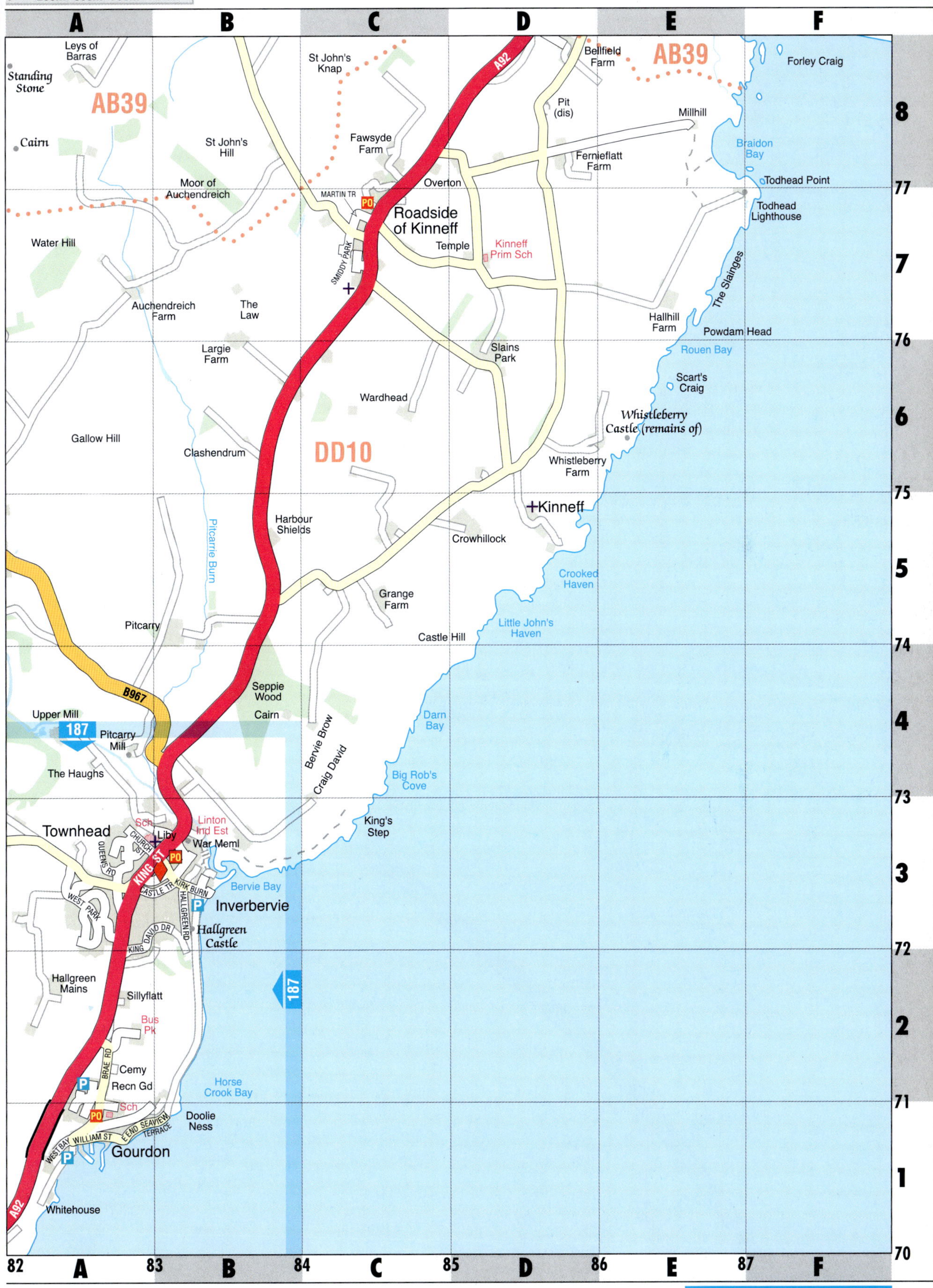

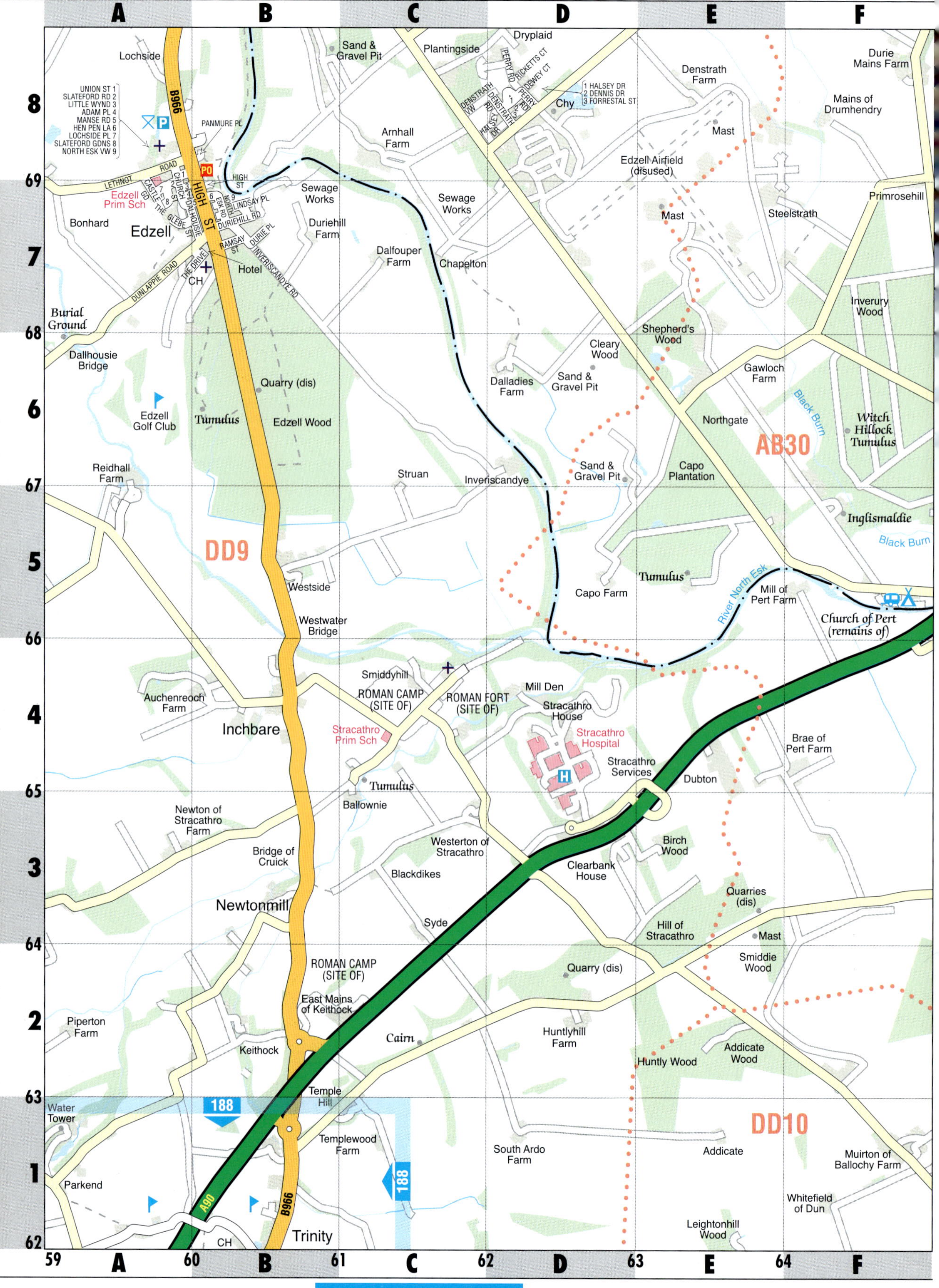

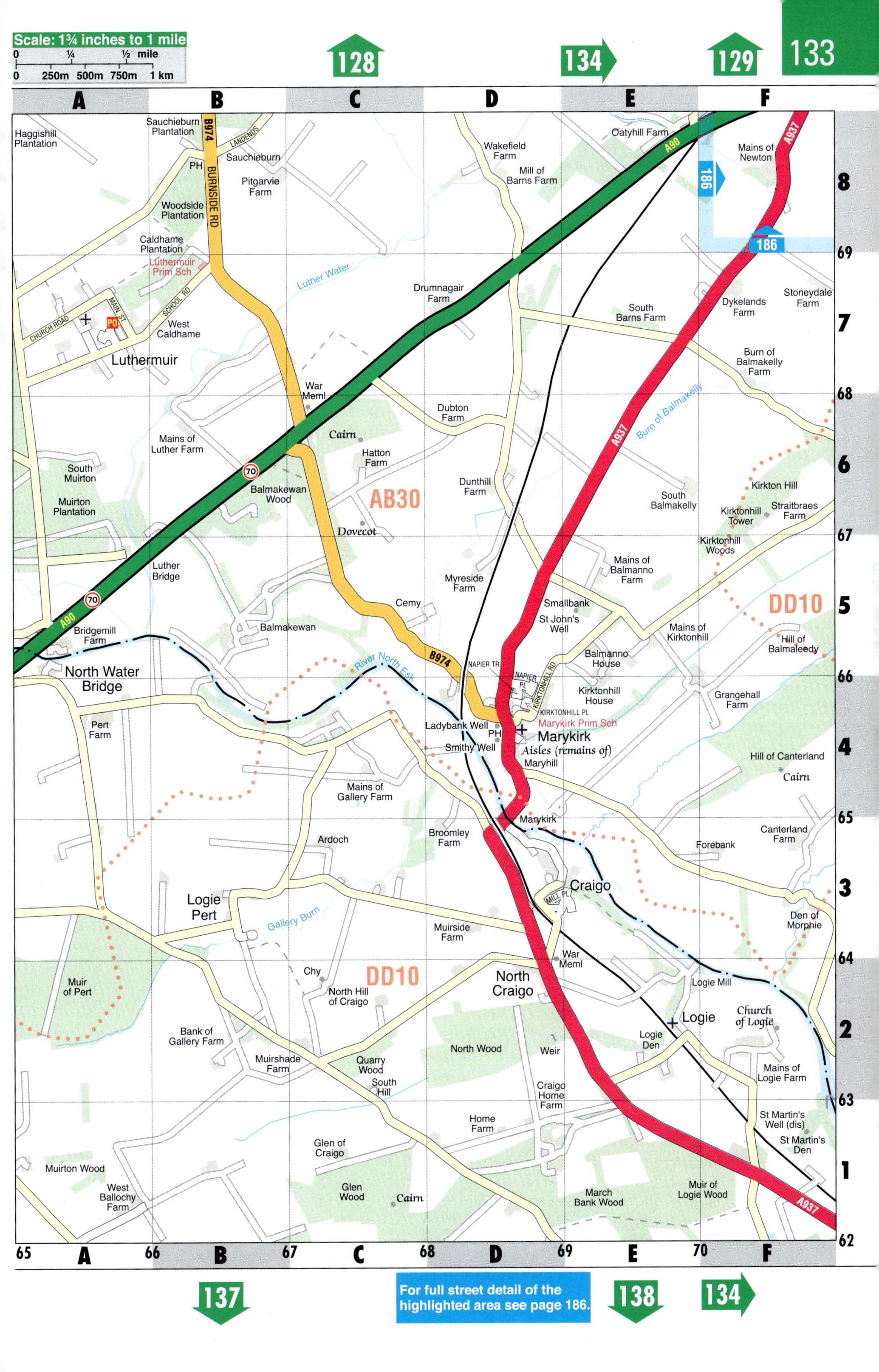
Scale: 1¾ inches to 1 mile
0 ¼ ½ mile
0 250m 500m 750m 1 km
128
134
129
A B C D E F
Haggishill Plantation
Sauchieburn Plantation
B974
BURNSIDE RD
LANDENDS
Sauchieburn
PH
Pitgarvie Farm
Woodside Plantation
Caldhame Plantation
Luthermuir Prim Sch
SCHOOL RD
MAIN ST
CHURCH ROAD
PO
West Caldhame
Luthermuir
Luther Water
Wakefield Farm
Mill of Barns Farm
Oatyhill Farm
A90
Mains of Newton
A937
186
Drumnagair Farm
South Barns Farm
Dykelands Farm
Stoneydale Farm
Burn of Balmakelly Farm
War Meml
Dubton Farm
Cairn
Hatton Farm
Mains of Luther Farm
Burn of Balmakelly
South Muirton
Muirton Plantation
70
Balmakewan Wood
AB30
Dunthill Farm
South Balmakelly
Kirkton Hill
Kirktonhill Tower
Straitbraes Farm
Dovecot
Kirktonhill Woods
Mains of Balmanno Farm
Luther Bridge
Myreside Farm
Smallbank
St John's Well
DD10
Cemy
Mains of Kirktonhill
Hill of Balmaleedy
Bridgemill Farm
Balmakewan
Balmanno House
North Water Bridge
River North Esk
NAPIER TR
NAPIER PL
KIRKTONHILL RD
Kirktonhill House
Grangehall Farm
KIRKTONHILL PL
Marykirk Prim Sch
Pert Farm
Ladybank Well
PH
Marykirk
Smithy Well
Aisles (remains of)
Maryhill
Hill of Canterland
Cairn
Mains of Gallery Farm
Marykirk
Canterland Farm
Ardoch
Broomley Farm
Forebank
Craigo
MILL PL
Logie Pert
Gallery Burn
Muirside Farm
Den of Morphie
War Meml
Muir of Pert
Chy
DD10
North Hill of Craigo
North Craigo
Logie Mill
Church of Logie
Logie
Logie Den
Bank of Gallery Farm
Muirshade Farm
Quarry Wood
North Wood
Weir
South Hill
Mains of Logie Farm
Craigo Home Farm
Home Farm
St Martin's Well (dis)
St Martin's Den
Glen of Craigo
Muirton Wood
West Ballochy Farm
Glen Wood
Cairn
March Bank Wood
Muir of Logie Wood
8
69
7
68
6
67
5
66
4
65
3
64
2
63
1
62
65 A 66 B 67 C 68 D 69 E 70 F
137
For full street detail of the highlighted area see page 186.
138
134

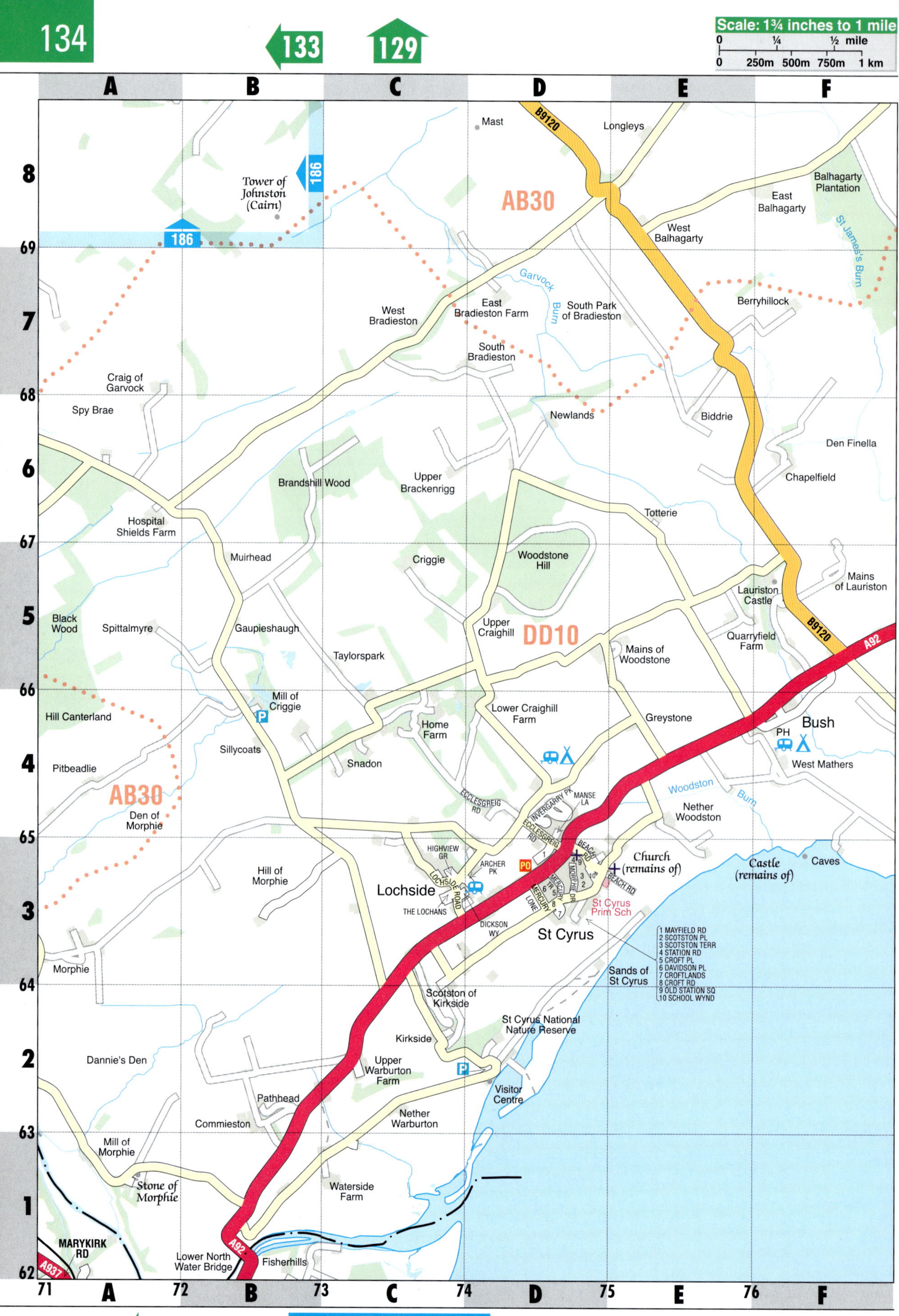

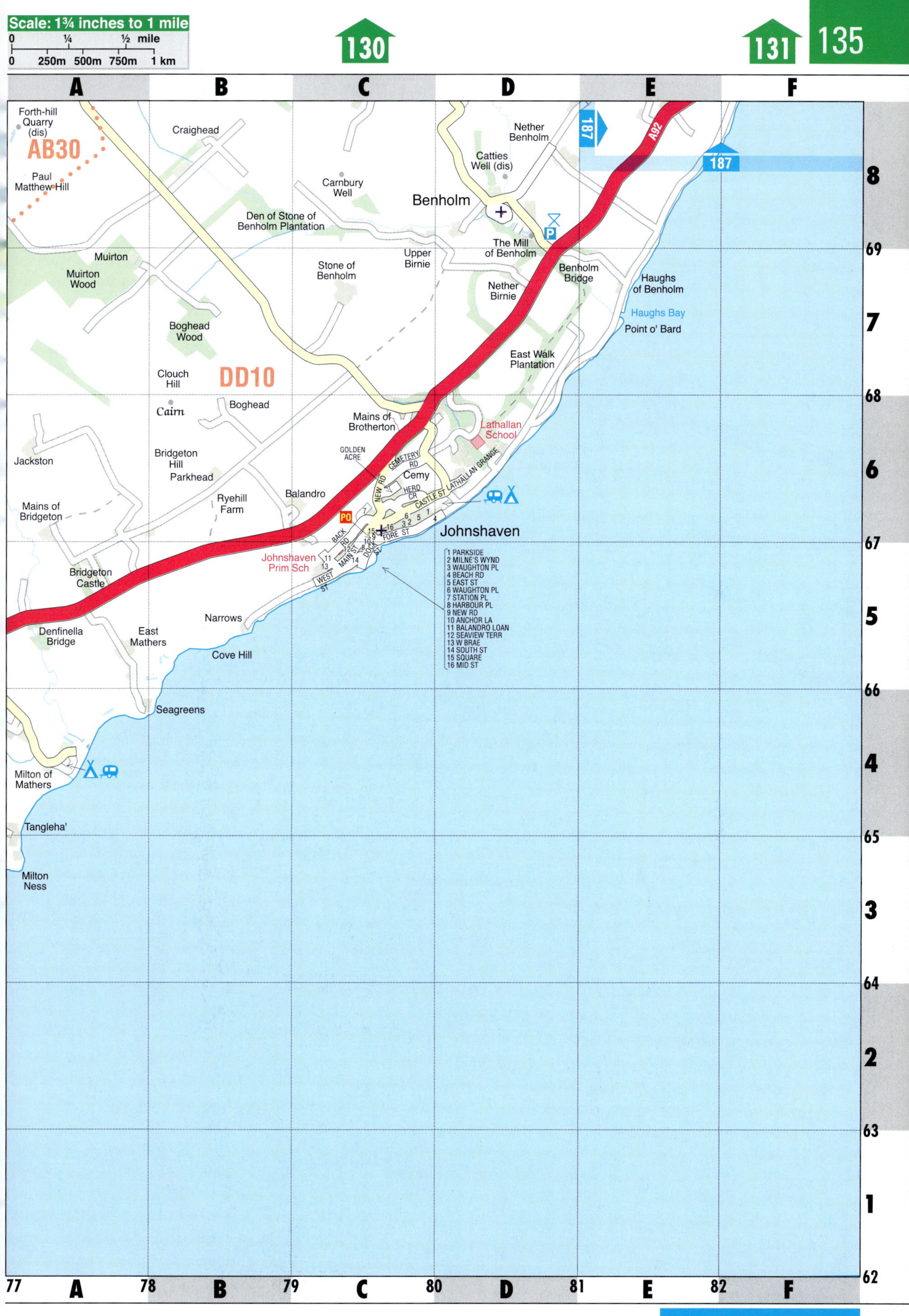

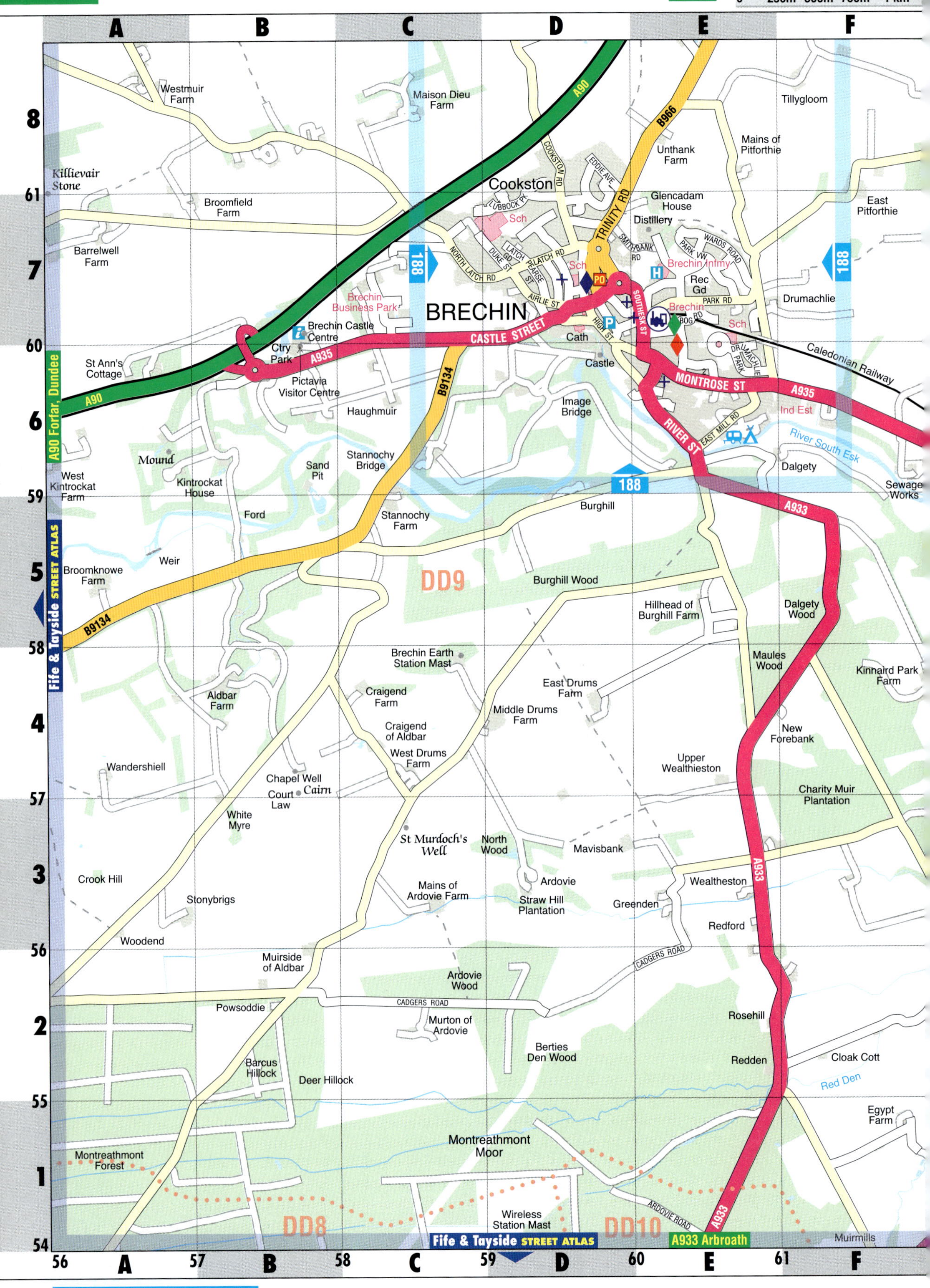

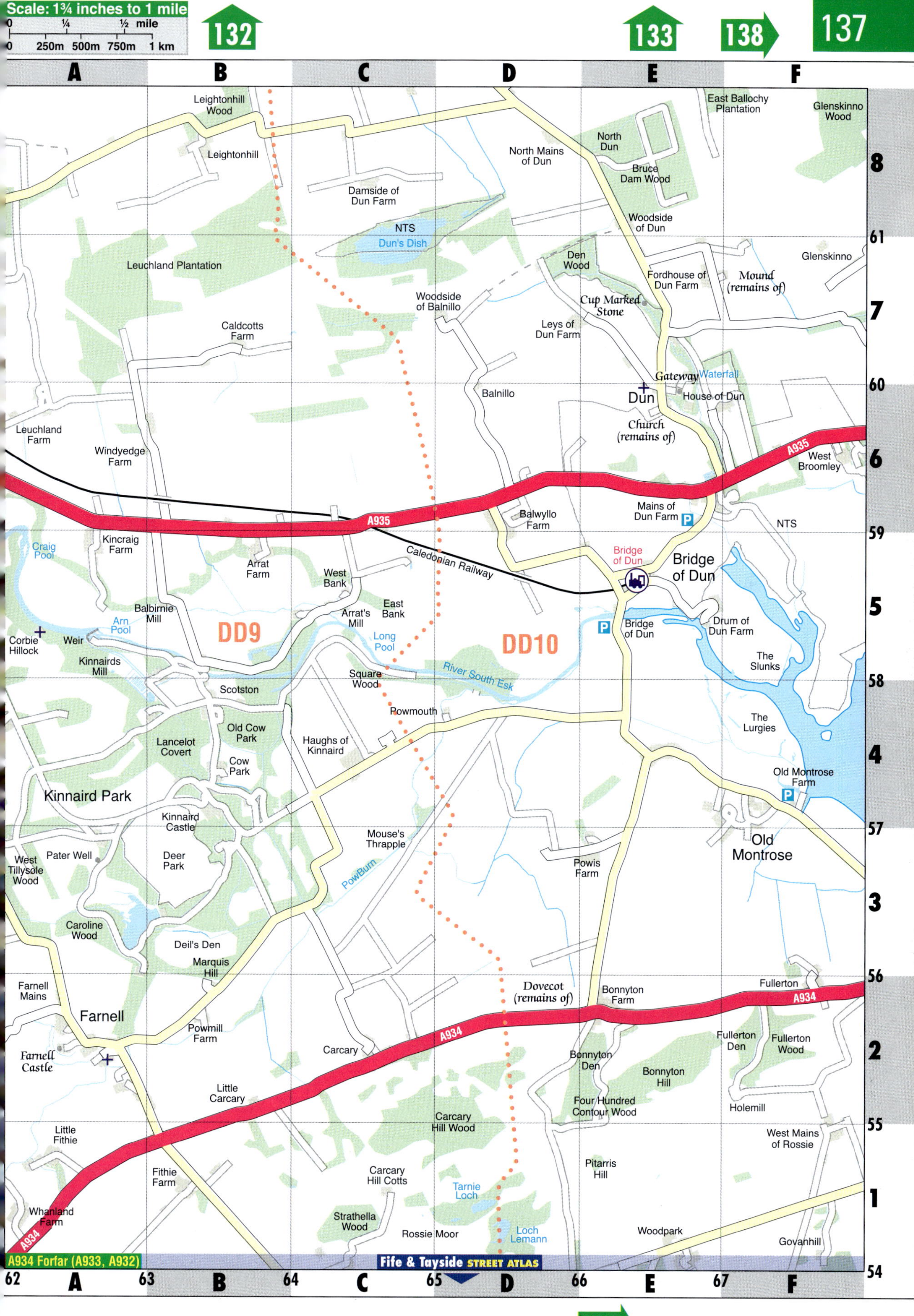

C8
1 MACDIARMID DR
2 HILL RD
3 ROSEMOUNT PL
4 MANSE RD
5 INVERARITY CRES
6 LAMONDFAULD LA
7 CRUICKSHANK PK
8 DICKSON AVE

D8
1 DOWNIE WY
2 HOUGHTON DR

Scale: 1¾ inches to 1 mile

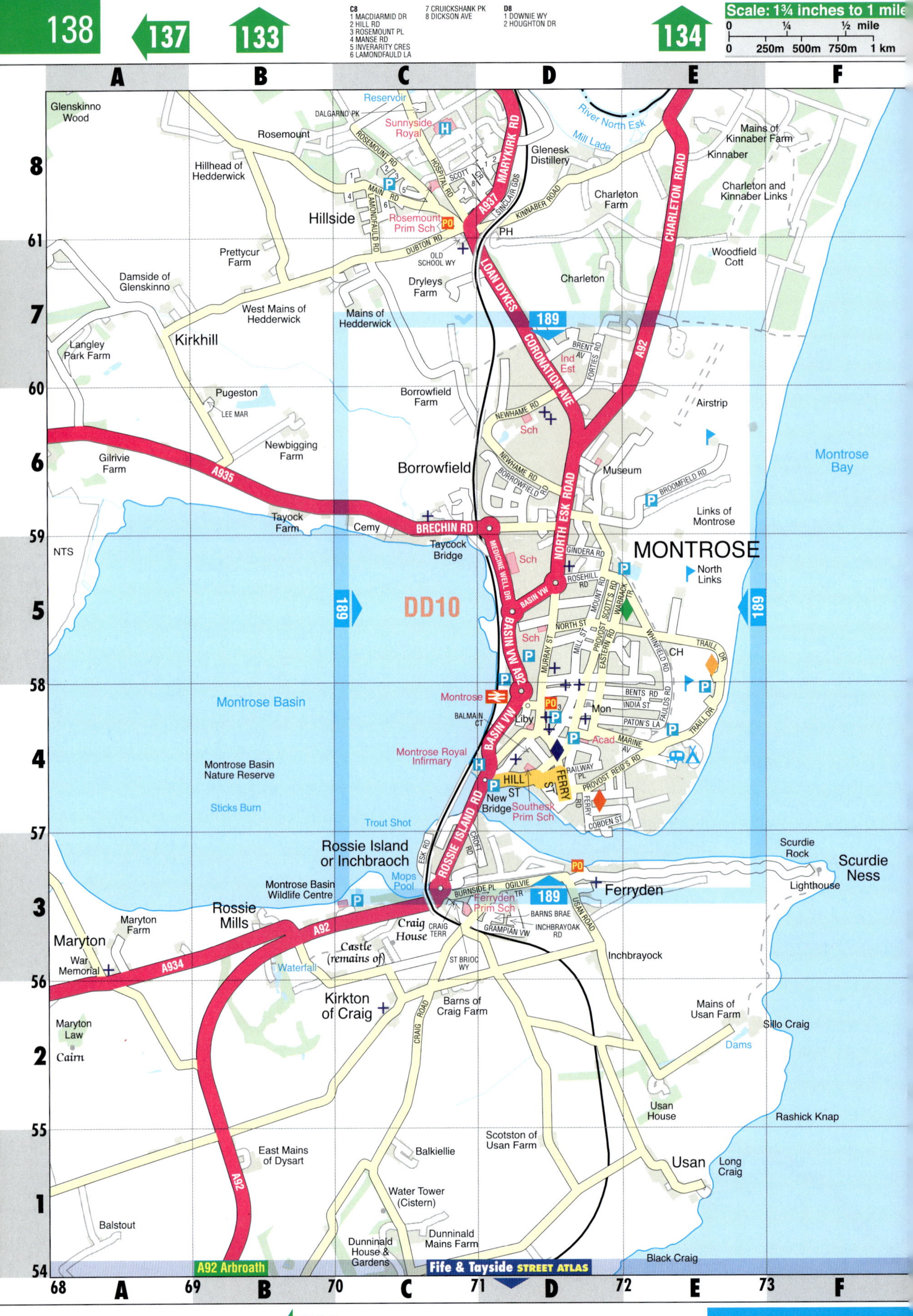

137

For full street detail of the highlighted area see page 189

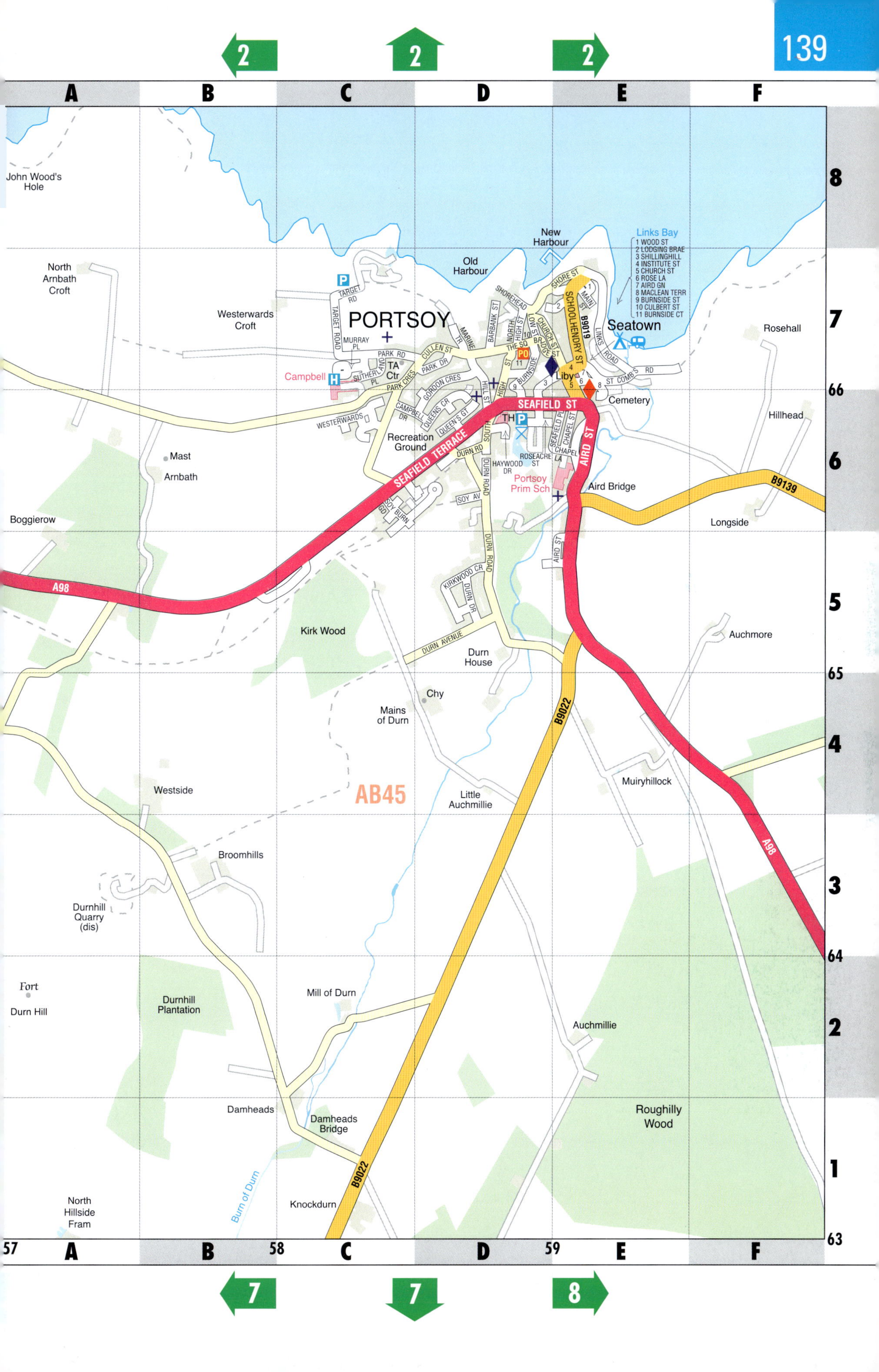

2
2
2
PORTSOY
Seatown
Links Bay
1 WOOD ST
2 LODGING BRAE
3 SHILLINGHILL
4 INSTITUTE ST
5 CHURCH ST
6 ROSE LA
7 AIRD GN
8 MACLEAN TERR
9 BURNSIDE ST
10 CULBERT ST
11 BURNSIDE CT
John Wood's Hole
North Arnbath Croft
Westerwards Croft
Old Harbour
New Harbour
Rosehall
Campbell
TA Ctr
Hillhead
Cemetery
Recreation Ground
Mast
Arnbath
Portsoy Prim Sch
Aird Bridge
Boggierow
Longside
SEAFIELD TERRACE
SEAFIELD ST
AIRD ST
SCHOOLHENDRY ST
B9019
B9139
A98
Kirk Wood
Auchmore
Durn House
Chy
Mains of Durn
B9022
Muiryhillock
Westside
AB45
Little Auchmillie
Broomhills
Durnhill Quarry (dis)
Fort
Durn Hill
Durnhill Plantation
Mill of Durn
Auchmillie
Damheads
Damheads Bridge
Roughilly Wood
North Hillside Fram
Burn of Durn
Knockdurn
7
7
8

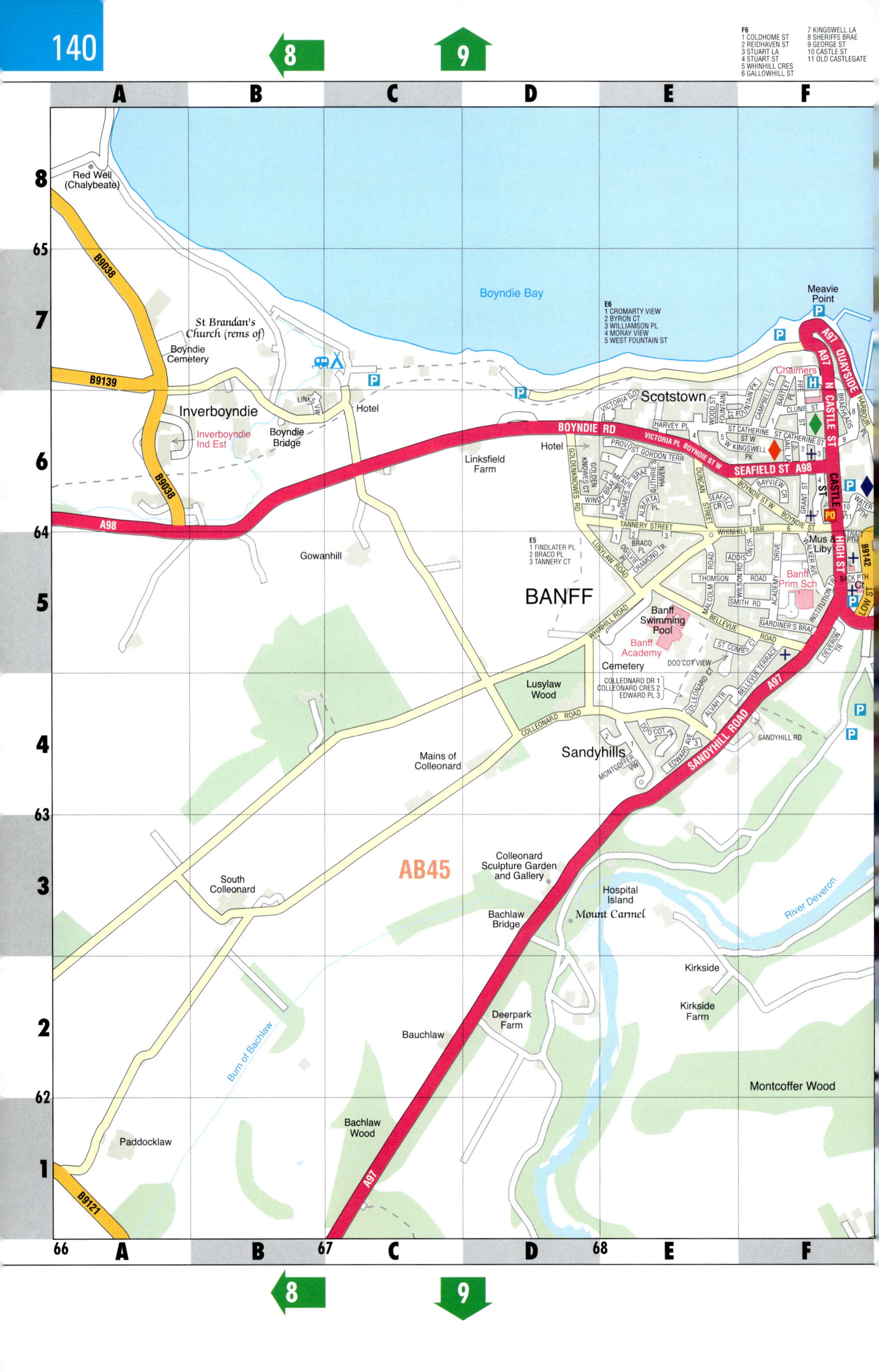
8
9
F6
1 COLDHOME ST
2 REIDHAVEN ST
3 STUART LA
4 STUART ST
5 WHINHILL CRES
6 GALLOWHILL ST
7 KINGSWELL LA
8 SHERIFFS BRAE
9 GEORGE ST
10 CASTLE ST
11 OLD CASTLEGATE
Red Well (Chalybeate)
Boyndie Bay
St Brandan's Church (rems of)
Boyndie Cemetery
E6
1 CROMARTY VIEW
2 BYRON CT
3 WILLIAMSON PL
4 MORAY VIEW
5 WEST FOUNTAIN ST
Meavie Point
Inverboyndie
Inverboyndie Ind Est
Boyndie Bridge
Hotel
Scotstown
Chalmers
BOYNDIE RD
SEAFIELD ST A98
Linksfield Farm
Gowanhill
E5
1 FINDLATER PL
2 BRACO PL
3 TANNERY CT
BANFF
Banff Swimming Pool
Banff Academy
Cemetery
Banff Prim Sch
Mus & Liby
Lusylaw Wood
Sandyhills
Mains of Colleonard
COLLEONARD DR 1
COLLEONARD CRES 2
EDWARD PL 3
SANDYHILL RD
AB45
Colleonard Sculpture Garden and Gallery
Hospital Island
Mount Carmel
South Colleonard
Bachlaw Bridge
River Deveron
Kirkside
Kirkside Farm
Deerpark Farm
Bauchlaw
Burn of Bachlaw
Montcoffer Wood
Bachlaw Wood
Paddocklaw
B9038
B9139
B9121
A98
A97
B9142

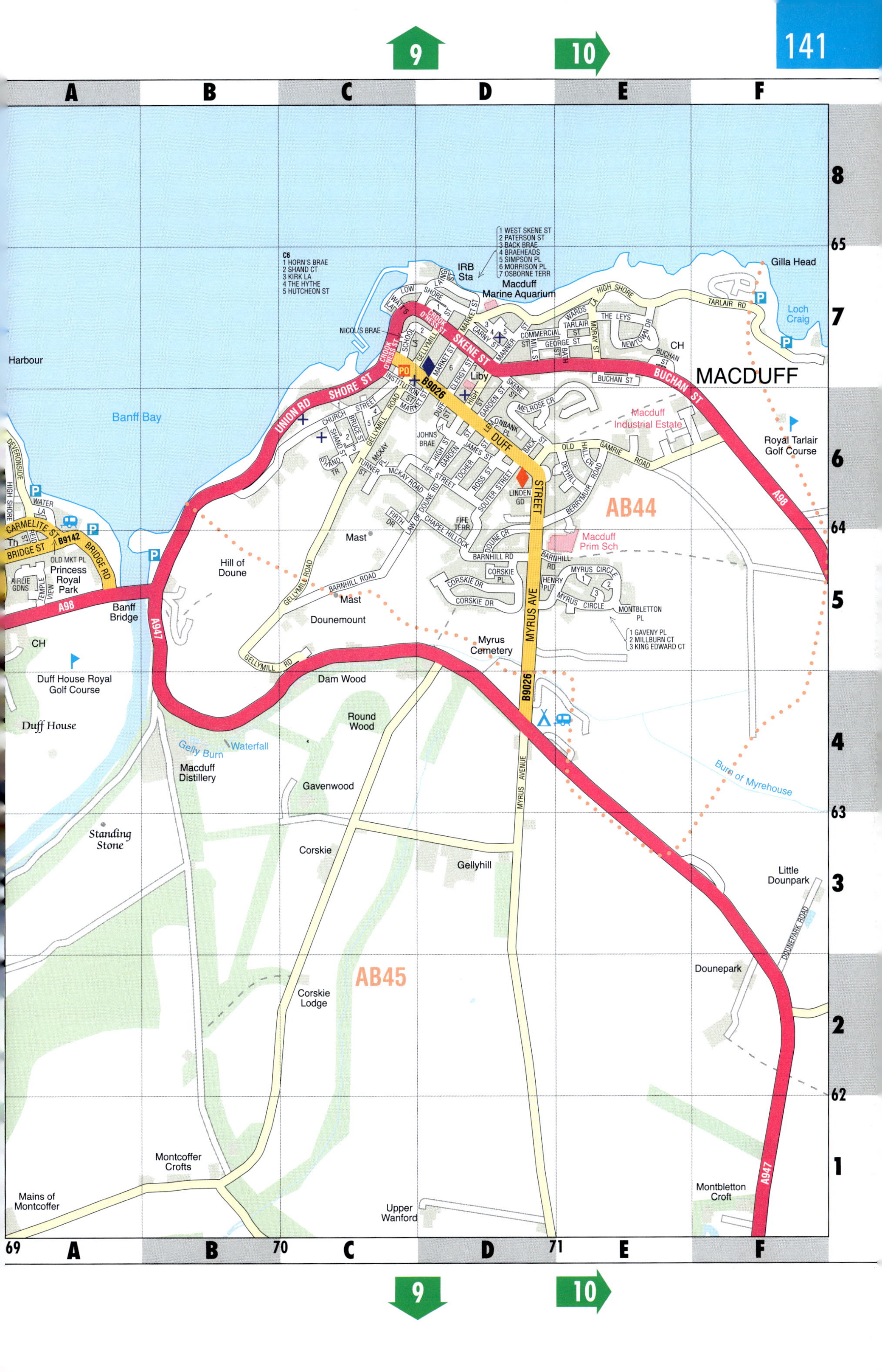
9
10
A
B
C
D
E
F
8
65
7
6
64
5
4
63
3
2
62
1
69
70
71
C6
1 HORN'S BRAE
2 SHAND CT
3 KIRK LA
4 THE HYTHE
5 HUTCHEON ST
1 WEST SKENE ST
2 PATERSON ST
3 BACK BRAE
4 BRAEHEADS
5 SIMPSON PL
6 MORRISON PL
7 OSBORNE TERR
IRB Sta
Macduff Marine Aquarium
Gilla Head
Loch Craig
TARLAIR RD
HIGH SHORE
MACDUFF
Harbour
Banff Bay
NICOL'S BRAE
SHORE ST
UNION RD
SKENE ST
BUCHAN ST
BUCHAN ST
B9026
DUFF
STREET
Liby
Macduff Industrial Estate
Royal Tarlair Golf Course
AB44
A98
LINDEN GD
Macduff Prim Sch
Mast
Hill of Doune
Dounemount
Myrus Cemetery
MYRUS AVE
MONTBLETTON PL
1 GAVENY PL
2 MILLBURN CT
3 KING EDWARD CT
Princess Royal Park
Banff Bridge
A947
CH
Duff House Royal Golf Course
Duff House
Dam Wood
Round Wood
Gelly Burn
Waterfall
Macduff Distillery
Gavenwood
Burn of Myrehouse
Standing Stone
Corskie
Gellyhill
Little Dounpark
DOUNEPARK ROAD
Dounepark
AB45
Corskie Lodge
Montcoffer Crofts
Mains of Montcoffer
Upper Wanford
Montbletton Croft
CARMELITE ST
BRIDGE ST
BRIDGE RD
B9142
OLD MKT PL
WATER LA
DEVERONSIDE
HIGH SHORE
GELLYMILL ROAD
GELLYMILL RD
BARNHILL ROAD
BARNHILL RD
CORSKIE DR
CORSKIE PL
MYRUS CIRCLE
GAMRIE ROAD
BERRYMUIR ROAD
CHAPEL HILLOCK
FIFE STREET
FIFE TERR
JOHNS BRAE
MCKAY ROAD
CHURCH STREET
MELROSE CR
MORAY ST
THE LEYS
NEWTOWN DR
HENRY PL
DOUNE CR
SOUTER STREET
ROSS ST
TOCHER
JAMES ST
GARDEN ST
HIGH ST
MARKET ST
CLERGY ST
INSTITUTION ST
CROOK O'NESS ST
SCHOOL LA
LOW SHORE
COMMERCIAL ST
GEORGE ST
MILL ST
BATH ST
WARDS
TARLAIR ST

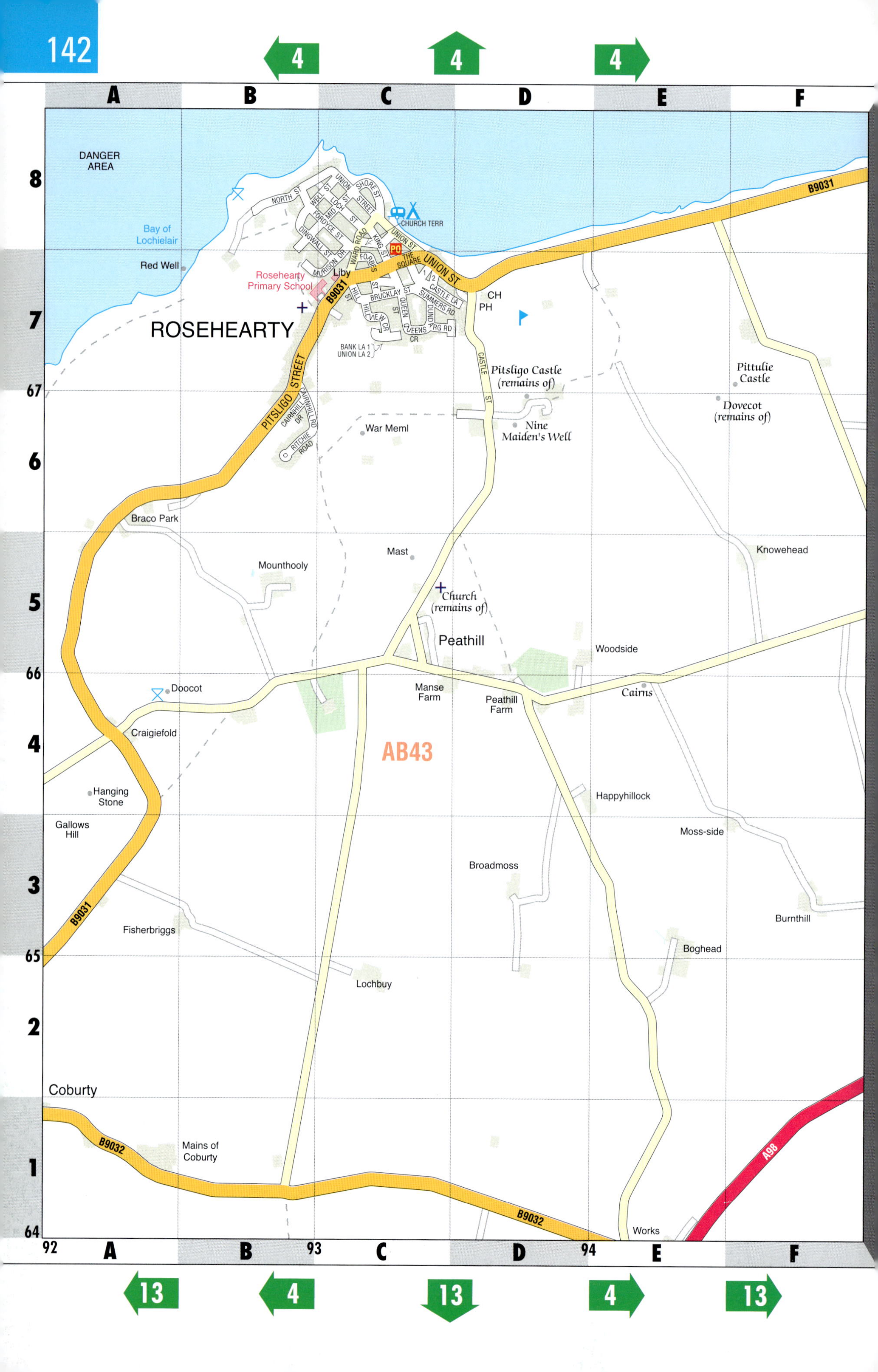

4
4
4
A
B
C
D
E
F
DANGER AREA
Bay of Lochielair
Red Well
NORTH ST
UNION ST
SHORE ST
STREET
WELL ST
MID ST
LOCH ST
FORDYCE ST
DINGWALL ST
MURISON DR
WARD ROAD
KING ST
FORBES
CHURCH TERR
UNION ST
THE SQUARE
UNION ST
PO
Liby
Rosehearty Primary School
B9031
HILL ST
BRUCKLAY ST
CASTLE LA
SUMMERS RD
QUEEN ST
QUEENS CR
DUNDARG RD
BANK LA 1
UNION LA 2
CH
PH
ROSEHEARTY
PITSLIGO STREET
CAIRNHILL DR
CAIRNHILL RD
RITCHIE ROAD
CASTLE ST
Pitsligo Castle (remains of)
War Meml
Nine Maiden's Well
Pittulie Castle
Dovecot (remains of)
B9031
Braco Park
Mast
Mounthooly
Knowehead
Church (remains of)
Peathill
Woodside
Doocot
Manse Farm
Peathill Farm
Cairns
Craigiefold
AB43
Hanging Stone
Happyhillock
Gallows Hill
Moss-side
Broadmoss
B9031
Fisherbriggs
Burnthill
Boghead
Lochbuy
Coburty
Mains of Coburty
B9032
A98
B9032
Works
8
7
67
6
5
66
4
3
65
2
1
64
92
93
94
A
B
C
D
E
F
13
4
13
4
13

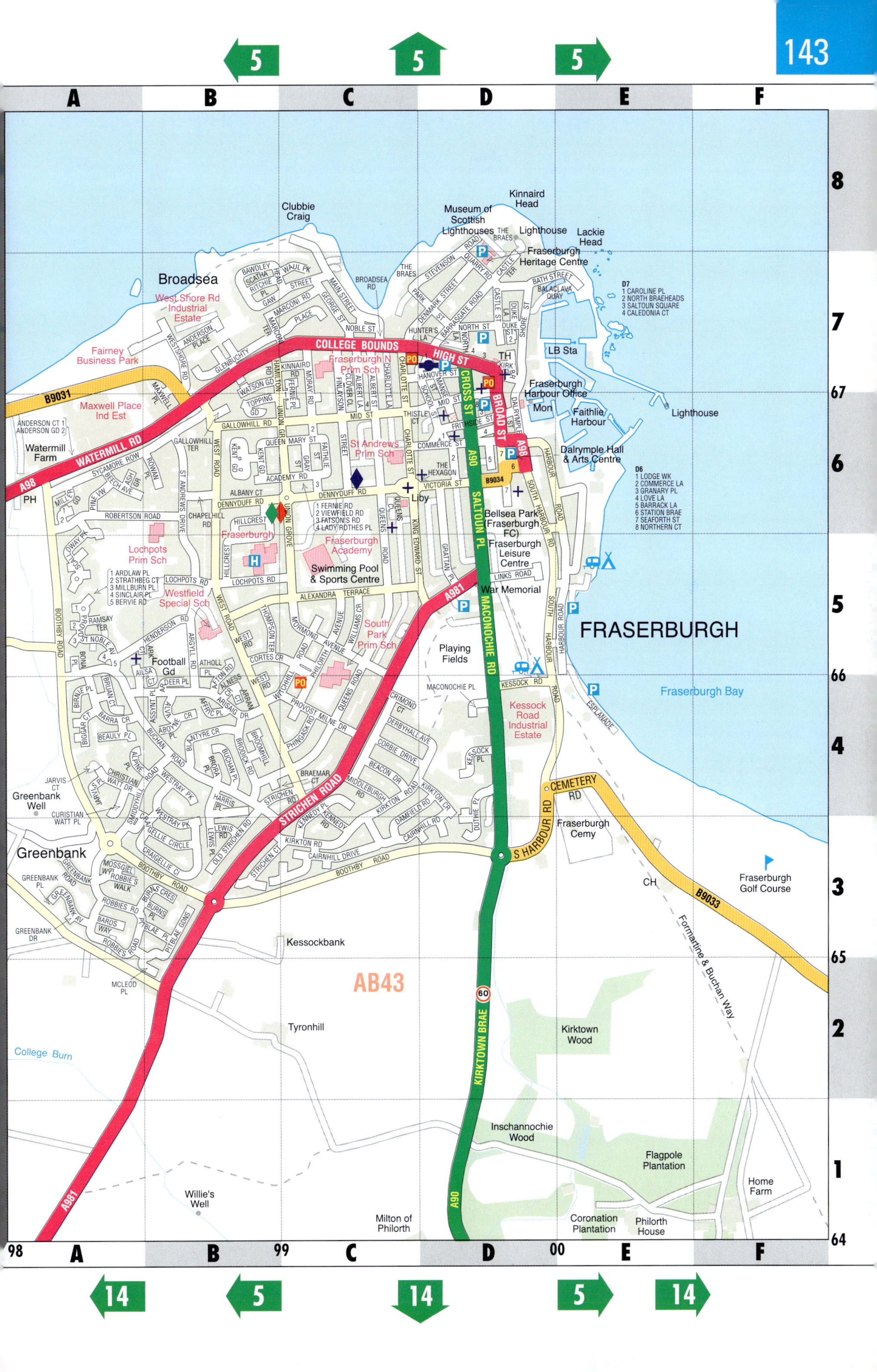

Broadsea
West Shore Rd Industrial Estate
Fairney Business Park
Maxwell Place Ind Est
Watermill Farm
Clubbie Craig
Museum of Scottish Lighthouses
Kinnaird Head
Lighthouse
Lackie Head
Fraserburgh Heritage Centre
LB Sta
Fraserburgh Harbour Office
Faithlie Harbour
Dalrymple Hall & Arts Centre
Fraserburgh N Prim Sch
St Andrews Prim Sch
Fraserburgh Academy
Swimming Pool & Sports Centre
Lochpots Prim Sch
Westfield Special Sch
Bellsea Park (Fraserburgh FC)
Fraserburgh Leisure Centre
War Memorial
FRASERBURGH
Fraserburgh Bay
South Park Prim Sch
Playing Fields
Football Gd
Kessock Road Industrial Estate
Fraserburgh Cemy
Fraserburgh Golf Course
Greenbank
Greenbank Well
Kessockbank
AB43
Tyronhill
Kirktown Wood
Inschannochie Wood
Flagpole Plantation
Home Farm
Coronation Plantation
Philorth House
Milton of Philorth
Willie's Well
College Burn
Formartine & Buchan Way
COLLEGE BOUNDS
HIGH ST
BROAD ST
CROSS ST
SALTOUN PL
MACONOCHIE RD
KIRKTOWN BRAE
WATERMILL RD
STRICHEN ROAD
CEMETERY RD
S HARBOUR RD
D7
1 CAROLINE PL
2 NORTH BRAEHEADS
3 SALTOUN SQUARE
4 CALEDONIA CT
D6
1 LODGE WK
2 COMMERCE LA
3 GRANARY PL
4 LOVE LA
5 BARRACK LA
6 STATION BRAE
7 SEAFORTH ST
8 NORTHERN CT
1 FERNIE RD
2 VIEWFIELD RD
3 FATSON'S RD
4 LADY ROTHES PL
1 ARDLAW PL
2 STRATHBEG CT
3 MILLBURN PL
4 SINCLAIR PL
5 BERVIE RD

5 5 5 14 5 14 5 14

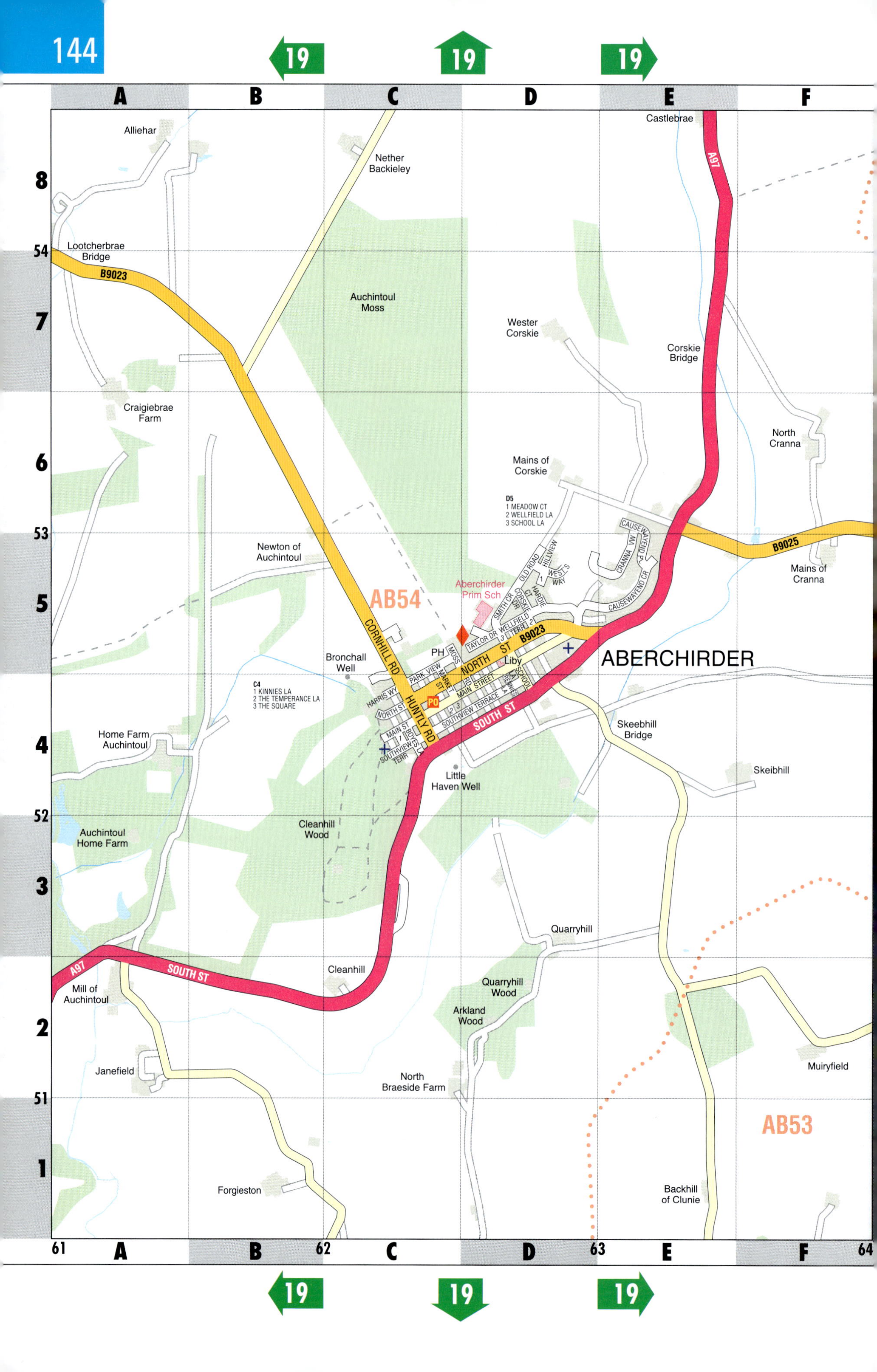
19
19
19
A
B
C
D
E
F
8
7
6
5
4
3
2
1
54
53
52
51
61
62
63
64
Alliehar
Nether Backieley
Castlebrae
A97
Lootcherbrae Bridge
B9023
Auchintoul Moss
Wester Corskie
Corskie Bridge
Craigiebrae Farm
North Cranna
Mains of Corskie
D5
1 MEADOW CT
2 WELLFIELD LA
3 SCHOOL LA
Newton of Auchintoul
B9025
Mains of Cranna
AB54
Aberchirder Prim Sch
CORNHILL RD
TAYLOR DR
WELLFIELD TERR
HARDIE CT
OLD ROAD
HILLVIEW
WEST'S WAY
CRANNA WY
CAUSEWAYEND PL
CAUSEWAYEND CR
SMITH CR
CORSKIE DR
MOSS
PH
PARK VIEW
MARKET ST
NORTH ST
Liby
ABERCHIRDER
Bronchall Well
C4
1 KINNIES LA
2 THE TEMPERANCE LA
3 THE SQUARE
HARRIS WY
HUNTLY RD
PO
MAIN STREET
SOUTHVIEW TERRACE
SOUTH ST
SCHOOL
MAIN ST
SOUTHVIEW TERR
Skeebhill Bridge
Home Farm Auchintoul
Skeibhill
Little Haven Well
Auchintoul Home Farm
Cleanhill Wood
Quarryhill
Cleanhill
Quarryhill Wood
Mill of Auchintoul
SOUTH ST
Arkland Wood
Janefield
North Braeside Farm
Muiryfield
AB53
Forgieston
Backhill of Clunie
19
19
19

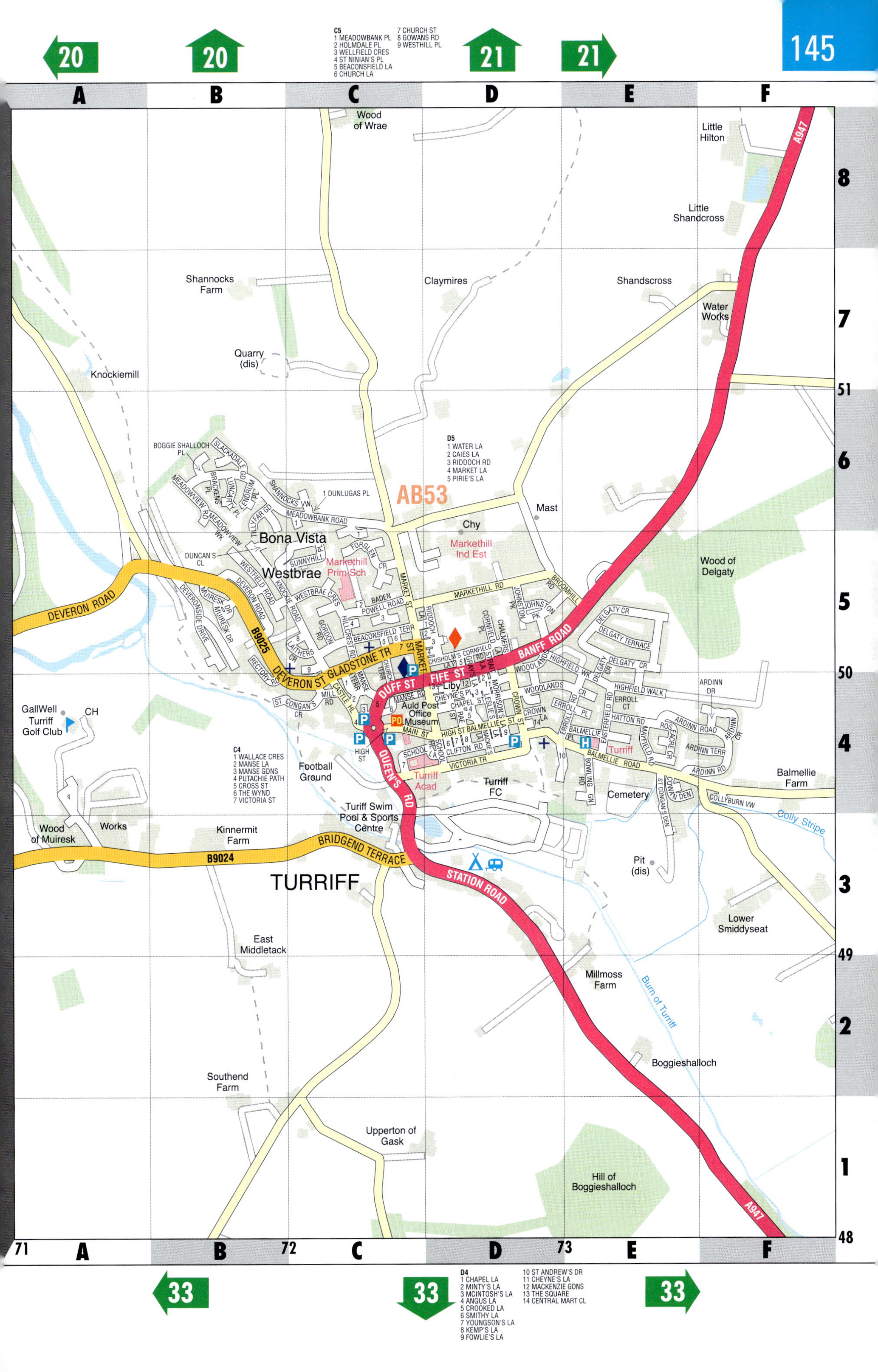

145
20
20
21
21
33
33
33
A
B
C
D
E
F
8
7
6
5
4
3
2
1
51
50
49
48
71
72
73
C5
1 MEADOWBANK PL
2 HOLMDALE PL
3 WELLFIELD CRES
4 ST NINIAN'S PL
5 BEACONSFIELD LA
6 CHURCH LA
7 CHURCH ST
8 GOWANS RD
9 WESTHILL PL
D5
1 WATER LA
2 CAIES LA
3 RIDDOCH RD
4 MARKET LA
5 PIRIE'S LA
C4
1 WALLACE CRES
2 MANSE LA
3 MANSE GDNS
4 PUTACHIE PATH
5 CROSS ST
6 THE WYND
7 VICTORIA ST
D4
1 CHAPEL LA
2 MINTY'S LA
3 MCINTOSH'S LA
4 ANGUS LA
5 CROOKED LA
6 SMITHY LA
7 YOUNGSON'S LA
8 KEMP'S LA
9 FOWLIE'S LA
10 ST ANDREW'S DR
11 CHEYNE'S LA
12 MACKENZIE GDNS
13 THE SQUARE
14 CENTRAL MART CL
Wood of Wrae
Little Hilton
A947
Little Shandcross
Shannocks Farm
Claymires
Shandscross
Water Works
Quarry (dis)
Knockiemill
AB53
Mast
Chy
Markethill Ind Est
BOGGIE SHALLOCH PL
1 DUNLUGAS PL
MEADOWBANK ROAD
Bona Vista
Westbrae
Markethill Prim Sch
DUNCAN'S CL
DEVERON ROAD
B9025
MARKETHILL RD
BROOMHILL RD
Wood of Delgaty
DELGATY CR
DELGATY TERRACE
BANFF ROAD
FIFE ST
DUFF ST
GLADSTONE TR
DEVERON ST
HIGHFIELD WALK
ARDINN DR
ARDINN ROAD
ARDINN TERR
Liby
Auld Post Office Museum
PO
MAIN ST
HIGH ST
VICTORIA TR
CLIFTON RD
QUEEN'S RD
Turriff Acad
Turriff
Turriff FC
BALMELLIE ROAD
Cemetery
COLLYBURN VW
Colly Stripe
Balmellie Farm
GallWell
CH
Turriff Golf Club
Football Ground
Turiff Swim Pool & Sports Centre
Wood of Muiresk
Works
Kinnermit Farm
B9024
BRIDGEND TERRACE
STATION ROAD
TURRIFF
Pit (dis)
Lower Smiddyseat
East Middletack
Millmoss Farm
Burn of Turriff
Boggieshalloch
Southend Farm
Upperton of Gask
Hill of Boggieshalloch
A947

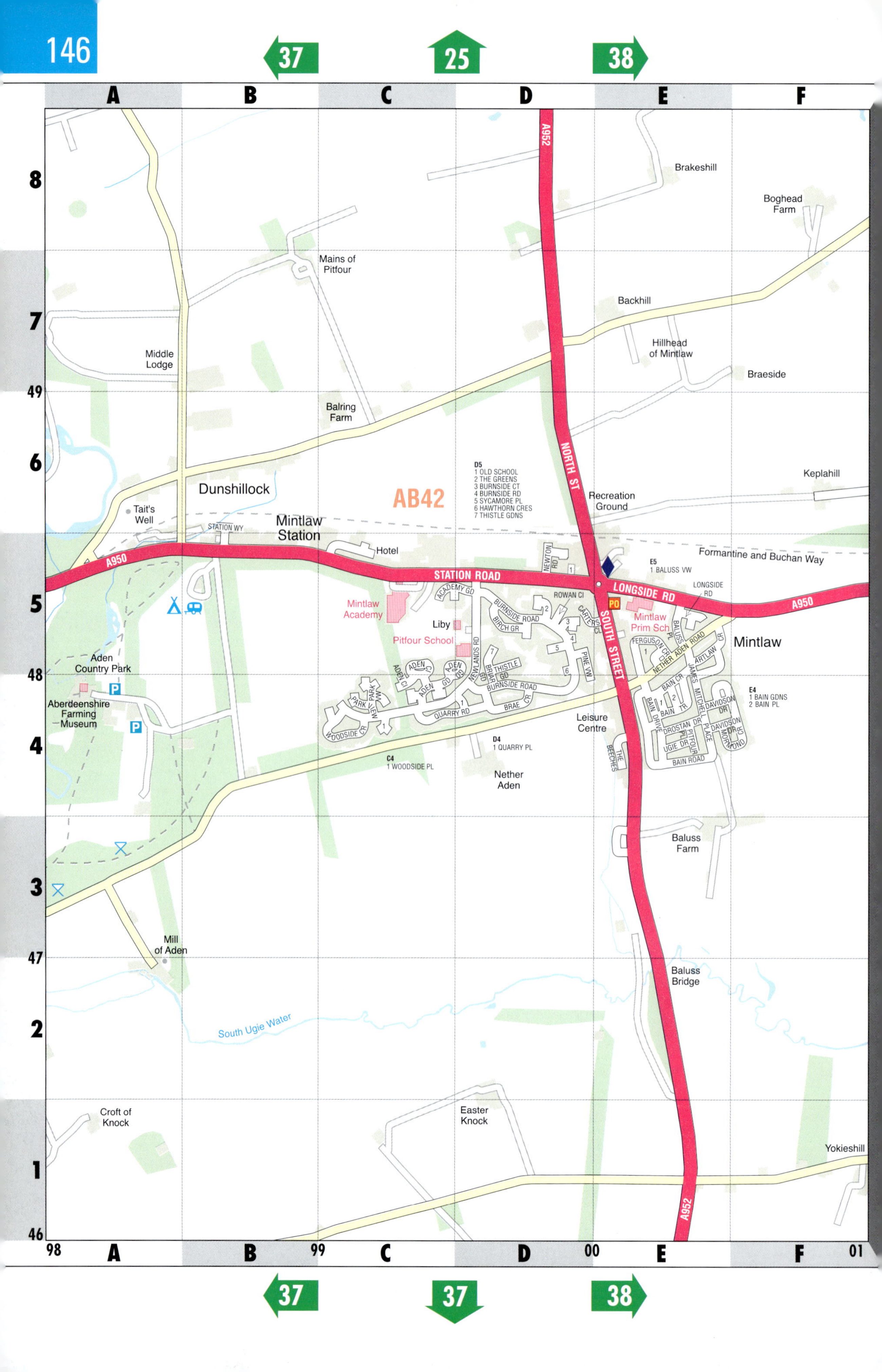
37
25
38
A
B
C
D
E
F
8
7
49
6
5
48
4
3
47
2
1
46
98
99
00
01
A952
Brakeshill
Boghead Farm
Mains of Pitfour
Backhill
Hillhead of Mintlaw
Braeside
Middle Lodge
Balring Farm
NORTH ST
D5
1 OLD SCHOOL
2 THE GREENS
3 BURNSIDE CT
4 BURNSIDE RD
5 SYCAMORE PL
6 HAWTHORN CRES
7 THISTLE GDNS
Keplahill
Dunshillock
AB42
Recreation Ground
Tait's Well
STATION WY
Mintlaw Station
Hotel
Formantine and Buchan Way
E5
1 BALUSS VW
A950
STATION ROAD
NEWTON RD
LONGSIDE RD
LONGSIDE RD
PO
ROWAN CI
Mintlaw Academy
Liby
Pitfour School
Mintlaw Prim Sch
Mintlaw
SOUTH STREET
Aden Country Park
Aberdeenshire Farming Museum
E4
1 BAIN GDNS
2 BAIN PL
Leisure Centre
D4
1 QUARRY PL
C4
1 WOODSIDE PL
Nether Aden
Baluss Farm
Mill of Aden
Baluss Bridge
South Ugie Water
Croft of Knock
Easter Knock
Yokieshill
A952

37
37
38

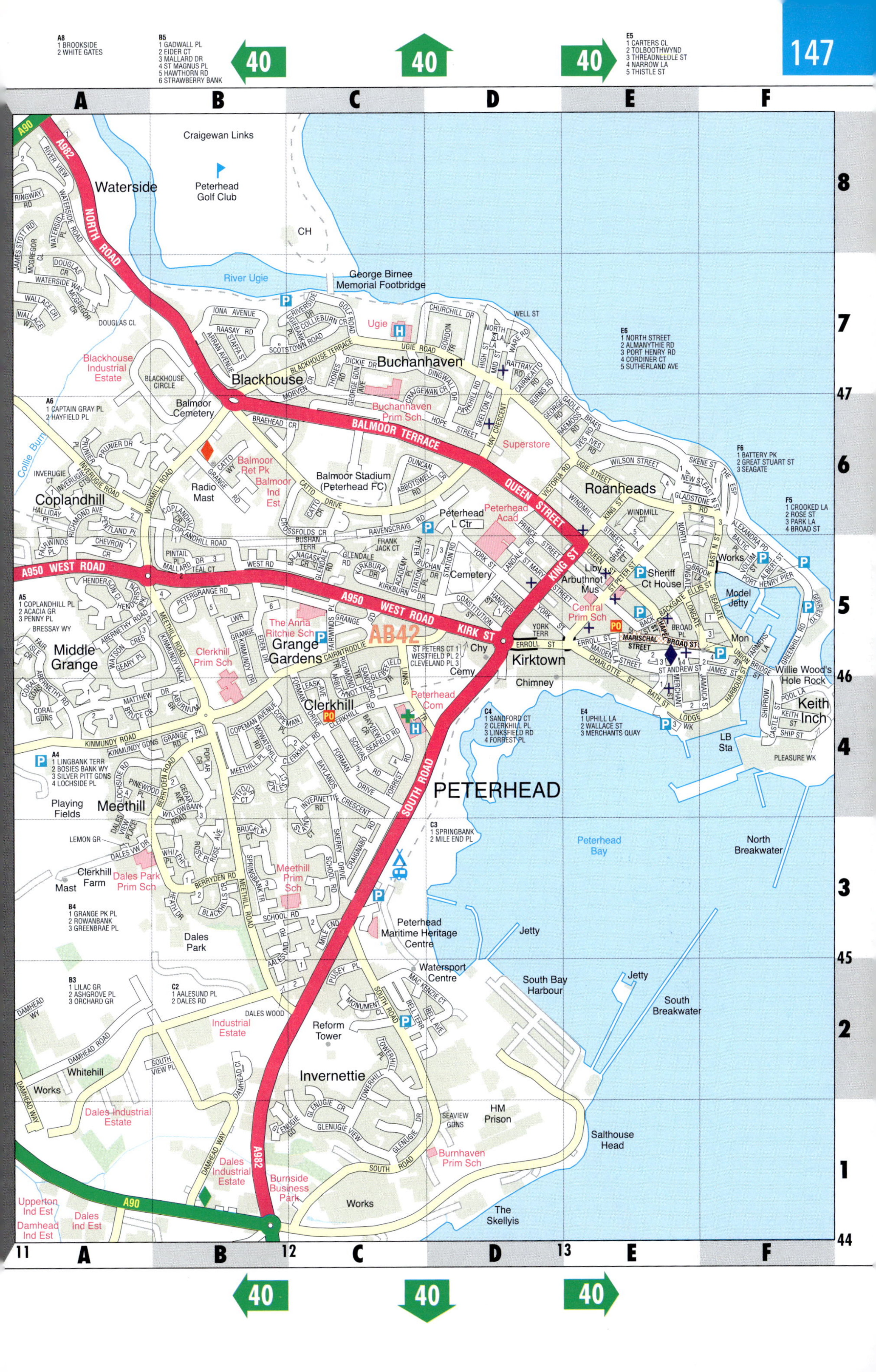
A8
1 BROOKSIDE
2 WHITE GATES
B5
1 GADWALL PL
2 EIDER CT
3 MALLARD DR
4 ST MAGNUS PL
5 HAWTHORN RD
6 STRAWBERRY BANK
40
40
40
E5
1 CARTERS CL
2 TOLBOOTHWYND
3 THREADNEEDLE ST
4 NARROW LA
5 THISTLE ST
A
B
C
D
E
F
8
7
47
6
5
46
4
3
45
2
1
44
11
12
13
A90
A982
NORTH ROAD
Waterside
Craigewan Links
Peterhead Golf Club
CH
River Ugie
George Birnee Memorial Footbridge
Ugie
Buchanhaven
Blackhouse
Blackhouse Industrial Estate
BLACKHOUSE CIRCLE
DOUGLAS CL
Balmoor Cemetery
Buchanhaven Prim Sch
BALMOOR TERRACE
Superstore
QUEEN STREET
Roanheads
Balmoor Ret Pk
Balmoor Ind Est
Radio Mast
Balmoor Stadium (Peterhead FC)
Peterhead L Ctr
Peterhead Acad
Coplandhill
Collie Burn
A6
1 CAPTAIN GRAY PL
2 HAYFIELD PL
E6
1 NORTH STREET
2 ALMANYTHIE RD
3 PORT HENRY RD
4 CORDINER CT
5 SUTHERLAND AVE
F6
1 BATTERY PK
2 GREAT STUART ST
3 SEAGATE
F5
1 CROOKED LA
2 ROSE ST
3 PARK LA
4 BROAD ST
A950 WEST ROAD
A950
WEST ROAD
KIRK ST
KING ST
Cemetery
Liby
Arbuthnot Mus
Sheriff Ct House
Works
Model Jetty
Central Prim Sch
A5
1 COPLANDHILL PL
2 ACACIA GR
3 PENNY PL
BRESSAY WY
Middle Grange
The Anna Ritchie Sch
Clerkhill Prim Sch
Grange Gardens
AB42
ST PETERS CT 1
WESTFIELD PL 2
CLEVELAND PL 3
Chy
Cemy
Kirktown
Chimney
Mon
Willie Wood's Hole Rock
Keith Inch
Clerkhill
Peterhead Com
C4
1 SANDFORD CT
2 CLERKHILL PL
3 LINKSFIELD RD
4 FORREST PL
E4
1 UPHILL LA
2 WALLACE ST
3 MERCHANTS QUAY
LB Sta
PLEASURE WK
A4
1 LINGBANK TERR
2 BOSIES BANK WY
3 SILVER PITT GDNS
4 LOCHSIDE PL
Playing Fields
Meethill
SOUTH ROAD
PETERHEAD
C3
1 SPRINGBANK
2 MILE END PL
Peterhead Bay
North Breakwater
LEMON GR
Clerkhill Farm
Mast
Dales Park Prim Sch
Meethill Prim Sch
B4
1 GRANGE PK PL
2 ROWANBANK
3 GREENBRAE PL
Dales Park
Peterhead Maritime Heritage Centre
Jetty
Watersport Centre
South Bay Harbour
Jetty
South Breakwater
B3
1 LILAC GR
2 ASHGROVE PL
3 ORCHARD GR
C2
1 AALESUND PL
2 DALES RD
DALES WOOD
Industrial Estate
Reform Tower
Whitehill
Works
Invernettie
Dales Industrial Estate
HM Prison
Salthouse Head
Dales Industrial Estate
A982
Burnside Business Park
Burnhaven Prim Sch
Works
The Skellyis
Upperton Ind Est
Dales Ind Est
Damhead Ind Est

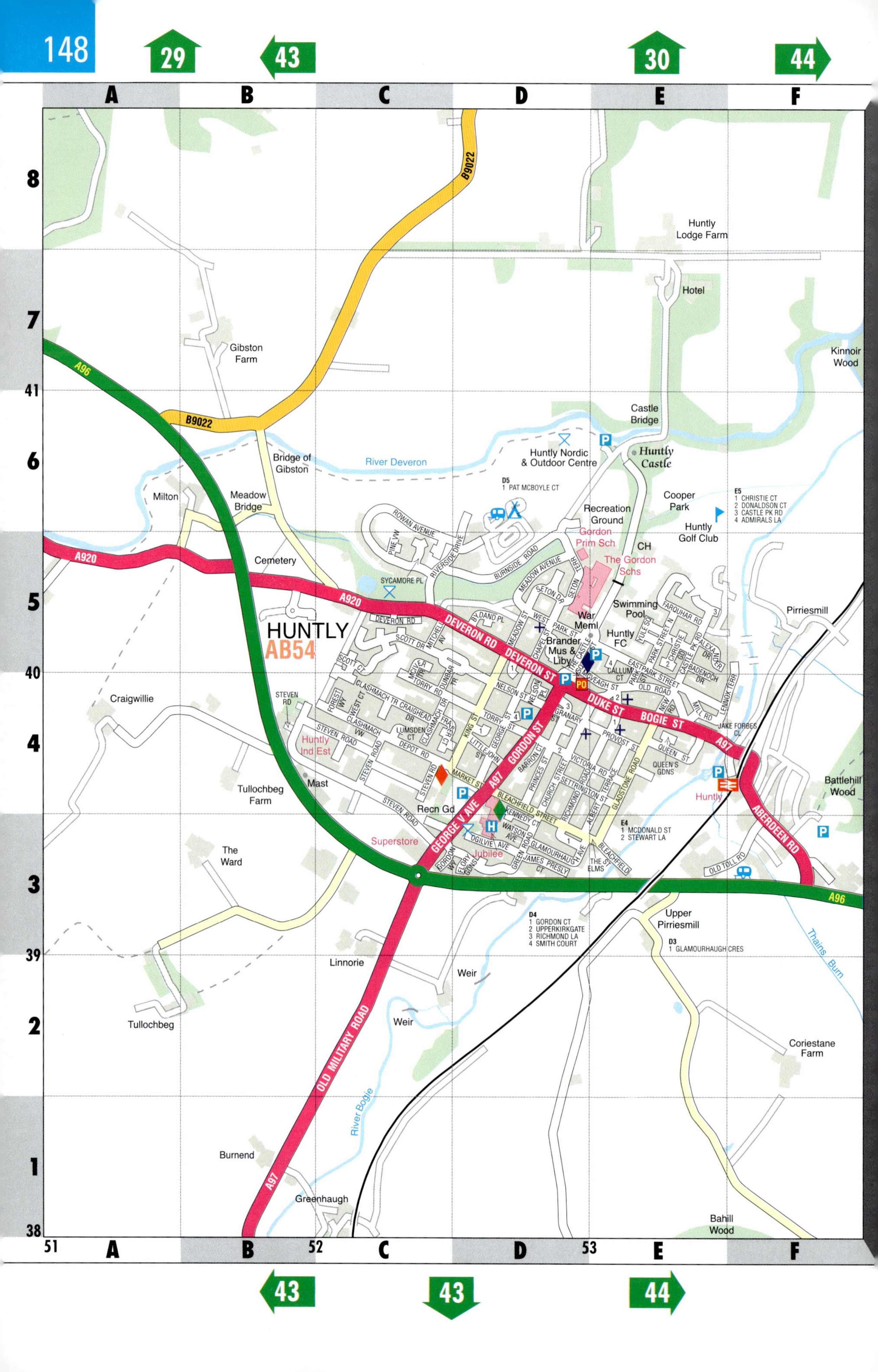
148
29
43
30
44
A
B
C
D
E
F
8
7
41
6
5
40
4
3
39
2
1
38
51
52
53
B9022
A96
A920
A97
Huntly
Lodge Farm
Hotel
Kinnoir
Wood
Gibston
Farm
Castle
Bridge
Huntly Nordic
& Outdoor Centre
Huntly
Castle
Bridge of
Gibston
River Deveron
Milton
Meadow
Bridge
Cooper
Park
Huntly
Golf Club
Recreation
Ground
Gordon
Prim Sch
The Gordon
Schs
CH
D5
1 PAT MCBOYLE CT
E5
1 CHRISTIE CT
2 DONALDSON CT
3 CASTLE PK RD
4 ADMIRALS LA
ROWAN AVENUE
PINE VW
RIVERSIDE DRIVE
BURNSIDE ROAD
MEADOW AVENUE
Cemetery
SYCAMORE PL
Swimming
Pool
Pirriesmill
HUNTLY
AB54
DEVERON RD
DEVERON ST
War
Meml
Brander
Mus &
Liby
Huntly
FC
SCOTT DR
SCOTT CT
Craigwillie
STEVEN
RD
Huntly
Ind Est
DUKE ST
BOGIE ST
GORDON ST
GEORGE V AVE
JAKE FORBES
CL
QUEEN ST
QUEEN'S
GDNS
Tullochbeg
Farm
Mast
Recn Gd
Huntly
Battlehill
Wood
ABERDEEN RD
E4
1 MCDONALD ST
2 STEWART LA
The
Ward
Superstore
Jubilee
BLEACHFIELD STREET
GLADSTONE ROAD
OLD TOLL RD
Upper
Pirriesmill
D4
1 GORDON CT
2 UPPERKIRKGATE
3 RICHMOND LA
4 SMITH COURT
D3
1 GLAMOURHAUGH CRES
Thains Burn
Linnorie
Weir
Weir
Tullochbeg
Coriestane
Farm
OLD MILITARY ROAD
River Bogie
Burnend
Greenhaugh
Bahill
Wood

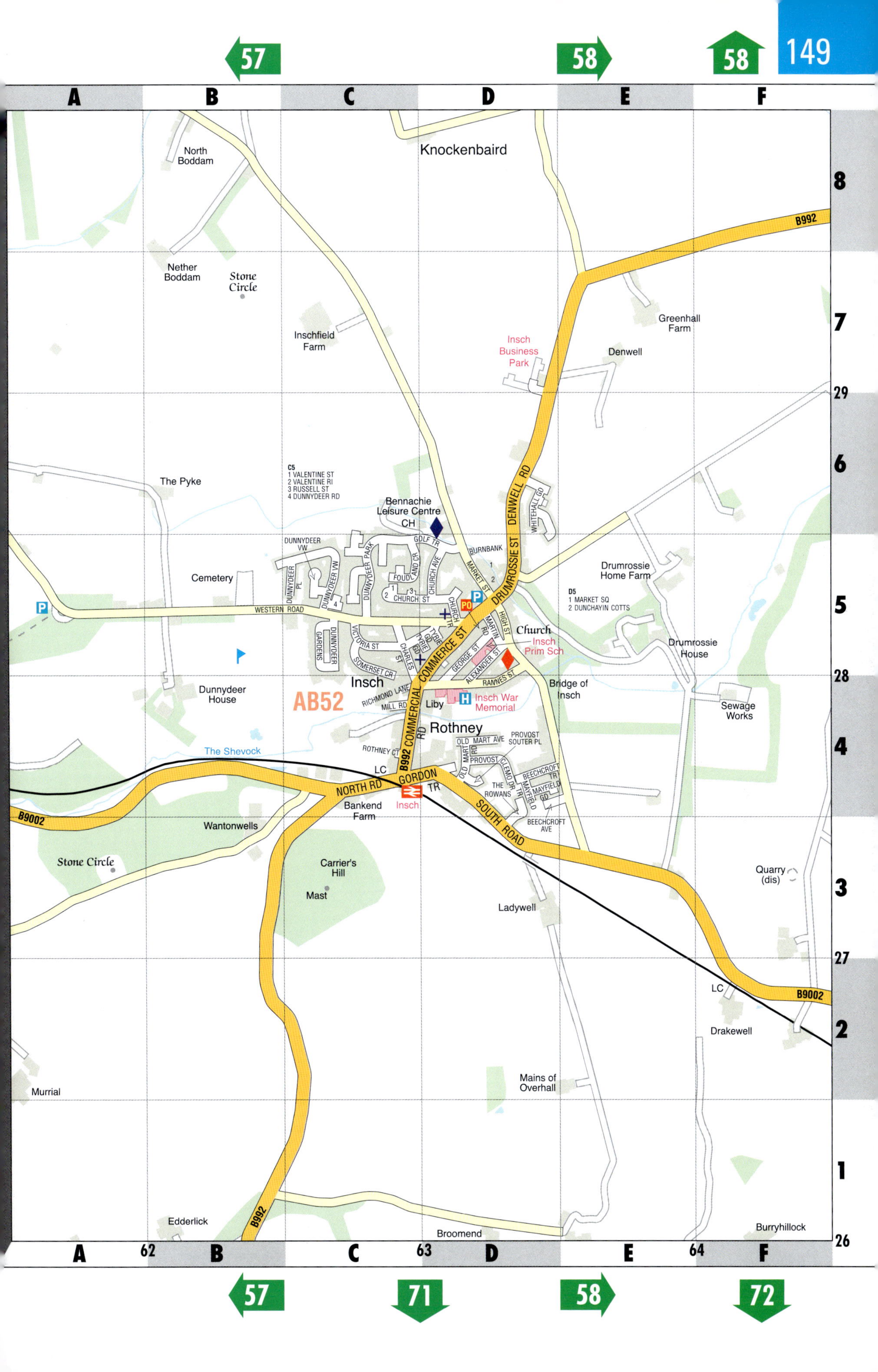
57
58
58
A
B
C
D
E
F
8
7
6
5
4
3
2
1
29
28
27
26
62
63
64
Knockenbaird
North Boddam
B992
Nether Boddam
Stone Circle
Greenhall Farm
Inschfield Farm
Insch Business Park
Denwell
The Pyke
C5
1 VALENTINE ST
2 VALENTINE RI
3 RUSSELL ST
4 DUNNYDEER RD
DENWELL RD
Bennachie Leisure Centre
CH
WHITEHALL GD
GOLF TR
DUNNYDEER VW
DUNNYDEER PARK
BURNBANK
Drumrossie Home Farm
Cemetery
FOUDLAND CR
CHURCH AVE
MARKET ST
DRUMROSSIE ST
D5
1 MARKET SQ
2 DUNCHAYIN COTTS
DUNNYDEER PL
DUNNYDEER WK
CHURCH ST
WESTERN ROAD
PO
P
CHURCH TR
HIGH ST
Church
Insch Prim Sch
Drumrossie House
GARDENS
DUNNYDEER
VICTORIA ST
CHARLES ST
TYRIE GD
GEORGE ST
MARTIN RD
ALEXANDER ST
COMMERCE ST
SOMERSET CR
Insch
RANNES ST
Bridge of Insch
Dunnydeer House
AB52
RICHMOND LANE
MILL RD
Liby
H
Insch War Memorial
B992 COMMERCIAL RD
Sewage Works
Rothney
PROVOST SOUTER PL
OLD MART AVE
ROTHNEY CT
The Shevock
OLD MART RD
PROVOST
CLEMO DR
BEECHCROFT TR
LC
GORDON TR
THE ROWANS
MAYFIELD GD
NORTH RD
B9002
Bankend Farm
Insch
SOUTH ROAD
BEECHCROFT AVE
Wantonwells
Stone Circle
Carrier's Hill
Mast
Quarry (dis)
Ladywell
LC
B9002
Drakewell
Murrial
Mains of Overhall
B992
Edderlick
Broomend
Burryhillock
57
71
58
72

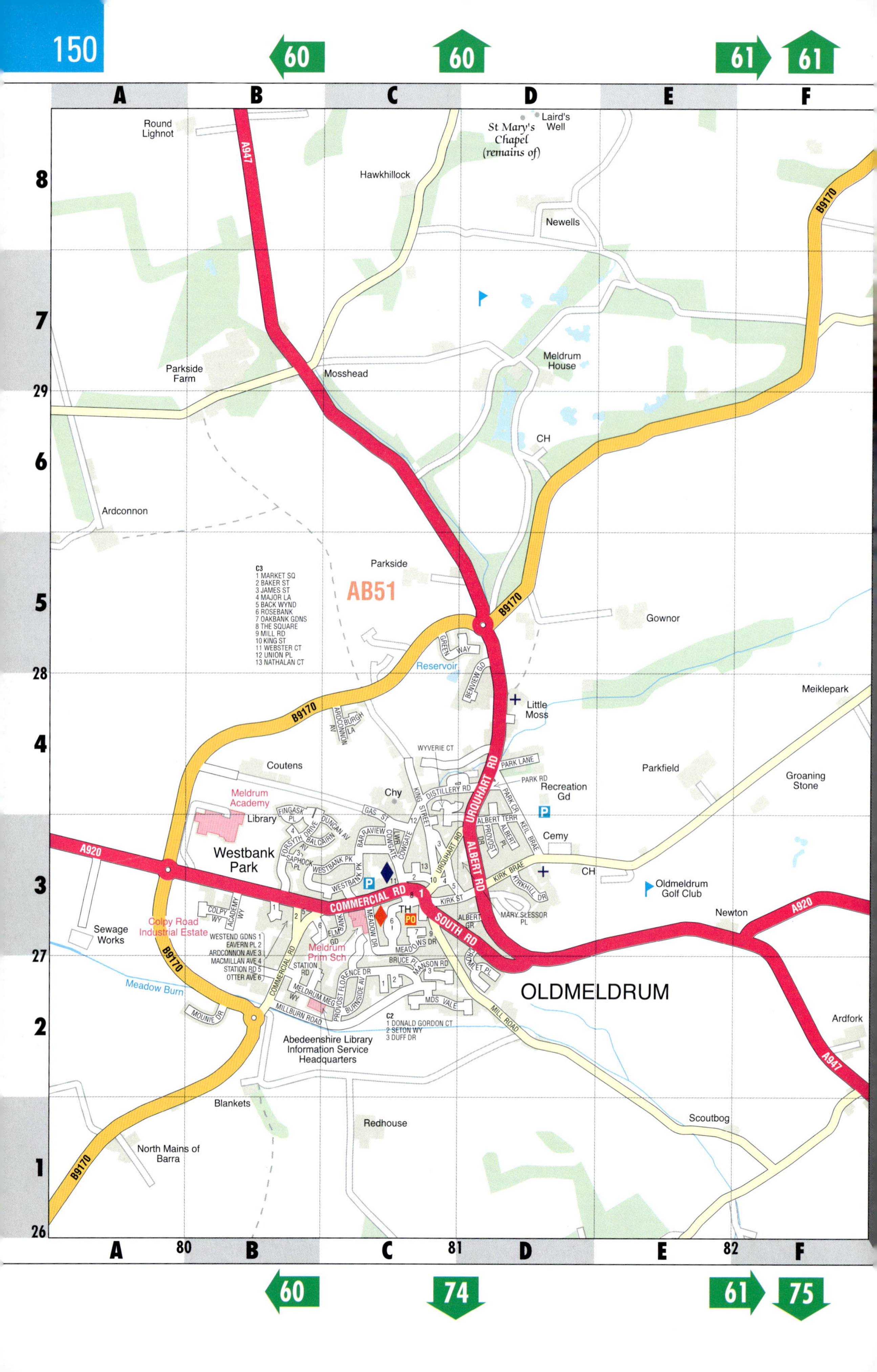
60
60
61
61
A
B
C
D
E
F
8
7
29
6
5
28
4
3
27
2
1
26
80
81
82
Round Lighnot
A947
St Mary's Chapel (remains of)
Laird's Well
Hawkhillock
Newells
B9170
Parkside Farm
Mosshead
Meldrum House
CH
Ardconnon
Parkside
AB51
C3
1 MARKET SQ
2 BAKER ST
3 JAMES ST
4 MAJOR LA
5 BACK WYND
6 ROSEBANK
7 OAKBANK GDNS
8 THE SQUARE
9 MILL RD
10 KING ST
11 WEBSTER CT
12 UNION PL
13 NATHALAN CT
Gownor
Reservoir
Little Moss
Meiklepark
Coutens
WYVERIE CT
PARK LANE
PARK RD
Recreation Gd
Parkfield
Groaning Stone
Meldrum Academy
Chy
DISTILLERY RD
URQUHART RD
Library
A920
Westbank Park
ALBERT RD
ALBERT TERR
Cemy
CH
Oldmeldrum Golf Club
COMMERCIAL RD
SOUTH RD
KIRK ST
KIRK BRAE
MARY SLESSOR PL
Newton
Sewage Works
Colpy Road Industrial Estate
WESTEND GDNS 1
EAVERN PL 2
ARDCONNON AVE 3
MACMILLAN AVE 4
STATION RD 5
OTTER AVE 6
Meldrum Prim Sch
TH
PO
Meadow Burn
OLDMELDRUM
Ardfork
MILLBURN ROAD
MOUNIE DR
MILL ROAD
C2
1 DONALD GORDON CT
2 SETON WY
3 DUFF DR
Abedeenshire Library Information Service Headquarters
Blankets
Redhouse
Scoutbog
North Mains of Barra
B9170
60
74
61
75

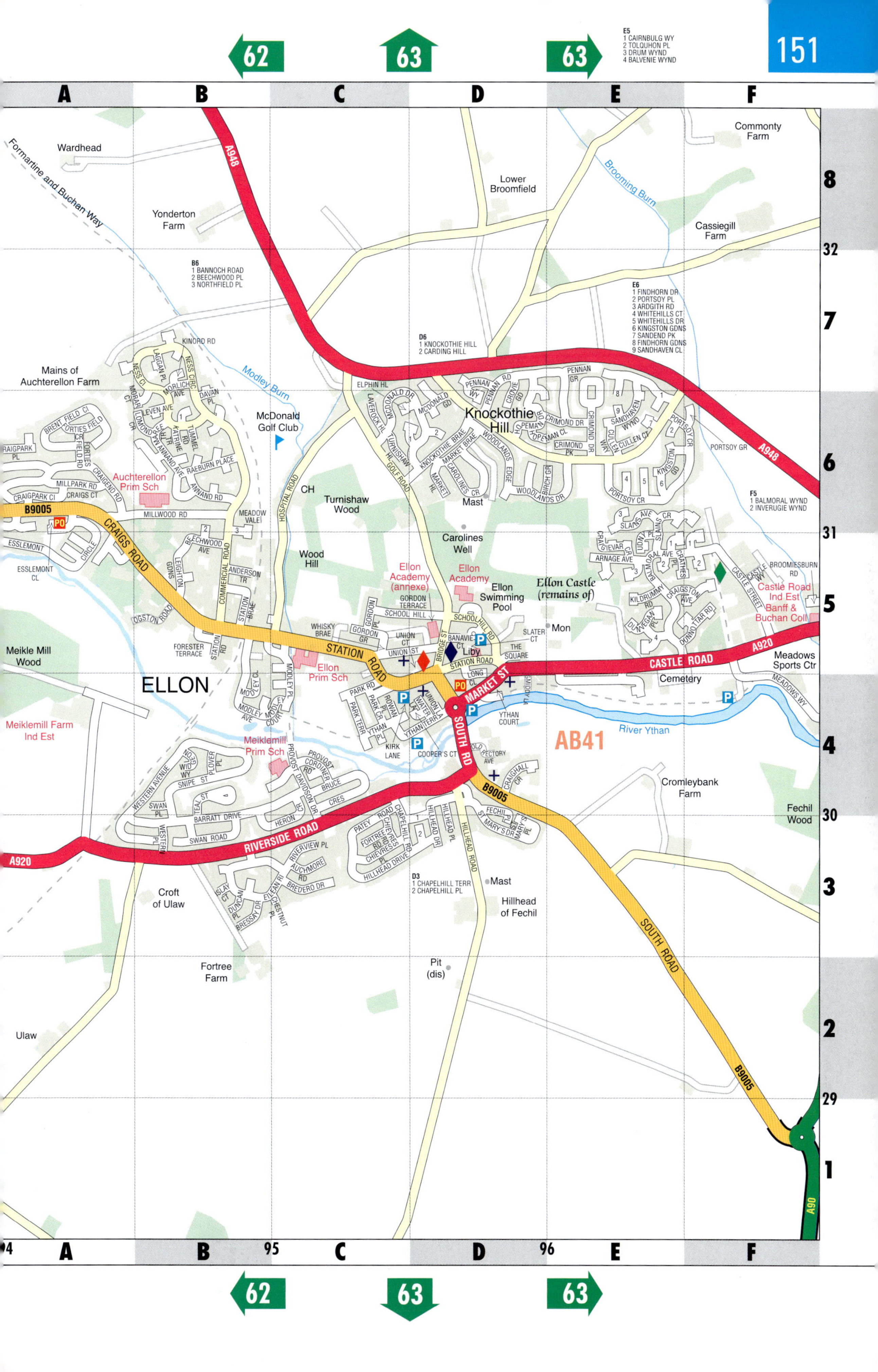
62
63
63
E5
1 CAIRNBULG WY
2 TOLQUHON PL
3 DRUM WYND
4 BALVENIE WYND
A
B
C
D
E
F
Wardhead
Formartine and Buchan Way
Commonty Farm
Lower Broomfield
Brooming Burn
Yonderton Farm
Cassiegill Farm
B6
1 BANNOCH ROAD
2 BEECHWOOD PL
3 NORTHFIELD PL
E6
1 FINDHORN DR
2 PORTSOY PL
3 ARDGITH RD
4 WHITEHILLS CT
5 WHITEHILLS DR
6 KINGSTON GDNS
7 SANDEND PK
8 FINDHORN GDNS
9 SANDHAVEN CL
D6
1 KNOCKOTHIE HILL
2 CARDING HILL
A948
Mains of Auchterellon Farm
Modley Burn
McDonald Golf Club
Knockothie Hill
Auchterellon Prim Sch
CH
Turnishaw Wood
Mast
F5
1 BALMORAL WYND
2 INVERUGIE WYND
B9005
CRAIGS ROAD
Carolines Well
Wood Hill
Ellon Academy (annexe)
Ellon Academy
Ellon Swimming Pool
Ellon Castle (remains of)
Castle Road Ind Est
Banff & Buchan Coll
Mon
Meikle Mill Wood
STATION ROAD
Liby
CASTLE ROAD
A920
Meadows Sports Ctr
Cemetery
ELLON
Ellon Prim Sch
MARKET ST
Meiklemill Farm Ind Est
Meiklemill Prim Sch
SOUTH RD
River Ythan
AB41
Cromleybank Farm
Fechil Wood
RIVERSIDE ROAD
D3
1 CHAPELHILL TERR
2 CHAPELHILL PL
Mast
Hillhead of Fechil
Croft of Ulaw
SOUTH ROAD
Fortree Farm
Pit (dis)
Ulaw
A90
8
32
7
6
31
5
4
30
3
2
29
1
94
95
96

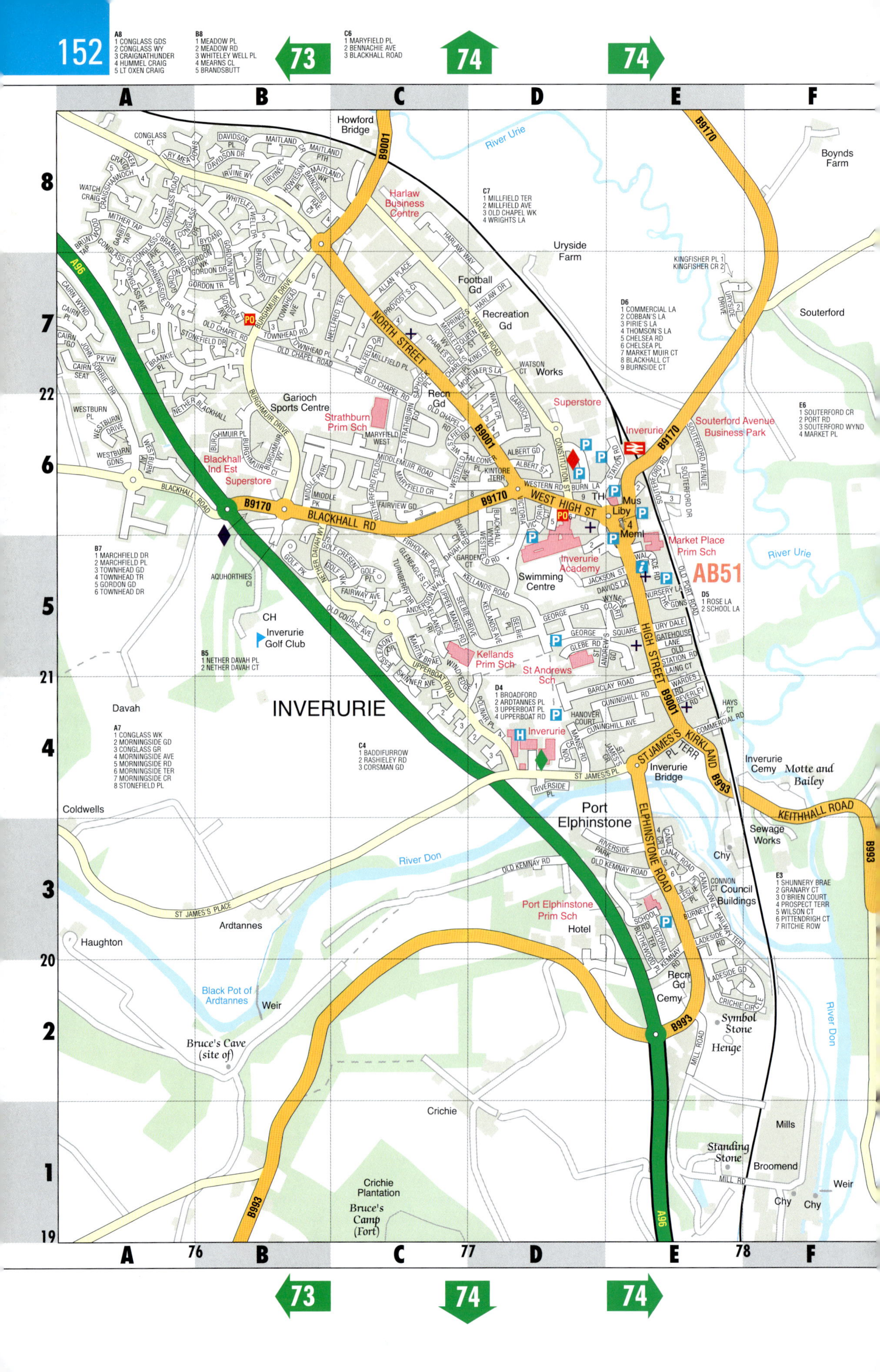

Howford Bridge
River Urie
Boynds Farm
Harlaw Business Centre
C7
1 MILLFIELD TER
2 MILLFIELD AVE
3 OLD CHAPEL WK
4 WRIGHTS LA
Uryside Farm
KINGFISHER PL 1
KINGFISHER CR 2
Football Gd
Recreation Gd
Souterford
D6
1 COMMERCIAL LA
2 COBBAN'S LA
3 PIRIE'S LA
4 THOMSON'S LA
5 CHELSEA RD
6 CHELSEA PL
7 MARKET MUIR CT
8 BLACKHALL CT
9 BURNSIDE CT
Works
Garioch Sports Centre
Strathburn Prim Sch
Recn Gd
Superstore
Inverurie
Souterford Avenue Business Park
E6
1 SOUTERFORD CR
2 PORT RD
3 SOUTERFORD WYND
4 MARKET PL
Blackhall Ind Est
Superstore
NORTH STREET
WEST HIGH ST
BLACKHALL RD
HIGH STREET
Mus
Liby
Meml
TH
Market Place Prim Sch
Inverurie Academy
Swimming Centre
River Urie
AB51
D5
1 ROSE LA
2 SCHOOL LA
B7
1 MARCHFIELD DR
2 MARCHFIELD PL
3 TOWNHEAD GD
4 TOWNHEAD TR
5 GORDON GD
6 TOWNHEAD DR
AQUHORTHIES CI
CH
Inverurie Golf Club
B5
1 NETHER DAVAH PL
2 NETHER DAVAH CT
Kellands Prim Sch
St Andrews Sch
D4
1 BROADFORD
2 ARDTANNES PL
3 UPPERBOAT PL
4 UPPERBOAT RD
Davah
INVERURIE
A7
1 CONGLASS WK
2 MORNINGSIDE GD
3 CONGLASS GR
4 MORNINGSIDE AVE
5 MORNINGSIDE RD
6 MORNINGSIDE TER
7 MORNINGSIDE CR
8 STONEFIELD PL
C4
1 BADDIFURROW
2 RASHIELEY RD
3 CORSMAN GD
Inverurie
Inverurie Bridge
Inverurie Cemy
Motte and Bailey
KEITHHALL ROAD
Coldwells
Port Elphinstone
ELPHINSTONE ROAD
Sewage Works
Chy
River Don
ST JAMES'S PLACE
Port Elphinstone Prim Sch
Council Buildings
E3
1 SHUNNERY BRAE
2 GRANARY CT
3 O'BRIEN COURT
4 PROSPECT TERR
5 WILSON CT
6 PITTENDRIGH CT
7 RITCHIE ROW
Ardtannes
Hotel
Haughton
Black Pot of Ardtannes
Weir
Recn Gd
Cemy
Symbol Stone
Henge
River Don
Bruce's Cave (site of)
Crichie
Mills
Standing Stone
Broomend
Crichie Plantation
Bruce's Camp (Fort)
Chy
Chy
Weir
A96
B9170
B9001
B993
A B C D E F
8 7 6 5 4 3 2 1
22 21 20 19
76 77 78

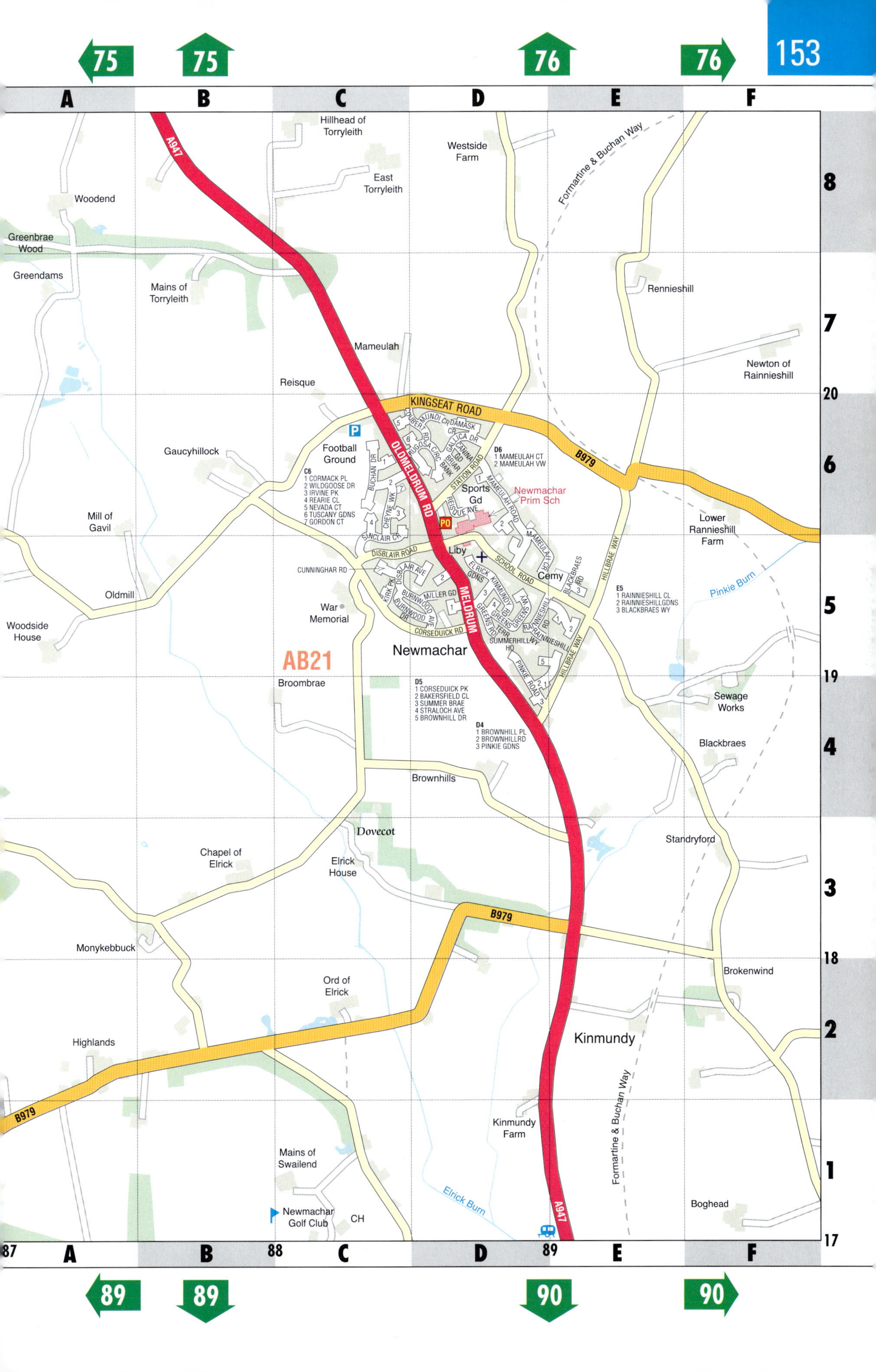
75
75
76
76
Hillhead of Torryleith
East Torryleith
Westside Farm
Formartine & Buchan Way
Woodend
Greenbrae Wood
Greendams
Mains of Torryleith
Rennieshill
Mameulah
Reisque
Newton of Rainnieshill
KINGSEAT ROAD
A947
B979
Gaucyhillock
Football Ground
OLDMELDRUM RD
C6
1 CORMACK PL
2 WILDGOOSE DR
3 IRVINE PK
4 REARIE CL
5 NEVADA CT
6 TUSCANY GDNS
7 GORDON CT
D6
1 MAMEULAH CT
2 MAMEULAH VW
Sports Gd
Newmachar Prim Sch
STATION ROAD
MAMEULAH ROAD
Mill of Gavil
Lower Ranniesshill Farm
Liby
SCHOOL ROAD
DISBLAIR ROAD
CUNNINGHAR RD
Cemy
HILLBRAE WAY
E5
1 RAINNIESHILL CL
2 RAINNIESHILLGDNS
3 BLACKBRAES WY
Pinkie Burn
Oldmill
Woodside House
War Memorial
MELDRUM
CORSEDUICK RD
Newmachar
AB21
Broombrae
D5
1 CORSEDUICK PK
2 BAKERSFIELD CL
3 SUMMER BRAE
4 STRALOCH AVE
5 BROWNHILL DR
D4
1 BROWNHILL PL
2 BROWNHILLRD
3 PINKIE GDNS
Sewage Works
Blackbraes
Brownhills
Dovecot
Standryford
Chapel of Elrick
Elrick House
Monykebbuck
Brokenwind
Ord of Elrick
Kinmundy
Highlands
Kinmundy Farm
Mains of Swailend
Elrick Burn
Newmachar Golf Club
CH
Boghead
A
B
C
D
E
F
8
7
6
5
4
3
2
1
20
19
18
17
87
88
89
89
89
90
90

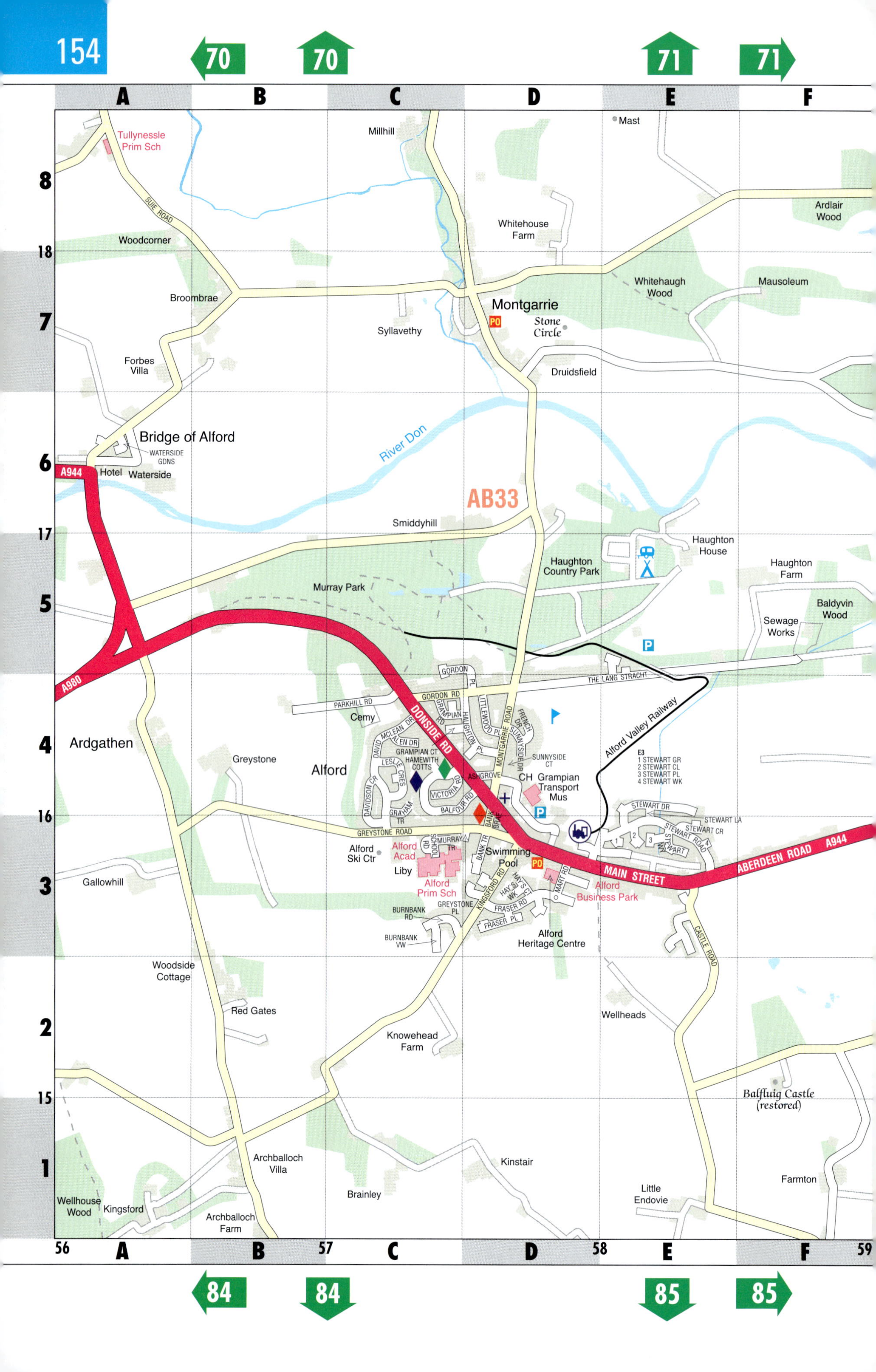

70
70
71
71
Tullynessle Prim Sch
Millhill
Mast
SUIE ROAD
Whitehouse Farm
Ardlair Wood
Woodcorner
Whitehaugh Wood
Mausoleum
Broombrae
Montgarrie
Stone Circle
Syllavethy
Forbes Villa
Druidsfield
River Don
Bridge of Alford
WATERSIDE GDNS
A944
Hotel
Waterside
AB33
Smiddyhill
Haughton House
Haughton Country Park
Haughton Farm
Murray Park
Baldyvin Wood
Sewage Works
A980
GORDON PL
GORDON RD
THE LANG STRACHT
PARKHILL RD
Cemy
DONSIDE RD
Alford Valley Railway
Ardgathen
Greystone
Alford
GRAMPIAN CT
HAMEWITH COTTS
ASHGROVE
CH
Grampian Transport Mus
SUNNYSIDE CT
E3
1 STEWART GR
2 STEWART CL
3 STEWART PL
4 STEWART WK
STEWART DR
STEWART LA
STEWART CR
STEWART ROAD
GREYSTONE ROAD
Alford Ski Ctr
Alford Acad
Liby
Swimming Pool
MAIN STREET
ABERDEEN ROAD
A944
Gallowhill
Alford Prim Sch
Alford Business Park
BURNBANK RD
BURNBANK VW
GREYSTONE PL
FRASER RD
FRASER PL
KINGSFORD RD
Alford Heritage Centre
CASTLE ROAD
Woodside Cottage
Red Gates
Wellheads
Knowehead Farm
Balfluig Castle (restored)
Archballoch Villa
Kinstair
Farmton
Brainley
Little Endovie
Wellhouse Wood
Kingsford
Archballoch Farm
84
84
85
85

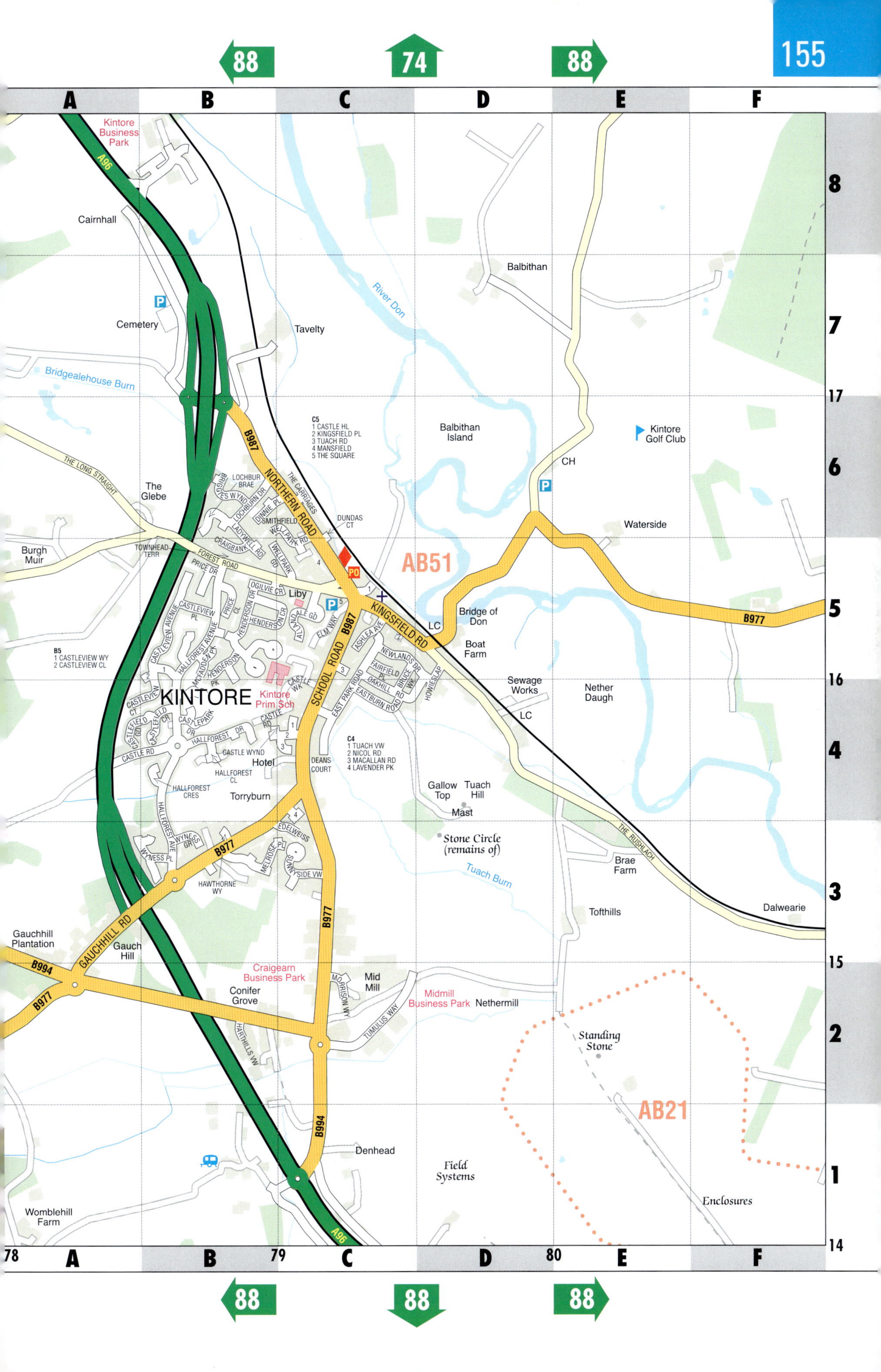

88
74
88
A
B
C
D
E
F
Kintore Business Park
A96
Cairnhall
Cemetery
Tavelty
River Don
Balbithan
Bridgealehouse Burn
B987
NORTHERN ROAD
THE CARRIAGES
C5
1 CASTLE HL
2 KINGSFIELD PL
3 TUACH RD
4 MANSFIELD
5 THE SQUARE
Balbithan Island
CH
Kintore Golf Club
THE LONG STRAIGHT
The Glebe
LOCHBUR BRAE
DUNDAS CT
Waterside
Burgh Muir
TOWNHEAD TERR
FOREST ROAD
PRICE DR
AB51
PO
Liby
KINGSFIELD RD
LC
Bridge of Don
Boat Farm
B977
B5
1 CASTLEVIEW WY
2 CASTLEVIEW CL
KINTORE
Kintore Prim Sch
SCHOOL ROAD
EAST PARK ROAD
HOWIESLAP
Sewage Works
LC
Nether Daugh
C4
1 TUACH VW
2 NICOL RD
3 MACALLAN RD
4 LAVENDER PK
CASTLE WYND
Hotel
DEANS COURT
HALLFOREST CL
HALLFOREST CRES
Torryburn
Gallow Top
Tuach Hill
Mast
Stone Circle (remains of)
Tuach Burn
THE RUSHLACH
Brae Farm
HAWTHORNE WY
Tofthills
Dalwearie
Gauchhill Plantation
GAUCHHILL RD
Gauch Hill
B994
Craigearn Business Park
Conifer Grove
Mid Mill
MORRISON WY
TUMULUS WAY
Midmill Business Park
Nethermill
Standing Stone
HARTHILLS VW
AB21
Denhead
Field Systems
Womblehill Farm
Enclosures
8
7
17
6
5
16
4
3
15
2
1
14
78
79
80

88
88
88

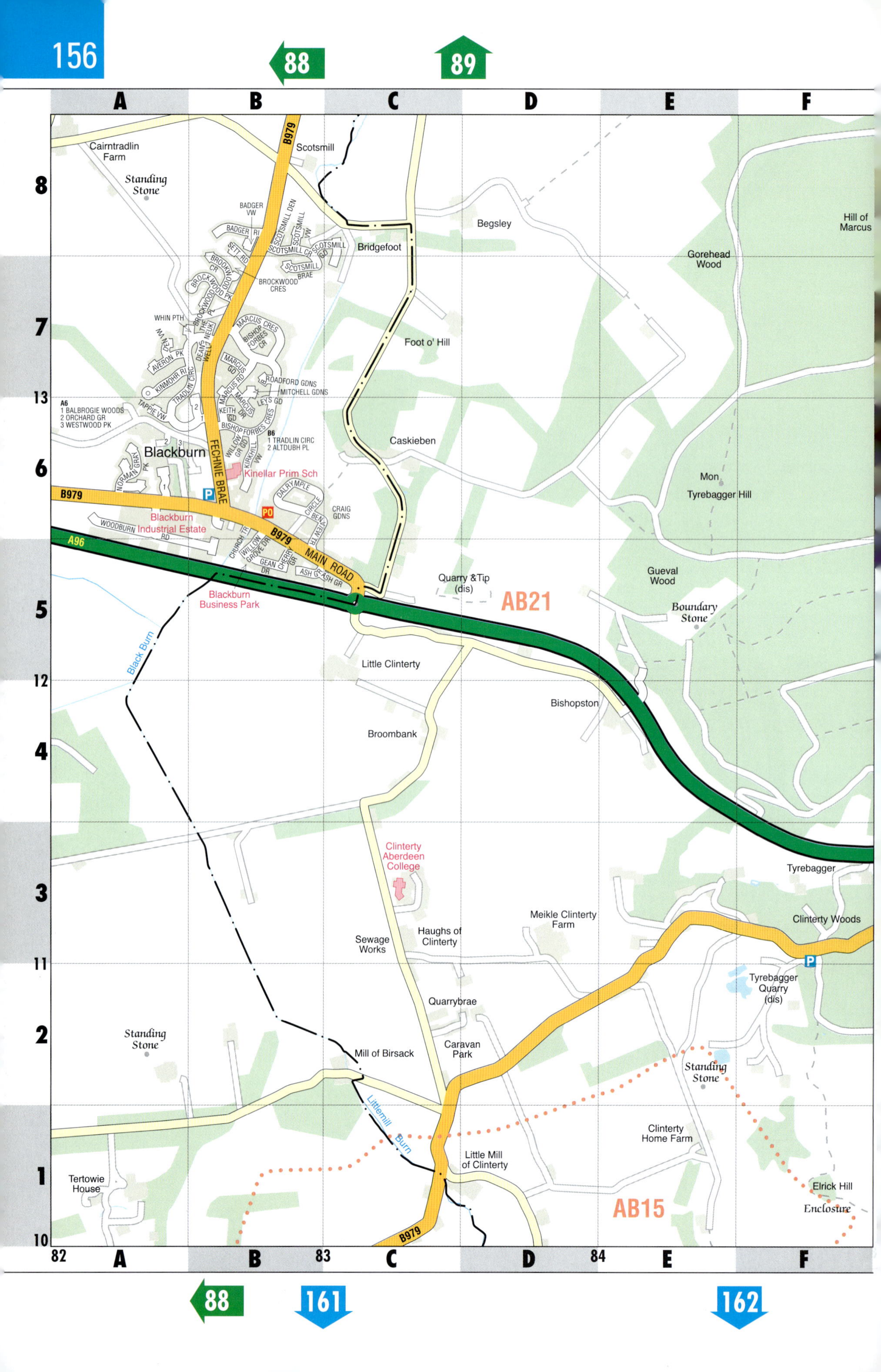

88
89
A
B
C
D
E
F
8
7
13
6
5
12
4
3
11
2
1
10
82
83
84
Cairntradlin Farm
Standing Stone
Scotsmill
B979
BADGER VW
BADGER RI
SCOTSMILL DEN
SCOTSMILL VW
SCOTSMILL CR
SCOTSMILL GD
SCOTSMILL BRAE
SETT RD
BROCKWOOD CRES
BROCKWOOD CR
BROCKWOOD PK
BROCKWOOD PL
Bridgefoot
Begsley
Hill of Marcus
Gorehead Wood
WHIN PTH
DEN VW
THE WELL NEUK
DEANS WELL
MARCUS CRES
BISHOP FORBES CR
AVERON PK
KINMOHR RI
TRADLIN CIRC
MARCUS GD
MARCUS RD
ROADFORD GDNS
MITCHELL GDNS
LEYS GD
KEITH GD
MARCUS DR
BISHOP FORBES CRES
TAPPIE VW
A6
1 BALBROGIE WOODS
2 ORCHARD GR
3 WESTWOOD PK
B6
1 TRADLIN CIRC
2 ALTDUBH PL
WILLOW GR
KIRKHILL VW
Foot o' Hill
Caskieben
Blackburn
NORMAN GRAY PK
FECHNIE BRAE
Kinellar Prim Sch
DALRYMPLE CIRCLE
BENVIEW TR
CRAIG GDNS
Mon
Tyrebagger Hill
B979
P
PO
WOODBURN RD
Blackburn Industrial Estate
CHURCH TR
WILLOW GROVE DR
GEAN DR
CHERRY GR
MAIN ROAD
ASH GR
ASH GR
A96
Blackburn Business Park
Quarry &Tip (dis)
AB21
Gueval Wood
Boundary Stone
Black Burn
Little Clinterty
Bishopston
Broombank
Clinterty Aberdeen College
Tyrebagger
Meikle Clinterty Farm
Clinterty Woods
Sewage Works
Haughs of Clinterty
P
Tyrebagger Quarry (dis)
Quarrybrae
Standing Stone
Mill of Birsack
Caravan Park
Standing Stone
Littlemill Burn
Clinterty Home Farm
Little Mill of Clinterty
Tertowie House
Elrick Hill
Enclosure
AB15
B979
88
161
162

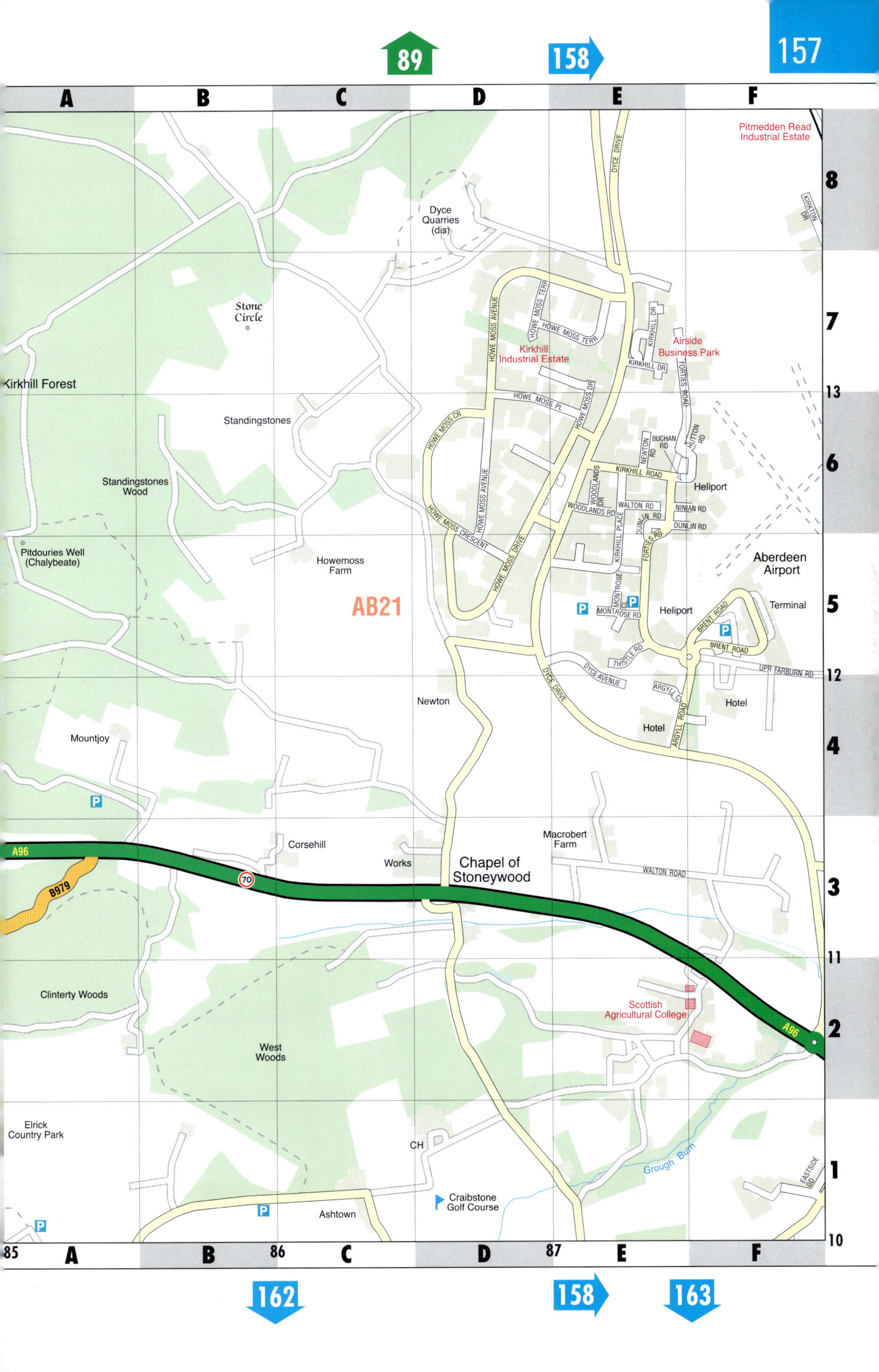
89
158
A
B
C
D
E
F
Pitmedden Road
Industrial Estate
8
KIRKTON DR
DYCE DRIVE
Dyce
Quarries
(dis)
7
Stone
Circle
HOWE MOSS AVENUE
HOWE MOSS TERR
HOWE MOSS TERR
KIRKHILL DR
Airside
Business Park
Kirkhill
Industrial Estate
KIRKHILL DR
FORTIES ROAD
Kirkhill Forest
13
HOWE MOSS PL
HOWE MOSS DR
HOWE MOSS CR
Standingstones
BUCHAN RD
HUTTON RD
NEWTON RD
6
KIRKHILL ROAD
WOODLANDS DR
Heliport
Standingstones
Wood
WALTON RD
NINIAN RD
WOODLANDS RD
DUNLIN RD
HOWE MOSS AVENUE
HOWE MOSS CRESCENT
KIRKHILL PLACE
DUNLIN RD
DUNLIN RD
FORTIES RD
Pitdouries Well
(Chalybeate)
Howemoss
Farm
HOWE MOSS DRIVE
Aberdeen
Airport
AB21
MONTROSE CL
MONTROSE RD
Heliport
Terminal
5
BRENT ROAD
BRENT ROAD
THISTLE RD
UPR FARBURN RD
12
DYCE AVENUE
ARGYLL CL
DYCE DRIVE
Newton
Hotel
Hotel
ARGYLL ROAD
Mountjoy
4
A96
Corsehill
Macrobert
Farm
Works
Chapel of
Stoneywood
WALTON ROAD
3
70
B979
11
Scottish
Agricultural College
Clinterty Woods
A96
2
West
Woods
Elrick
Country Park
CH
Grough Burn
EASTSIDE GD
1
Craibstone
Golf Course
Ashtown
10
85
86
87
162
158
163

157

C7
1 GARMADDIE LA
2 MILLEATH WK
3 BUNZEACH PL
4 PITFICHIE LA
5 PARKHILL COURT
6 BERRYMOSS COURT
7 PRINCESS WK
8 PRINCESS PL
9 PRINCESS TERR

90

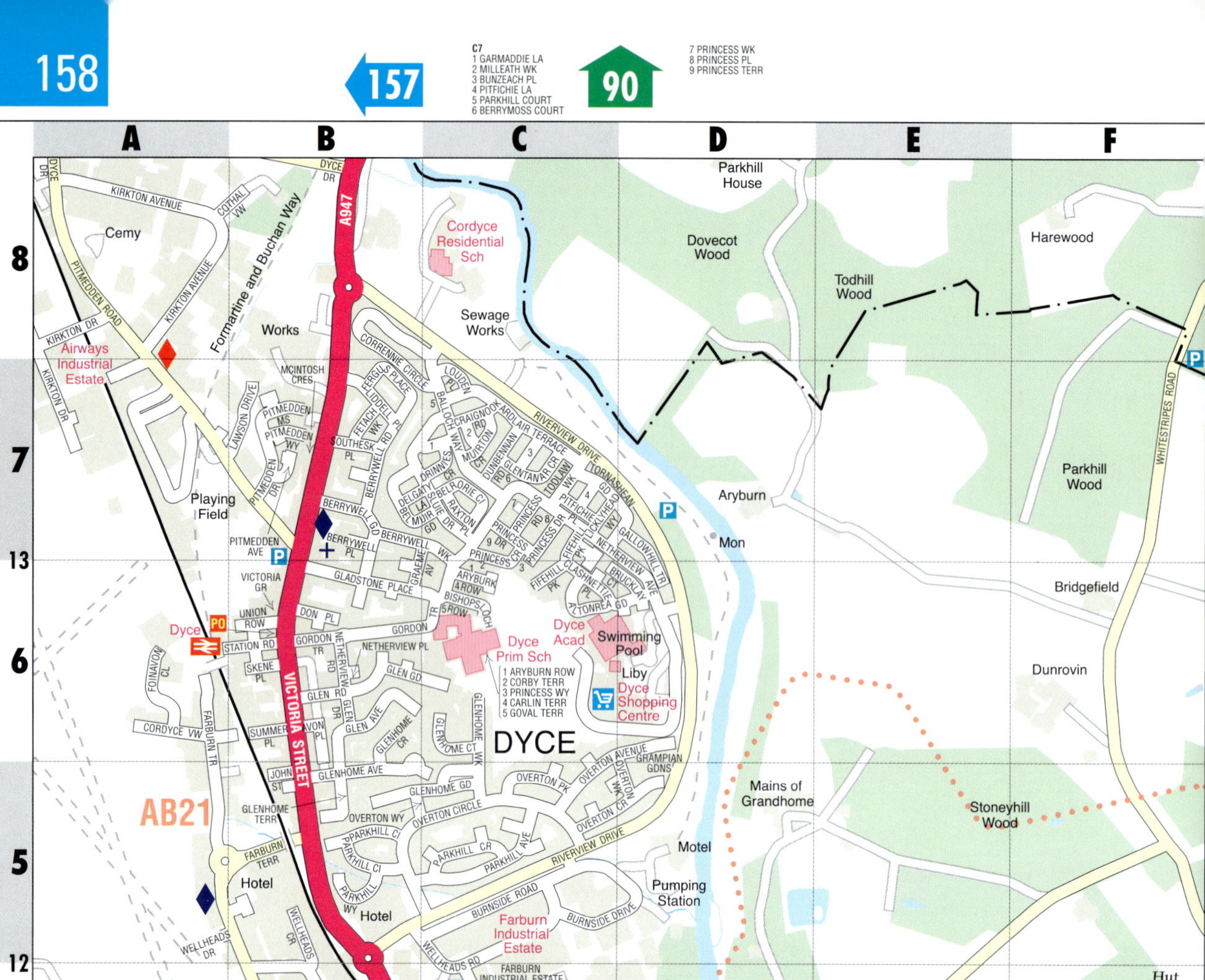
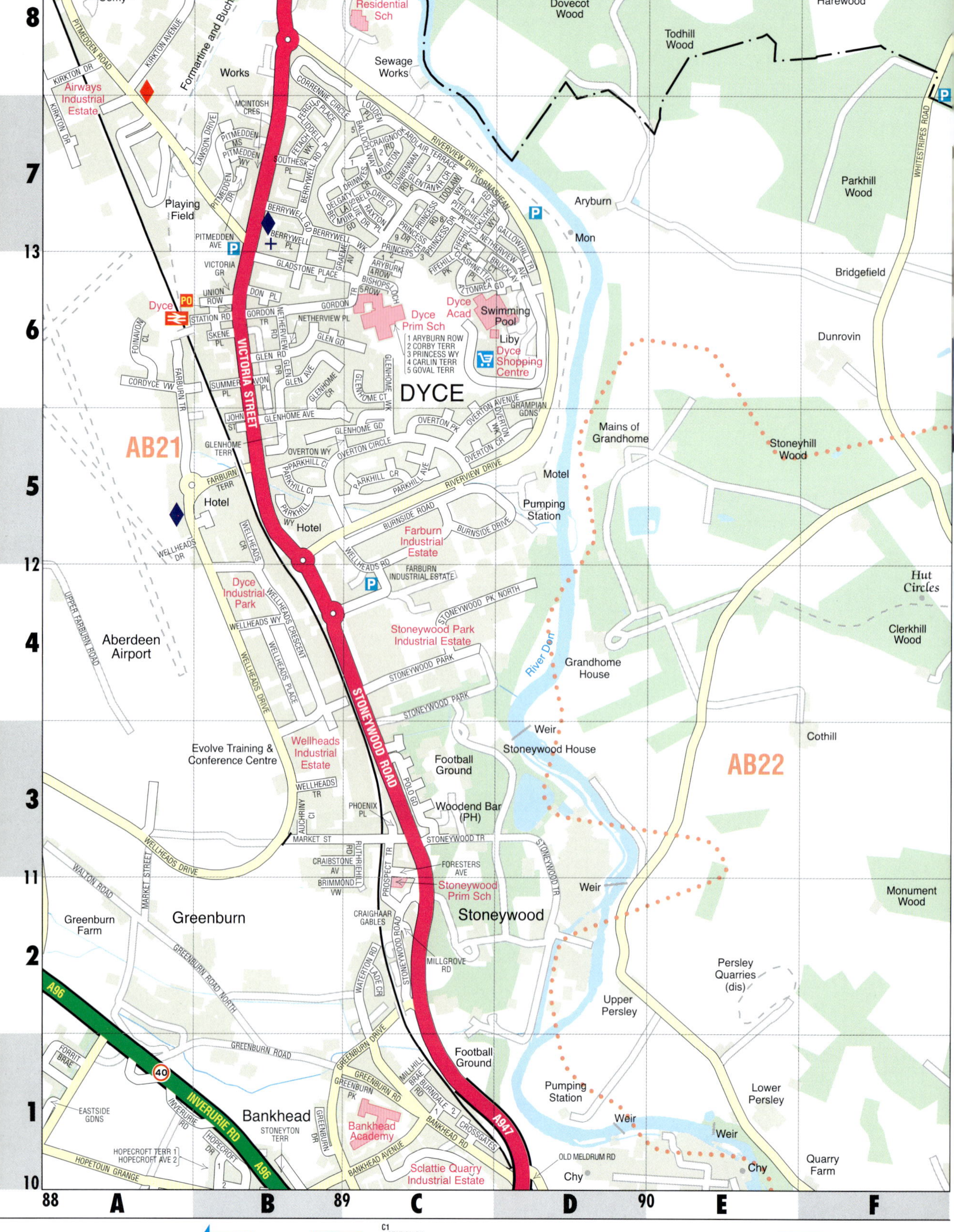

A B C D E F
8 7 13 6 5 12 4 3 11 2 1 10
88 89 90

C1
1 STATION RD
2 ELLERSLIE RD

157 163 164

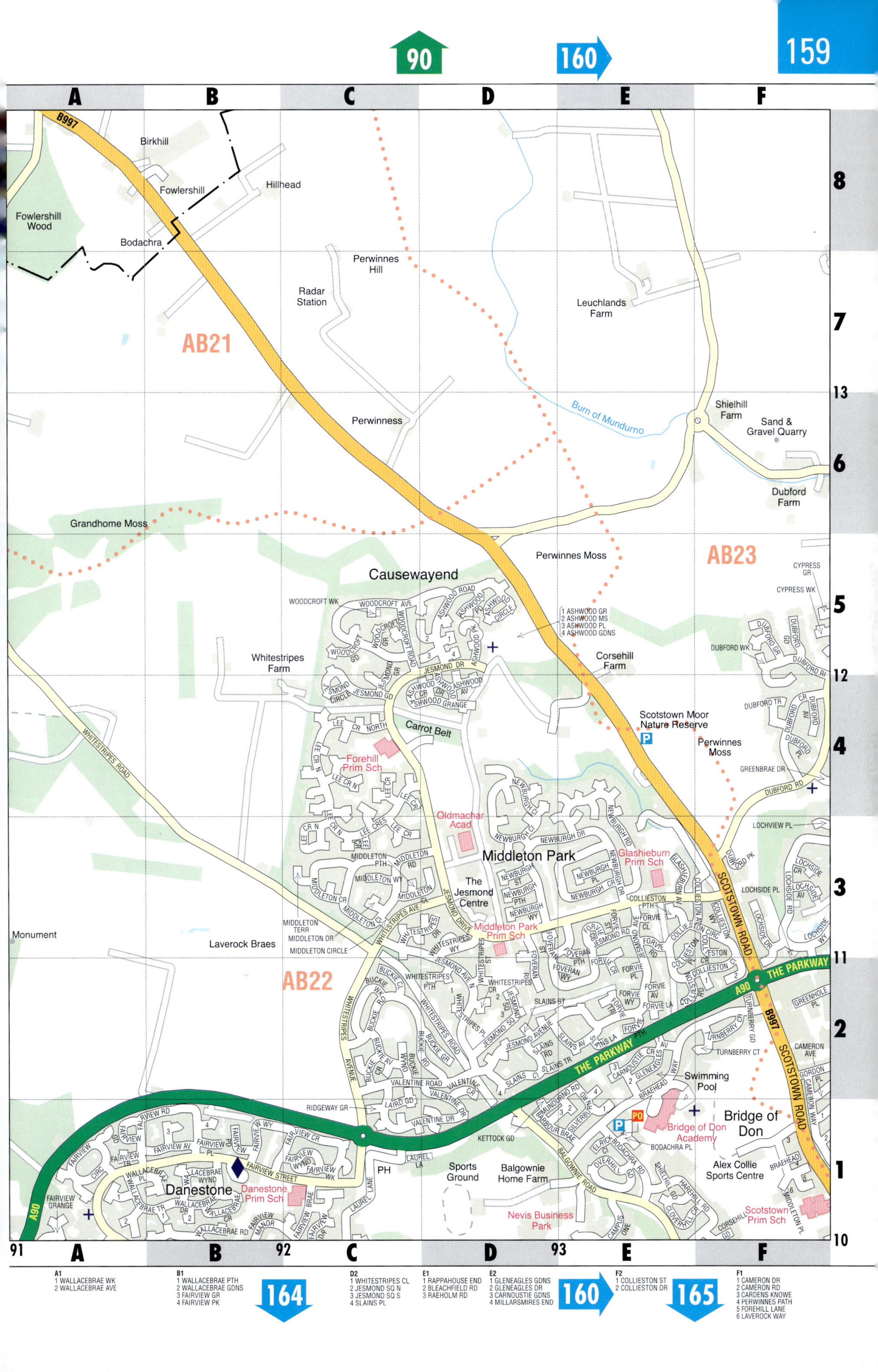
159
90
160
A
B
C
D
E
F
8
7
13
6
5
12
4
3
11
2
1
10
91
92
93
B997
Birkhill
Fowlershill
Hillhead
Fowlershill Wood
Bodachra
Perwinnes Hill
Radar Station
Leuchlands Farm
AB21
Perwinness
Burn of Mundurno
Shielhill Farm
Sand & Gravel Quarry
Dubford Farm
Grandhome Moss
Perwinnes Moss
AB23
Causewayend
CYPRESS GR
CYPRESS WK
WOODCROFT WK
WOODCROFT AVE
ASHWOOD ROAD
1 ASHWOOD GR
2 ASHWOOD MS
3 ASHWOOD PL
4 ASHWOOD GDNS
DUBFORD WK
Whitestripes Farm
Corsehill Farm
JESMOND DR
Carrot Belt
Scotstown Moor Nature Reserve
Perwinnes Moss
WHITESTRIPES ROAD
Forehill Prim Sch
GREENBRAE DR
DUBFORD RD
Oldmachar Acad
NEWBURGH DR
LOCHVIEW PL
Middleton Park
Glashieburn Prim Sch
The Jesmond Centre
LOCHSIDE PL
SCOTSTOWN ROAD
Middleton Park Prim Sch
MIDDLETON TERR
MIDDLETON DR
MIDDLETON CIRCLE
Monument
Laverock Braes
AB22
THE PARKWAY
A90
SLAINS ST
TURNBERRY CT
CAMERON AVE
VALENTINE ROAD
Swimming Pool
RIDGEWAY GR
Bridge of Don
Bridge of Don Academy
KETTOCK GD
BODACHRA PL
FAIRVIEW ST
Danestone
Danestone Prim Sch
PH
LAUREL LANE
Sports Ground
Balgownie Home Farm
BALGOWNIE ROAD
Alex Collie Sports Centre
Nevis Business Park
Scotstown Prim Sch
FAIRVIEW GRANGE
A1
1 WALLACEBRAE WK
2 WALLACEBRAE AVE
B1
1 WALLACEBRAE PTH
2 WALLACEBRAE GDNS
3 FAIRVIEW GR
4 FAIRVIEW PK
164
D2
1 WHITESTRIPES CL
2 JESMOND SQ N
3 JESMOND SQ S
4 SLAINS PL
E1
1 RAPPAHOUSE END
2 BLEACHFIELD RD
3 RAEHOLM RD
E2
1 GLENEAGLES GDNS
2 GLENEAGLES DR
3 CARNOUSTIE GDNS
4 MILLARSMIRES END
160
F2
1 COLLIESTON ST
2 COLLIESTON DR
165
F1
1 CAMERON DR
2 CAMERON RD
3 CARDENS KNOWE
4 PERWINNES PATH
5 FOREHILL LANE
6 LAVEROCK WAY

159 91 91

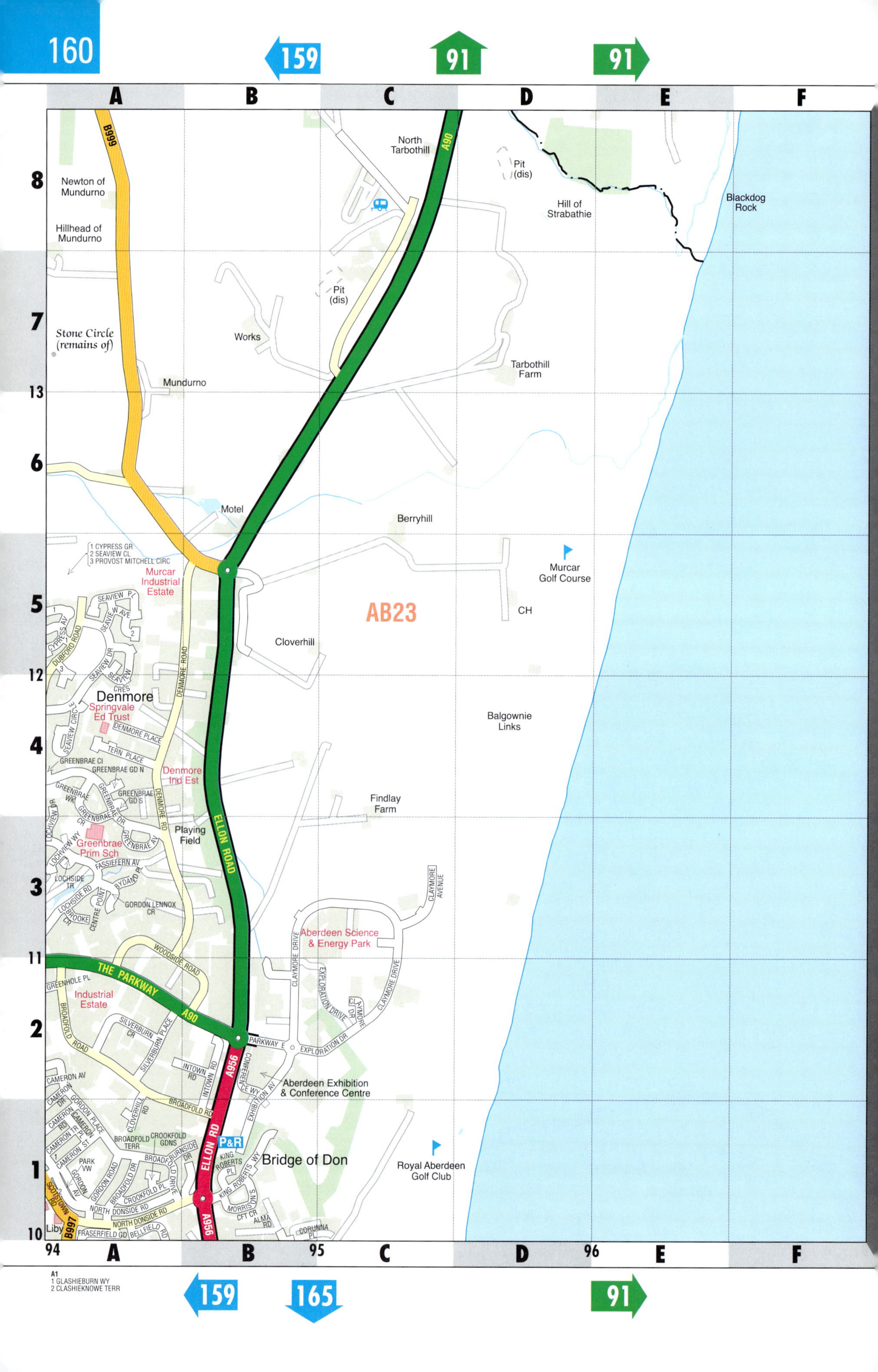
A B C D E F
8 7 13 6 5 12 4 3 11 2 1 10
94 95 96
Newton of Mundurno
Hillhead of Mundurno
Stone Circle (remains of)
Mundurno
North Tarbothill
Pit (dis)
Hill of Strabathie
Blackdog Rock
Works
Tarbothill Farm
Motel
Berryhill
1 CYPRESS GR
2 SEAVIEW CL
3 PROVOST MITCHELL CIRC
Murcar Industrial Estate
Murcar Golf Course
AB23
CH
Cloverhill
Denmore
Springvale Ed Trust
Balgownie Links
Denmore Ind Est
Findlay Farm
Playing Field
Greenbrae Prim Sch
ELLON ROAD
THE PARKWAY
A90
A956
B999
B997
Aberdeen Science & Energy Park
Industrial Estate
Aberdeen Exhibition & Conference Centre
Bridge of Don
Royal Aberdeen Golf Club
P&R
Liby

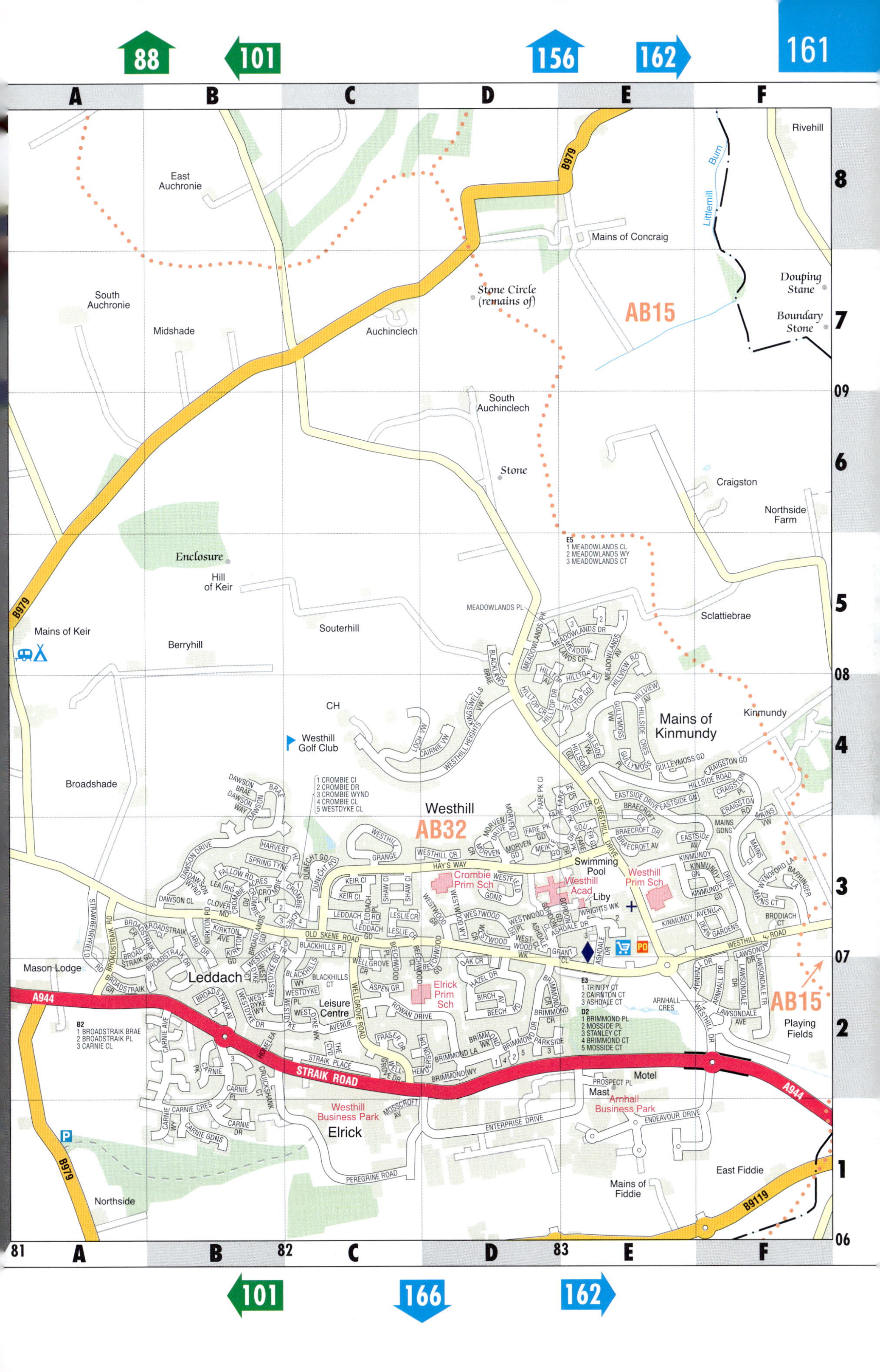
88
101
156
162
A
B
C
D
E
F
8
7
09
6
5
08
4
3
07
2
1
06
81
82
83
East Auchronie
Rivehill
Mains of Concraig
Littlemill Burn
B979
Douping Stane
South Auchronie
Midshade
Stone Circle (remains of)
Auchinclech
AB15
Boundary Stone
South Auchinclech
Stone
Craigston
Northside Farm
Enclosure
Hill of Keir
E5
1 MEADOWLANDS CL
2 MEADOWLANDS WY
3 MEADOWLANDS CT
MEADOWLANDS PL
Sclattiebrae
Mains of Keir
Souterhill
Berryhill
CH
Westhill Golf Club
Mains of Kinmundy
Kinmundy
Broadshade
1 CROMBIE CI
2 CROMBIE DR
3 CROMBIE WYND
4 CROMBIE CL
5 WESTDYKE CL
Westhill
AB32
Swimming Pool
Crombie Prim Sch
Westhill Acad
Westhill Prim Sch
Liby
HAY'S WAY
OLD SKENE ROAD
WESTHILL ROAD
Mason Lodge
Leddach
A944
B2
1 BROADSTRAIK BRAE
2 BROADSTRAIK PL
3 CARNIE CL
Leisure Centre
Elrick Prim Sch
E3
1 TRINITY CT
2 CAIRNTON CT
3 ASHDALE CT
D2
1 BRIMMOND PL
2 MOSSIDE PL
3 STANLEY CT
4 BRIMMOND CT
5 MOSSIDE CT
ARNHALL CRES
AB15
Playing Fields
STRAIK ROAD
Motel
PROSPECT PL
Mast
Arnhall Business Park
ENDEAVOUR DRIVE
ENTERPRISE DRIVE
Westhill Business Park
Elrick
PEREGRINE ROAD
East Fiddie
Mains of Fiddie
B9119
Northside
B979

156
161
157

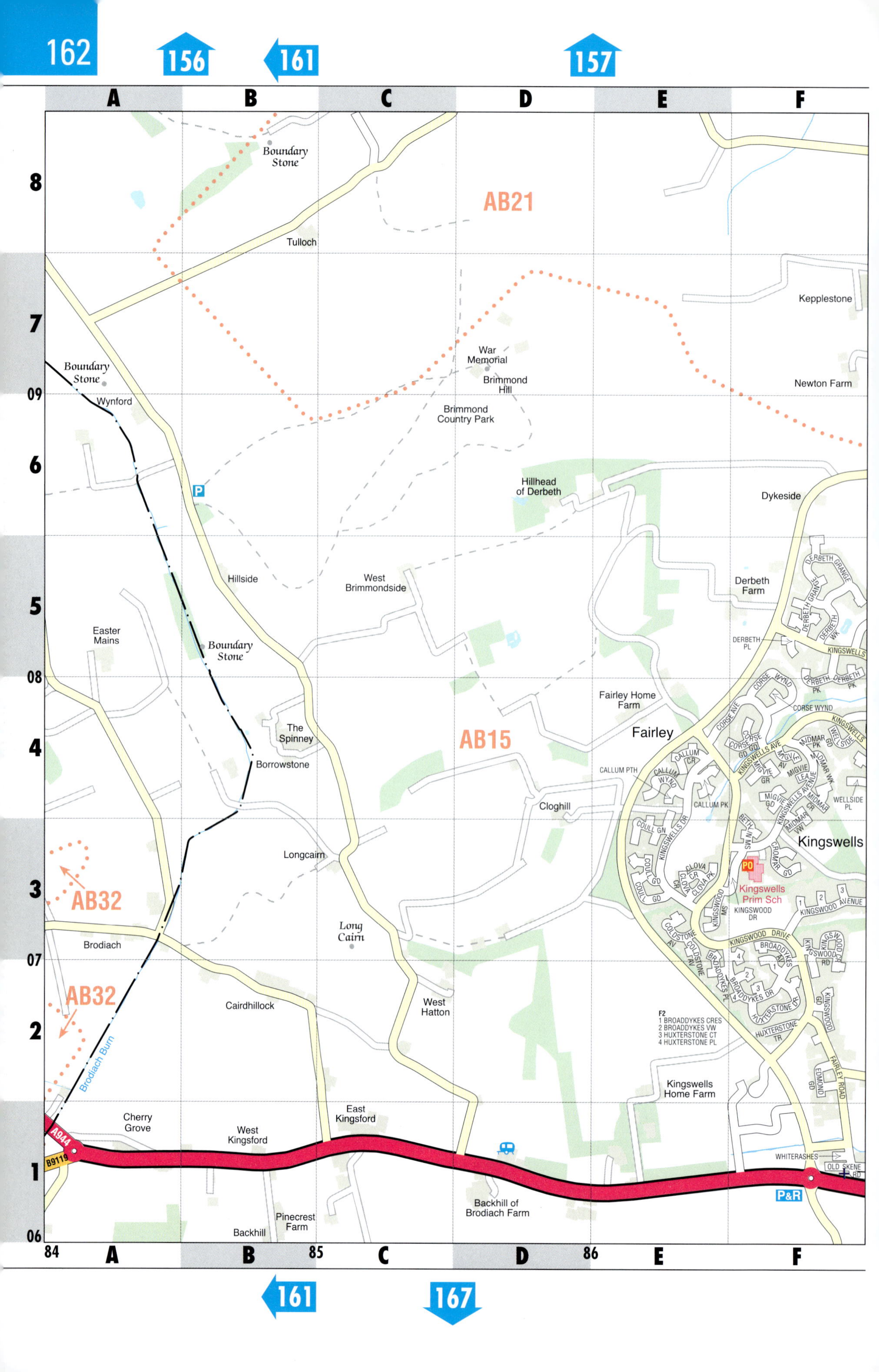
A
B
C
D
E
F
8
7
6
5
4
3
2
1
09
08
07
06
84
85
86
Boundary Stone
AB21
Tulloch
Kepplestone
War Memorial
Brimmond Hill
Newton Farm
Boundary Stone
Wynford
Brimmond Country Park
Hillhead of Derbeth
Dykeside
P
Hillside
West Brimmondside
Derbeth Farm
Easter Mains
Boundary Stone
DERBETH PL
KINGSWELLS
Fairley Home Farm
The Spinney
Fairley
AB15
Borrowstone
CALLUM PTH
Cloghill
CALLUM PK
Kingswells
Longcairn
PO
Kingswells Prim Sch
AB32
KINGSWOOD DR
KINGSWOOD AVENUE
KINGSWOOD DRIVE
Long Cairn
Brodiach
AB32
West Hatton
Cairdhillock
F2
1 BROADDYKES CRES
2 BROADDYKES VW
3 HUXTERSTONE CT
4 HUXTERSTONE PL
HUXTERSTONE TR
Brodiach Burn
Kingswells Home Farm
FAIRLEY ROAD
Cherry Grove
West Kingsford
East Kingsford
A944
B9119
WHITERASHES
OLD SKENE RD
P&R
Backhill of Brodiach Farm
Pinecrest Farm
Backhill

161
167

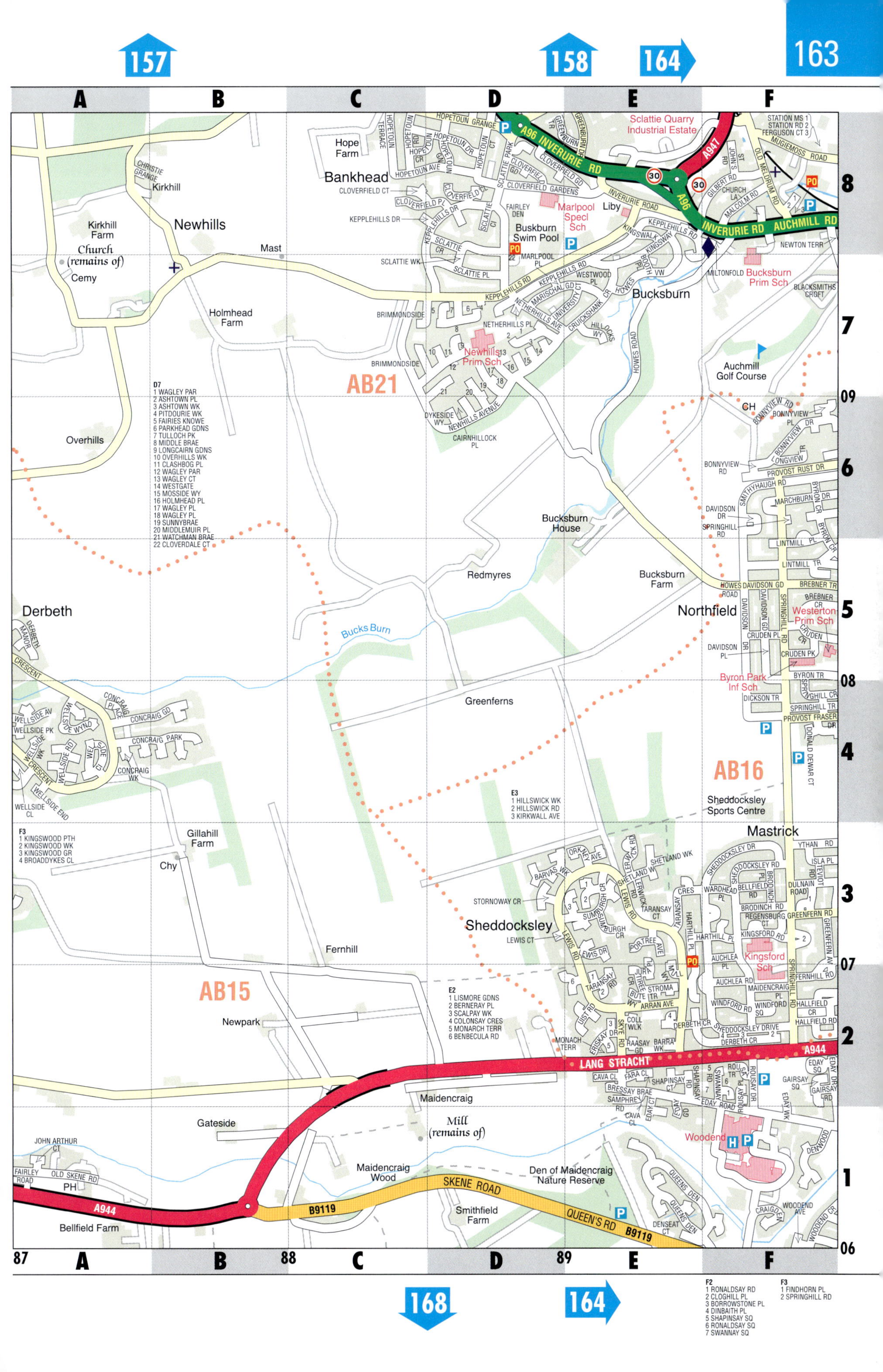
157
158
164
A
B
C
D
E
F
Hope Farm
Bankhead
Kirkhill
Christie Grange
Newhills
Kirkhill Farm
Church (remains of)
Cemy
Mast
Holmhead Farm
Overhills
Sclattie Quarry Industrial Estate
Station Ms 1
Station Rd 2
Ferguson Ct 3
Mugiemoss Road
A96 Inverurie Rd
A947
Inverurie Road
Auchmill Rd
Marlpool Specl Sch
Liby
Buskburn Swim Pool
PO
P
Fairley Den
Kepplehills Rd
Sclattie Wk
Sclattie Pl
Netherhills Pl
Netherhills Ave
Newhills Prim Sch
Newhills Avenue
Brimmondside
Dykeside Wy
Cairnhillock Pl
AB21
Bucksburn
Bucksburn Prim Sch
Blacksmiths Croft
Newton Terr
Miltonfold
Auchmill Golf Course
CH
Bonnyview Rd
Provost Rust Dr
Howes Road
Bucksburn House
Redmyres
Bucksburn Farm
Northfield
Westerton Prim Sch
Byron Park Inf Sch
Provost Fraser Dr
Donald Dewar Ct
D7
1 Wagley Par
2 Ashtown Pl
3 Ashtown Wk
4 Pitdourie Wk
5 Fairies Knowe
6 Parkhead Gdns
7 Tulloch Pk
8 Middle Brae
9 Longcairn Gdns
10 Overhills Wk
11 Clashbog Pl
12 Wagley Par
13 Wagley Ct
14 Westgate
15 Mosside Wy
16 Holmhead Pl
17 Wagley Pl
18 Wagley Pl
19 Sunnybrae
20 Middlemuir Pl
21 Watchman Brae
22 Cloverdale Ct
Derbeth
Bucks Burn
Greenferns
Concraig Gd
Concraig Park
Wellside Av
Wellside Pk
Wellside Crescent
Wellside End
AB16
Sheddocksley Sports Centre
Mastrick
E3
1 Hillswick Wk
2 Hillswick Rd
3 Kirkwall Ave
F3
1 Kingswood Pth
2 Kingswood Wk
3 Kingswood Gr
4 Broaddykes Cl
Gillahill Farm
Chy
Fernhill
Sheddocksley
Stornoway Cr
Lewis Ct
Kingsford Sch
Springhill Rd
AB15
E2
1 Lismore Gdns
2 Berneray Pl
3 Scalpay Wk
4 Colonsay Cres
5 Monarch Terr
6 Benbecula Rd
Newpark
Monach Terr
A944
Lang Stracht
Maidencraig
Gateside
Mill (remains of)
Woodend
H
Maidencraig Wood
Den of Maidencraig Nature Reserve
Skene Road
B9119
Queen's Rd
Smithfield Farm
Bellfield Farm
John Arthur Ct
Fairley Road
Old Skene Rd
PH
Queens Den
Denseat Ct
Craigden
Woodend Ave
87
88
89
09
08
07
06
8
7
6
5
4
3
2
1
168
164
F2
1 Ronaldsay Rd
2 Cloghill Pl
3 Borrowstone Pl
4 Dinbaith Pl
5 Shapinsay Sq
6 Ronaldsay Sq
7 Swannay Sq
F3
1 Findhorn Pl
2 Springhill Rd

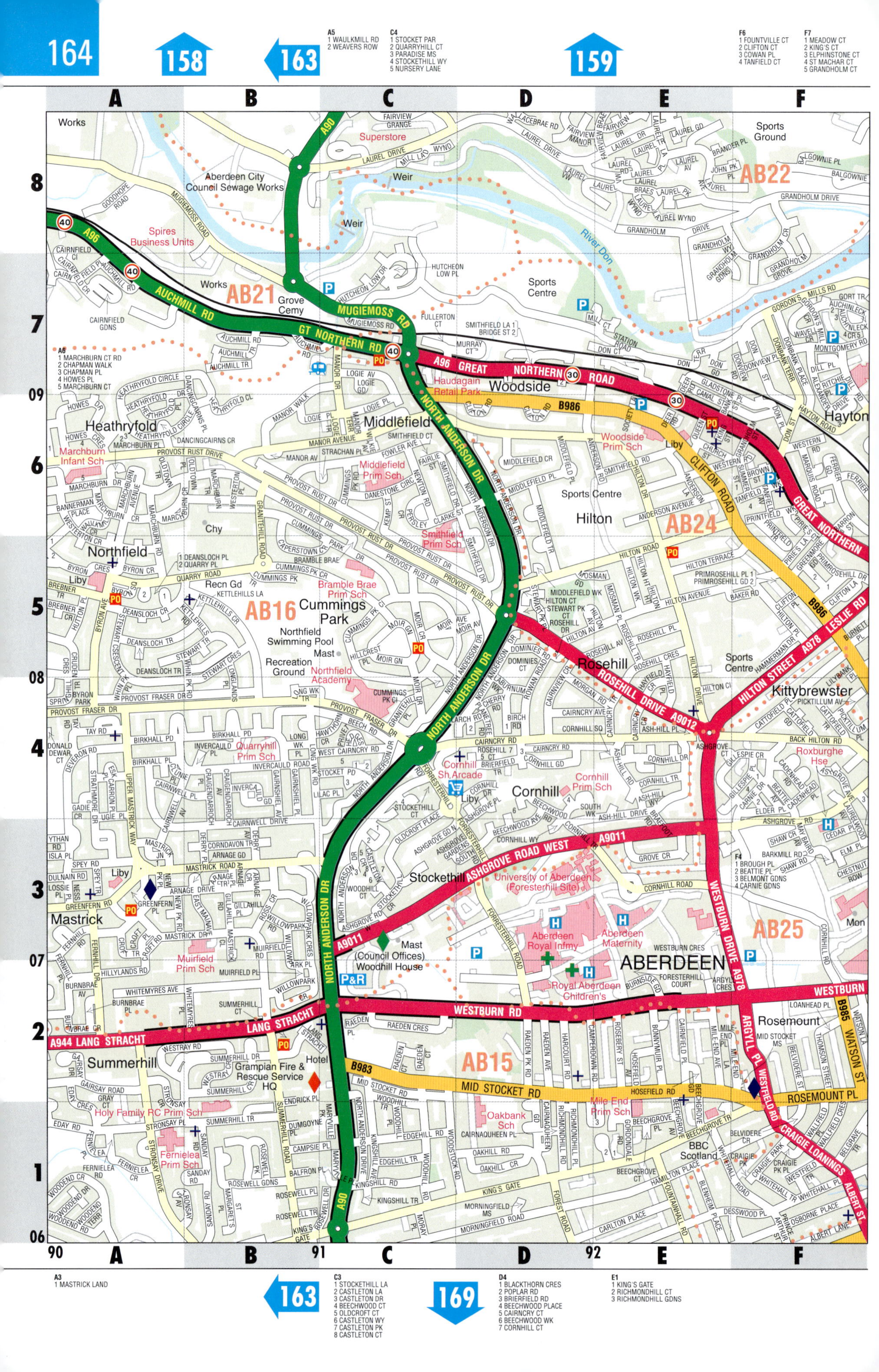
164
158
163
159
A5
1 WAULKMILL RD
2 WEAVERS ROW
C4
1 STOCKET PAR
2 QUARRYHILL CT
3 PARADISE MS
4 STOCKETHILL WY
5 NURSERY LANE
F6
1 FOUNTVILLE CT
2 CLIFTON CT
3 COWAN PL
4 TANFIELD CT
F7
1 MEADOW CT
2 KING'S CT
3 ELPHINSTONE CT
4 ST MACHAR CT
5 GRANDHOLM CT
A6
1 MARCHBURN CT RD
2 CHAPMAN WALK
3 CHAPMAN PL
4 HOWES PL
5 MARCHBURN CT
F4
1 BROUGH PL
2 BEATTIE PL
3 BELMONT GDNS
4 CARNIE GDNS
Aberdeen City Council Sewage Works
Spires Business Units
AB21
AB22
AB24
AB16
AB25
AB15
Heathryfold
Northfield
Middlefield
Woodside
Hilton
Hayton
Cummings Park
Rosehill
Kittybrewster
Cornhill
Stockethill
Mastrick
Summerhill
Rosemount
ABERDEEN
River Don
A96 GREAT NORTHERN ROAD
NORTH ANDERSON DR
ASHGROVE ROAD WEST
WESTBURN RD
WESTBURN DRIVE A978
LANG STRACHT
MID STOCKET RD
CLIFTON ROAD
ROSEHILL DRIVE A9012
HILTON STREET A978
University of Aberdeen (Foresterhill Site)
Aberdeen Royal Infmy
Aberdeen Maternity
Royal Aberdeen Children's
Grampian Fire & Rescue Service HQ
BBC Scotland
A3
1 MASTRICK LAND
C3
1 STOCKETHILL LA
2 CASTLETON LA
3 CASTLETON DR
4 BEECHWOOD CT
5 OLDCROFT CT
6 CASTLETON WY
7 CASTLETON PK
8 CASTLETON CT
D4
1 BLACKTHORN CRES
2 POPLAR RD
3 BRIERFIELD RD
4 BEECHWOOD PLACE
5 CAIRNCRY CT
6 BEECHWOOD WK
7 CORNHILL CT
E1
1 KING'S GATE
2 RICHMONDHILL CT
3 RICHMONDHILL GDNS
169

A6
1 RATTRAY PL
2 KINNAIRD PL
3 DEMPSEY TERR
4 ABERDON CT

159

B8
1 DAVAN PK
2 KINORD CT
3 STRATHBEG PL
4 TARBOTHILL RD
5 AUCHLOSSAN CT
6 FOWERSHILL GDNS

160

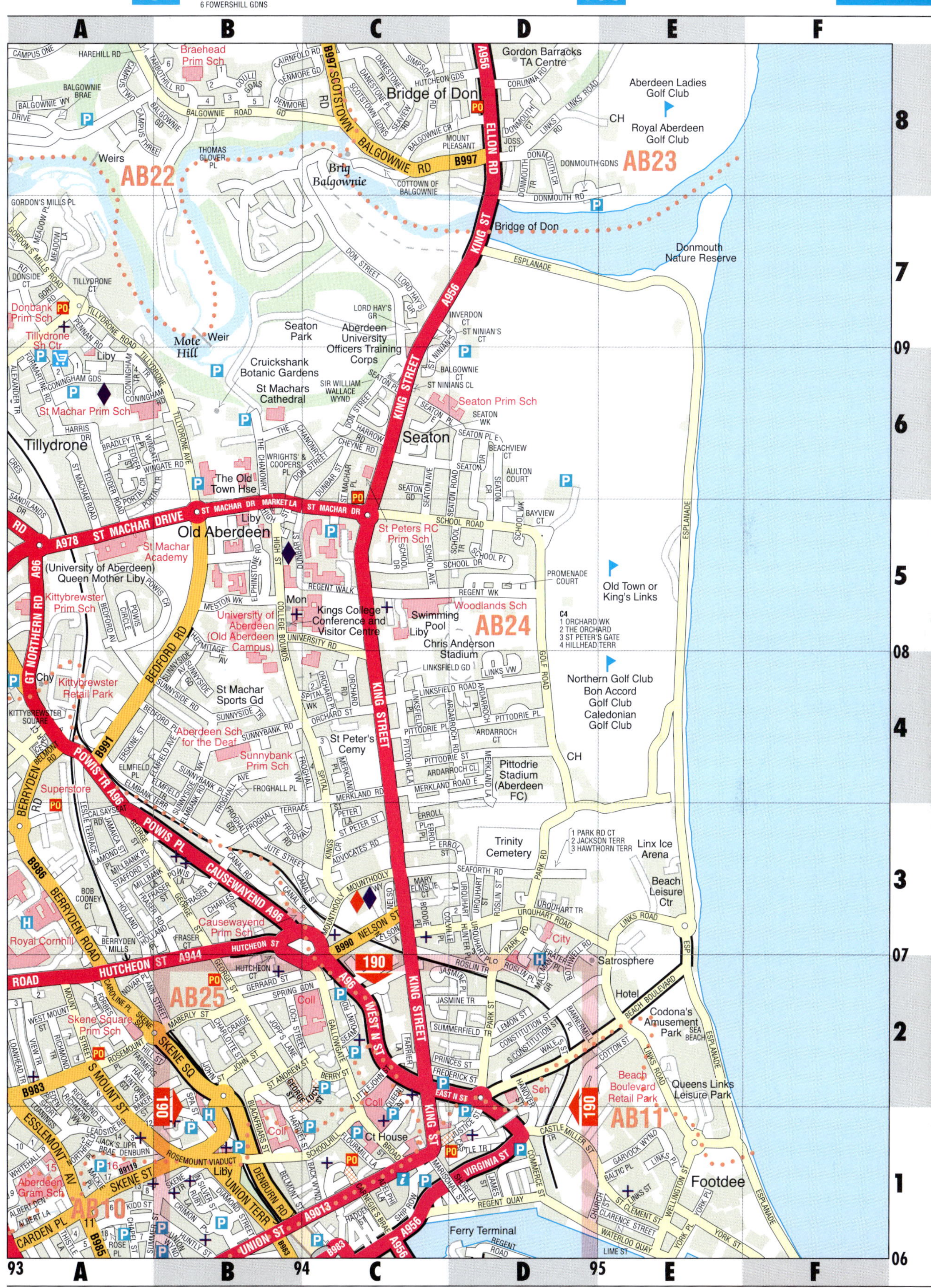

A1
1 GROSVENOR TERR
2 ROSEMONT SQ
3 STEVENSON CT
4 PRINCE ALBERT MS
5 MARGARET ST
6 WHITEHOUSE ST
7 LT CHAPEL CT
8 MINISTER LA
9 ALBERT PL
10 GROSVENOR PL
11 ROSE ST
12 GILCOMSTON PK
13 GILCOMSTOUN CT
14 STEVENSON ST
15 Total French Sch
16 Gilcomstoun Prim Sch
17 SKENE PL
18 THISTLE CT

A2
1 ROSEMONT TERR
2 WESTBURN CT
3 LOANHEAD WK
4 MOUNTVIEW GDNS
5 BAKER PLACE
6 KINTORE PL
7 RICHMOND CT
8 DONALD PL

170

For full street detail of the highlighted area see page 190.

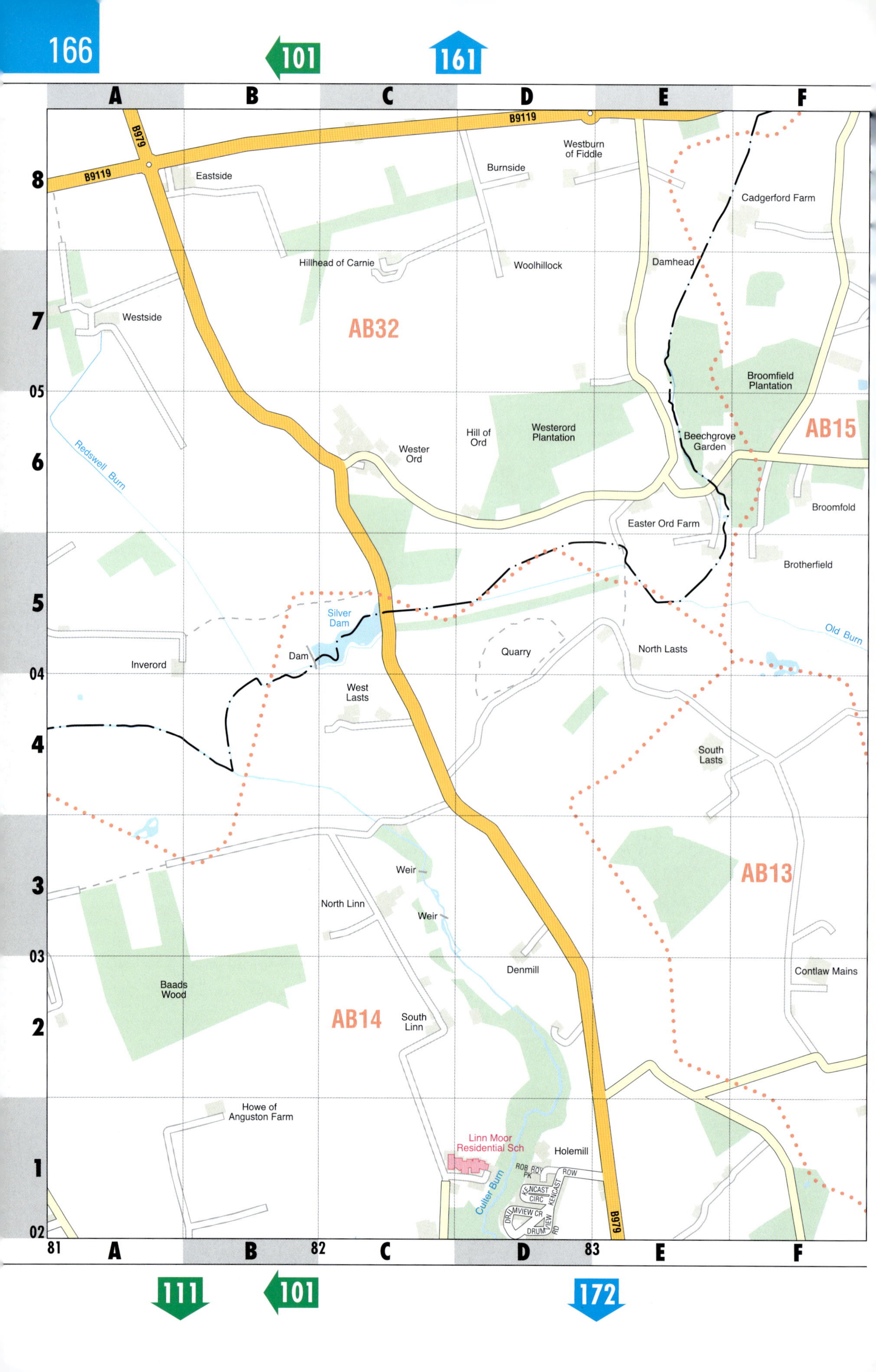
101
161
B9119
B979
Eastside
Burnside
Westburn
of Fiddle
Cadgerford Farm
Hillhead of Carnie
Woolhillock
Damhead
Westside
AB32
Broomfield
Plantation
AB15
Hill of
Ord
Westerord
Plantation
Wester
Ord
Beechgrove
Garden
Redswell Burn
Broomfold
Easter Ord Farm
Brotherfield
Silver
Dam
Dam
Quarry
North Lasts
Old Burn
Inverord
West
Lasts
South
Lasts
Weir
North Linn
Weir
AB13
Denmill
Contlaw Mains
Baads
Wood
AB14
South
Linn
Howe of
Anguston Farm
Linn Moor
Residential Sch
Holemill
ROB ROY
PK
ROW
KENCAST
CIRC
KENCAST
DRUMVIEW CR
DRUMVIEW RD
Culter Burn
A B C D E F
8 7 6 5 4 3 2 1
05 04 03 02
81 82 83
111
101
172

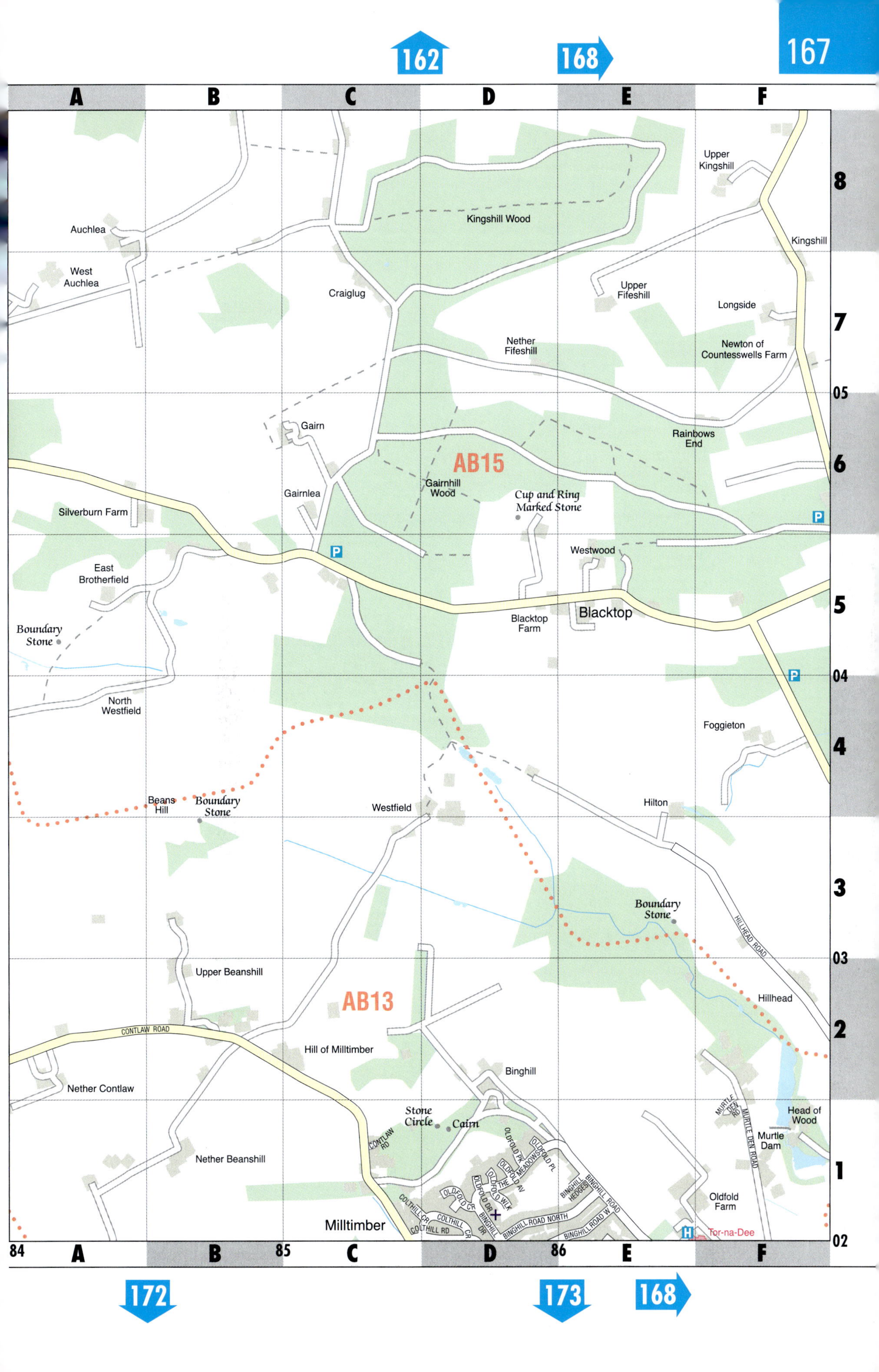
162
168
A
B
C
D
E
F
8
7
05
6
5
04
4
3
03
2
1
02
84
85
86
Upper Kingshill
Auchlea
Kingshill Wood
Kingshill
West Auchlea
Craiglug
Upper Fifeshill
Longside
Nether Fifeshill
Newton of Countesswells Farm
Gairn
Rainbows End
AB15
Gairnlea
Gairnhill Wood
Cup and Ring Marked Stone
Silverburn Farm
Westwood
East Brotherfield
Blacktop Farm
Blacktop
Boundary Stone
North Westfield
Foggieton
Beans Hill
Boundary Stone
Westfield
Hilton
Boundary Stone
HILLHEAD ROAD
Upper Beanshill
AB13
Hillhead
CONTLAW ROAD
Hill of Milltimber
Binghill
Nether Contlaw
Stone Circle
Cairn
Head of Wood
MURTLE DEN RD
MURTLE DEN ROAD
Murtle Dam
CONTLAW RD
Nether Beanshill
OLDFOLD PK
THE MEADOWS
OLDFOLD PL
OLDFOLD AV
OLDFOLD WLK
OLDFOLD CR
OLDFOLD DR
BINGHILL DR
BINGHILL HEDGES
BINGHILL ROAD
Oldfold Farm
COLTHILL CR
COLTHILL CR
COLTHILL RD
BINGHILL ROAD NORTH
BINGHILL ROAD W
Milltimber
Tor-na-Dee
172
173
168

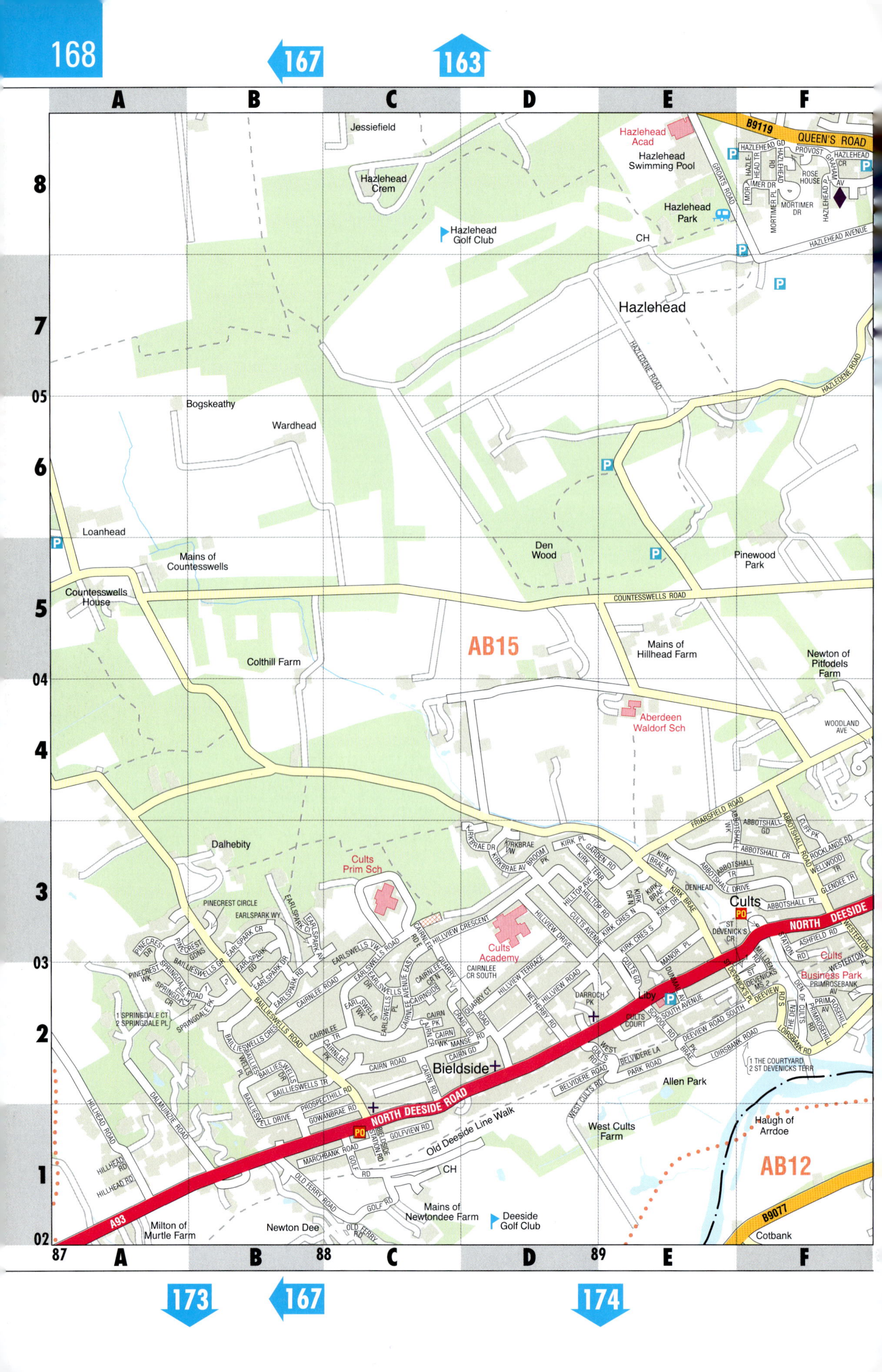
167
163
Jessiefield
Hazlehead Crem
Hazlehead Golf Club
Hazlehead Acad
Hazlehead Swimming Pool
Hazlehead Park
B9119
QUEEN'S ROAD
HAZLEHEAD AVENUE
Hazlehead
HAZLEDENE ROAD
Bogskeathy
Wardhead
Loanhead
Mains of Countesswells
Countesswells House
COUNTESSWELLS ROAD
Den Wood
Pinewood Park
AB15
Mains of Hillhead Farm
Newton of Pitfodels Farm
Colthill Farm
Aberdeen Waldorf Sch
WOODLAND AVE
FRIARSFIELD ROAD
Dalhebity
Cults Prim Sch
Cults Academy
Cults
NORTH DEESIDE ROAD
Cults Business Park
BAILLIESWELLS ROAD
HILLVIEW CRESCENT
HILLVIEW DRIVE
CULTS AVENUE
SOUTH AVENUE
Bieldside
Allen Park
West Cults Farm
Haugh of Arrdoe
AB12
B9077
Cotbank
Old Deeside Line Walk
Mains of Newtondee Farm
Deeside Golf Club
Newton Dee
Milton of Murtle Farm
A93
HILLHEAD ROAD
DALMUNZIE ROAD
1 SPRINGDALE CT
2 SPRINGDALE PL
1 THE COURTYARD
2 ST DEVENICKS TERR
173
167
174

164
170
174
175
170

C7
1 QUEENS HIGHLANDS
2 RUBISLAW SQ
3 RUBISLAW VW

F7
1 CLAREMONT ST
2 CLAREMONT GDNS

F8
1 CARDEN TERR
2 ALBYN PL
3 GRANTON GDNS
4 ST SWITHIN ROW

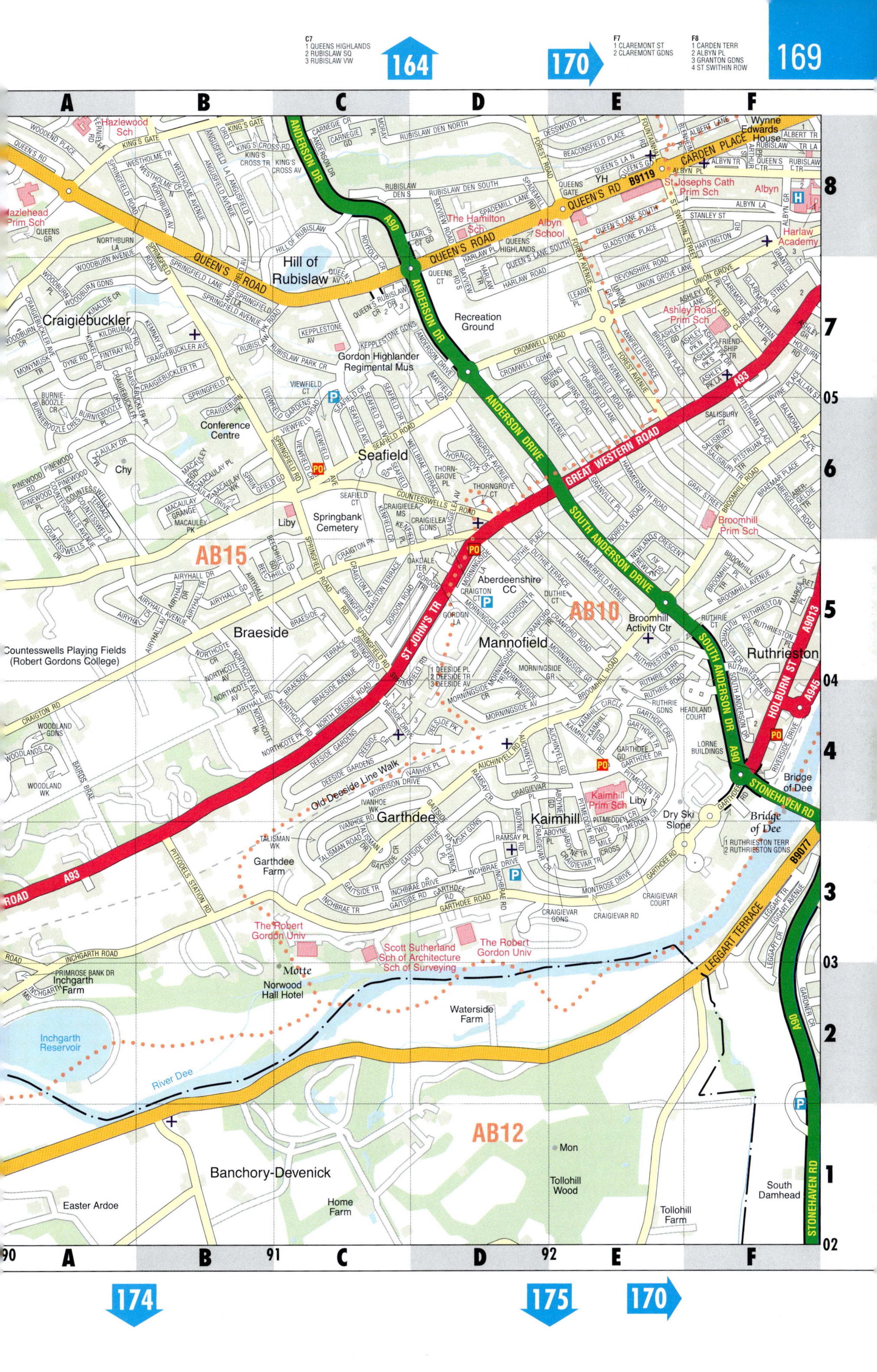

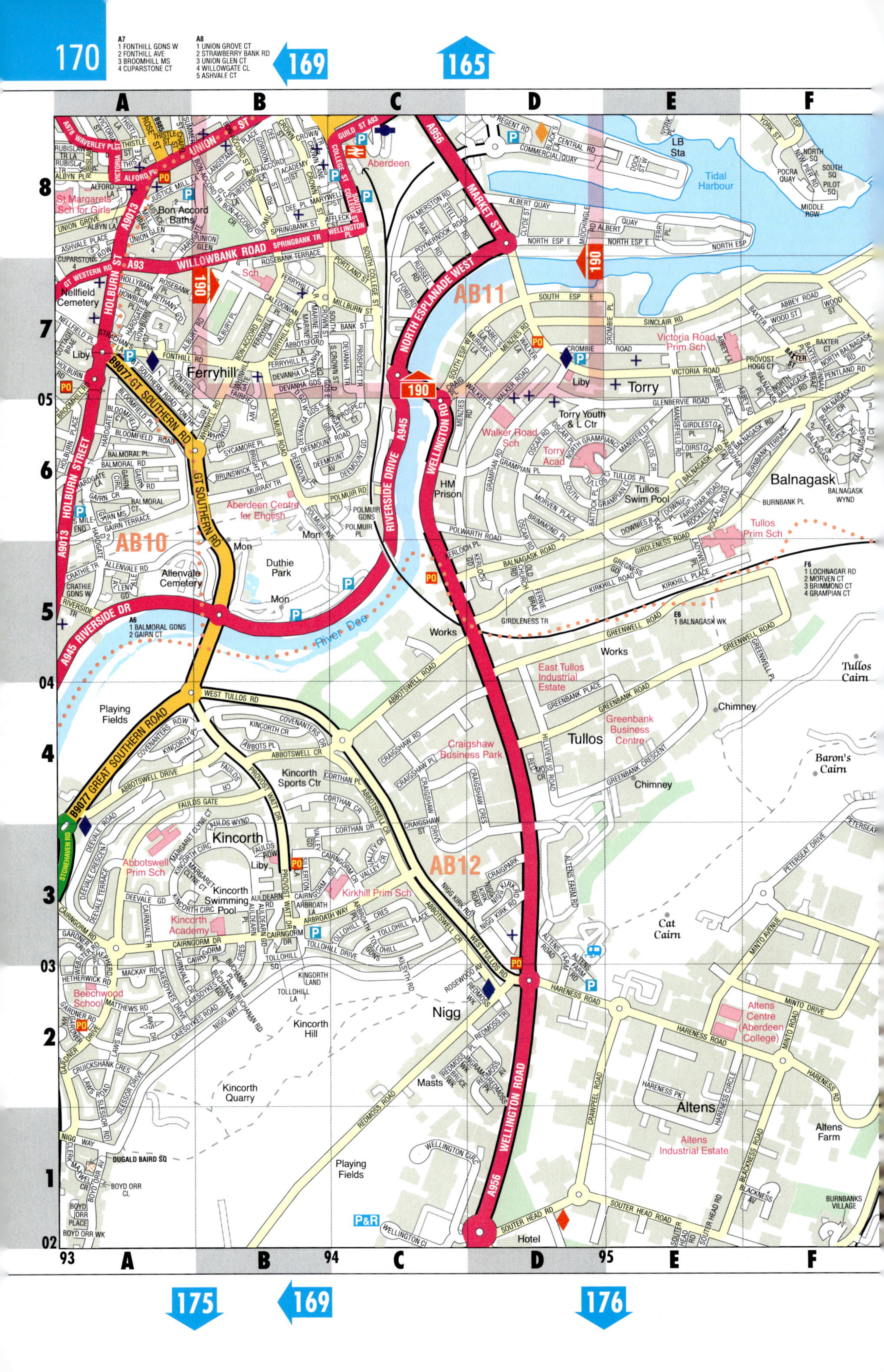

170
A7
1 FONTHILL GDNS W
2 FONTHILL AVE
3 BROOMHILL MS
4 CUPARSTONE CT
A8
1 UNION GROVE CT
2 STRAWBERRY BANK RD
3 UNION GLEN CT
4 WILLOWGATE CL
5 ASHVALE CT
169
165
Aberdeen
LB Sta
Tidal Harbour
St Margarets Sch for Girls
Bon Accord Baths
Nellfield Cemetery
Ferryhill
AB11
AB10
AB12
Torry
Victoria Road Prim Sch
Torry Youth & L Ctr
Walker Road Sch
Torry Acad
Tullos Swim Pool
Balnagask
Tullos Prim Sch
HM Prison
Aberdeen Centre for English
Duthie Park
Allenvale Cemetery
River Dee
Works
East Tullos Industrial Estate
Greenbank Business Centre
Tullos
Tullos Cairn
Baron's Cairn
Chimney
Playing Fields
Craigshaw Business Park
Kincorth Sports Ctr
Kincorth
Abbotswell Prim Sch
Kincorth Swimming Pool
Kincorth Academy
Kirkhill Prim Sch
Beechwood School
Kincorth Hill
Kincorth Quarry
Nigg
Masts
Cat Cairn
Altens Centre (Aberdeen College)
Altens
Altens Industrial Estate
Altens Farm
Hotel
UNION ST
HOLBURN STREET
WILLOWBANK ROAD
B9077 GT SOUTHERN RD
GT SOUTHERN RD
B9077 GREAT SOUTHERN ROAD
A945 RIVERSIDE DR
RIVERSIDE DRIVE
NORTH ESPLANADE WEST
MARKET ST
WELLINGTON RD
WELLINGTON ROAD
A956
F6
1 LOCHNAGAR RD
2 MORVEN CT
3 BRIMMOND CT
4 GRAMPIAN CT
A6
1 BALMORAL GDNS
2 GAIRN CT
E6
1 BALNAGASK WK
190
175
169
176

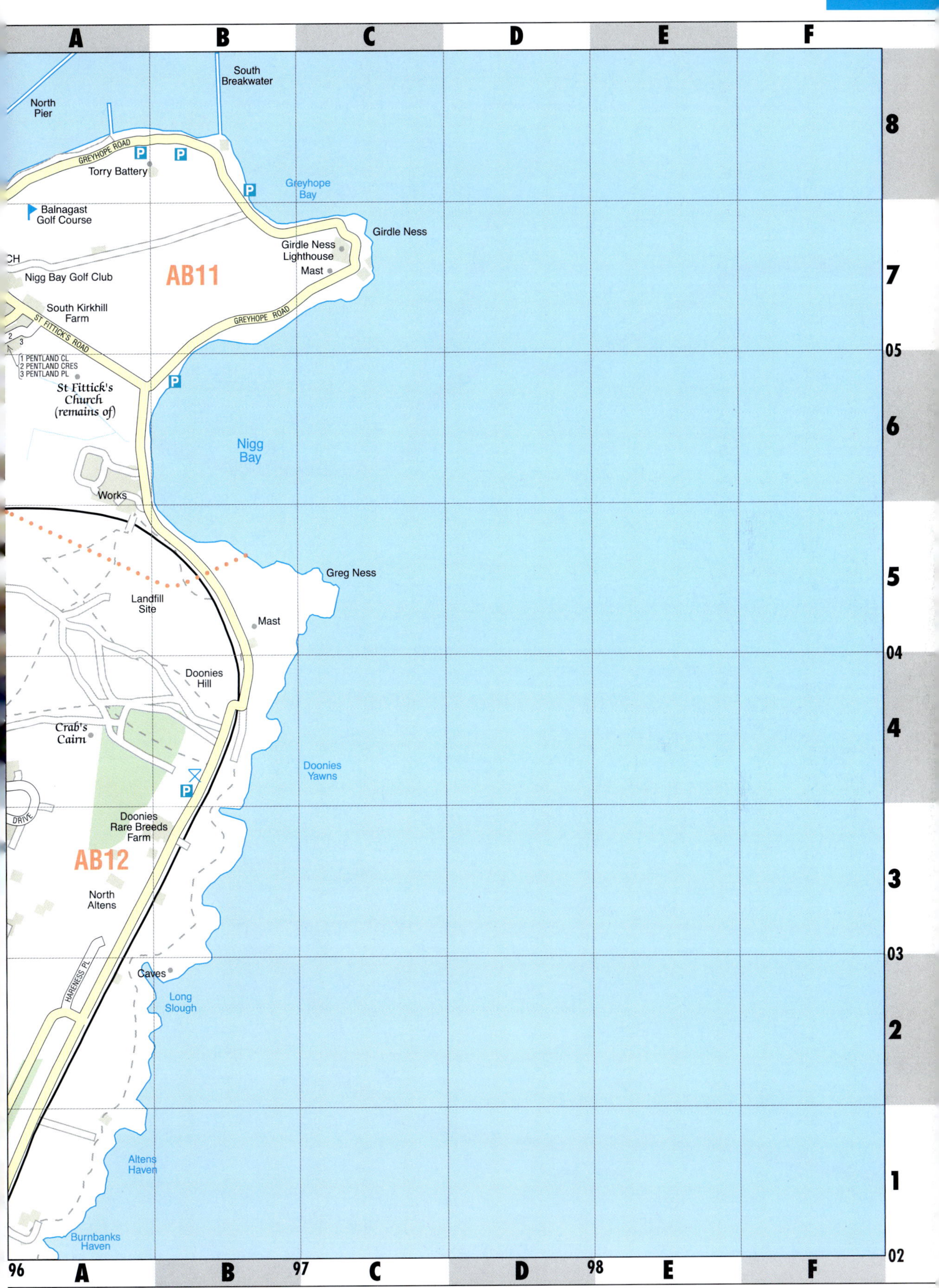

A
B
C
D
E
F
South Breakwater
North Pier
GREYHOPE ROAD
Torry Battery
Greyhope Bay
Balnagast Golf Course
Girdle Ness
Girdle Ness Lighthouse
Mast
AB11
Nigg Bay Golf Club
South Kirkhill Farm
ST FITTICK'S ROAD
GREYHOPE ROAD
1 PENTLAND CL
2 PENTLAND CRES
3 PENTLAND PL
St Fittick's Church (remains of)
Nigg Bay
Works
Greg Ness
Landfill Site
Mast
Doonies Hill
Crab's Cairn
Doonies Yawns
DRIVE
Doonies Rare Breeds Farm
AB12
North Altens
HARENESS PL
Caves
Long Slough
Altens Haven
Burnbanks Haven
8
7
05
6
5
04
4
3
03
2
1
02
96
97
98

176

111
166
167

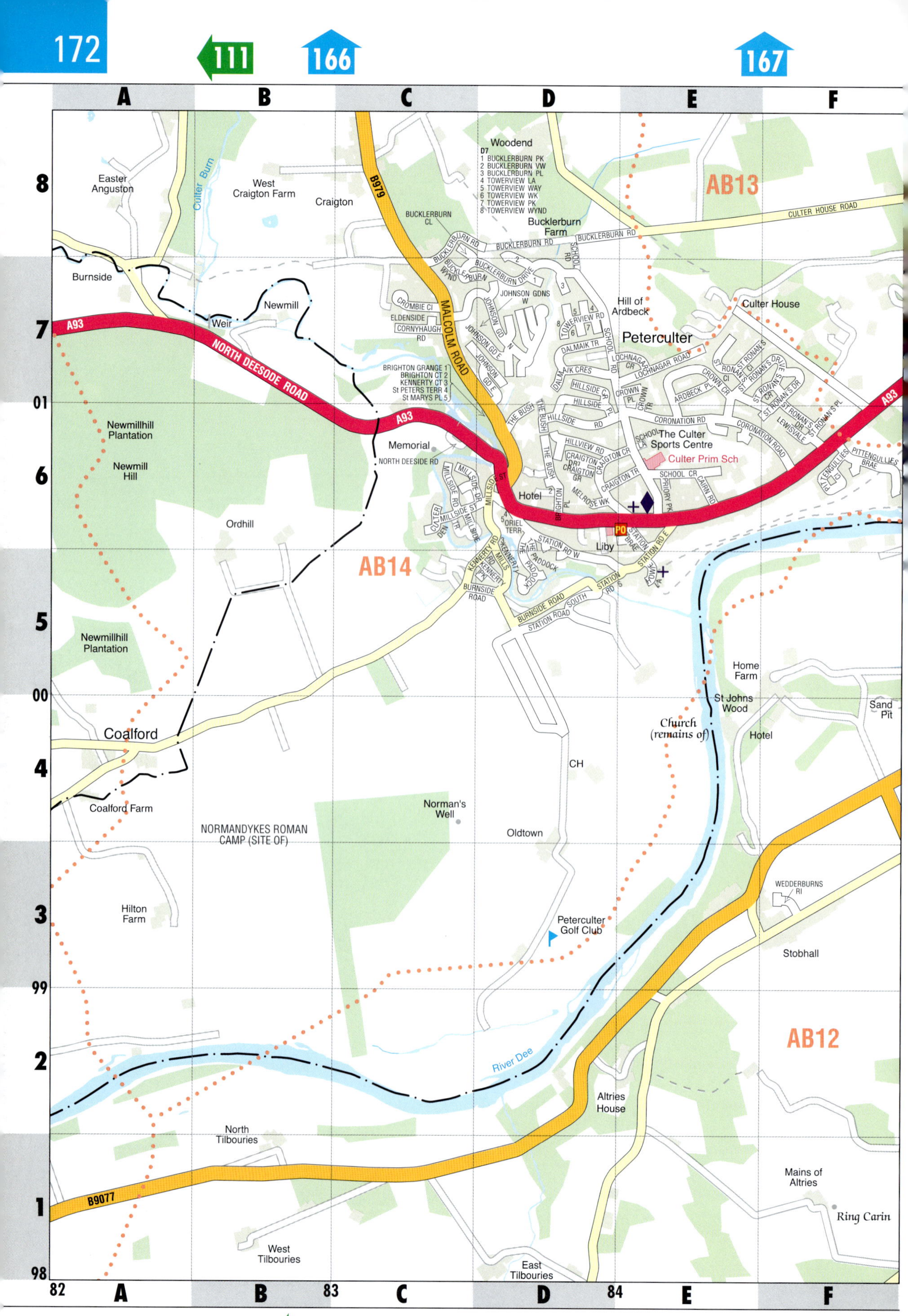
A
B
C
D
E
F
8
7
01
6
5
00
4
3
99
2
1
98
82
83
84
Woodend
D7
1 BUCKLERBURN PK
2 BUCKLERBURN VW
3 BUCKLERBURN PL
4 TOWERVIEW LA
5 TOWERVIEW WAY
6 TOWERVIEW WK
7 TOWERVIEW PK
8 TOWERVIEW WYND
Easter Anguston
West Craigton Farm
Craigton
Culter Burn
B979
BUCKLERBURN CL
Bucklerburn Farm
AB13
CULTER HOUSE ROAD
BUCKLERBURN RD
Burnside
Newmill
Weir
A93
NORTH DEESODE ROAD
CROMBIE CI
ELDENSIDE
CORNYHAUGH RD
MALCOLM ROAD
JOHNSON GDNS W
Hill of Ardbeck
Peterculter
Culter House
BRIGHTON GRANGE 1
BRIGHTON CT 2
KENNERTY CT 3
St PETERS TERR 4
St MARYS PL 5
DALMAIK TR
DALMAIK CRES
HILLSIDE RD
LOCHNAGAR ROAD
CROWN CR
ARDBECK PL
CORONATION RD
Newmillhill Plantation
Newmill Hill
Memorial
NORTH DEESIDE RD
The Culter Sports Centre
Culter Prim Sch
SCHOOL CR
PITTENGULLIES BRAE
Hotel
Ordhill
PO
Liby
AB14
BURNSIDE ROAD
STATION ROAD
Newmillhill Plantation
Home Farm
St Johns Wood
Sand Pit
Coalford
Church (remains of)
Hotel
CH
Coalford Farm
Norman's Well
NORMANDYKES ROMAN CAMP (SITE OF)
Oldtown
WEDDERBURNS RI
Hilton Farm
Peterculter Golf Club
Stobhall
AB12
River Dee
Altries House
North Tilbouries
Mains of Altries
B9077
Ring Carin
West Tilbouries
East Tilbouries

111
177

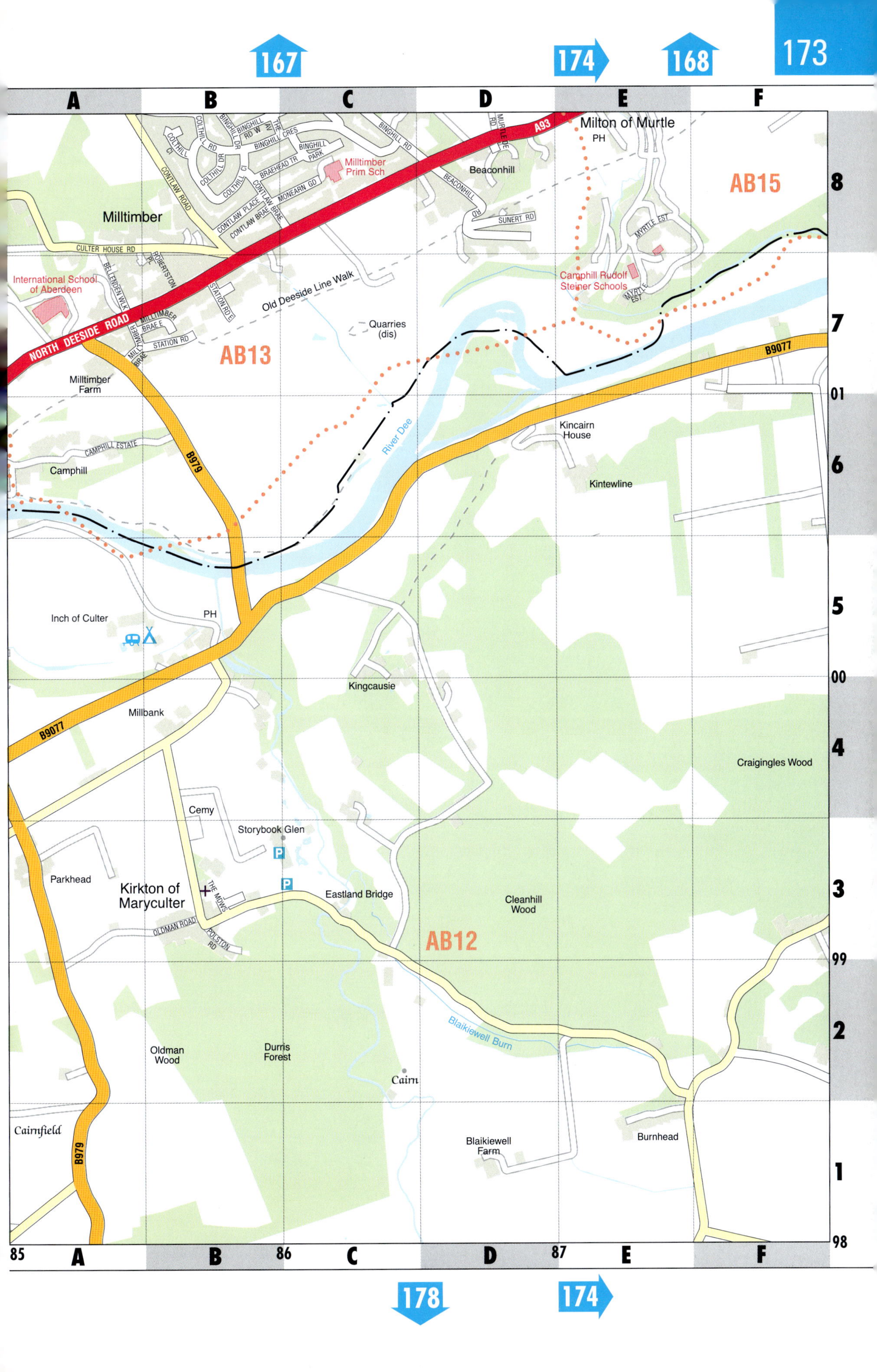
167
174
168
A
B
C
D
E
F
Milton of Murtle
PH
Milltimber Prim Sch
Beaconhill
AB15
Milltimber
CULTER HOUSE RD
International School of Aberdeen
Old Deeside Line Walk
Camphill Rudolf Steiner Schools
NORTH DEESIDE ROAD
A93
Quarries (dis)
AB13
B9077
Milltimber Farm
Kincairn House
River Dee
Camphill
B979
Kintewline
Inch of Culter
PH
Kingcausie
Millbank
B9077
Craigingles Wood
Cemy
Storybook Glen
Parkhead
Kirkton of Maryculter
Eastland Bridge
Cleanhill Wood
AB12
OLDMAN ROAD
Blaikiewell Burn
Oldman Wood
Durris Forest
Cairn
Cairnfield
B979
Blaikiewell Farm
Burnhead
8
7
01
6
5
00
4
3
99
2
1
98
85
86
87
178
174

173
168
169

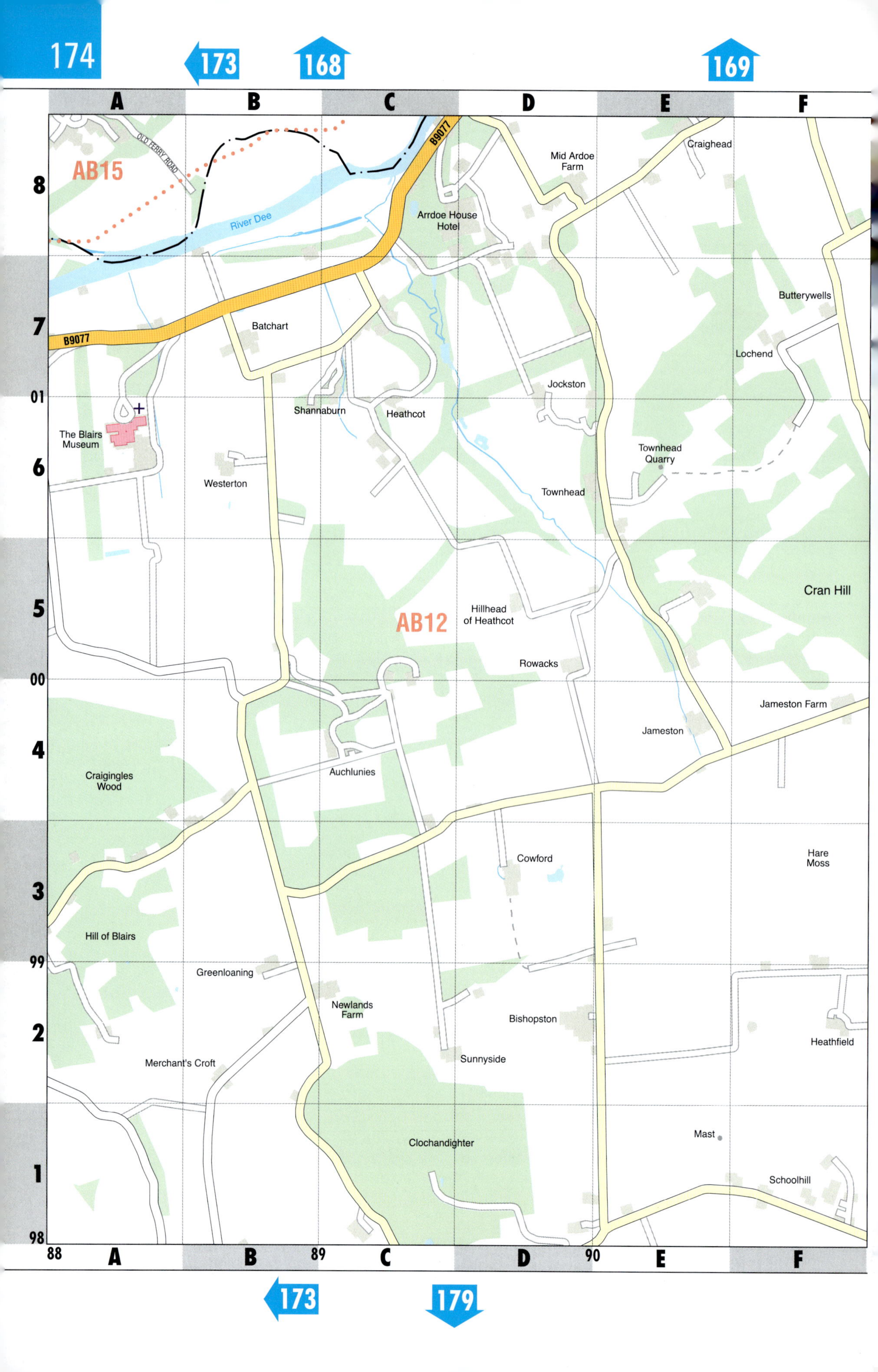
A
B
C
D
E
F
8
7
01
6
5
00
4
3
99
2
1
98
88
89
90
AB15
AB12
OLD FERRY ROAD
B9077
River Dee
Mid Ardoe Farm
Craighead
Arrdoe House Hotel
Butterywells
Batchart
Lochend
Jockston
Shannaburn
Heathcot
The Blairs Museum
Townhead Quarry
Westerton
Townhead
Cran Hill
Hillhead of Heathcot
Rowacks
Jameston Farm
Jameston
Craigingles Wood
Auchlunies
Cowford
Hare Moss
Hill of Blairs
Greenloaning
Newlands Farm
Bishopston
Heathfield
Merchant's Croft
Sunnyside
Clochandighter
Mast
Schoolhill

173
179

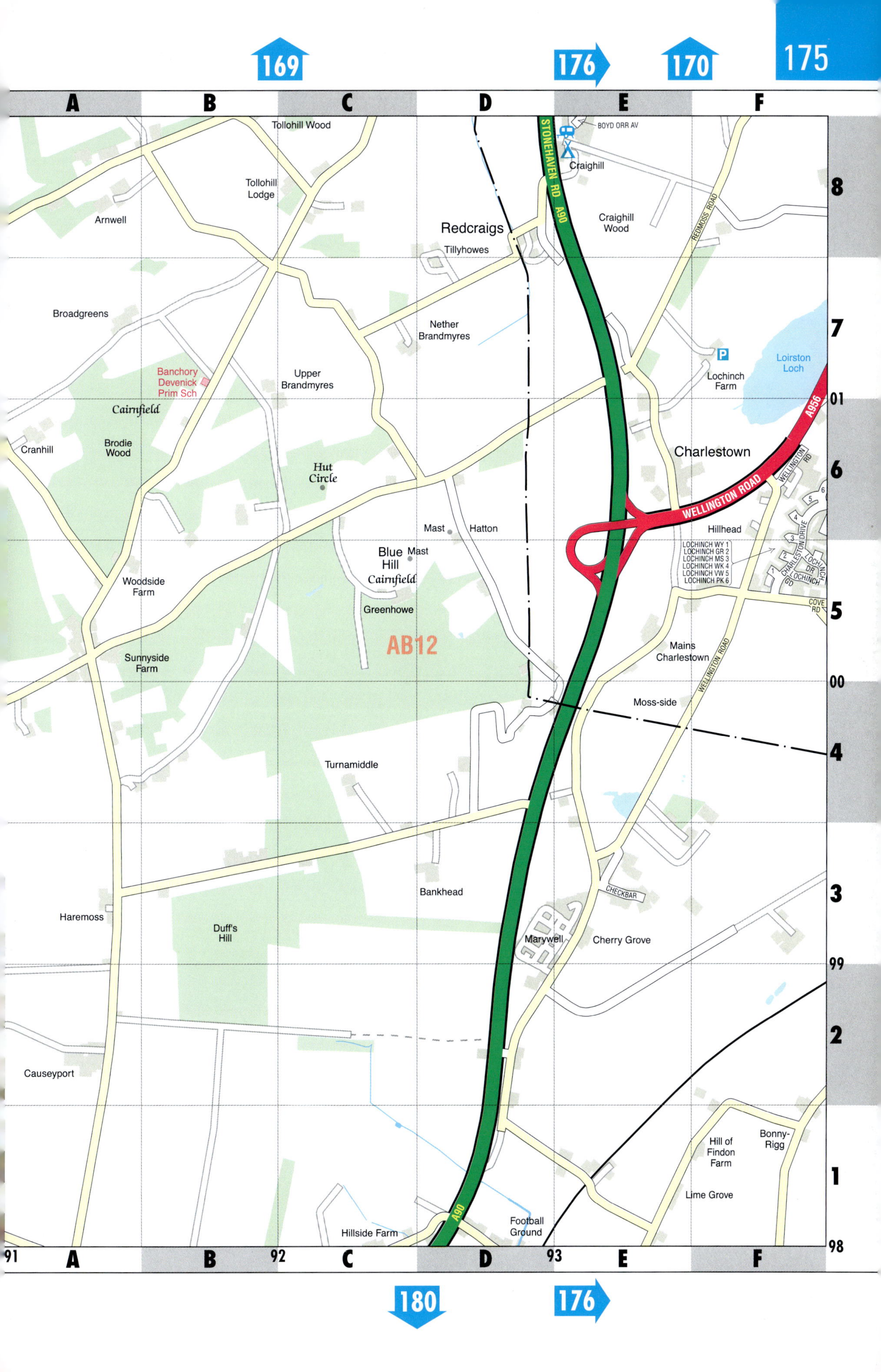
169
176
170
A
B
C
D
E
F
8
7
01
6
5
00
4
3
99
2
1
98
91
92
93
Tollohill Wood
Tollohill Lodge
Arnwell
Redcraigs
Tillyhowes
BOYD ORR AV
Craighill
STONEHAVEN RD A90
Craighill Wood
REDMOSS ROAD
Broadgreens
Nether Brandmyres
Lochinch Farm
Loirston Loch
Banchory Devenick Prim Sch
Upper Brandmyres
Cairnfield
A956
Cranhill
Brodie Wood
Charlestown
Hut Circle
WELLINGTON RD
WELLINGTON ROAD
Mast
Hatton
Hillhead
Blue Hill
Mast
Cairnfield
LOCHINCH WY 1
LOCHINCH GR 2
LOCHINCH MS 3
LOCHINCH WK 4
LOCHINCH VW 5
LOCHINCH PK 6
CHARLESTON DRIVE
LOCHINCH DR
CHARLESTON GD
Woodside Farm
Greenhowe
COVE RD
AB12
Mains Charlestown
WELLINGTON ROAD
Sunnyside Farm
Moss-side
Turnamiddle
Bankhead
CHECKBAR
Haremoss
Duff's Hill
Marywell
Cherry Grove
Causeyport
Hill of Findon Farm
Bonny-Rigg
Lime Grove
A90
Hillside Farm
Football Ground
180
176

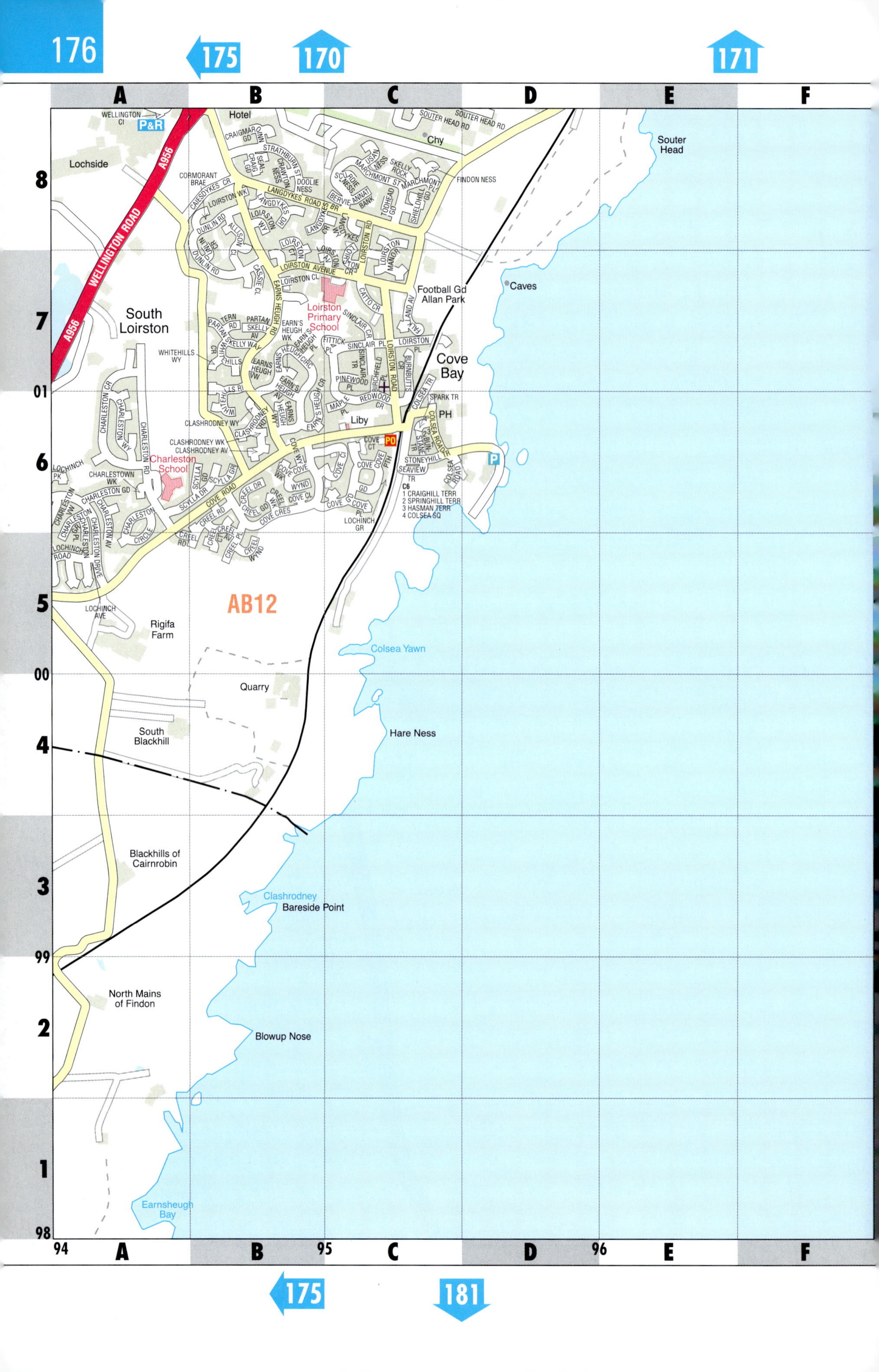

175
170
171
A
B
C
D
E
F
8
7
01
6
5
00
4
3
99
2
1
98
94
95
96
Wellington Cl
P&R
Hotel
Lochside
A956
Wellington Road
Souter Head Rd
Chy
Souter Head
Findon Ness
Craigmaroinn Gd
Strathburn St
Crawton Ness
Doolie Ness
Seal Craig Gd
Cormorant Brae
Caiesdykes Cr
Loirston Wk
Langdykes Road
Langdykes Dr
Langdykes Cr
Marchmont St
Marchmont Pl
Skelly Rock
Usan Ness
Scylladie Ness
Bervie
Annat Bank
Todhead Gd
Sheldhill Gd
Dunlin Rd
Dunlin Cr
Allison Cl
Loirston Wy
Loirston Ct
Loirston Cr
Loirston Rd
Loirston Manor
Loirston Avenue
Loirston Cl
Cassie Cl
Earns Heugh Rd
Football Gd
Allan Park
Caves
South Loirston
Loirston Primary School
Catto Cr
Sinclair Cr
Sinclair Pl
Sinclair Tr
Fittick Pl
Tern Rd
Partan Skelly Av
Partan Skelly Way
Earn's Heugh Wk
Earn's Heugh Pl
Earn's Heugh Circle
Earn's Heugh Cr
Earns Heugh Vw
Earns Heugh Av
Earns Heugh Wy
Whitehills Wy
Whitehills Cr
Falkland Av
Loirston Pl
Burnbutts Cr
Birchfield Pl
Loirston Road
Pinewood Pl
Redwood Cr
Maple Pl
Cove Bay
Colsea Tr
Spark Tr
PH
Liby
Colsea Road
Charleston Cr
Charleston Wy
Charleston Rd
Clashrodney Wy
Clashrodney Rd
Clashrodney Wk
Clashrodney Av
Cove Wy
Cove Ct
Cove Cl
Cove Pl
Cove Pth
PO
Stoneyhill Tr
Seaview Tr
P
C6
1 Craighill Terr
2 Springhill Terr
3 Hasman Terr
4 Colsea Sq
Lochinch Pk
Charleston Wk
Charleston School
Scylla Gd
Scylla Dr
Cove Road
Cove Wk
Cove Wynd
Cove Gd
Cove Cl
Cove Cres
Creel Dr
Creel Gd
Creel Wk
Creel Rd
Creel Av
Creel Pl
Creel Wynd
Lochinch Gr
Charleston Gd
Charleston Vw
Charleston Pl
Charleston Av
Charleston Circle
Charleston Drive
Lochinch Road
AB12
Lochinch Ave
Rigifa Farm
Colsea Yawn
Quarry
South Blackhill
Hare Ness
Blackhills of Cairnrobin
Clashrodney
Bareside Point
North Mains of Findon
Blowup Nose
Earnsheugh Bay
175
181

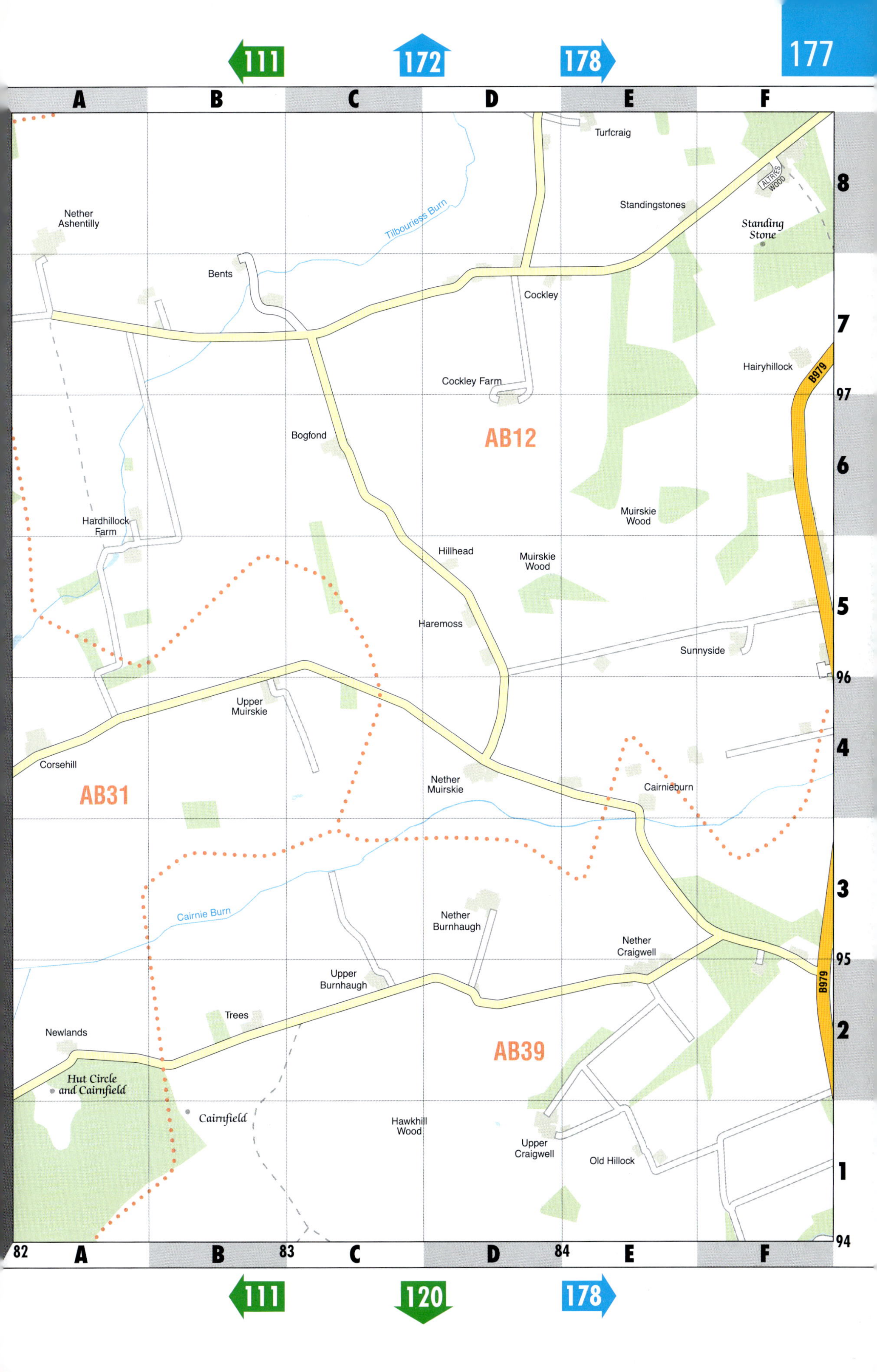

111
172
178
A
B
C
D
E
F
Turfcraig
Nether Ashentilly
Standingstones
Standing Stone
ALTRIES WOOD
Tilbouriess Burn
Bents
Cockley
Cockley Farm
Hairyhillock
B979
Bogfond
AB12
Muirskie Wood
Hardhillock Farm
Hillhead
Muirskie Wood
Haremoss
Sunnyside
Upper Muirskie
Corsehill
AB31
Nether Muirskie
Cairnieburn
Cairnie Burn
Nether Burnhaugh
Nether Craigwell
Upper Burnhaugh
Trees
Newlands
AB39
Hut Circle and Cairnfield
Cairnfield
Hawkhill Wood
Upper Craigwell
Old Hillock
8
7
97
6
5
96
4
3
95
2
1
94
82
83
84
120

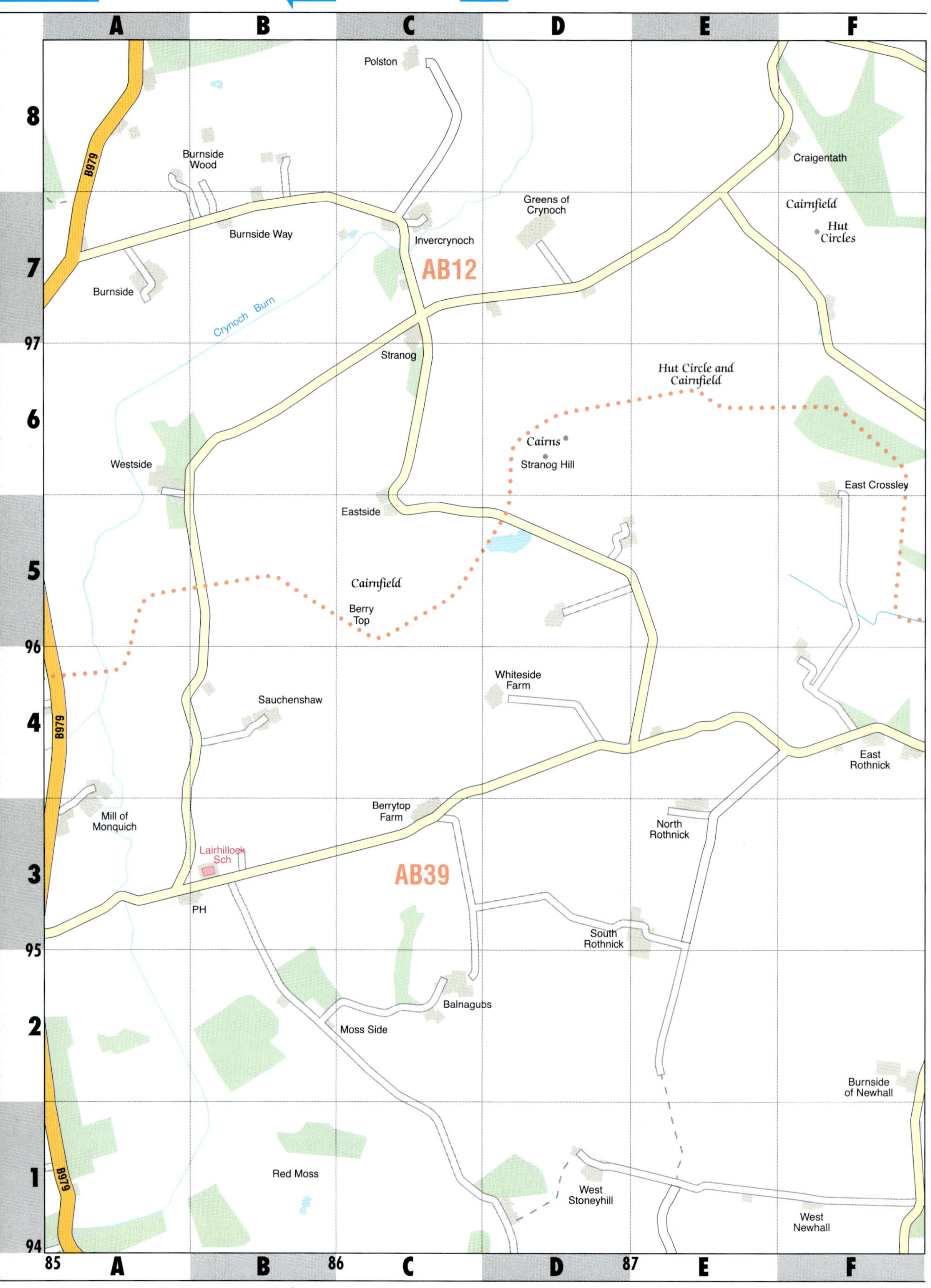
A
B
C
D
E
F
8
7
97
6
5
96
4
3
95
2
1
94
85
86
87
Polston
Burnside Wood
Burnside Way
Burnside
B979
Invercrynoch
AB12
Greens of Crynoch
Craigentath
Cairnfield
Hut Circles
Crynoch Burn
Stranog
Hut Circle and Cairnfield
Cairns
Stranog Hill
Westside
Eastside
East Crossley
Cairnfield
Berry Top
Whiteside Farm
Sauchenshaw
East Rothnick
Mill of Monquich
Berrytop Farm
North Rothnick
Lairhillock Sch
PH
AB39
South Rothnick
Balnagubs
Moss Side
Burnside of Newhall
Red Moss
West Stoneyhill
West Newhall

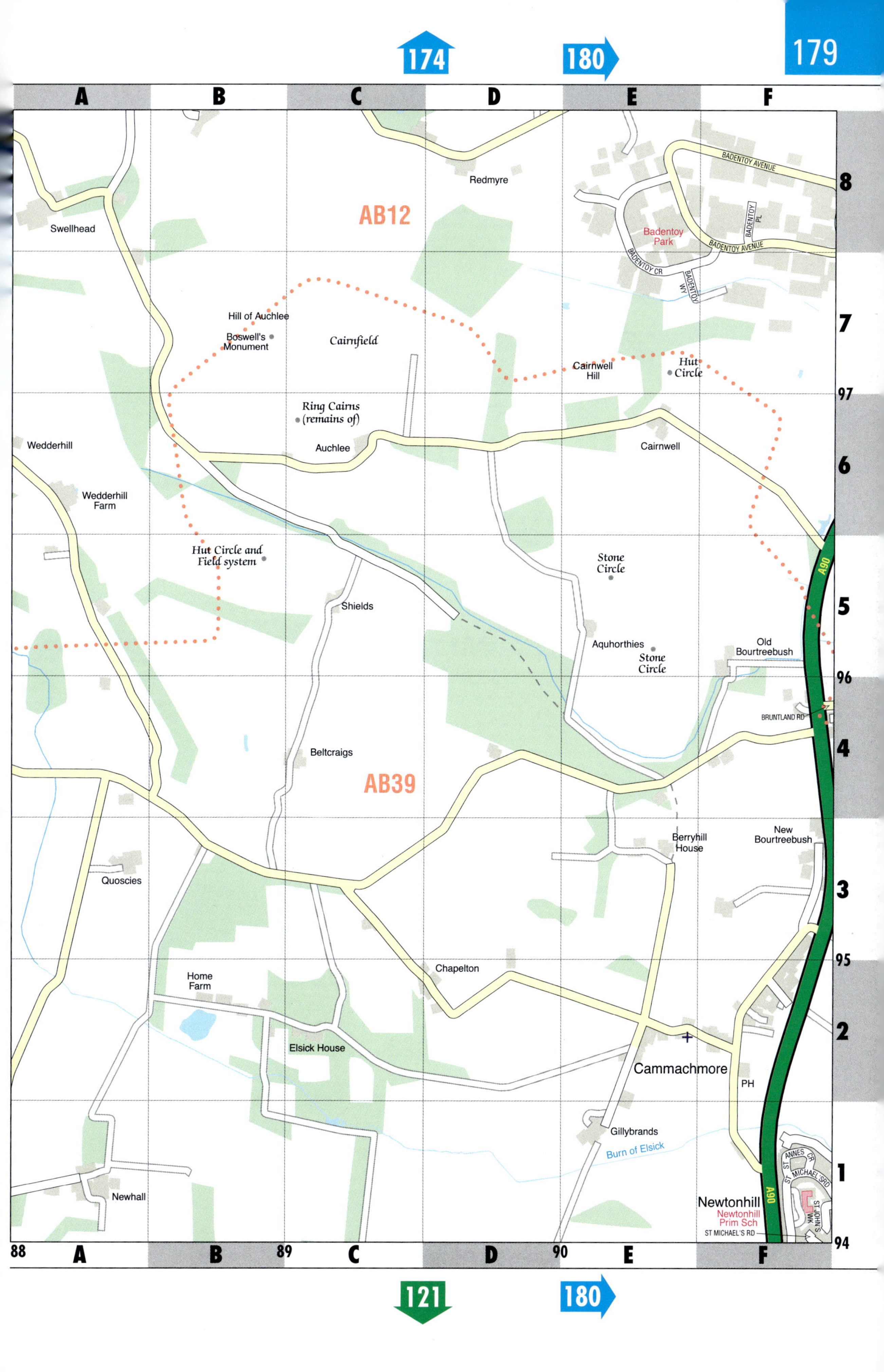
174
180
A
B
C
D
E
F
8
7
97
6
5
96
4
3
95
2
1
94
88
89
90
Redmyre
AB12
Swellhead
Badentoy Park
BADENTOY AVENUE
BADENTOY PL
BADENTOY CR
BADENTOY WY
Hill of Auchlee
Boswell's Monument
Cairnfield
Cairnwell Hill
Hut Circle
Ring Cairns (remains of)
Auchlee
Cairnwell
Wedderhill
Wedderhill Farm
Hut Circle and Field system
Stone Circle
A90
Shields
Aquhorthies
Stone Circle
Old Bourtreebush
BRUNTLAND RD
Beltcraigs
AB39
Berryhill House
New Bourtreebush
Quoscies
Chapelton
Home Farm
Elsick House
Cammachmore
PH
Gillybrands
Burn of Elsick
ST ANNES CR
ST MICHAEL'S RD
ST JOHN'S WK
Newhall
Newtonhill
Newtonhill Prim Sch
ST MICHAEL'S RD
121
180

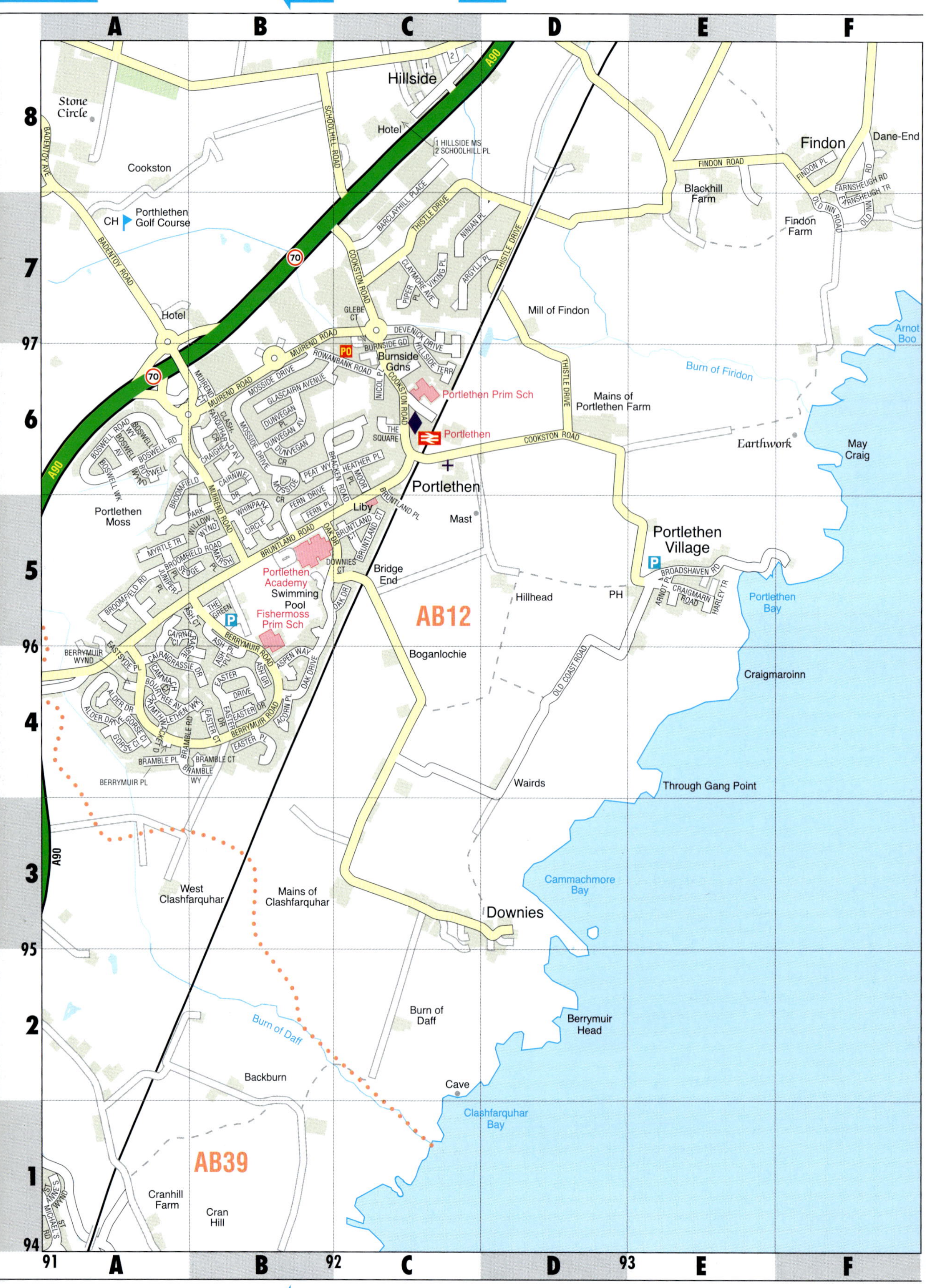
Hillside
Hotel
Stone Circle
Cookston
Porthlethen Golf Course
CH
Hotel
Findon
Dane-End
Blackhill Farm
Findon Farm
FINDON ROAD
Mill of Findon
Burnside Gdns
Portlethen Prim Sch
Portlethen
Portlethen
Mains of Portlethen Farm
Burn of Firidon
Earthwork
May Craig
Arnot Boo
Portlethen Moss
Portlethen Village
Portlethen Bay
Mast
Bridge End
Hillhead
PH
Portlethen Academy
Swimming Pool
Fishermoss Prim Sch
AB12
Boganlochie
Craigmaroinn
Wairds
Through Gang Point
West Clashfarquhar
Mains of Clashfarquhar
Cammachmore Bay
Downies
Burn of Daff
Berrymuir Head
Backburn
Cave
Clashfarquhar Bay
AB39
Cranhill Farm
Cran Hill
A90
COOKSTON ROAD
BRUNTLAND ROAD
MUIREND ROAD
THISTLE DRIVE
BADENTOY ROAD
SCHOOLHILL ROAD
OLD COAST ROAD
BERRYMUIR ROAD
1 HILLSIDE MS
2 SCHOOLHILL PL
A B C D E F
8 7 97 6 5 96 4 3 95 2 1 94
91 92 93

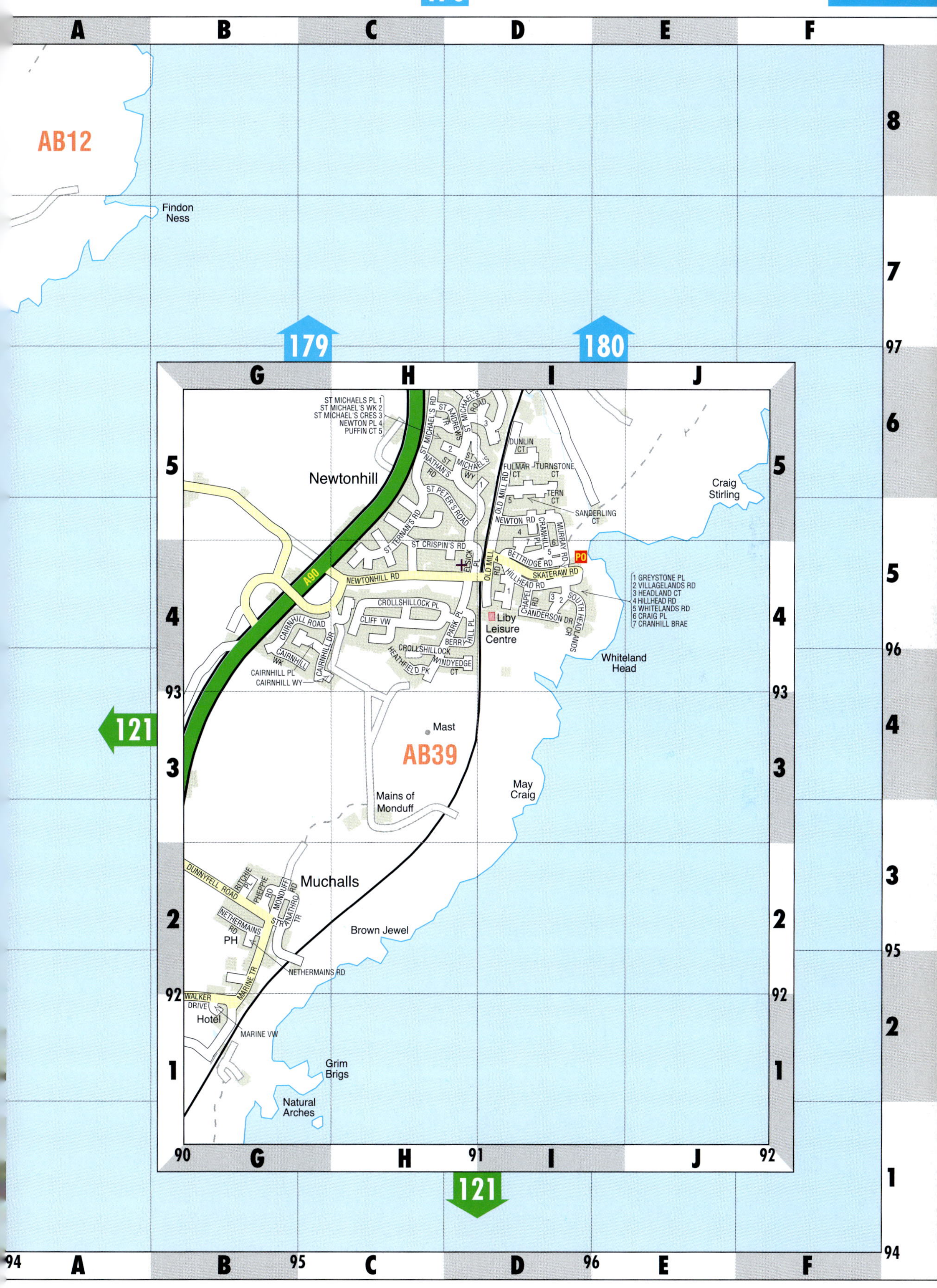
176
179
180
121
AB12
Findon Ness
AB39
Newtonhill
Muchalls
Craig Stirling
Whiteland Head
Mast
Mains of Monduff
May Craig
Brown Jewel
Grim Brigs
Natural Arches
Liby Leisure Centre
Hotel
PH
PO
A90
ST MICHAELS PL 1
ST MICHAEL'S WK 2
ST MICHAEL'S CRES 3
NEWTON PL 4
PUFFIN CT 5
1 GREYSTONE PL
2 VILLAGELANDS RD
3 HEADLAND CT
4 HILLHEAD RD
5 WHITELANDS RD
6 CRAIG PL
7 CRANHILL BRAE
NEWTONHILL RD
CROLLSHILLOCK PL
CLIFF VW
CAIRNHILL ROAD
CAIRNHILL DR
CAIRNHILL WK
CAIRNHILL PL
CAIRNHILL WY
HEATHFIELD PK
WINDYEDGE CT
CROLLSHILLOCK
BERRY HILL PL
PARK PL
ST CRISPIN'S RD
ST TERNAN'S RD
ST PETER'S ROAD
ST NATHAN'S RD
ST MICHAEL'S RD
ST MICHAEL'S WY
ST ANDREWS TR
ST MICHAEL'S ROAD
DUNLIN CT
FULMAR CT
TURNSTONE CT
TERN CT
SANDERLING CT
OLD MILL RD
NEWTON RD
CRANHILL PL
MURRAY RD
BETTRIDGE RD
SKATERAW RD
HILLHEAD RD
CHAPEL RD
ANDERSON DR
SOUTH HEADLANDS CR
ELSICK PL
DUNNYFELL ROAD
RITCHIE PL
PHEPPIE RD
MONDUFF RD
CATHRO TR
NETHERMAINS RD
STRAIT
MARINE TR
WALKER DRIVE
MARINE VW

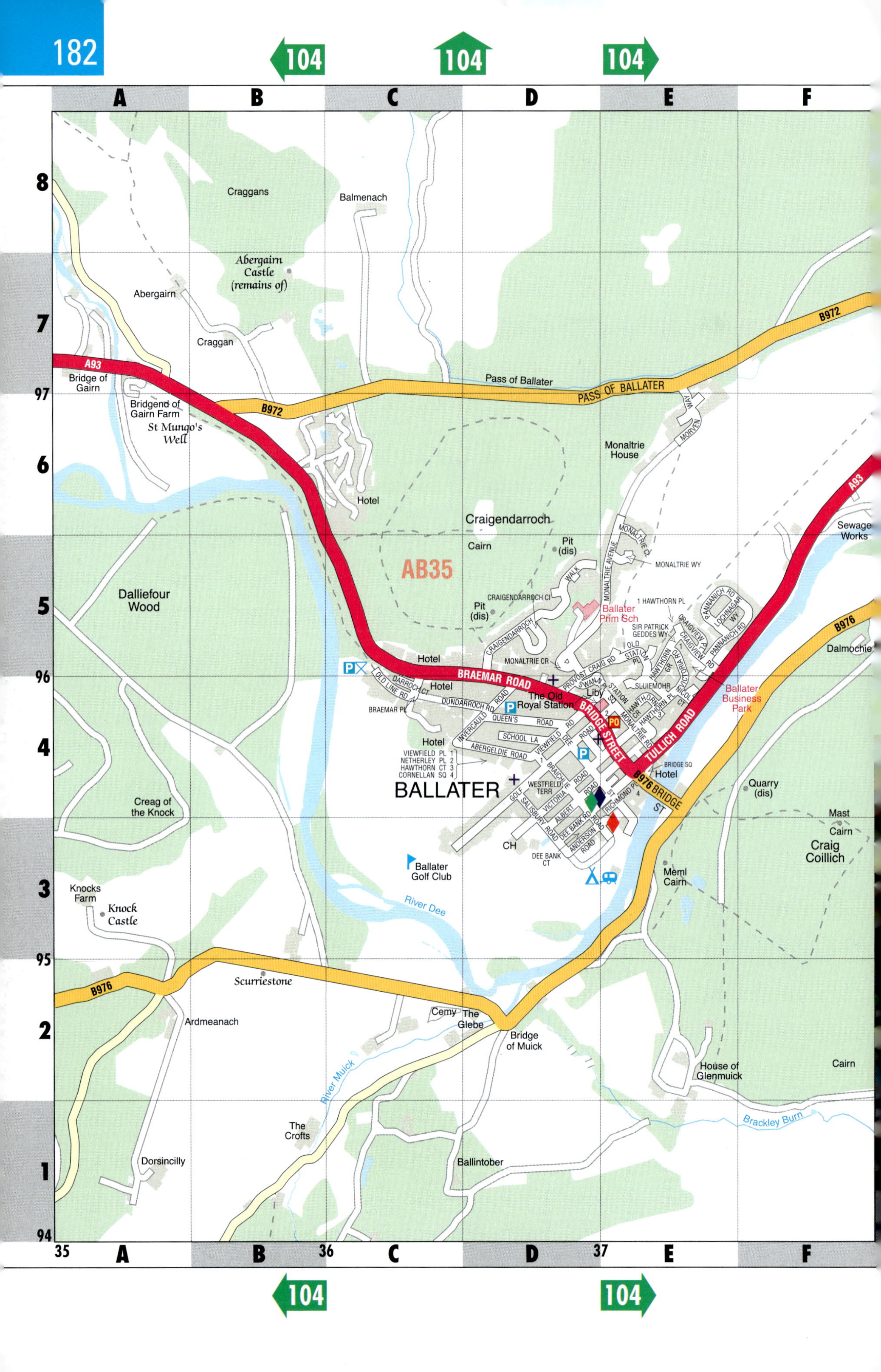

104
104
104
A
B
C
D
E
F
8
7
97
6
5
96
4
3
95
2
1
94
35
36
37
Craggans
Balmenach
Abergairn Castle (remains of)
Abergairn
Craggan
A93
B972
Bridge of Gairn
Bridgend of Gairn Farm
St Mungo's Well
Pass of Ballater
PASS OF BALLATER
MORVEN WAY
Monaltrie House
Hotel
Craigendarroch
Cairn
Pit (dis)
AB35
Sewage Works
Dalliefour Wood
MONALTRIE AVENUE
MONALTRIE CL
MONALTRIE WY
CRAIGENDARROCH CI
Ballater Prim Sch
1 HAWTHORN PL
SIR PATRICK GEDDES WY
B976
Dalmochie
Hotel
BRAEMAR ROAD
MONALTRIE CR
DARROCH CT
OLD LINE RD
BRAEMAR PL
DUNDARROCH RD
The Old Royal Station
Liby
BRIDGE STREET
TULLICH ROAD
Ballater Business Park
PO
QUEEN'S ROAD
SCHOOL LA
ABERGELDIE ROAD
INVERCAULD ROAD
VIEWFIELD RD
Hotel
VIEWFIELD PL 1
NETHERLEY PL 2
HAWTHORN CT 3
CORNELLAN SQ 4
BRIDGE SQ
Hotel
BALLATER
B976 BRIDGE ST
Quarry (dis)
Creag of the Knock
WESTFIELD TERR
GOLF ROAD
SALISBURY ROAD
VICTORIA ROAD
ALBERT ROAD
DEE BANK RD
ANDERSON ROAD
RICHMOND PL
DEE BANK CT
CH
Mast
Cairn
Craig Coillich
Ballater Golf Club
Meml Cairn
Knocks Farm
Knock Castle
River Dee
Scurriestone
Ardmeanach
Cemy
The Glebe
Bridge of Muick
River Muick
House of Glenmuick
Cairn
Brackley Burn
The Crofts
Dorsincilly
Ballintober

104
104

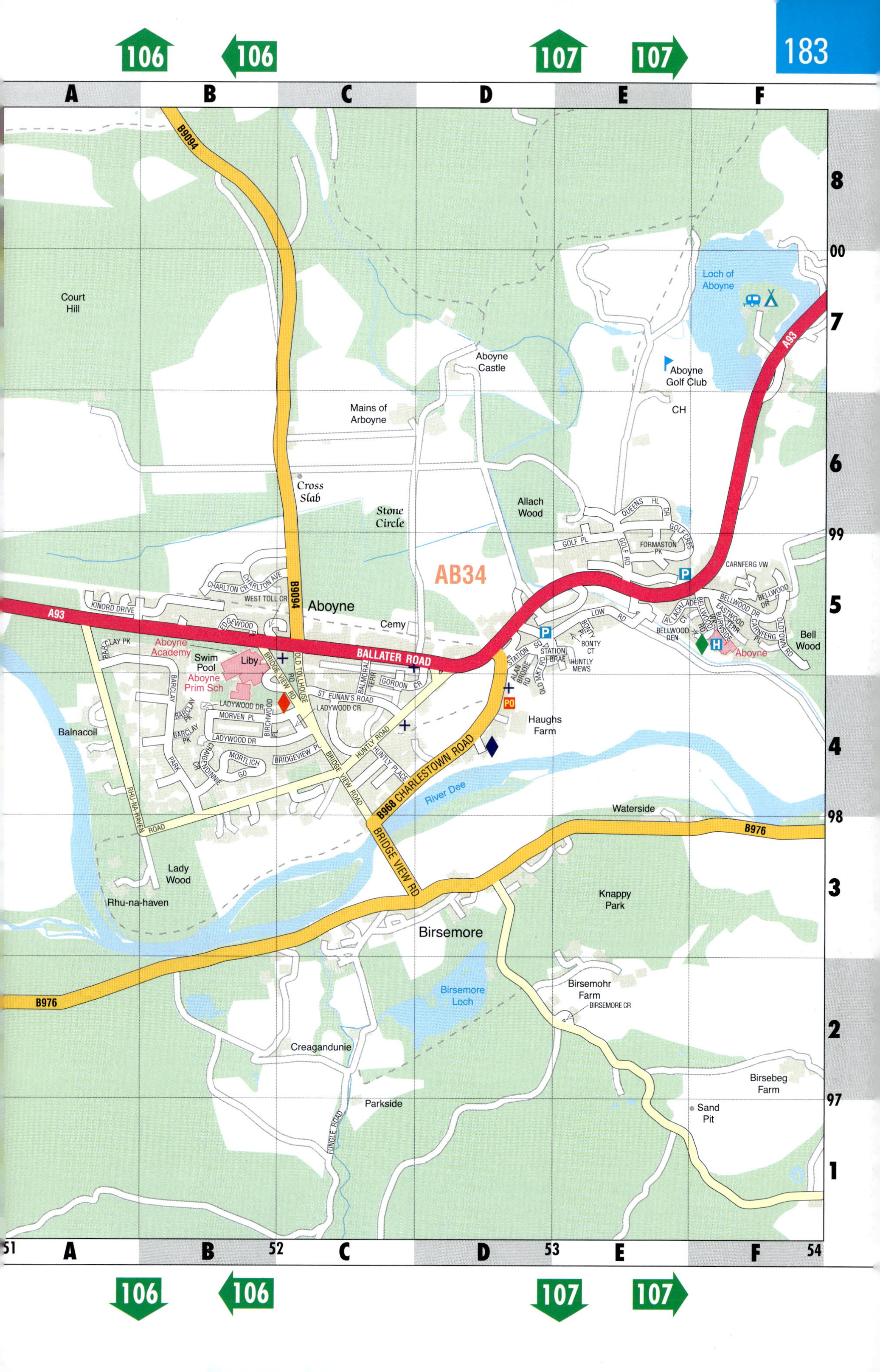

106
106
107
107
A
B
C
D
E
F
8
00
7
6
99
5
4
98
3
2
97
1
51
52
53
54
B9094
Court Hill
Loch of Aboyne
Aboyne Castle
Aboyne Golf Club
A93
CH
Mains of Arboyne
Cross Slab
Stone Circle
Allach Wood
QUEENS HL
DR
GOLF CRES
GOLF PL
GOLF RD
FORMASTON PK
CARNFERG VW
BELLWOOD DR
AB34
CHARLTON AVE
CHARLTON CR
WEST TOLL CR
KINORD DRIVE
Aboyne
Cemy
LOW RD
BONTY PL
BONTY CT
STATION SQ
STATION BRAE
HUNTLY MEWS
ALLACHLADE
BELLWOOD CT
BELLWOOD RD
BELLWOOD DEN
EASTWOOD
BURNSIDE
TERR
CARNFERG PL
OLDTOWN RD
Bell Wood
Aboyne
EDGEWOOD
BARCLAY PK
Aboyne Academy
Swim Pool
Liby
BALLATER ROAD
Aboyne Prim Sch
BRIDGE VIEW RD
OLD TOLLHOUSE RD
BALMORAL TERR
GORDON CR
ALAN BRODIE RD
OLD MKT RD
PO
Haughs Farm
ST EUNAN'S ROAD
LADYWOOD CR
LADYWOOD DR
MORVEN PL
BIRCHWOOD PL
LADYWOOD DR
BARCLAY
BARCLAY PK
BARCLAY PK
PARK
CRAIGENDINNIE CR
MORTLICH GD
BRIDGEVIEW PL
HUNTLY ROAD
HUNTLY PLACE
B968 CHARLESTOWN ROAD
Balnacoil
River Dee
Waterside
B976
RHU-NA-HAVEN ROAD
BRIDGE VIEW ROAD
BRIDGE VIEW RD
Lady Wood
Rhu-na-haven
Knappy Park
Birsemore
B976
Birsemore Loch
Birsemohr Farm
BIRSEMORE CR
Creagandunie
Birsebeg Farm
Parkside
Sand Pit
FUNGLE ROAD

109 109 110 110
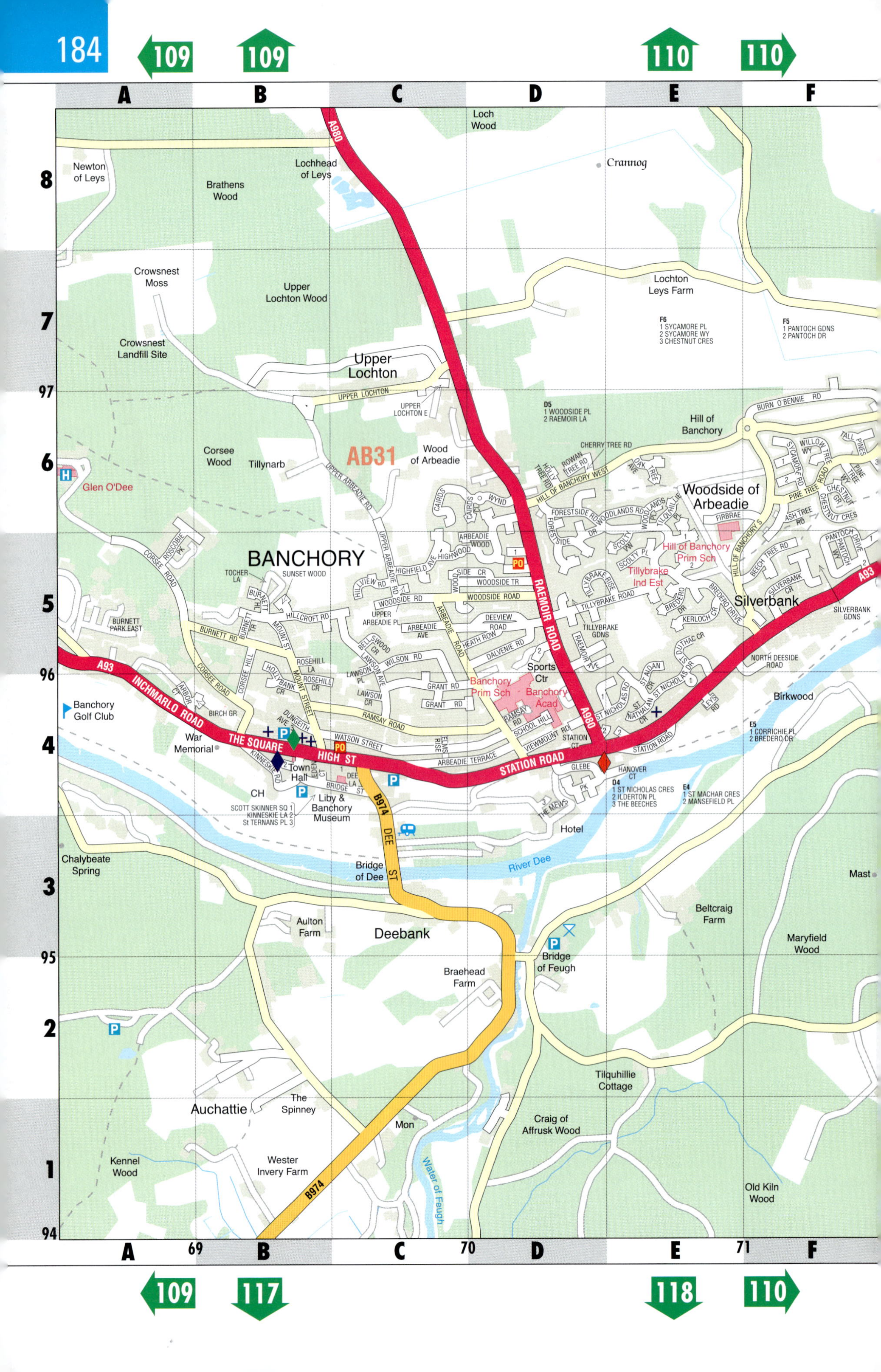

A B C D E F
8 7 97 6 5 96 4 3 95 2 1 94
69 70 71
Loch Wood
Cronnog
Newton of Leys
Brathens Wood
Lochhead of Leys
A980
Crowsnest Moss
Upper Lochton Wood
Lochton Leys Farm
Crowsnest Landfill Site
F6 1 SYCAMORE PL 2 SYCAMORE WY 3 CHESTNUT CRES
F5 1 PANTOCH GDNS 2 PANTOCH DR
Upper Lochton
UPPER LOCHTON
UPPER LOCHTON E
D5 1 WOODSIDE PL 2 RAEMOIR LA
BURN O'BENNIE RD
Hill of Banchory
Corsee Wood
Tillynarb
AB31
Wood of Arbeadie
CHERRY TREE RD
Glen O'Dee
Woodside of Arbeadie
FIRBRAE
BANCHORY
Hill of Banchory Prim Sch
Tillybrake Ind Est
Silverbank
SILVERBANK GDNS
RAEMOIR ROAD
TILLYBRAKE ROAD
TILLYBRAKE GDNS
NORTH DEESIDE ROAD
Sports Ctr
Banchory Prim Sch
Banchory Acad
Birkwood
E5 1 CORRICHIE PL 2 BREDERO DR
A93
INCHMARLO ROAD
THE SQUARE
HIGH ST
STATION ROAD
Banchory Golf Club
War Memorial
Town Hall
CH
SCOTT SKINNER SQ 1
KINNESKIE LA 2
St TERNANS PL 3
Liby & Banchory Museum
D4 1 ST NICHOLAS CRES 2 ILDERTON PL 3 THE BEECHES
E4 1 ST MACHAR CRES 2 MANSEFIELD PL
Hotel
River Dee
Chalybeate Spring
Bridge of Dee
DEE ST
B974
Mast
Aulton Farm
Deebank
Beltcraig Farm
Bridge of Feugh
Maryfield Wood
Braehead Farm
Tilquhillie Cottage
Auchattie
The Spinney
Mon
Craig of Affrusk Wood
Kennel Wood
Wester Invery Farm
Water of Feugh
Old Kiln Wood

109 117 118 110

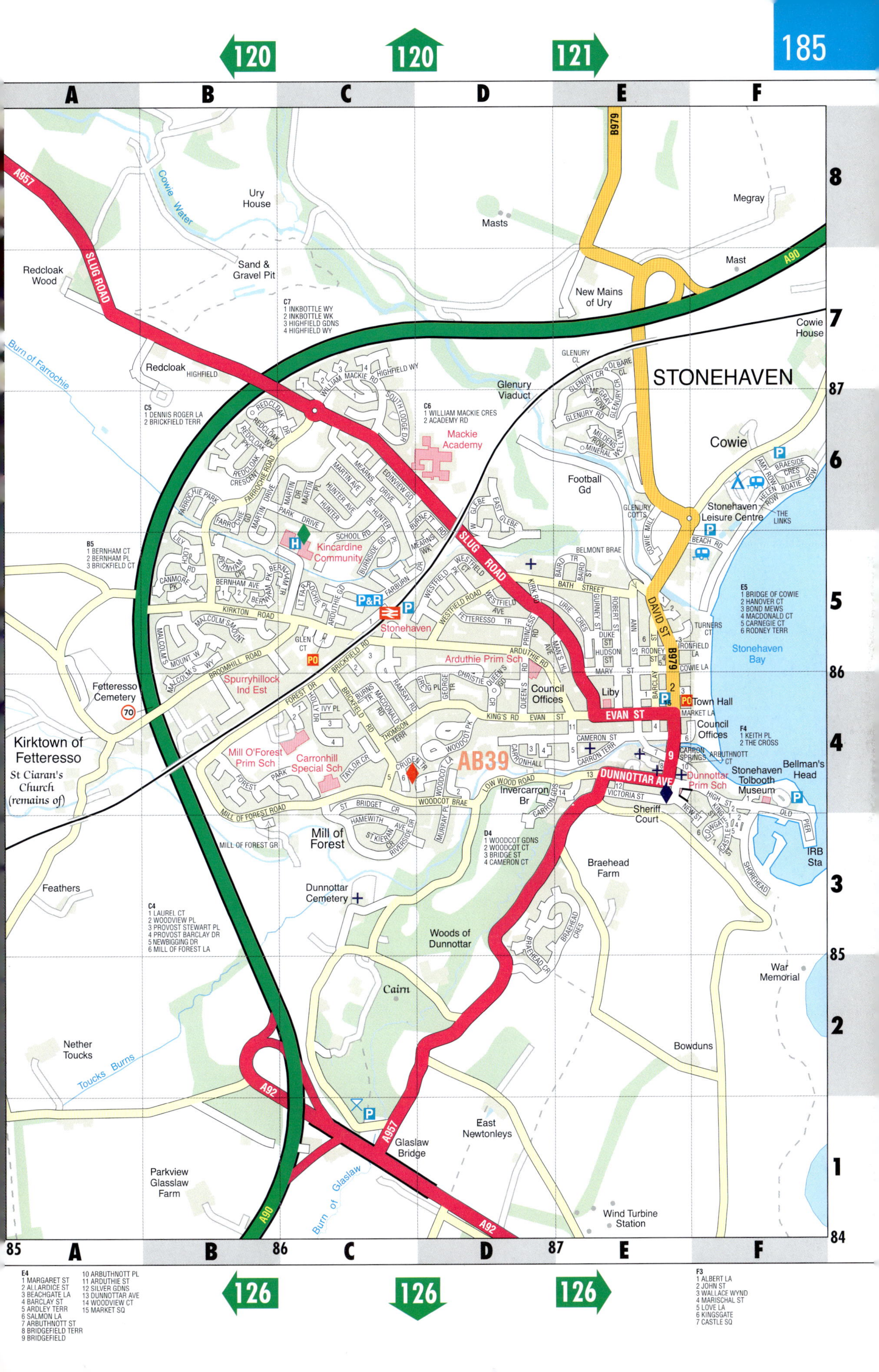

185
120
120
121
126
126
126
A
B
C
D
E
F
8
7
87
6
5
86
4
3
85
2
1
84
85
86
87
STONEHAVEN
AB39
A957
SLUG ROAD
A90
A92
B979
Ury House
Cowie Water
Sand & Gravel Pit
Redcloak Wood
Redcloak
HIGHFIELD
Burn of Farrochie
Masts
Megray
Mast
New Mains of Ury
Cowie House
Glenury Viaduct
Mackie Academy
Kincardine Community
Cowie
Football Gd
Stonehaven Leisure Centre
THE LINKS
Stonehaven
Spurryhillock Ind Est
Arduthie Prim Sch
Council Offices
Liby
Town Hall
Stonehaven Bay
Fetteresso Cemetery
Kirktown of Fetteresso
St Ciaran's Church (remains of)
Mill O'Forest Prim Sch
Carronhill Special Sch
Invercarron Br
Dunnottar Prim Sch
Stonehaven Tolbooth Museum
Bellman's Head
Sheriff Court
IRB Sta
Mill of Forest
Feathers
Dunnottar Cemetery
Braehead Farm
Woods of Dunnottar
Cairn
War Memorial
Nether Toucks
Toucks Burns
Bowduns
East Newtonleys
Glaslaw Bridge
Burn of Glaslaw
Parkview Glasslaw Farm
Wind Turbine Station
EVAN ST
DUNNOTTAR AVE
DAVID ST
KIRKTON ROAD
BROOMHILL ROAD
MILL OF FOREST ROAD
LOW WOOD ROAD
BATH STREET
KING'S RD
CAMERON ST
BELMONT BRAE
BEACH RD
MILL OF FOREST GR
C7
1 INKBOTTLE WY
2 INKBOTTLE WK
3 HIGHFIELD GDNS
4 HIGHFIELD WY
C5
1 DENNIS ROGER LA
2 BRICKFIELD TERR
C6
1 WILLIAM MACKIE CRES
2 ACADEMY RD
B5
1 BERNHAM CT
2 BERNHAM PL
3 BRICKFIELD CT
E5
1 BRIDGE OF COWIE
2 HANOVER CT
3 BOND MEWS
4 MACDONALD CT
5 CARNEGIE CT
6 RODNEY TERR
F4
1 KEITH PL
2 THE CROSS
D4
1 WOODCOT GDNS
2 WOODCOT CT
3 BRIDGE ST
4 CAMERON CT
C4
1 LAUREL CT
2 WOODVIEW PL
3 PROVOST STEWART PL
4 PROVOST BARCLAY DR
5 NEWBIGGING DR
6 MILL OF FOREST LA
E4
1 MARGARET ST
2 ALLARDICE ST
3 BEACHGATE LA
4 BARCLAY ST
5 ARDLEY TERR
6 SALMON LA
7 ARBUTHNOTT ST
8 BRIDGEFIELD TERR
9 BRIDGEFIELD
10 ARBUTHNOTT PL
11 ARDUTHIE ST
12 SILVER GDNS
13 DUNNOTTAR AVE
14 WOODVIEW CT
15 MARKET SQ
F3
1 ALBERT LA
2 JOHN ST
3 WALLACE WYND
4 MARISCHAL ST
5 LOVE LA
6 KINGSGATE
7 CASTLE SQ

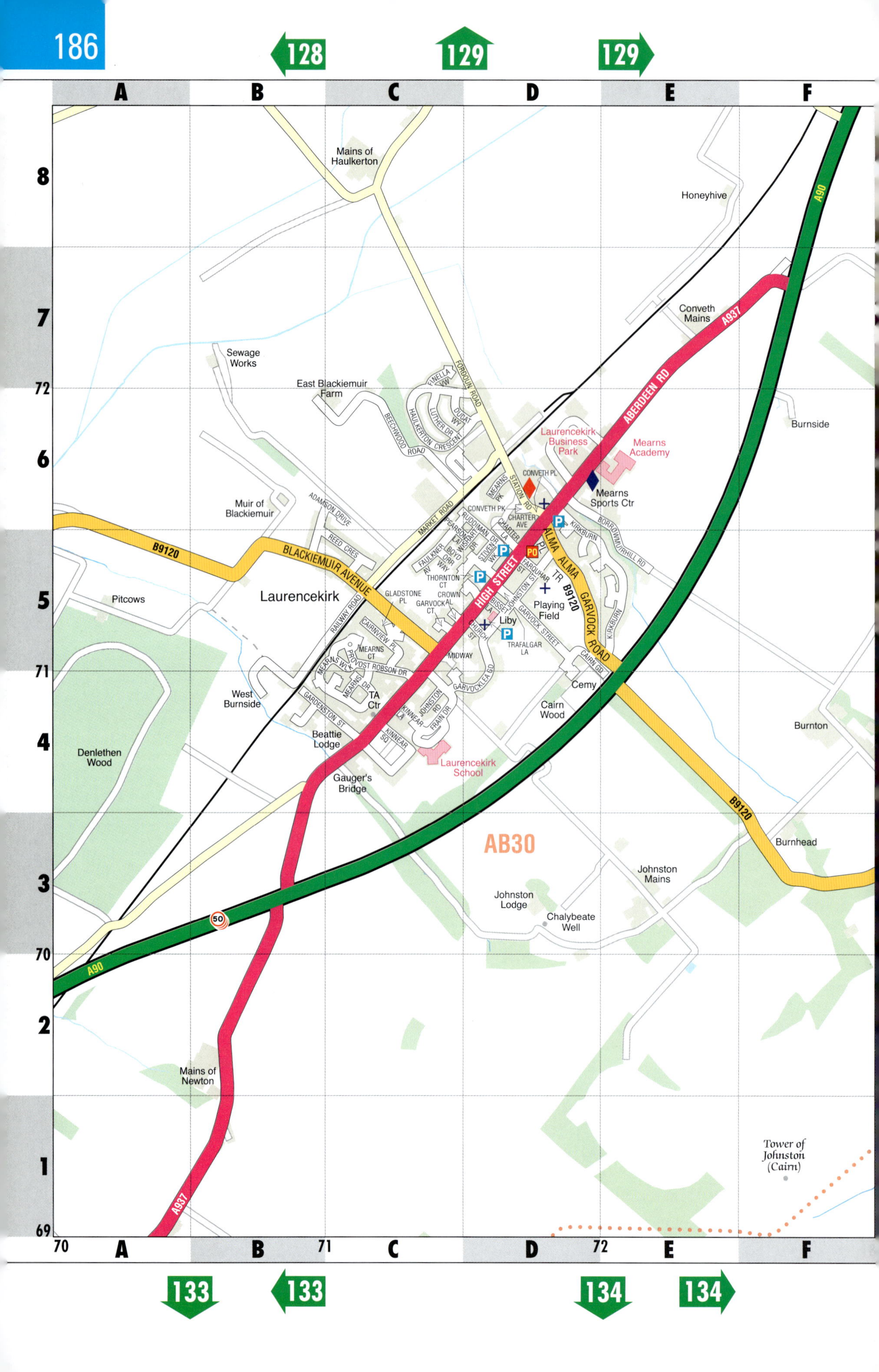
128
129
129
A
B
C
D
E
F
8
7
72
6
5
71
4
3
70
2
1
69
Mains of Haulkerton
Honeyhive
Conveth Mains
A937
A90
Sewage Works
East Blackiemuir Farm
FINELLA VW
FORDOUN ROAD
LUTHER DR
DUCAT WY
BEECHWOOD ROAD
HAULKERTON CRESCENT
Burnside
Laurencekirk Business Park
Mearns Academy
ABERDEEN RD
CONVETH PL
MEARNS PK
STATION RD
Mearns Sports Ctr
Muir of Blackiemuir
ADAMSON DRIVE
MARKET ROAD
CONVETH PK
CHARTER AVE
KIRKBURN
BORROWMUIRHILL RD
REED CRES
RUDDIMAN DR
PEARSON LA
WISHART DR
STIVEN WK
CHARTER LA
B9120
BLACKIEMUIR AVENUE
FAULKNER AV
BOYD ORR WAY
PO
ALMA PL
ALMA TR
FARQUHAR ST
JOHNSTON ST
THORNTON CT
Pitcows
Laurencekirk
GLADSTONE PL
GARVOCK CT
CROWN AL
HIGH STREET
Playing Field
GARVOCK ROAD
KIRKBURN
RAILWAY ROAD
CAIRNVIEW PL
BISSET LA
CHURCH ST
Liby
GARVOCK STREET
TRAFALGAR LA
MEARNS CT
MIDWAY
CAIRN GD
MEARNS WK
PROVOST ROBSON DR
MEARNS DR
GARVOCKLEA GD
Cemy
West Burnside
TA Ctr
GARDENSTON ST
KINNEAR LA
JOHNSTON RD
TRAIN DR
Cairn Wood
Burnton
Beattie Lodge
KINNEAR SQ
Denlethen Wood
Laurencekirk School
Gauger's Bridge
B9120
AB30
Burnhead
Johnston Mains
Johnston Lodge
Chalybeate Well
50
A90
Mains of Newton
Tower of Johnston (Cairn)
A937
70
71
72
133
133
134
134

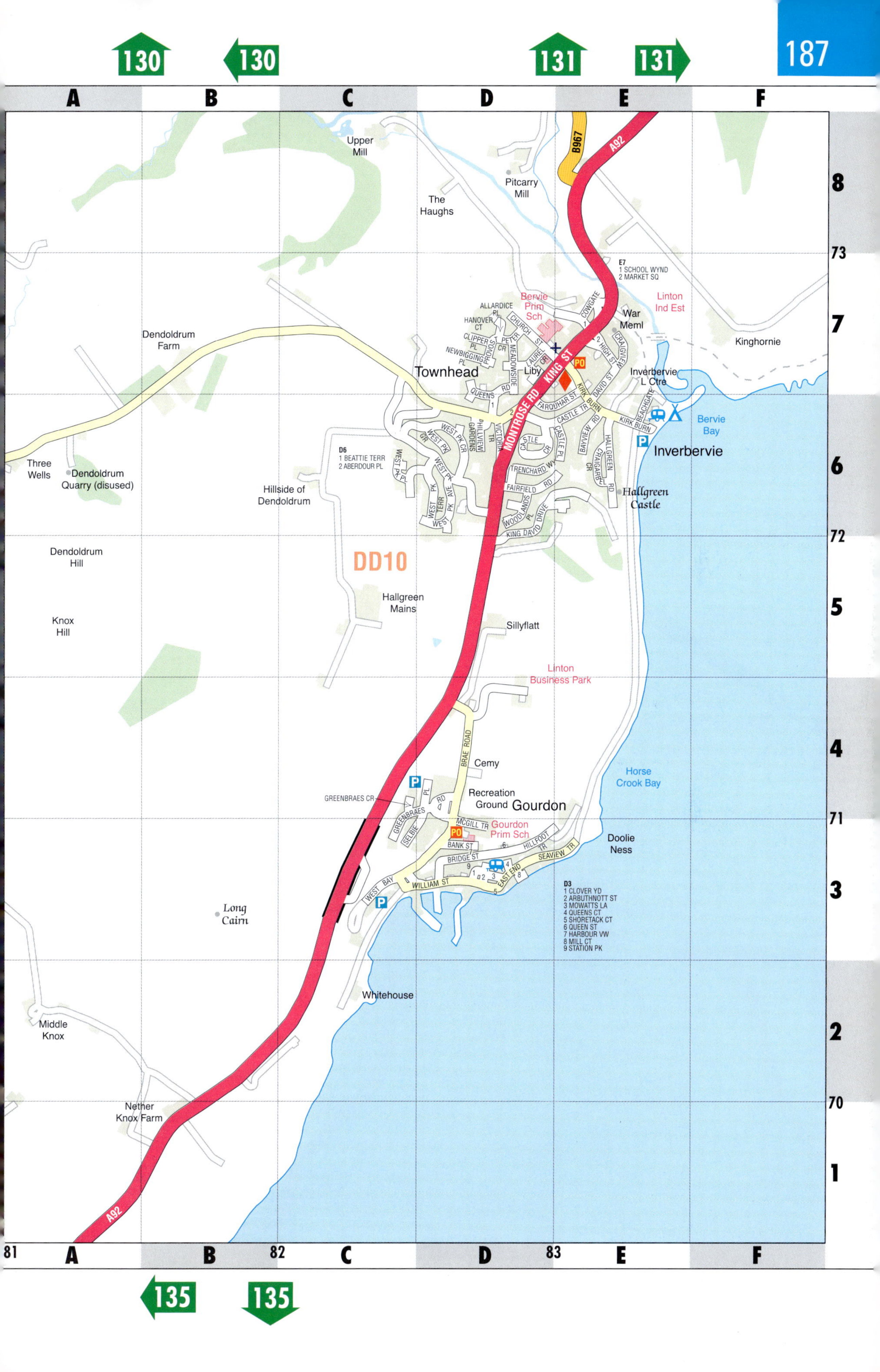
130
130
131
131
Upper Mill
The Haughs
Pitcarry Mill
B967
A92
E7
1 SCHOOL WYND
2 MARKET SQ
Bervie Prim Sch
Linton Ind Est
War Meml
Kinghornie
Dendoldrum Farm
Townhead
Liby
PO
Inverbervie L Ctre
Bervie Bay
Inverbervie
Three Wells
Dendoldrum Quarry (disused)
D6
1 BEATTIE TERR
2 ABERDOUR PL
Hillside of Dendoldrum
Hallgreen Castle
MONTROSE RD
KING ST
Dendoldrum Hill
DD10
Hallgreen Mains
Knox Hill
Sillyflatt
Linton Business Park
BRAE ROAD
Cemy
Horse Crook Bay
GREENBRAES CR
Recreation Ground
Gourdon
Gourdon Prim Sch
Doolie Ness
D3
1 CLOVER YD
2 ARBUTHNOTT ST
3 MOWATTS LA
4 QUEENS CT
5 SHORETACK CT
6 QUEEN ST
7 HARBOUR VW
8 MILL CT
9 STATION PK
Long Cairn
Whitehouse
Middle Knox
Nether Knox Farm
135
135

132 132

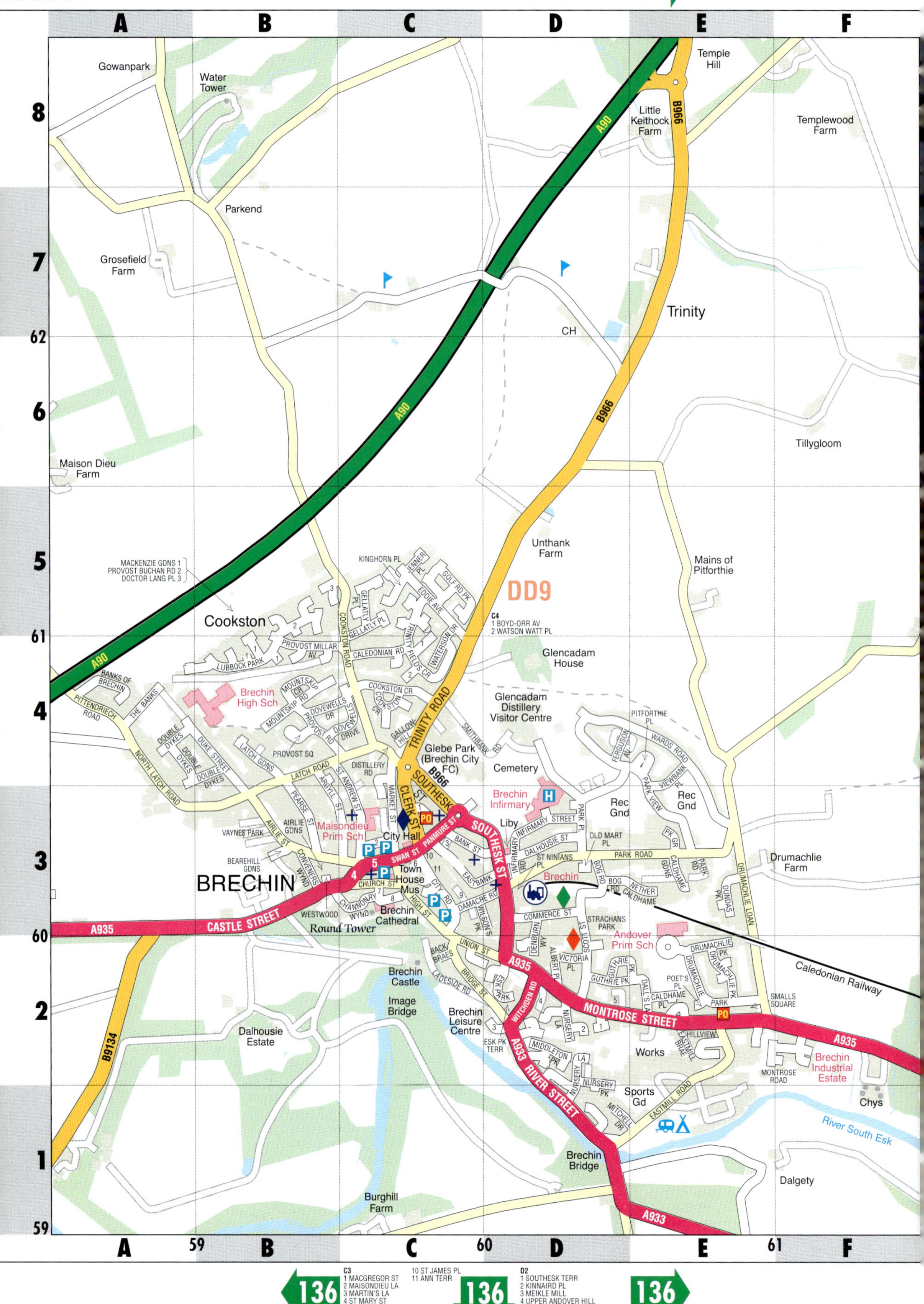

136 136 136

C3
1 MACGREGOR ST
2 MAISONDIEU LA
3 MARTIN'S LA
4 ST MARY ST
5 ST DAVID ST
6 LIDDLES CL
7 CHURCH LA
8 BISHOP'S CL
9 MATHERS PK
10 ST JAMES PL
11 ANN TERR

D2
1 SOUTHESK TERR
2 KINNAIRD PL
3 MEIKLE MILL
4 UPPER ANDOVER HILL
5 NEWINGTON GDNS

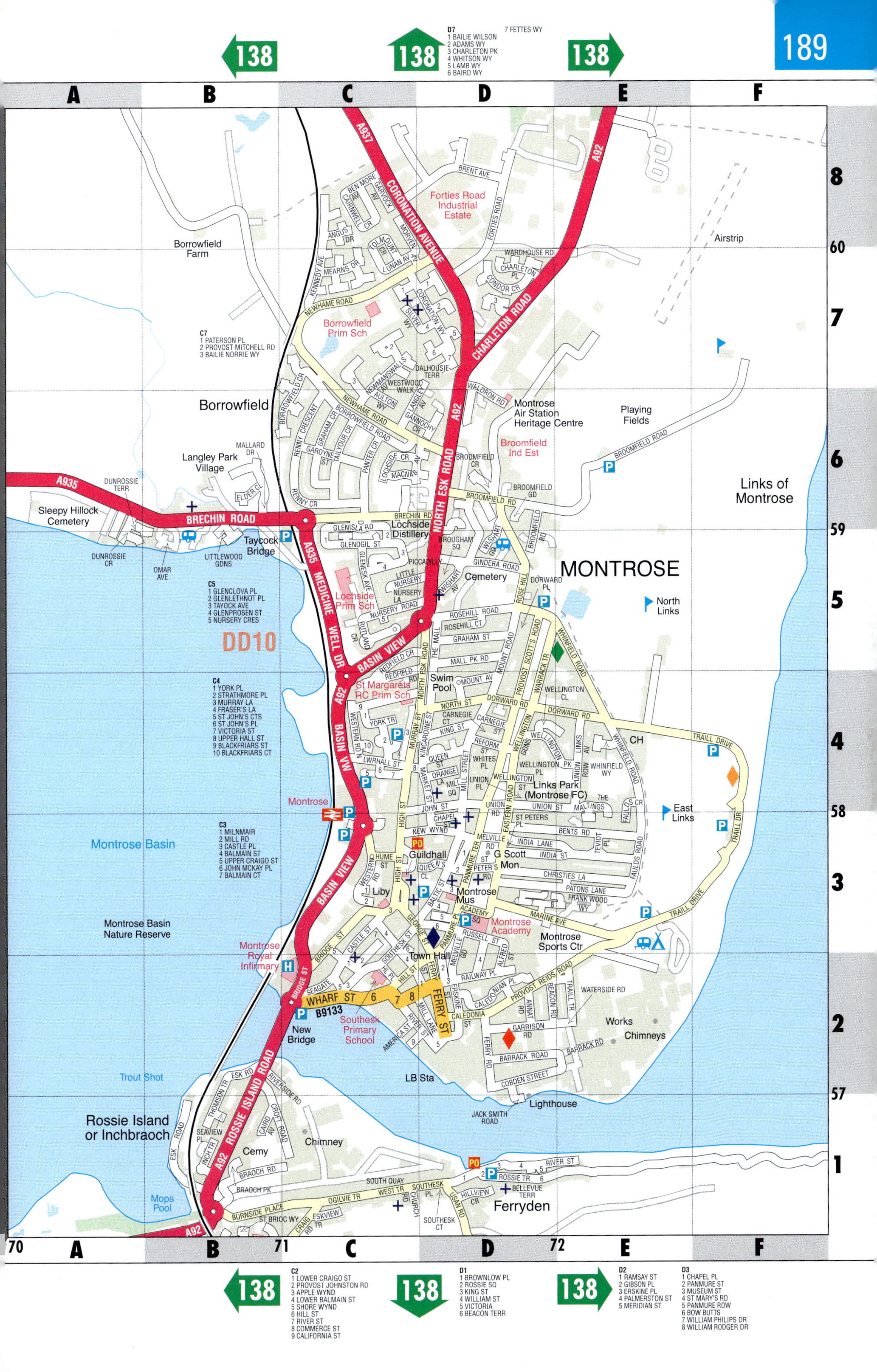
138
138
D7
1 BAILIE WILSON
2 ADAMS WY
3 CHARLETON PK
4 WHITSON WY
5 LAMB WY
6 BAIRD WY
7 FETTES WY
138
A B C D E F
8
60
7
6
59
5
4
58
3
2
57
1
Borrowfield Farm
Forties Road Industrial Estate
CORONATION AVENUE
A937
A92
Airstrip
BRENT AVE
FORTIES ROAD
WARDHOUSE RD
CHARLETON PL
CONDOR CR
CHARLETON ROAD
BEN MORE AV
CAIRNWELL CR
GARVOCK
ANGUS DR
TOLMOUNT CR
MORVEN
LUNAN AV
MEARNS DR
KENNEDY AVE
NEWHAME ROAD
Borrowfield Prim Sch
SILVER WY
CORONATION WY
C7
1 PATERSON PL
2 PROVOST MITCHELL RD
3 BAILIE NORRIE WY
DALHOUSIE TERR
NEWMANSWALLS
WESTWOOD WALK
AULTON WY
LANGLEY AV
GANNOCHY CR
WALDRON RD
Montrose Air Station Heritage Centre
Playing Fields
Borrowfield
BORROWFIELD CR
RENNY CRESCENT
GRAHAM CR
BORROWFIELD ROAD
TAYLOUR CR
GARDYNE ST
PANTER CR
LOCHSIDE CR
MACNAB
BROOMFIELD CR
Broomfield Ind Est
BROOMFIELD ROAD
MALLARD DR
Langley Park Village
NORTH ESK ROAD
BROOMFIELD GD
Links of Montrose
A935
DUNROSSIE TERR
ELDER CL
RENNY CR
BROOMFIELD RD
Sleepy Hillock Cemetery
BRECHIN ROAD
BRECHIN RD
GLENISLA RD
Lochside Distillery
BROUGHAM SQ
WISHART GD
DUNROSSIE CR
OMAR AVE
LITTLEWOOD GDNS
Taycock Bridge
GLENOGIL ST
GLENESK AVE
PICCADILLY
GINDERA ROAD
MONTROSE
A935 MEDICINE WELL DR
LITTLE NURSERY
NURSERY LA
WISHART AV
Cemetery
DORWARD PL
C5
1 GLENCLOVA PL
2 GLENLETHNOT PL
3 TAYOCK AVE
4 GLENPROSEN ST
5 NURSERY CRES
Lochside Prim Sch
NURSERY ROAD
RUTLAND CR
ROSE HILL
North Links
DD10
BASIN VIEW
ROSEHILL ROAD
ROSEHILL CT
GRAHAM ST
PROVOST SCOTT'S ROAD
WHINFIELD ROAD
THE MALL
MOUNT ROAD
WARRACK TR
MALL PK RD
REDFIELD CR
REDFIELD RD
St Margarets RC Prim Sch
Swim Pool
MOUNT AV
C4
1 YORK PL
2 STRATHMORE PL
3 MURRAY LA
4 FRASER'S LA
5 ST JOHN'S CTS
6 ST JOHN'S PL
7 VICTORIA ST
8 UPPER HALL ST
9 BLACKFRIARS ST
10 BLACKFRIARS CT
NORTH ST
DORWARD RD
WELLINGTON CL
CARNEGIE CT
CARNEGIE ST
KING ST
YORK TR
WESTERN RD
MURRAY ST
KINCARDINE ST
REFORM ST
WELLINGTON GDNS
WELLINGTON PK
LINKS AV
CH
TRAILL DRIVE
BASIN VW
LWRHALL ST
QUEEN ST
ORANGE LA
WHITES PL
WHINFIELD WY
MILL ST
MILL STREET
UNION PL
WELLINGTON ST
Links Park (Montrose FC)
Montrose
JOHN ST
CHAPEL ST
UNION RD
UNION ST
EASTERN ROAD
THE MALTINGS
FAULDS CR
East Links
HIGH ST
NEW WYND
ST PETERS PL
BENTS RD
TRAILL DR
C3
1 MILNMAIR
2 MILL RD
3 CASTLE PL
4 BALMAIN ST
5 UPPER CRAIGO ST
6 JOHN MCKAY PL
7 BALMAIN CT
Montrose Basin
PO
MELVILLE RD
INDIA LANE
TEVIOT PL
Guildhall
G Scott Mon
INDIA ST
FAULDS ROAD
HUME ST
ST PETER'S RD
QUEEN'S CL
WESTERN RD
CHRISTIES LA
PANMURE TER
Liby
Montrose Mus
PATONS LANE
FRANK WOOD WY
BALTIC ST
ACADEMY SQ
MARINE AVE
Montrose Basin Nature Reserve
Montrose Academy
Montrose Sports Ctr
BRIDGE ST
CASTLE ST
SOUTHESK ST
GEORGE ST
PANMURE PL
RUSSELL ST
MELVILLE GD
ALFRED ST
Montrose Royal Infirmary
H
Town Hall
HILL ST
FERRY ST
RAILWAY PL
CALEDONIAN PL
PROVOST REIDS ROAD
BEACON RD
TRAILL TR
WATERSIDE RD
SEAGATE
ERSKINE ST
ANNAT RD
WHARF ST
B9133
CALEDONIA ST
Works
Chimneys
New Bridge
Southesk Primary School
MILL LANE
RIVER ST
AMERICA ST
GARRISON RD
FERRY RD
BARRACK ROAD
BARRACK RD
Trout Shot
ESK RD
RIVERSIDE RD
ROSSIE ISLAND ROAD
LB Sta
COBDEN STREET
THOMSON TR
Lighthouse
JACK SMITH ROAD
Rossie Island or Inchbraoch
SEAVIEW PL
CROFT ROAD
CAIRD AV
ESK ROAD
Chimney
Cemy
INCH TR
BRAOCH RD
BRAOCH PK
RIVER ST
ROSSIE TR
SOUTH QUAY
WEST TR
SOUTHESK PL
USAN RD
HILLVIEW CR
BELLEVUE TERR
Mops Pool
BURNSIDE PLACE
OGILVIE TR
CHURCH RD
ST BRIOC WY
CRAIG RD
ESKVIEW TR
SOUTHESK CT
Ferryden
A92
70
71
72
138
C2
1 LOWER CRAIGO ST
2 PROVOST JOHNSTON RD
3 APPLE WYND
4 LOWER BALMAIN ST
5 SHORE WYND
6 HILL ST
7 RIVER ST
8 COMMERCE ST
9 CALIFORNIA ST
138
D1
1 BROWNLOW PL
2 ROSSIE SQ
3 KING ST
4 WILLIAM ST
5 VICTORIA
6 BEACON TERR
138
D2
1 RAMSAY ST
2 GIBSON PL
3 ERSKINE PL
4 PALMERSTON ST
5 MERIDIAN ST
D3
1 CHAPEL PL
2 PANMURE ST
3 MUSEUM ST
4 ST MARY'S RD
5 PANMURE ROW
6 BOW BUTTS
7 WILLIAM PHILIPS DR
8 WILLIAM RODGER DR

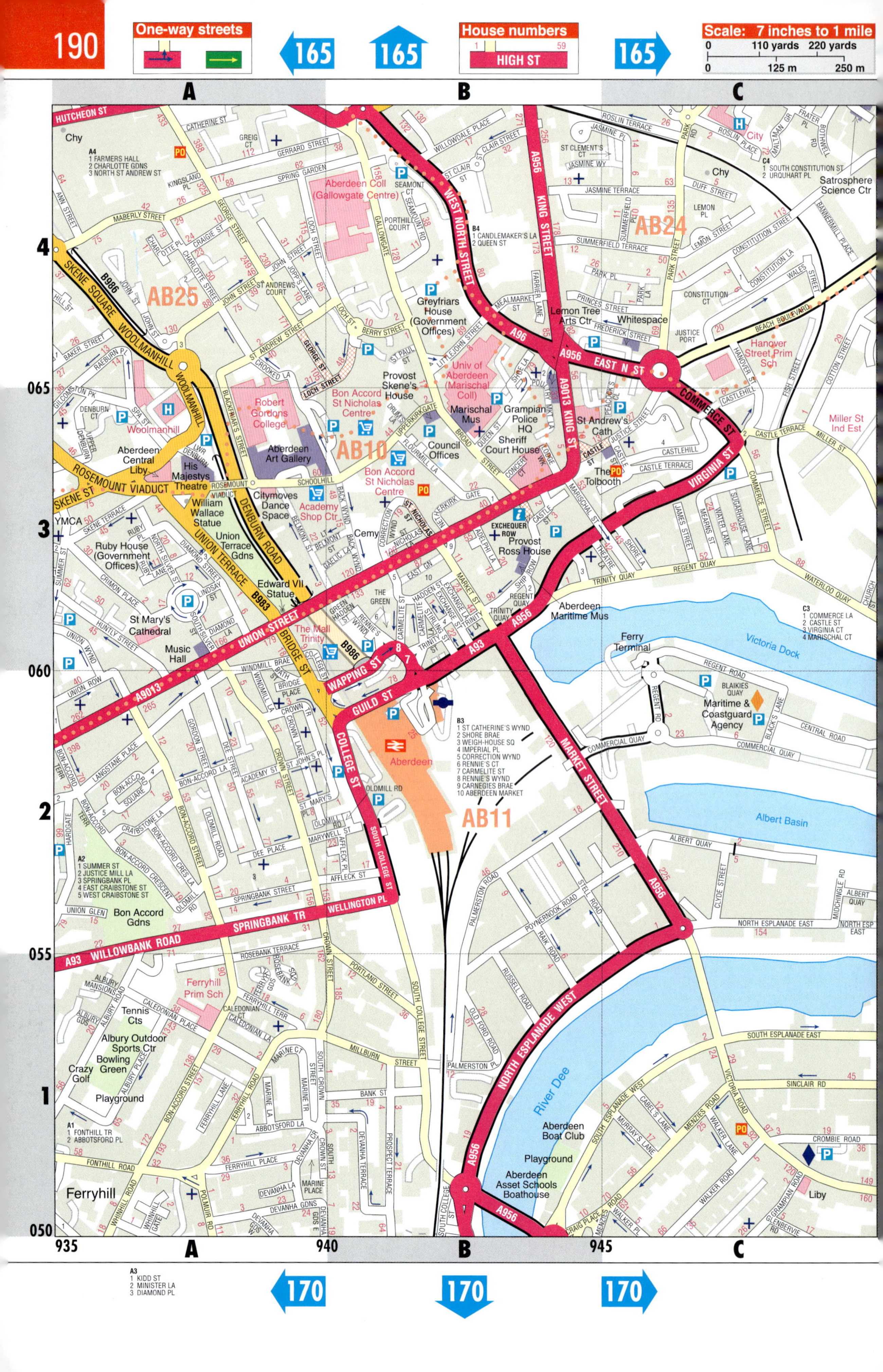
One-way streets
165
165
House numbers
1
59
HIGH ST
165
Scale: 7 inches to 1 mile
0
110 yards
220 yards
0
125 m
250 m
A
B
C
4
065
3
060
2
055
1
050
935
940
945
HUTCHEON ST
Chy
CATHERINE ST
GERRARD STREET
SPRING GARDEN
Aberdeen Coll (Gallowgate Centre)
GALLOWGATE
WEST NORTH STREET
WILLOWDALE PLACE
ST CLAIR STREET
KING STREET
A956
ROSLIN TERRACE
JASMINE PL
ST CLEMENT'S CT
JASMINE WY
JASMINE TERRACE
City
ROSLIN PLACE
Satrosphere Science Ctr
DUFF STREET
LEMON PL
LEMON STREET
AB24
SUMMERFIELD TERRACE
CONSTITUTION STREET
PARK STREET
A4
1 FARMERS HALL
2 CHARLOTTE GDNS
3 NORTH ST ANDREW ST
B4
1 CANDLEMAKER'S LA
2 QUEEN ST
C4
1 SOUTH CONSTITUTION ST
2 URQUHART PL
MABERLY STREET
SKENE SQUARE
B986
AB25
WOOLMANHILL
ST ANDREW STREET
JOHN STREET
LOCH STREET
GEORGE ST
BERRY STREET
Greyfriars House (Government Offices)
MEALMARKET ST
Lemon Tree Arts Ctr
Whitespace
PRINCES STREET
FREDERICK STREET
CONSTITUTION CT
JUSTICE PORT
BEACH BOULEVARD
EAST N ST
A96
A956
A9013 KING ST
Hanover Street Prim Sch
Univ of Aberdeen (Marischal Coll)
Provost Skene's House
Bon Accord St Nicholas Centre
Robert Gordons College
Aberdeen Art Gallery
AB10
Marischal Mus
Grampian Police HQ
Sheriff Court House
Council Offices
St Andrew's Cath
CASTLE ST
CASTLEHILL
CASTLE TERRACE
The Tolbooth
COMMERCE ST
VIRGINIA ST
Miller St Ind Est
Woolmanhill
Aberdeen Central Liby
His Majestys Theatre
ROSEMOUNT VIADUCT
SKENE ST
YMCA
William Wallace Statue
Union Terrace Gdns
UNION TERRACE
DENBURN ROAD
Citymoves Dance Space
Academy Shop Ctr
Cemy
EXCHEQUER ROW
Provost Ross House
REGENT QUAY
TRINITY QUAY
Ruby House (Government Offices)
St Mary's Cathedral
Music Hall
Edward VII Statue
UNION STREET
BRIDGE ST
B983
The Mall Trinity
WAPPING ST
GUILD ST
A93
Aberdeen Maritime Mus
Ferry Terminal
Victoria Dock
C3
1 COMMERCE LA
2 CASTLE ST
3 VIRGINIA CT
4 MARISCHAL CT
REGENT ROAD
BLAIKIES QUAY
Maritime & Coastguard Agency
COMMERCIAL QUAY
CENTRAL ROAD
A9013
COLLEGE ST
Aberdeen
B3
1 ST CATHERINE'S WYND
2 SHORE BRAE
3 WEIGH-HOUSE SQ
4 IMPERIAL PL
5 CORRECTION WYND
6 RENNIE'S CT
7 CARMELITE ST
8 RENNIE'S WYND
9 CARNEGIES BRAE
10 ABERDEEN MARKET
MARKET STREET
AB11
Albert Basin
ALBERT QUAY
NORTH ESPLANADE EAST
SOUTH COLLEGE ST
A2
1 SUMMER ST
2 JUSTICE MILL LA
3 SPRINGBANK PL
4 EAST CRAIBSTONE ST
5 WEST CRAIBSTONE ST
Bon Accord Gdns
SPRINGBANK STREET
WELLINGTON PL
SPRINGBANK TR
A93 WILLOWBANK ROAD
BON-ACCORD STREET
CROWN STREET
Ferryhill Prim Sch
Tennis Cts
Albury Outdoor Sports Ctr
Bowling Green
Crazy Golf
Playground
NORTH ESPLANADE WEST
River Dee
Aberdeen Boat Club
Playground
Aberdeen Asset Schools Boathouse
SOUTH ESPLANADE EAST
SINCLAIR RD
VICTORIA ROAD
CROMBIE ROAD
Liby
A1
1 FONTHILL TR
2 ABBOTSFORD PL
FONTHILL ROAD
Ferryhill
MILLBURN STREET
PALMERSTON PL
A956
935
A
940
B
945
C
A3
1 KIDD ST
2 MINISTER LA
3 DIAMOND PL
170
170
170

Index

Place name May be abbreviated on the map
Location number Present when a number indicates the place's position in a crowded area of mapping
Locality, town or village Shown when more than one place has the same name
Postcode district District for the indexed place
Page and grid square Page number and grid reference for the standard mapping

Church Rd **6** Beckenham BR2..........**53** C6

Cities, towns and villages are listed in CAPITAL LETTERS
Public and commercial buildings are highlighted in magenta   **Places of interest** are highlighted in blue with a star★

Abbreviations used in the index

Acad	Academy	Comm	Common	Gd	Ground	L	Leisure	Prom	Promenade
App	Approach	Cott	Cottage	Gdn	Garden	La	Lane	Rd	Road
Arc	Arcade	Cres	Crescent	Gn	Green	Liby	Library	Recn	Recreation
Ave	Avenue	Cswy	Causeway	Gr	Grove	Mdw	Meadow	Ret	Retail
Bglw	Bungalow	Ct	Court	H	Hall	Meml	Memorial	Sh	Shopping
Bldg	Building	Ctr	Centre	Ho	House	Mkt	Market	Sq	Square
Bsns, Bus	Business	Ctry	Country	Hospl	Hospital	Mus	Museum	St	Street
Bvd	Boulevard	Cty	County	HQ	Headquarters	Orch	Orchard	Sta	Station
Cath	Cathedral	Dr	Drive	Hts	Heights	Pal	Palace	Terr	Terrace
Cir	Circus	Dro	Drove	Ind	Industrial	Par	Parade	TH	Town Hall
Cl	Close	Ed	Education	Inst	Institute	Pas	Passage	Univ	University
Cnr	Corner	Emb	Embankment	Int	International	Pk	Park	Wk, Wlk	Walk
Coll	College	Est	Estate	Intc	Interchange	Pl	Place	Wr	Water
Com	Community	Ex	Exhibition	Junc	Junction	Prec	Precinct	Yd	Yard

Index of towns, villages, streets, hospitals, industrial estates, railway stations, schools, shopping centres, universities and places of interest

A

Aalesund Pl **1** AB42.....**147** C2
Aalesund Rd AB42.....**147** B2
Abbey Kiln★ AB42.....**37** C7
Abbey La
  Aberdeen AB11.....**170** E7
  Peterhead AB42.....**37** D6
Abbey Pl AB11.....**170** E7
Abbey Rd AB11.....**170** E7
Abbey Sq AB11.....**170** E7
Abbey St AB42.....**37** D6
Abbotsford La AB11.....**190** A1
Abbotsford Pl **2** AB11.....**190** A1
Abbotshall Cres AB15.....**168** F3
Abbotshall Dr AB15.....**168** E3
Abbotshall Gdns AB15.....**168** E3
Abbotshall Pl AB15.....**168** F3
Abbotshall Rd AB15.....**168** F4
Abbotshall Terr AB15.....**168** E3
Abbotshall Wlk AB15.....**168** E4
Abbots Pl AB12.....**170** B4
Abbotswell Cres AB12.....**170** B4
Abbotswell Dr AB12.....**170** A4
Abbotswell Prim Sch AB12.....**170** A3
Abbotswell Rd
  Aberdeen AB12.....**170** C4
  Peterhead AB42.....**147** C6
ABERCHIRDER.....**144** E5
Aberchirder Prim Sch AB54.....**144** D5
ABERDEEN.....**190** B2
Aberdeen Airport AB21.....**157** F5
Aberdeen Art Gall★ AB25.....**190** A3
Aberdeen Coll (Balgownie Ctr) AB23.....**160** A1
Aberdeen Coll (Gallowgate Ctr) AB25.....**190** A3
Aberdeen Ctr for English AB11.....**170** B6
Aberdeen Ex & Con Ctr AB23.....**160** C2
Aberdeen Gram Sch AB25.....**165** A1
Aberdeen Maritime Mus★ AB11.....**190** B3
Aberdeen Maternity Hospl AB25.....**164** E3
Aberdeen Music Hall★ AB10.....**190** A3

Aberdeen Rd
  Aboyne AB34.....**96** C3
  Alford AB33.....**154** F3
  Huntly AB54.....**148** F4
  Laurencekirk AB30.....**186** E6
Aberdeen Royal Infmy AB25.....**164** D3
Aberdeen Sch for the Deaf AB24.....**165** B4
Aberdeenshire Farming Mus★ AB42.....**146** A4
Aberdeen Sta AB11.....**190** B2
Aberdeen Terr **2** AB34.....**96** C3
Aberdeen Waldorf Sch AB15.....**168** E4
Aberdon Ct **4** AB24.....**165** A6
Aberdour Pl **2** DD10.....**187** D6
Abergeldie Castle★ AB35.....**103** A2
Abergeldie Rd
  Aberdeen AB10.....**169** F6
  Ballater AB35.....**182** D4
Abergeldie Terr AB10.....**169** F6
Abernethy Rd AB42.....**147** A4
ABOYNE.....**183** C5
Aboyne Acad AB34.....**183** B5
Aboyne Gdns AB10.....**169** E4
Aboyne Hospl AB34.....**183** F5
Aboyne Pl
  Aberdeen AB10.....**169** D3
  Fraserburgh AB43.....**143** B4
Aboyne Prim Sch AB34.....**183** B4
Aboyne Rd AB10.....**169** D4
Aboyne Swimming Pool AB34.....**183** B5
Aboyne Terr AB10.....**169** E3
Acacia Gr **2** AB42.....**147** A5
Academy Gdns AB42.....**146** C5
Academy Pl AB42.....**147** C5
Academy Rd
  Banff AB45.....**140** F5
  Fraserburgh AB43.....**143** B6
  2 Stonehaven AB39.....**185** C6
Academy Sq DD10.....**189** D3
Academy St AB11.....**190** A2
Academy Way AB51.....**150** B3
Acad Sh Ctr AB25.....**190** A3
Acorn Pl AB12.....**180** B4
Adam Pl DD9.....**132** A7
Adamson Dr AB30.....**186** B6
Adams Way **2** DD10.....**189** D7
Adbury Outdoor Sports Ctr AB11.....**190** A1

Addison Cres AB45.....**140** E5
Adelphi La AB11.....**190** B3
Aden Circ AB42.....**146** C5
Aden Cres AB42.....**37** D6
Aden Ctry Pk★ AB42.....**146** A5
Aden Gdns AB42.....**146** C4
Admirals La **4** AB54.....**148** E5
Advocates' Rd AB24.....**165** C3
Affleck Pl AB11.....**190** B2
Affleck St AB11.....**190** B2
Affric Pl AB43.....**143** B4
Afton Rd AB43.....**143** B4
Ailsa Ct AB43.....**143** A5
Aird Gn AB45.....**139** E7
Aird St AB45.....**139** E6
Airlie Gdns AB45.....**141** A5
Airlie St DD9.....**188** B3
Airside Bsns Pk AB21.....**157** F7
Airways Ind Est AB21.....**158** A8
Airyhall Ave AB15.....**169** B5
Airyhall Cres AB15.....**169** A5
Airyhall Dr AB15.....**169** B5
Airyhall Gdns AB15.....**169** B5
Airyhall Pl AB15.....**169** B5
Airyhall Rd AB15.....**169** B4
Airyhall Terr AB15.....**169** B5
Airyhill View **2** AB41.....**77** F8
Alan Brodie Rd AB34.....**183** D5
Alberta Pl AB45.....**140** E6
Albert Den AB25.....**165** A1
Albert Gdns AB51.....**152** D6
Albert Gr AB51.....**150** D3
Albert La
  Aberdeen AB10.....**164** F1
  Fraserburgh AB43.....**143** C7
  1 Stonehaven AB39.....**185** F3
Albert Pl
  9 Aberdeen AB25.....**165** A1
  Brechin DD9.....**188** D2
  Oldmeldrum AB51.....**150** D3
Albert Quay AB11.....**190** C2
Albert Rd
  Ballater AB35.....**182** D3
  Oldmeldrum AB51.....**150** D3
Albert St
  Aberdeen AB25.....**164** F1
  Fraserburgh AB43.....**143** C7
  Inverurie AB51.....**152** D6
  Peterhead AB42.....**147** F5
Albert Terr
  Aberdeen AB10.....**169** F8
  10 Cullen AB56.....**1** B5

Albert Terr continued
  Huntly AB54.....**148** E3
  Oldmeldrum AB51.....**150** D3
Albury Gdns AB11.....**190** A1
Albury Mans AB11.....**190** A1
Albury Pl AB11.....**190** A1
Albury Rd AB11.....**190** A1
Albyn Gr AB10.....**169** F8
Albyn La AB10.....**169** F8
Albyn Pl **2** AB10.....**169** F8
Albyn Sch AB15.....**169** E8
Albyn Terr AB10.....**169** F8
Alder Dr AB12.....**180** A4
Alehousewells Prim Sch AB51.....**87** C7
Alen Dr AB33.....**154** C4
Alexander Bell Pl AB43...**23** D7
Alexander Cres **5** AB51..**87** D7
Alexander Dr
  Aberdeen AB24.....**164** F7
  Huntly AB54.....**148** E5
Alexander St AB52.....**149** D4
Alexander Terr AB24.....**165** A6
Alexandra Par AB42.....**147** F6
Alexandra Terr AB43.....**143** C5
Alex Collie Sports Ctr AB22.....**159** F1
ALFORD.....**154** C4
Alford Acad AB33.....**154** C3
Alford Bsns Pk AB33.....**154** E3
Alford Her Ctr★ AB33....**154** D3
Alford La AB10.....**170** A8
Alford Pl AB10.....**170** A8
Alford Prim Sch AB33.....**154** C3
Alford Ski Ctr★ AB33....**154** C3
Alford Swimming Pool AB33.....**154** D3
Alfred St DD10.....**189** D2
Allachlade Ct AB34.....**183** E5
Allandale Gdns AB51.....**155** C5
Allan Pl AB51.....**152** C7
Allan St AB10.....**169** F7
Allardice Pl DD10.....**187** D7
Allardice St **2** AB39....**185** E4
Allathan Pk AB41.....**62** B2
Allenvale Gdns AB10.....**170** A5
Allenvale Rd AB10.....**170** A5
Allison Cl AB12.....**176** B8
Allochy Pl AB43.....**15** B7
Allochy Rd AB43.....**15** C7
Almanythie Rd **2** AB42..**147** E6
Alma Pl AB30.....**186** D6
Alma Rd AB23.....**160** B1

Alma Terr AB30.....**186** D5
Alness Cres AB43.....**143** B4
Alpine Pl AB43.....**143** A4
Altdubh Pl **2** AB21.....**156** B6
ALTENS.....**170** E1
Altens Ctr (Aberdeen College) AB12.....**170** F2
Altens Farm Rd AB12.....**170** D3
Altens Ind Est AB12.....**170** E1
Altonrea Gdns AB21.....**158** C6
Altries Wood AB12.....**177** F8
Alva Cres AB43.....**143** B4
Alvah Terr AB45.....**140** E4
Alwyn Wind AB42.....**27** B3
America St DD10.....**189** C2
Amy Row AB39.....**185** F6
Anchor La DD10.....**135** C5
Anderson Ave AB24.....**164** E6
Anderson Ct AB43.....**143** A6
Anderson Dr
  Aberdeen AB15.....**169** C8
  Huntly AB54.....**30** C7
  Peterhead AB42.....**38** D5
  Stonehaven AB39.....**181** I4
Anderson Gdns AB43.....**143** A6
Anderson La AB24.....**164** E6
Anderson Pl AB43.....**143** B7
Anderson Rd
  Aberdeen AB24.....**164** D6
  Ballater AB35.....**182** D3
Anderson Terr
  Aboyne AB34.....**96** B3
  Ellon AB41.....**151** B5
Anderson Wlk AB51.....**152** C5
Andover Prim Sch DD9...**188** E3
Angus Dr DD10.....**189** C8
Angusfield Ave AB15.....**169** B7
Angusfield La AB15.....**169** B8
Angus Gdns AB42.....**25** C1
Angus La **4** AB53.....**145** D4
Annand Ave AB41.....**151** B6
Annand Rd AB41.....**151** B6
Anna Ritchie Sch The AB42.....**147** C5
Annat Bank AB12.....**176** C8
Annat Rd DD10.....**189** D2
Annesley Gr **3** AB31.....**108** E8
Annesley Pk **5** AB31.....**108** E8
Annfield Terr AB15.....**169** E7
ANNOCHIE.....**36** F1

192 Ann–Bir

Ann St
Aberdeen AB25 190 A4
Stonehaven AB39 185 E5
Anvil Pl AB43 26 C7
Apple Wynd 3 DD10 189 C2
Aquhorthies Circ AB51 152 B5
Aquithie Rd AB51 87 D7
Arbeadie Ave AB31 184 C5
Arbeadie Rd AB31 184 C5
Arbeadie Terr AB31 184 C4
Arbeadie Wood AB31 184 C5
Arbor Ct AB31 184 A4
Arbroath La AB12 170 B3
Arbroath Pl AB12 170 C3
Arbroath Way AB12 170 B3
Arbuthnot Mus★ AB42 147 E5
ARBUTHNOTT 130 D6
Arbuthnott Ct AB39 185 F4
Arbuthnott Terr AB42 147 C5
Arbuthnott House★
AB30 130 D6
Arbuthnott Pl 10 AB39 185 E4
Arbuthnott St
2 Montrose DD10 187 D3
7 Stonehaven AB39 185 E4
Archaeolink Prehistory Pk★
AB52 72 C8
Archer Pk DD10 134 D3
ARDALLIE 51 E5
Ardallie Prim Sch AB42 51 E6
Ardanes Brae AB45 140 E6
Ardarroch Cl AB24 165 C4
Ardarroch Ct AB24 165 D4
Ardarroch Pl AB24 165 D4
Ardarroch Rd AB24 165 C4
Ardbeck Pl AB14 172 E7
Ardconnon Ave AB51 150 C4
Ardeer Pl AB43 143 B4
ARDGATHEN 154 A4
Ardgith Rd 3 AB41 151 E6
Ardinn Cres AB53 145 F4
Ardinn Dr AB53 145 F4
Ardinn Rd AB53 145 E4
Ardinn Terr AB53 145 E4
Ardlair Terr AB21 158 C7
ARDLAWHILL 12 D5
Ardlaw Pl AB43 143 A5
Ardley Terr 5 AB39 185 E4
Ardmachron Dr 2 AB42 53 B3
ARDO 49 B6
Ardovie Rd DD9 136 E1
Ardtannes Pl 2 AB51 152 D4
Arduthie Gdns AB39 185 C5
Arduthie Prim Sch AB39 185 D5
Arduthie Rd AB39 185 D5
Arduthie St AB39 185 E4
Argyll Cl AB21 157 E4
Argyll Cres AB25 164 E2
Argyll Pl
Aberdeen AB25 164 F2
Portlethen AB12 180 C7
Argyll Rd
Aberdeen AB21 157 E4
Fraserburgh AB43 143 B5
Argyll St DD9 188 B4
Arisaig Dr AB43 143 B4
Ark Ct AB43 143 B5
Ark La AB43 5 A4
Armoury La 8 AB42 38 D6
Arnage Ave AB41 151 E5
Arnage Castle★ AB41 50 D4
Arnage Cres AB16 164 B3
Arnage Dr AB16 164 A3
Arnage Gdns AB16 164 B3
Arnage Pl AB16 164 B3
Arnage Prim Sch AB41 50 F5
Arnage Terr AB16 164 B3
Arnhall Bsns Pk AB32 161 E1
Arnhall Cres AB32 161 E2
Arnhall Dr AB32 161 F2
Arnot Pl AB12 180 E5
Arn Pl AB41 76 C7
Arran Ave
Aberdeen AB16 163 E2
Peterhead AB42 147 B7
Arran Ct AB43 143 B4
ARTHRATH 51 A3
Artlaw Cres AB42 146 E5
Aryburk Row AB21 158 C6
Aryburn Row AB21 158 C6
Ash Ct AB12 180 A5
Ashdale Cl AB32 161 D3
Ashdale Ct 3 AB32 161 E3
Ashdale Dr AB32 161 E2
Ashfield Rd AB15 168 F3
Ash Gr
Aberdeen AB21 156 B5
Fraserburgh AB43 143 A6
Portlethen AB12 180 B4
Ashgrove AB33 154 D4
Ashgrove Ave AB25 164 F4
Ashgrove Ct AB25 164 E4
Ashgrove Gdns N AB16 164 C3
Ashgrove Gdns S AB16 164 C3
Ashgrove Pl
Aberdeen AB16 164 D3
2 Peterhead AB42 147 B3
Ashgrove Rd AB25 164 F3
Ashgrove Rd W AB16 164 C3
Ash-Hill Dr AB16 164 E3
Ash-Hill Pl AB16 164 E4
Ash-Hill Rd AB16 164 E4
Ash-Hill Way AB16 164 E4
Ashlea Ave AB51 155 C5
Ashley Gdns AB10 169 E7
Ashley Gr AB10 169 F7
Ashley La AB10 169 F7
Ashley Park Dr AB10 169 F7
Ashley Park La AB10 169 F7
Ashley Park N AB10 169 E7
Ashley Park S AB10 169 F7
Ashley Rd AB10 169 F7
Ashley Road Prim Sch
AB10 169 F7
Ash Pl AB12 180 B4
Ash Row 8 AB23 91 C8
Ashtown Pl 2 AB21 163 D7
Ashtown Wlk 3 AB21 163 D7
Ash Tree Rd AB51 184 F6
Ashvale Ct 5 AB10 170 A8
Ashvale Pl AB10 170 A8
Ashwood Ave AB22 159 D4
Ashwood Circ AB23 159 D5
Ashwood Cres AB22 159 C4
Ashwood Dr AB22 159 D5
Ashwood Gdns AB22 159 D5
Ashwood Gr AB22 159 D5
Ashwood Grange AB22 159 C4
Ashwood Mews AB22 159 D5
Ashwood Par AB22 159 D5
Ashwood Pk AB22 159 D5
Ashwood Pl AB22 159 D5
Ashwood Rd AB22 159 D5
Asloun Castle (remains of)★
AB33 84 C5
Aspen Gr AB32 161 C2
Aspen Way AB12 180 B4
Assynt Pl AB43 143 B4
Atholl Pl AB43 143 B5
Atholl Rise AB41 62 A2
AUCHATTIE 184 B1
AUCHENBLAE 124 B1
Auchenblae Prim Sch
AB30 124 B1
AUCHENDRYNE 113 E5
Auchinleck Cres AB24 164 F7
Auchinleck Rd AB24 164 F7
Auchinyell Gdns AB10 169 D4
Auchinyell Rd AB10 169 D4
Auchinyell Terr AB10 169 D4
Auchlea Pl AB16 163 F3
Auchlea Rd AB16 163 F2
Auchlethen Dr 1 AB42 52 C4
AUCHLEVEN 71 E7
Auchlossan Ct 5 AB22 165 B8
Auchmacoy Rd 2 AB31 98 E1
Auchmill Rd AB21 163 F8
Auchmill Terr AB21 164 B7
Auchmore Rd AB41 151 C3
AUCHNAGATT 50 C8
Auchnagatt Prim Sch
AB41 50 D8
Auchreddie Road E AB53 36 A5
Auchreddie Road W 1
AB53 36 A5
Auchriny Circ AB21 158 B3
Auchry Rd AB53 22 B1
Auchterellon Prim Sch
AB41 151 B6
Auchterless Prim Sch
AB53 46 F8
Auldearn Gdns AB12 170 B3
Auldearn Pl AB12 170 B3
Auldearn Rd AB12 170 B3
Auld Kirk Gall The★ AB23 91 A6
Auld Post Office Mus★
AB53 145 C4
AULDYOCH 46 C8
Aulton Ct AB24 165 D6
Aulton Rd AB42 53 A3
Aulton Way DD10 189 C6
Avenue The
Aberdeen AB13 173 B8
Peterhead AB42 36 E6
Averon Pk AB21 156 A7
Avon Pl AB21 158 B6

B

Back Brae AB44 141 D7
Back Braes DD9 188 C2
Backgate AB42 147 E5
BACKHILL 48 B6
BACKHILL OF FORTRIE 50 F7
Back Hilton Rd AB25 164 F4
Back Path AB45 140 F5
Back Rd DD10 135 C6
Back St
5 Banff AB45 1 F1
Macduff AB44 141 D6
Peterhead AB42 147 E5
Back Wynd
Aberdeen AB25 190 B3
5 Oldmeldrum AB51 150 C3
Baddifurrow 1 AB51 152 C4
Badenoch Dr AB54 148 E4
Baden Powell Rd AB53 145 C5
BADENSCOTH 46 D5
Badentoy Ave AB12 179 F8
Badentoy Cres AB12 179 E8
Badentoy Pk AB12 179 E8
Badentoy Pl AB12 179 F8
Badentoy Rd AB12 180 A7
Badentoy Way AB12 179 E7
Badger Rise AB21 156 B8
Badger View AB21 156 B8
Bailie Norrie Cres 3
DD10 189 C7
Bailie Wilson 1 DD10 189 D7
Bailieswell Dr AB15 168 B2
Bailieswells Cres AB15 168 B2
Bailieswells Dr AB15 168 B2
Baillieswells Gr AB15 168 A2
Baillieswells Pl AB15 168 B2
Baillieswells Rd AB15 168 B2
Baillieswells Terr AB15 168 B2
Bain Cres AB42 146 E4
Bain Dr AB42 146 E4
Bain Gdns 1 AB42 146 E4
Bain Pl 2 AB42 146 E4
Bain Rd AB42 146 E4
Bain Terr AB42 146 E4
Bainzie Rd AB51 152 B8
Baird Rd AB43 24 E6
Bairds Brae AB15 169 A4
Baird St AB39 185 E5
Baird Terr AB39 185 E5
Baird Way 6 DD10 189 D7
Baker Pl 5 AB25 165 A2
Baker Rd AB24 164 F5
Bakersfield Cl 2 AB21 153 D5
Baker St
Aberdeen AB25 190 A4
2 Oldmeldrum AB51 150 C3
Balaclava Quay AB43 143 D7
Balandro Loan DD10 135 C5
Balbegno Castle★ AB30 127 F3
Balbithan View 2 AB51 74 F2
Balbrogie Woods 1
AB21 156 A6
Balcairn Ave AB51 150 B3
Balfluig Castle (restored)★
AB33 154 F2
Balfour Rd AB33 154 C4
Balfron Pl AB15 164 B1
BALGAVENY 45 F7
Balgownie Brae AB22 165 A8
Balgownie Cres AB23 165 C8
Balgownie Ct AB24 165 C6
Balgownie Dr AB22 164 F8
Balgownie Gdns AB22 165 A8
Balgownie Pl AB22 164 F8
Balgownie Rd AB22 159 D1
Balgownie Way AB22 165 A8
BALLATER 182 C4
Ballater Bsns Pk AB35 182 F4
Ballater Prim Sch AB35 182 E5
Ballater Rd AB34 183 C5
Balloch Way AB21 158 C7
Balmain St 4 DD10 189 C3
BALMEDIE 91 D8
Balmedie Ctry Pk★ AB23 91 D8
Balmedie Ctry Pk Visitor
Ctr★ AB23 77 D1
Balmedie Leisure Ctr
AB23 91 C8
Balmedie Prim Sch AB23 91 D8
Balmellie Pl AB53 145 E4
Balmellie Rd AB53 145 E4
Balmellie St AB53 145 D4
Balmoor Ind Est AB42 147 B6
Balmoor Ret Pk AB42 147 B6
Balmoor Stadium (Peterhead
FC) AB42 147 C6
Balmoor Terr AB42 147 C6
Balmoral Ave AB41 151 E5
Balmoral Castle★ AB35 102 D2
Balmoral Ct AB10 170 A6
Balmoral Gdns 1 AB10 170 A6
Balmoral Pl AB10 169 F6
Balmoral Rd AB10 170 A6
Balmoral Terr AB34 183 C4
Balmoral Wynd 1 AB41 151 F5
Balmuir Wood 4 AB34 96 C3
BALNAGASK 170 F6
Balnagask Ave AB11 170 F6
Balnagask Circ AB11 170 F6
Balnagask Cres
Aberdeen AB11 170 F6
Grange Gardens AB42 147 C5
Balnagask Pl AB11 170 F7
Balnagask Rd AB11 170 D5
Balnagask Wlk 1 AB11 170 E6
Balnagask Wynd AB11 170 F6
Balnellan Pl 5 AB35 113 F6
Balnellan Rd 5 AB35 113 F6
Balquhain Castle (remains
of)★ AB51 73 D6
BALTHANGIE 22 F2
Baltic Pl
Aberdeen AB11 165 E1
Peterhead AB42 147 F5
Baltic St DD10 189 D3
Baluss Pl AB42 146 E5
Baluss View 1 AB42 146 E5
Balvenie Wynd 4 AB41 151 E5
Banavie Ct AB41 151 D5
BANCHORY 184 B5
Banchory Acad AB31 184 D4
BANCHORY-DEVENICK 169 B1
Banchory Devenick Prim Sch
AB12 175 B7
Banchory Mus★ AB31 184 C4
Banchory Prim Sch
AB31 184 D4
Banchory Sports Ctr &
Swimming Pool AB31 184 D5
BANFF 140 D5
Banff Acad AB45 140 E5
Banff & Buchan Coll
AB41 151 F5
Banff Prim Sch AB45 140 F5
Banff Rd
New Blyth AB53 22 D5
Turriff AB53 145 D5
Banff Swimming Pool
AB45 140 E5
Bank Brae AB33 154 D3
BANKHEAD 163 C8
Bankhead Acad AB21 158 C1
Bankhead Ave AB21 158 C1
Bankhead Rd AB21 158 C1
Bank La
Peterhead AB42 38 D6
Rosehearty AB43 142 C7
Bank Rd AB42 36 E6
Banks of Brechin DD9 188 A4
Bank St
Aberdeen AB11 190 B1
Aberdeen AB24 164 E6
Brechin DD9 188 C3
Montrose DD10 187 D3
Banks The DD9 188 A4
Bank Terr AB33 154 D3
Bannerman Pl AB16 164 A6
Bannermill Pl AB24 190 C4
Bannoch Rd 1 AB41 151 B6
Barbank St AB45 139 D7
Barbour Brae AB22 159 D1
Barclayhill Pl AB12 180 C7
Barclay Pk AB34 183 A5
Barclay Rd AB51 152 D4
Barclay St 4 AB39 185 E4
Barkmill Rd AB25 164 F3
Barleyhill Cl AB51 88 B6
Barmekin Pk AB32 100 D4
Barnhill Rd AB44 141 C5
Barns Brae DD10 138 D2
Barra Castle★ AB51 74 D8
Barrack La 5 AB43 143 D6
Barrack Rd DD10 189 D2
Barra Cres AB43 143 A4
Barrasgate Rd AB43 143 D7
Barratt Dr AB41 151 B3
Barraview AB51 150 C3
Barra Wlk AB16 163 E2
Barringer La AB32 161 F3
Barrldykes Way 1 AB52 58 D3
Barron Ct AB54 148 D4
Barron St AB24 164 F6
BARTHOL CHAPEL 48 D1
Barthol Chapel Prim Sch
AB51 48 D1
Bartlet Pl AB45 140 F6
Barvas Wlk AB16 163 D3
Basin View DD10 189 C4
Bath St
Aberdeen AB11 190 A3
Fraserburgh AB43 143 D7
Macduff AB44 141 E7
Peterhead AB42 147 E4
Stonehaven AB39 185 E5
Battery Pk 1 AB42 147 F6
Battock Pl AB11 170 D6
Battock Terr 1 AB31 98 E1
Bawdley Head AB43 143 B7
Baxter Ct AB11 170 F7
Baxter Pl AB11 170 F7
Baxter St AB11 170 F7
Baylands Cres AB42 147 C4
Bayview Cres
Banff AB45 140 F6
Peterhead AB42 147 C4
Bayview Ct AB24 165 D5
Bayview Rd
Aberdeen AB15 169 D8
Banff AB45 3 C2
12 Cullen AB56 1 B5
Inverbervie DD10 187 E6
Bayview Rd S AB15 169 D7
Beach Bvd AB11 190 C4
Beach Bvd Ret Pk AB11 165 E2
Beachfield Way 3 AB23 91 C8
Beachgate DD10 187 E6
Beachgate La 3 AB39 185 E4
Beach Leisure Ctr AB24 165 E3
Beach Rd
Johnshaven DD10 135 C6
St Cyrus DD10 134 D3
Stonehaven AB39 185 F5
Beachview Ct AB24 165 D6
Beacon Dr AB43 143 C4
Beaconhill Rd AB13 173 D8
Beacon Rd DD10 189 D2
Beaconsfield La 5 AB53 145 C5
Beaconsfield Pl AB15 169 E8
Beaconsfield Terr AB53 145 C5
Beacon Terr 6 DD10 189 D1
Bearehill Gdns DD9 188 B3
Beattie Ave AB25 164 F4
Beattie Pl 2 AB25 164 F4
Beattie Terr 1 DD10 187 D6
Beauly Pl AB43 143 A4
Bede Way AB41 61 E5
Bedford Ave AB24 165 A5
Bedford Pl AB24 165 B4
Bedford Rd AB24 165 A4
Beech Ave AB43 143 A6
Beech Cl 2 AB41 62 A2
Beechcroft Ave AB52 149 D4
Beechcroft Terr AB52 149 D4
Beech Ct 19 AB51 87 D7
Beeches The
3 Banchory AB31 184 D4
Mintlaw AB42 146 E4
Beechfield AB51 74 E4
Beechgrove Ave AB15 164 E2
Beechgrove Ct AB15 164 E1
Beechgrove Gdn★ AB32 166 E6
Beechgrove Gdns AB15 164 E2
Beechgrove Pl AB15 164 E1
Beechgrove Terr AB15 164 E1
Beechhill Gdns AB15 169 B5
Beech Rd
Aberdeen AB16 164 C4
Westhill AB32 161 D2
Beech Tree Rd AB31 184 F5
Beechwood Ave
Aberdeen AB16 164 D3
Ellon AB41 151 B5
Beechwood Cl AB32 161 C3
Beechwood Ct 4 AB16 164 C3
Beechwood Gdns AB32 161 D2
Beechwood Pl
4 Aberdeen AB16 164 D4
2 Ellon AB41 151 B6
Westhill AB32 161 C3
Beechwood Rd
Aberdeen AB16 164 D4
Laurencekirk AB30 186 C6
Beechwood Sch AB12 170 A2
Beechwood Wlk 6
AB16 164 D4
Beldorney Castle★ AB54 42 A3
BELFATTON 25 F6
Belgrave Terr AB25 164 F1
Belhaven Rd AB41 62 A2
BELHELVIE 91 B8
BELLABEG 81 B4
Bell Ave AB42 147 C2
Bellenden Wlk AB13 173 A7
Bellevue Rd AB45 140 E5
Bellevue Terr AB45 140 F4
Bellfield Rd
Aberdeen AB16 163 F3
Bridge of Don AB23 160 A1
Bellsea Pk (Fraserburgh FC)
AB43 143 D6
Bell's La AB43 5 A4
Bellswood Cres AB31 184 C5
Bell Terr AB42 147 C2
Bellwood Den AB34 183 F5
Bellwood Dr AB34 183 F5
Bellwood Rd AB34 183 F5
Belmont Brae AB39 185 E5
Belmont Gdns 3 AB25 164 F4
Belmont Rd AB25 165 A4
Belmont St AB10 190 A3
Belmuir Gdns AB21 158 B7
BELNACRAIG 81 D7
Belrorie Circ AB21 158 C7
Beltie Rd AB31 98 D1
BELTS OF COLLONACH 117 E8
Belvidere Cres AB15 164 F1
Belvidere La AB15 168 E2
Belvidere Rd AB15 168 D2
Belvidere St AB25 164 F2
Benbecula Rd 6 AB16 163 E2
BENHOLM 135 D8
Ben More Ave DD10 189 C8
Bennachie Ave 2 AB51 152 C6
Bennachie Leisure Ctr
AB52 149 C6
Bennachie View 11 AB51 87 D7
BENTHOUL 101 E2
Bents Rd DD10 189 E3
Bents The AB45 1 F3
Benview Gdns AB51 150 D4
Benview Terr AB21 156 B6
BEREFOLD 51 B2
Berefold Cl AB41 51 B2
Berneray Pl 2 AB16 163 E2
Bernham Ave AB39 185 B5
Bernham Cres AB39 185 B5
Bernham Ct 1 AB39 185 B5
Bernham Pk AB39 185 B5
Bernham Pl 2 AB39 185 B5
Bernham Terr AB39 185 B5
Berryden Rd
Aberdeen AB25 165 A3
Peterhead AB42 147 B4
Rosemount AB25 165 A3
BERRYHILLOCK 6 C3
Berryhill Pk AB52 72 D8
Berryhill Pl AB39 181 H4
Berryhill Wlk AB52 72 C8
Berrymoss Ct 6 AB21 158 C7
Berrymuir Pl AB12 180 A4
Berrymuir Rd
Macduff AB44 141 E6
Portlethen AB12 180 B5
Berrymuir Wynd AB12 180 A4
Berry St AB25 190 B4
Berrywell Gdns AB21 158 B7
Berrywell Pl AB21 158 B7
Berrywell Rd AB21 158 B7
Berrywell Wlk AB21 158 B7
Bervie Brow AB12 176 C8
Bervie Prim Sch DD10 187 D7
Bervie Rd AB43 143 A5
Bethany Gdns AB11 170 A7
Bethlin Mews AB15 162 F4
Bettridge Leisure Ctr
AB39 181 I4
Bettridge Rd AB39 181 I4
Beverley Rd AB51 152 E4
BIELDSIDE 168 C2
Bieldside Station Rd
AB15 168 C1
Biggar Ct AB43 143 A4
Bilbo Gdns AB42 26 E6
Bin Ave AB54 29 C3
Binghill Cres AB13 173 B8
Binghill Dr AB13 167 D1
Binghill Hedges AB13 167 E1
Binghill Pk AB13 173 C8
Binghill Rd AB13 167 E1
Binghill Road N AB13 167 D1
Binghill Road W AB13 167 E1
Binview Rd 6 AB56 1 B4
Binview Terr 7 AB56 1 B4
Birch Ave AB32 161 D2
Birchfield Pl AB12 176 C6
Birch Gr
Banchory AB31 184 B4

Bir–Cai 193

Birch Gr *continued*
Ellon AB41 151 E6
Mintlaw AB42 146 D5
Birch Rd AB16 164 D4
Birchwood Pl AB34 183 B4
Birkenhills Croft AB53 33 E4
Birkhall Par AB16 164 A4
Birkhall Pl AB16 164 A4
Birnie Pl
21 Boddam AB42 40 D1
Fraserburgh AB43 143 A4
BIRSE 107 D4
BIRSEMORE 183 D3
Birsemore Cres AB34 183 E2
Bishop Forbes Cres AB21 156 B6
Bishop's Cl 8 DD9 188 C3
Bishopsloch Row AB21 158 C6
Bishop's Manor (remains of)★ AB21 90 D5
Bisset La AB30 186 D5
Blackbraes Rd AB21 153 E5
Blackbraes Way 3 AB21 153 E5
BLACKBURN 156 A6
Blackburn Bsns Pk AB21 156 B5
Blackburn Ind Est AB21 156 A6
Blackcraig Rd 3 AB42 53 B3
Blackdog Ind Ctr AB23 91 B5
Blackford Ave AB51 46 F2
Blackfriars Ct 10 DD10 189 C4
Blackfriars St 9 DD10 189 C4
Blackfriar's St AB11 190 A3
Blackhall Cres 6 AB34 96 C3
Blackhall Ct 8 AB51 152 D6
Blackhall Ind Est AB51 152 B6
Blackhall Rd 3 AB51 152 C6
Blackhall Wynd AB51 152 D5
BLACKHILL 26 F7
Blackhills Cres AB42 147 B3
Blackhills Ct AB32 161 C2
Blackhills Pl AB32 161 C3
Blackhill Sta AB51 73 D2
Blackhills Way AB32 161 C2
BLACKHOUSE 147 B7
Blackhouse Circ AB42 147 B7
Blackhouse Ind Est AB42 147 A7
Blackhouse Terr AB42 147 C7
Blackiemuir Ave AB30 186 B5
Blacklaws Brae AB32 161 D5
Blackness Ave AB12 170 E1
Blackness Rd AB12 170 F1
Black's La AB11 190 C2
Blacksmiths Croft AB21 163 F7
Blackthorn Cres 1 AB16 164 D4
BLACKTOP 167 E5
Blaikes Quay AB11 190 C2
BLAIRDAFF 86 F8
Blairs Mus The★ AB12 174 A6
Blantyre Cres AB43 143 B4
Blantyre St 8 AB56 1 B5
Bleachfield Rd 2 AB22 159 E1
Bleachfield St AB54 148 D4
Blenheim Pl AB25 164 E1
Bloomfield Ct AB10 170 A6
Bloomfield Pl AB10 170 A7
Bloomfield Rd AB10 170 A6
Blythewood Pl AB51 152 E3
Boat Croft 4 AB51 87 C7
Boatie Row AB39 185 F6
Bob Cooney Ct AB25 165 A3
Bodachra Pl AB22 159 E1
Bodachra Rd AB22 159 E1
BODDAM 40 D1
Boddam Castle (remains of)★ AB42 53 F8
Boddam Prim Sch AB42 40 D1
Boddie Pl AB24 165 C3
Bogbeth Rd AB51 87 D6
BOGENTORY 100 F8
Boggie Shalloch Pl AB53 145 B6
Bogie Rd 4 AB54 55 E2
Bogie St AB54 148 E4
BOGNIEBRAE 31 C4
Bog Rd DD9 188 D3
Bogroy Cres AB45 7 D2
BOGTON 20 B2
Bon Accord Baths AB11 170 A8
Bon-Accord Cres AB11 190 A2
Bon-Accord Cres La AB11 190 A2
Bon Accord Gdns★ AB11 190 A2
Bon-Accord La AB11 190 A2
Bon-Accord Sq AB11 190 A2
Bon-Accord St AB11 190 A2
Bon Accord-St Nicholas Ctr AB25 190 B3
Bon-Accord Terr AB11 190 A2
Bona Pl AB43 143 A5
BONA VISTA 145 B5
Bond Mews 3 AB39 185 E5
BONNYKELLY 23 B4
Bonnymuir Pl AB15 164 E2
BONNYTON 58 D5
Bonnyton Rd AB41 62 B2
Bonnyview Dr AB16 163 F6
Bonnyview Pl AB21 163 F6
Bonnyview Rd AB21 163 F6
Bonty Ct AB34 183 E5
Bonty Pl AB34 183 E5
Boothby Rd AB43 143 A3
Booth Pl AB21 163 E7
BORROWFIELD 189 B6
Borrowfield Cres DD10 189 C6
Borrowfield Prim Sch DD10 189 C7
Borrowfield Rd DD10 189 C6
Borrowmuirhill Rd AB30 186 D6
Borrowstone Pl 3 AB16 163 F2
Bosies Bank Way 2 AB42 147 A4
Boswell Ave AB12 180 A6
Boswell Rd AB12 180 A6
Boswell Wlk AB12 180 A6
Boswell Wynd AB12 180 A6
Bothwell Rd AB24 190 C4
Bothwell Terr 1 AB41 62 B2
Boultenstone Outdoor Ctr★ AB36 82 B2
Bourtree Ave AB12 180 A4
Bow Butts 6 DD10 189 D3
Bowling Gn Rd AB53 145 E4
Bowness Rd 6 AB42 53 A3
Boyd Orr Ave AB12 170 A1
Boyd-Orr Ave DD9 188 C4
Boyd Orr Cl AB12 170 A1
Boyd Orr Pl AB12 170 A1
Boyd Orr Way AB30 186 C5
Boyd Orr Wlk AB12 170 A1
Boyes La AB54 144 C4
BOYNDIE 8 D6
Boyndie Rd AB45 140 D6
Boyndie St AB45 140 F6
Boyndie Street W AB45 140 E6
Boyne Castle (remains of)★ AB45 2 F3
Boyne Pl 4 AB45 8 F8
Boyne St AB45 8 F8
Bracken Rd AB12 180 B6
Brackens Pl AB53 145 B6
Bracoden Prim Sch AB45 3 D2
Bracoden Rd AB45 3 C2
Bracoden Terr AB45 3 C2
Braco Pl 2 AB45 140 E5
Bradley Terr AB24 165 A6
Brae Cres AB42 146 D4
Braecroft Ave AB32 161 E3
Braecroft Cres AB32 161 E4
Braecroft Dr AB32 161 E3
Braefoot Rd AB16 164 E4
Braegowan Rd AB45 3 C2
Braehead AB22 159 F1
Braehead Cres
Peterhead AB42 147 B6
Stonehaven AB39 185 D3
Braehead Dr AB42 53 A3
Braehead Pl 13 AB42 38 D6
Braehead Prim Sch AB22 165 B8
Braehead Rd AB42 27 B3
Braeheads
Banff AB45 140 F6
Fraserburgh AB43 15 D6
Macduff AB44 141 D7
Braehead Terr AB13 173 B8
Braehead Way AB22 159 E2
Braeloine Visitor Ctr★ AB34 106 C3
BRAEMAR 113 E6
Braemar Castle★ AB35 113 F7
Braemar Ct AB43 143 C4
Braemar Pl
Aberdeen AB10 169 F6
Ballater AB35 182 C4
Braemar Prim Sch AB35 113 F6
Braemar Rd AB35 182 C4
Brae Rd DD10 187 D4
BRAESIDE
Aberdeen 169 B5
Ellon 50 A6
Braeside Ave AB15 169 C4
Braeside Cres AB39 185 F6
Braeside Pl AB15 169 C5
Braeside Terr AB15 169 C4
Brae St 16 AB42 40 D1
Braes The AB43 143 D8
Brae The 3 AB53 36 A5
Braichlie Rd AB35 182 D4
Braiklay Ave AB41 61 E5
Bramble Brae AB16 164 B5
Bramble Brae Prim Sch AB16 164 C5
Bramble Ct AB12 180 B4
Bramble Pl AB12 180 A4
Bramble Rd AB12 180 A4
Bramble Way AB12 180 A4
Brander Mus★ AB54 148 D5
Brander Pl AB22 164 E8
Brandsbutt AB51 152 B8
Brankie Pl AB51 152 A7
Brankie Rd AB51 152 A8
Braoch Pk DD10 189 B1
Braoch Rd DD10 189 B1
Brebner Cres AB16 163 F5
Brebner Pl 7 AB31 108 E8
Brebner Terr AB16 163 F5
BRECHIN 188 B3
Brechin Bsns Pk DD9 136 B7
Brechin Castle★ DD9 188 C2
Brechin Castle Ctr★ DD9 136 B6
Brechin Cath DD9 188 C3
Brechin High Sch DD9 188 B4
Brechin Ind Est DD9 188 F2
Brechin Leisure Ctr DD9 188 C2
Brechin Rd DD10 189 B6
Brechin Round Twr★ DD9 188 C2
Brechin Sta DD9 188 D3
Breckview 5 AB41 62 B2
Bredero Dr
2 Banchory AB31 184 E5
Ellon AB41 151 C3
Bremner Way 9 AB51 87 D7
Brent Ave DD10 189 D8
Brent Field Circ AB41 151 A6
Brent Rd AB21 157 F5
Bressay Brae AB15 163 E2
Bressay Dr AB41 151 B3
Bressay Way AB42 147 A5
Brewery Rd AB43 24 E5
Briar Bank AB21 153 D6
Briar Gdns AB42 146 D4
Brickfield Ct 3 AB39 185 C5
Brickfield Rd AB39 185 C4
Brickfield Terr 2 AB39 185 C5
BRIDESWELL 44 E6
Bridge Cres 10 AB31 108 E8
Bridgefield 9 AB39 185 E4
Bridgefield Terr 8 AB39 185 E4
Bridge Gdns AB41 77 F7
BRIDGEND 43 D2
Bridgend Cres AB42 52 E4
Bridgend Terr AB53 145 C3
BRIDGE OF ALFORD 154 A6
BRIDGE OF CANNY 109 B4
Bridge of Cowie 1 AB39 185 E5
BRIDGE OF DON 160 B1
Bridge of Don Acad AB22 159 F1
Bridge of Don Swimming Pool AB22 159 E2
BRIDGE OF DUN 138 E5
Bridge of Dun Sta DD10 137 E5
BRIDGE OF MUCHALLS 121 B6
Bridge Pl AB11 190 A2
Bridge Rd
Banff AB45 141 A5
Inverurie AB51 87 C7
Bridge Sq AB35 182 E4
Bridge St
Aberdeen AB11 190 A3
Aboyne AB34 96 C2
Ballater AB35 182 D4
Banchory AB31 184 B4
Banff AB45 141 A5
20 Boddam AB42 40 D1
Brechin DD9 188 C2
Cruden Bay AB42 53 B3
Ellon AB41 151 D5
2 Fordyce AB45 1 F1
Fraserburgh AB43 15 D6
Gourdon DD10 187 D3
Montrose DD10 189 C2
Peterhead AB42 147 F5
Portsoy AB45 139 D7
3 Stonehaven AB39 185 D4
Strichen AB43 24 E5
Turriff AB53 22 E4
Woodside AB24 164 D7
Bridge Terr
14 Newburgh AB41 77 F8
Turriff AB53 22 E4
Bridgeview Pl AB34 183 B4
Bridge View Rd AB34 183 C3
Brierfield Rd 3 AB16 164 D4
Brierfield Terr AB16 164 D4
Briggies Wynd AB51 155 B6
Brighton Ct AB14 172 D6
Brighton Grange AB14 172 D6
Brighton Pl
Aberdeen AB10 169 E7
Peterculter AB14 172 D6
Bright St AB11 170 B6
Brimmond Cres AB32 161 D2
Brimmond Ct
3 Balnagask AB11 170 F6
4 Westhill AB32 161 D2
Brimmond Ctry Pk★ AB15 162 D6
Brimmond Dr AB32 161 D2
Brimmond La AB32 161 D2
Brimmond Pl
Aberdeen AB11 170 D6
1 Westhill AB32 161 D2
Brimmondside AB21 163 C7
Brimmond View AB21 158 B2
Brimmond Way AB32 161 D2
Brimmond Wlk AB32 161 D2
Broaddykes Ave AB15 162 F3
Broaddykes Cl 4 AB15 162 F3
Broaddykes Cres 1 AB15 162 F2
Broaddykes Dr AB15 162 F2
Broaddykes Pl AB15 162 E3
Broaddykes View 2 AB15 162 F2
Broadfold Dr AB23 160 A1
Broadfold Rd AB23 160 A1
Broadfold Terr AB23 160 A1
Broadford 1 AB51 152 D4
Broadford Gdns AB21 156 B7
Broadlands Gdns AB32 161 B3
Broad Pl AB42 147 E5
BROADSEA 143 B7
Broadsea Rd AB43 143 C7
Broadshaven Rd AB12 180 E5
Broad St
Aberdeen AB10 190 B3
Fraserburgh AB43 143 D6
4 Peterhead AB42 147 F5
Broadstraik Ave AB32 161 B2
Broadstraik Brae 1 AB32 161 B2
Broadstraik Cl AB32 161 A3
Broadstraik Cres AB32 161 A3
Broadstraik Dr AB32 161 B2
Broadstraik Gdns AB32 161 A2
Broadstraik Gr AB32 161 A2
Broadstraik Pl 2 AB32 161 B2
Broadstraik Rd AB32 161 A2
Brockwood Cres AB21 156 B7
Brockwood Pk AB21 156 B7
Brockwood Pl AB21 156 B7
Brodiach Ct AB32 161 F3
Brodick Rd AB43 143 B4
BRODIESORD 7 D3
Brodinch Pl AB16 163 F3
Brodinch Rd AB16 163 F3
Bronie Cres 7 AB41 62 B2
Bronieside 2 AB41 62 B2
Brooke Cres AB23 160 A3
Brook La AB42 147 F5
Brooklands Ave AB42 40 A6
Brookside 1 AB42 147 A8
Brookwood Cres AB21 156 B7
Broombank Terr AB35 113 E6
Broomfield Cres DD10 189 D6
Broomfield Gdns DD10 189 D6
Broomfield Ind Est DD10 189 D6
Broomfield Pk AB12 180 A5
Broomfield Rd
Montrose DD10 189 D5
Portlethen AB12 180 A5
Broomhill AB43 143 B4
Broomhill Activity Ctr AB10 169 E5
Broomhill Ave AB10 169 F5
Broomhill Cl AB21 76 C1
Broomhill Ct AB21 76 C1
Broomhill Mews 3 AB10 170 A7
Broomhill Pl AB10 169 F5
Broomhill Prim Sch AB10 169 F6
Broomhill Rd
Aberdeen AB10 169 E4
Stonehaven AB39 185 B4
Turriff AB53 145 D5
Broomhill Terr AB10 169 F5
Broomhill Way AB21 76 C1
Broomiesburn Dr AB41 63 D5
Broomiesburn Rd AB41 151 F5
Broom Pk AB15 168 D3
Brora Pl AB43 143 B4
Brough Pl 1 AB25 164 F4
BROWNHILL 36 F1
Brownhill Dr 5 AB21 153 D5
Brownhill Pl 1 AB21 153 D4
Brownhill Rd 2 AB21 153 D4
Brownlow Pl 1 DD10 189 D1
Brown St AB24 164 F6
Bruan Ct AB43 143 A4
Bruce Brae 1 AB42 38 D6
Bruce Cres
Ellon AB41 151 C4
Peterhead AB42 147 A4
Bruce Pl AB51 150 C2
Bruce St AB44 141 C6
Bruce Wlk
Aberdeen AB12 170 C2
Kintore AB51 155 C4
Brucklay Ct
Aberdeen AB21 158 C6
Peterhead AB42 147 B3
Brucklay St AB43 142 C7
Brunswick Pl AB11 170 B6
Bruntland Ct AB12 180 C5
Bruntland Pl AB12 180 C6
Bruntland Rd
Portlethen AB12 180 B5
Stonehaven AB39 179 F4
Bruntwood Tap AB51 152 A8
Buchanan Gdns AB12 170 B2
Buchanan Pl AB12 170 B3
Buchanan Rd AB12 170 B2
Buchan Dr AB21 153 C6
BUCHANHAVEN 147 C7
Buchanhaven Prim Sch AB42 147 C6
Buchanness Dr 4 AB42 40 D1
Buchanness Pl 15 AB42 40 D1
Buchan Pl
Fraserburgh AB43 143 B4
Peterhead AB42 36 E6
Buchan Rd
Aberdeen AB11 170 F6
Dyce AB21 157 E6
Fraserburgh AB43 143 B4
Buchan St AB44 141 E7
Buchan Terr AB42 147 C5
Buckie Ave AB22 159 C2
Buckie Cl AB22 159 C2
Buckie Cres AB22 159 C2
Buckie Gr AB22 159 D2
Buckie Rd AB22 159 C2
Buckie Wlk AB22 159 C2
Buckie Wynd AB22 159 C2
Bucklerburn Cl AB14 172 C8
Bucklerburn Dr AB14 172 C7
Bucklerburn Pk 1 AB14 172 D7
Bucklerburn Pl 3 AB14 172 D7
Bucklerburn Rd AB14 172 C7
Bucklerburn View 2 AB14 172 D7
Bucklerburn Wynd AB14 172 C7
BUCKSBURN 163 E7
Bucksburn Prim Sch AB21 163 F7
Bucksburn Swimming Pool AB21 163 D8
Builg Rd AB31 117 C5
Bunstane Terr AB12 176 C6
Bunzeach Pl 3 AB21 158 C7
Burgess Dr AB42 38 D5
Burgh La AB51 150 C4
Burghmuir Circ AB51 152 B6
Burghmuir Dr AB51 152 B7
Burghmuir Pl AB51 152 B6
Burghmuir Way AB51 152 B6
Burgh of Rattray (site of)★ AB42 16 B4
Burnbank AB52 149 D5
Burnbank Pl AB11 170 F6
Burnbank Rd AB33 154 C3
Burnbanks Village AB12 170 F1
Burnbank Terr AB11 170 F6
Burnbank View AB33 154 C3
Burnbrae Ave AB16 164 A2
Burnbrae Cres AB16 164 A2
Burnbrae Pl AB16 164 A2
Burnbutts Cres AB12 176 C7
Burndale Rd AB21 158 C1
Burnett Hill AB31 184 B5
Burnett Park E AB31 184 A5
Burnett Pl
Aberdeen AB24 164 F5
Inverurie AB51 152 E3
Burnett Rd
Banchory AB31 184 B5
16 Kemnay AB51 87 D7
Stonehaven AB39 185 C6
Burnett St
Laurencekirk AB30 124 B1
Peterhead AB42 37 D5
Burnett Terr AB31 184 B5
Burnhaven Prim Sch AB42 147 D1
BURNHERVIE 73 D2
Burnieboozle Cres AB15 169 A6
Burnieboozle Pl AB15 169 A6
Burn La AB51 152 D6
Burn O'Bennie Rd AB31 184 F6
Burn O'Vat Visitor Ctr★ AB34 105 C6
Burns Cres
Fraserburgh AB43 143 B3
St Combs AB43 15 D6
Burns Gdns AB15 169 D7
Burnshangie Rd 7 AB43 24 E6
Burnside AB56 1 B3
BURNSIDE 26 E2
Burnside AB45 139 D7
Burnside Ave AB51 150 C2
Burnside Bsns Pk AB42 147 C1
Burnside Cres AB42 37 D5
Burnside Ct
9 Inverurie AB51 152 D6
3 Mintlaw AB42 146 D5
Portsoy AB45 139 D7
Burnside Dr
Bridge of Don AB23 160 A1
Dyce AB21 158 C5
Burnside Gdns
Aberdeen AB25 164 E2
Portlethen AB12 180 C6
Stonehaven AB39 185 C5
Burnside Pl DD10 189 B1
Burnside Rd
Aboyne AB34 96 B3
Dyce AB21 158 C5
Huntly AB54 148 D5
Laurencekirk AB30 128 B4
4 Mintlaw AB42 146 D5
Peterculter AB14 172 C5
Burnside St AB45 139 D7
Burnside Way 2 AB23 91 C8
Burnside Wlk AB34 183 F5
Burns Pl AB43 143 B3
Burns Rd
Aberdeen AB15 169 E7
Peterhead AB42 147 D6
Burns Terr AB39 185 C4
Burnwood Ave AB21 153 C5
Burnwood Dr AB21 153 C5
BUSH 134 F4
Bush The AB14 172 D6
Bute Way AB16 163 E2
Bydand Gdns AB51 152 B8
Bydand Pl
Aberdeen AB23 160 A3
Huntly AB54 148 D5
Byron Ave AB16 164 A5
Byron Cres AB16 163 F6
Byron Ct 2 AB45 140 E6
Byron Park Inf Sch AB16 163 F4
Byron Pk AB16 164 A4
Byron Sq AB16 164 A5
Byron Terr AB16 163 F5

C

Cabel's La AB11 190 C1
Cadenhead Pl AB25 164 F4
Cadenhead Rd AB25 164 F4
Cadgers Rd DD9 136 E2
Cadgers' Rd AB52 58 B8
Caiesdykes Cres
Aberdeen AB12 170 A2
Cove Bay AB12 176 B8
Caiesdykes Dr AB12 170 A2
Caiesdykes Rd AB12 170 A2
Caies La 2 AB53 145 D5
Caird Ave DD10 189 B1
Caird Pl AB43 5 A4
Cairds Cl AB31 184 D6
Cairds Wynd AB31 184 C6
Cairnadrochit 1 AB35 113 F6
Cairnaquheen Gdns AB15 164 D1
Cairnaquheen Pl AB15 164 D1
Cairnbrallan (ruins)★ AB54 66 E7

194 CAI–Col

CAIRNBULG 15 B8
Cairnbulg Way 1 AB41 151 E5
Cairncatto Rd AB42 147 D7
Cairn Cres AB15 168 C2
Cairncry Ave AB16 164 D4
Cairncry Cres AB16 164 E4
Cairncry Ct 5 AB16 164 D4
Cairncry Rd AB16 164 D4
Cairncry Terr AB16 164 E4
Cairndenity Pl AB43 15 C7
Cairney Prim Sch AB54 29 C3
Cairnfield Circ AB21 164 A8
Cairnfield Cres AB21 164 A7
Cairnfield Gdns AB21 164 A7
Cairnfield Pl AB21 164 A7
Cairnfold Rd AB22 165 B8
Cairn Gdns
  Aberdeen AB15 168 C2
  Inverurie AB51 152 A7
  Laurencekirk AB30 186 D5
Cairngorm Cres AB12 170 B3
Cairngorm Dr AB12 170 A3
Cairngorm Gdns AB12 170 B3
Cairngorm Pl AB12 170 A3
Cairngorm Rd AB12 170 A3
Cairngrassie Circ AB12 180 A5
Cairngrassie Dr AB12 180 A4
CAIRNHILL 58 C7
Cairnhill Dr
  Fraserburgh AB43 143 C3
  Rosehearty AB43 142 B6
  Stonehaven AB39 181 G4
Cairnhillock Pl AB21 163 D6
Cairnhill Pl AB39 181 G4
Cairnhill Rd
  Fraserburgh AB43 143 C3
  Newtonhill AB39 181 G4
  Rosehearty AB43 142 B6
Cairnhill Way AB39 181 G4
Cairnhill Wlk AB39 181 G4
CAIRNIE 29 D3
Cairnie View AB32 161 C4
Cairnlee Avenue E AB15 168 C2
Cairnlee Crescent N AB15 168 C2
Cairnlee Crescent S AB15 168 D2
Cairnlee Pk AB15 168 B2
Cairnlee Rd AB15 168 B2
Cairnlee Road E AB15 168 C3
Cairnlee Terr AB15 168 B2
Cairn O'Mount Rd AB30 128 B4
CAIRNORRIE 49 C8
Cairn Pk AB15 168 C2
Cairn Pl AB51 152 A7
Cairn Rd
  Bieldside AB15 168 C2
  20 Kemnay AB51 87 D7
  Peterculter AB14 172 E6
Cairn Seat AB51 152 A7
Cairnside AB15 168 C2
Cairns Pk AB31 111 C2
Cairntack Rd AB23 91 A8
Cairnton Ct 2 AB32 161 E3
Cairntrodlie AB42 147 C5
Cairnvale Cres AB12 170 A3
Cairnvale Terr AB12 170 A3
Cairn View AB23 91 A8
Cairnview Cres AB16 164 D4
Cairnview Pl AB30 186 C5
Cairnwell Ave AB16 164 A3
Cairnwell Cres DD10 189 C8
Cairnwell Dr
  Aberdeen AB16 164 B3
  Portlethen AB12 180 B6
Cairnwell Pl AB16 164 A4
Cairn Wlk AB15 168 C2
Cairn Wynd AB51 152 A7
Caldhame Gdns DD9 188 E3
Caldhame Pl DD9 188 E2
Caledonia Ct 4 AB43 143 D7
Caledonian Ct AB11 190 A1
Caledonian La AB11 190 A1
Caledonian Pl
  Aberdeen AB11 190 A1
  Montrose DD10 189 D2
Caledonian Rd DD9 188 C4
Caledonian Rly* DD9 188 F1
Caledonia St DD10 189 D2
California St 9 DD10 189 C2
Callum Cres AB15 162 E4
Callum Ct AB45 148 E5
Callum Path AB15 162 E4
Callum Pk AB15 162 E4
Callum Wynd AB15 162 E4
Calsayseat Rd AB25 165 A3
Cameron Ave AB23 159 F2
Cameron Ct 4 AB39 185 D4
Cameron Dr 1 AB23 159 F1
Cameron Pk AB51 59 C5
Cameron Pl AB23 160 A1
Cameron Rd 2 AB23 159 F1
Cameron St
  Aberdeen AB23 160 A1
  Stonehaven AB39 185 E4
Cameron Terr AB23 160 A1
Cameron Way AB23 159 F2
Camiestone Rd AB51 74 B1
Cammach Circ AB12 180 A4
CAMMACHMORE 179 E2
Campbell Dr AB45 139 C6
Campbell Hospl AB45 139 C7
Campbell Pl AB56 1 B5
Campbell St
  Banff AB45 140 F6

Campbell St *continued*
  1 Cullen AB56 1 B5
Camperdown Rd AB25 164 D2
Camphill Est AB13 173 A6
Camphill Rudolf Steiner Schools AB15 173 F8
Campsie Pl AB15 164 B1
Campus One AB22 165 A8
Campus Three AB22 165 A8
Campus Two AB22 165 A8
Canal Cres AB51 152 E3
Canal Pl AB24 165 B3
Canal Rd
  Aberdeen AB24 165 B3
  Inverurie AB51 152 E3
Canal St AB24 164 E7
Canal View AB51 152 E3
Candlemaker's La AB25 190 B4
Canina Gdns AB21 153 D6
Canmore Gdns AB21 76 C1
Canmore Pk AB39 185 B5
Canmore Pl
  1 Aboyne AB34 108 B6
  Newmachar AB21 76 C1
Cantlay Ct 3 AB42 53 A3
Caperstown Cres AB16 164 B5
Captain Gray Pl 1 AB42 147 A6
Carden Pl AB10 169 E8
Cardens Knowe 3 AB22 159 F1
Carden Terr 1 AB10 169 F8
Carding Hill 2 AB41 151 D6
Carlin Terr AB21 158 C6
Carlton Pl AB15 164 E1
Carmelite La AB11 190 B3
Carmelite St
  Aberdeen AB11 190 B3
  Banff AB45 141 A5
Carnegie Cres AB15 169 C8
Carnegie Ct 5 AB39 185 E5
Carnegie Gdns AB15 169 C8
Carnegie Inverurie Mus* AB51 152 E6
Carnegies Brae 9 AB11 190 B3
Carnegie St DD10 189 D4
Carnferg Pl AB34 183 F5
CARNIE 101 E4
Carnie Ave AB32 161 B2
Carnie Cl 2 AB32 161 B2
Carnie Cres AB32 161 B1
Carnie Dr
  Aberdeen AB25 164 F4
  Elrick AB32 161 B1
Carnie Gdns
  Elrick AB32 161 B1
  4 Kittybrewster AB25 164 F4
Carnie Pk AB32 161 B2
Carnie Pl AB32 161 B2
Carnie Way AB32 161 B1
Carnoustie Cres AB22 159 E2
Carnoustie Gdns 3 AB22 159 E2
Carny St AB44 141 D7
Caroline Pl
  Aberdeen AB25 165 A2
  1 Fraserburgh AB43 143 D7
Carolines Cres AB41 151 D6
Carpenters Croft AB32 101 E7
Carriages The AB51 155 C6
Carron Gdns AB39 185 D3
Carronhall AB39 185 D4
Carronhill Specl Sch AB39 185 C4
Carron Pl AB16 164 A4
Carron Springs AB39 185 E4
Carron Terr AB39 185 E4
Carters Cl
  Mintlaw AB42 146 D5
  1 Peterhead AB42 147 E5
Cassie Cl AB12 176 B7
Castle Cres DD10 187 D6
Castle Dr
  10 Boddam AB42 40 D1
  Inverallochy AB43 15 C7
Castlefield Cres AB51 155 B4
Castlefield Gdns AB51 155 A4
Castle Fraser, Gdn & Est* AB51 87 C3
Castle Gdns DD9 132 A7
Castlehill AB11 190 C3
Castle Hill
  1 Kintore AB51 155 C5
  Turriff AB53 145 C4
Castlehill Dr AB45 3 C2
Castle Hillock* AB52 71 E7
Castle La
  10 Banff AB45 140 F6
  4 Fordyce AB45 1 F1
  Rosehearty AB43 142 C7
Castle Newe (remains of)* AB36 81 D3
Castle of Allardice* DD10 130 F4
Castle of Esslemont (remains of)* AB41 62 F4
Castle of Fiddes* AB39 125 F4
Castle of Findon (remains of)* AB45 3 B2
Castle of Hall Forest (remains)* AB51 88 B6
Castle of King Edward (remains of)* AB45 21 A7
Castle of Wardhouse* AB52 57 B3
Castle of Waterton (remains of)* AB41 63 D5
Castlepark Dr AB51 155 B4
Castle Park Rd 3 AB54 148 E5

Castle Pl
  Inverbervie DD10 187 D6
  3 Montrose DD10 189 C3
Castle Rd
  Alford AB33 154 E3
  Cruden Bay AB42 53 B3
  Ellon AB41 151 E5
  Inverurie AB51 155 B4
  Peterhead AB42 36 E7
Castle (remains of) Peel Ring of Lumphanan* AB31 97 F2
Castle Road Ind Est AB41 151 F5
Castle Sq 7 AB39 185 F3
Castle St
  Aberdeen AB10 190 B3
  Banff AB45 140 F6
  Brechin DD9 188 B3
  Bridge of Don DD10 135 C6
  Ellon AB41 151 F5
  Fraserburgh AB43 143 D7
  Huntly AB54 148 D5
  Montrose DD10 189 C3
  Peterhead AB42 147 F4
  Stonehaven AB39 185 F3
  Woodside AB43 142 D7
Castle Terr
  Aberdeen AB11 190 C3
  Buckie AB56 1 A5
  Fraserburgh AB43 143 D7
  Inverbervie DD10 187 E6
  Peterhead AB42 36 E6
CASTLETON 113 F6
Castleton Cres AB16 164 C3
Castleton Ct 8 AB16 164 C3
Castleton Dr 3 AB16 164 C3
Castleton La 2 AB16 164 C3
Castleton Pk 7 AB16 164 C3
Castleton Pl 7 AB35 113 F6
Castleton Terr 6 AB35 113 F6
Castleton Way 6 AB16 164 C3
Castleview Ave AB51 155 B5
Castleview Cl 2 AB51 155 B5
Castleview Ct AB51 155 B4
Castleview Pl AB51 155 B5
Castleview Way 1 AB51 155 B5
Castle Way AB41 151 F5
Castle Wlk AB51 155 C4
Castle Wynd AB51 155 B4
Cathay Terr AB56 1 B4
Catherine St AB25 190 A4
CATTERLINE 126 E1
Catterline Prim Sch AB39 126 E1
Catto Cres
  Aberdeen AB12 176 C7
  Peterhead AB42 147 C6
Catto Dr AB42 147 C6
Cattofield Gdns AB25 164 F4
Cattofield Pl AB25 164 F4
Cattofield Terr AB25 164 F4
Catto Way AB42 147 B6
CAULDWELLS 22 B7
CAUSEWAYEND 159 C5
Causewayend AB25 165 B3
Causewayend Cres AB54 144 E5
Causewayend Pl AB54 144 E6
Causewayend Prim Sch AB25 165 B3
Cava Cl AB15 163 E2
Cedar Ave AB42 147 B4
Cedar Ct AB25 165 A4
Cedar Pl AB25 164 F3
Cemetery Rd
  Fraserburgh AB43 143 D4
  Montrose DD10 135 C6
Central Mart Cl 14 AB53 145 D4
Central Prim Sch AB42 147 E5
Central Rd AB11 190 C2
Centre Point AB23 160 A3
Chalmers Hospl AB45 140 F7
Chalmers La AB53 145 D5
Chalmers Pl AB42 25 C1
Channonry Wynd DD9 188 C3
Chanonry The AB24 165 B6
Chapel Brae
  Ballater AB35 113 E6
  2 Turriff AB53 22 C1
Chapel Cl AB51 73 B6
CHAPEL HILL 52 E2
Chapel Hillock AB44 141 D6
Chapelhill Pl 2 AB41 151 D3
Chapelhill Rd
  Ellon AB41 151 C4
  Fraserburgh AB43 143 B6
Chapelhill Terr 1 AB41 151 D3
Chapel La
  3 Banff AB45 8 F8
  Portsoy AB45 139 E6
  1 Turriff AB53 145 D4
CHAPEL OF GARIOCH 73 B7
Chapel of Garioch Prim Sch AB51 73 C7
CHAPEL OF STONEYWOOD 157 D3
Chapel Pk 1 AB53 22 C1
Chapel Pl 1 DD10 189 D3
Chapel Rd
  Cruden Bay AB42 53 A3
  Stonehaven AB39 181 I4
  Turriff AB53 22 C1
Chapel St
  Aberdeen AB10 165 A1
  5 Banff AB45 8 F8
  Huntly AB54 148 D5
  Montrose DD10 189 D3
  Peterhead AB42 147 E5

Chapel St *continued*
  Portsoy AB45 139 E6
  Turriff AB53 145 D4
Chapelwell Dr 3 AB23 91 D8
Chapelwell Pl 1 AB23 91 D8
Chapelwell Wynd 2 AB23 91 D8
Chapel Wlk AB54 68 F4
Chapman Pl 3 AB16 164 A6
Chapman Wlk 2 AB16 164 A6
Charles Gdns AB51 152 C7
Charles Pl AB51 152 C7
Charles St
  Aberdeen AB25 165 B3
  Fraserburgh AB43 15 D6
  Insch AB52 149 C5
  Inverallochy AB43 15 C8
Charleston Ave AB12 176 A6
Charleston Circ AB12 176 A5
Charleston Cres AB12 176 A6
Charleston Dr AB12 175 F6
Charleston Gdns AB12 176 A6
Charleston Gr AB12 176 A5
Charleston Pl AB12 176 A6
Charleston Rd AB12 176 A6
Charleston View AB12 176 A6
Charleston Way AB12 176 A6
CHARLESTOWN 175 F6
Charlestown Rd AB34 183 C4
Charlestown Sch AB12 176 A6
Charlestown Wlk AB12 176 A6
Charleton Pk 3 DD10 189 D7
Charleton Pl DD10 189 D7
Charleton Rd DD10 189 D7
Charlotte Gdns 2 AB25 190 A4
Charlotte La AB43 143 C7
Charlotte Pl AB25 190 A4
Charlotte St
  Aberdeen AB25 190 A4
  Fraserburgh AB43 143 C6
  Peterhead AB42 147 E5
Charlton Ave AB34 183 B5
Charlton Cres AB34 183 B5
Charter Ave AB30 186 D6
Chattan Pl AB10 169 F7
Checkbar AB12 175 E3
Chelsea Pl 6 AB51 152 D6
Chelsea Rd 5 AB51 152 D6
Cherry Gr AB21 156 B5
Cherry Rd AB16 164 D4
Cherry Tree Rd AB31 184 D6
Chestnut Cres AB31 184 F6
Chestnut Gr AB31 184 F6
Chestnut La 3 AB31 110 B3
Chestnut Pk 1 AB31 110 B3
Chestnut Pl
  2 Banchory AB31 110 B3
  Ellon AB41 151 C3
Chestnut Row AB25 164 F3
Chestnut Wlk AB41 76 C7
Cheves Circ 14 AB42 38 D6
Chevron Cres AB42 147 A5
Cheyne Rd AB24 165 C6
Cheyne's La 11 AB53 145 D4
Cheyne's Pl AB53 145 D4
Cheyne Wlk AB21 153 C6
Chievres Pl AB41 151 C3
Chievres Rd AB41 151 C3
Chisholm's La AB53 145 D5
Chris Anderson Stadium AB24 165 D5
Christian Watt Dr AB43 143 A4
Christian Watt Pl AB43 143 A4
Christie Cres AB39 185 D4
Christie Ct 1 AB54 148 E5
Christie Gdns AB54 148 E5
Christie Grange AB21 163 A8
Christies La DD10 189 D3
Church Ave
  Fraserburgh AB43 26 D7
  Insch AB52 149 D5
Church Cres 4 AB53 36 A5
Churchill Dr AB42 147 D7
Church La
  Bankhead AB21 163 F8
  7 Brechin DD9 188 C3
  18 Kemnay AB51 87 D7
  Peterhead AB42 38 D6
  6 Turriff AB53 145 C5
Church Pl
  12 Boddam AB42 40 D1
  New Pitsligo AB43 23 D7
Church Rd
  Banff AB45 3 C2
  Laurencekirk AB30 133 A7
  Potterton AB23 91 A6
Church St
  Aberdeen AB11 190 C3
  Aberdeen AB24 164 E6
  Brechin DD9 188 C3
  Edzell DD9 132 A8
  3 Fordyce AB45 1 F1
  Huntly AB54 148 D4
  Insch AB52 149 C5
  Inverallochy AB43 15 B8
  Inverbervie DD10 187 D7
  Laurencekirk AB30 186 D5
  Macduff AB44 141 C6
  New Pitsligo AB43 23 D6
  Portsoy AB45 139 D7
  St Combs AB43 15 D6
  7 Turriff AB53 145 C5
Church Terr
  Aberdeen AB21 156 B5
  Fraserburgh AB43 142 C8
  Insch AB52 149 D5
  Turriff AB53 145 C5
Church View 14 AB43 24 E6

City Hospl AB24 190 C4
City Rd DD9 188 C3
Clackriach Castle (remains of)* AB42 36 F6
Claremont Gdns 2 AB10 169 F7
Claremont Gr AB10 169 F7
Claremont Pl AB10 169 F7
Claremont St 1 AB10 169 F7
Clarence St AB11 165 E1
Clarke St AB16 164 C6
Clark's La AB24 165 C6
Clashbog Pl 11 AB21 163 D7
Clashfarquhar Cres AB12 180 B6
Clashmach Dr AB54 148 C4
Clashmach Terr AB54 148 C4
Clashmach View AB54 148 C4
Clashnettie Pl AB21 158 C6
Clashrodney Ave AB12 176 A6
Clashrodney Rd AB12 176 B6
Clashrodney Way AB12 176 A6
Clashrodney Wlk AB12 176 A6
CLATT 70 C8
Clatt Prim Sch AB54 56 B1
Claymore Ave
  Aberdeen AB23 160 C3
  Portlethen AB12 180 C7
Claymore Dr AB23 160 B2
Clergy St AB44 141 D6
CLERKHILL 147 C4
Clerkhill Pl 2 AB42 147 C4
Clerkhill Prim Sch AB42 147 B5
Clerkhill Rd AB42 147 B4
Clerk Maxwell Cres AB12 170 A1
Clerk St DD9 188 C3
Cleveland Pl AB42 147 D5
Cliff Pk AB15 168 F4
Cliff View AB39 181 H4
Clifton Ct 2 AB24 164 F6
Clifton La AB24 164 F5
Clifton Pl AB24 164 F5
Clifton Rd
  Aberdeen AB24 164 D6
  Turriff AB53 145 D4
Clinterty Aberdeen Coll AB21 156 C3
Clinton Cres AB43 23 E6
Clinton Dr AB43 5 A4
Clinton Pl
  Fraserburgh AB43 5 A4
  2 New Pitsligo AB43 23 E6
Clipper Pl DD10 187 D7
CLOCHCAN 37 A2
Cloghill Pl 2 AB16 163 F2
CLOLA 38 A2
Clova Cres AB15 162 E3
Clova Pk AB15 162 E3
CLOVENSTONE 88 A8
Clover Cl AB43 143 C7
Cloverdale Ct 22 AB21 163 D7
Cloverfield Cl AB21 163 D8
Cloverfield Ct AB21 163 C8
Cloverfield Gdns AB21 163 D8
Cloverfield Pl AB21 163 C8
Cloverhill Cres AB22 159 E1
Cloverhill Rd AB23 160 A1
Clover Mdw AB32 161 B3
Clover Yd 1 DD10 187 D3
Clune View AB31 111 C2
Cluniebank Rd AB35 113 F5
Clunie Pl AB16 164 A4
Clunie St AB45 140 F6
Cluny Crichton Castle (remains of)* AB31 109 E6
Cluny Prim Sch AB51 86 F2
Clyde St AB11 190 C2
COALFORD 172 A4
Cobban's La 2 AB51 152 D6
Cobden St DD10 189 D2
COBURTY 142 A2
Codona's Amusement Pk* AB24 165 E2
Coldhome St 1 AB45 140 F6
Coldstone Ave AB15 162 E3
College Bounds
  Aberdeen AB24 165 B5
  Fraserburgh AB43 143 C7
College St AB11 190 A3
College Wlk AB16 163 E2
Colleonard Cres AB45 140 E4
Colleonard Ct AB45 140 E4
Colleonard Dr AB45 140 E4
Colleonard Rd AB45 140 D4
Colleonard Sculpture Gdn & Gall* AB45 140 D3
Collieburn Cres AB42 147 C7
COLLIESTON 64 E3
Collieston Ave AB23 159 F3
Collieston Circ AB22 159 E3
Collieston Cres AB23 159 F3
Collieston Dr 2 AB23 159 F2
Collieston Path AB22 159 E3
Collieston Pl AB22 159 E2
Collieston Rd AB22 159 E2
Collieston St 1 AB22 159 F2
Collieston Way AB23 159 F3
Collyburn View AB53 145 F4
Colonsay Cres 4 AB16 163 E2
COLPY 58 A7
Colpy Road Ind Est AB51 150 A3
Colpy Way AB51 150 B3
Colquhonnie Castle (remains of)* AB36 81 C3
Colsea Rd AB12 176 C6
Colsea Sq 4 AB12 176 C6
Colsea Terr AB12 176 C6
Colthill Circ AB13 173 B8

Colthill Cres AB13. . . . . . . 167 C1
Colthill Dr AB13. . . . . 173 B8
Colthill Rd AB13 . . . . 167 C1
Colville Pl AB24. . . . . 165 C3
COMERS 99 D6
Commerce La
Aberdeen AB11 . . . . 190 C3
2 Fraserburgh AB43 . . . . 143 D6
Commerce St
Aberdeen AB11 . . . . 190 C3
Brechin DD9 . . . . 188 D3
Fraserburgh AB43 . . . . 143 D6
Insch AB52 . . . . 149 D4
8 Montrose DD10 . . . . . . 189 C2
Commercial La 1 AB51 . 152 D6
Commercial Quay AB11 . 190 B2
Commercial Rd
Ellon AB41. . . . . 151 B5
Insch AB52 . . . . 149 C4
Inverurie AB51 . . . . 152 E4
Oldmeldrum AB51 . . . . 150 B2
Commercial St AB44 . . . . 141 D7
Concert Ct AB10 . . . . 190 B3
Concraig Gdns AB15 . . . . . 163 A4
Concraig Pk AB15. . . . . . . 163 A4
Concraig Pl AB15 . . . . 163 A4
Concraig Wlk AB15 . . . . . 163 A4
Condor Cres DD10 . . . . . . 189 D7
Conference Way AB23. . . 160 B2
Conglass Ave AB51. . . . . . 152 A7
Conglass Ct AB51. . . . . . . 152 A8
Conglass Dr AB51. . . . . . . 152 A8
Conglass Gdns 1 AB51. . 152 A8
Conglass Gr 3 AB51 . . . 152 A7
Conglass Pl AB51 . . . . 152 A8
Conglass Rd AB51. . . . . . . 152 A8
Conglass Way 2 AB51 . . 152 A8
Conglass Wlk 1 AB51 . . . 152 A7
Coningham Gdns AB24 . . . 165 A6
Coningham Rd AB24 . . . . 165 A6
Coningham Terr AB24. . . . 165 A6
Connon Ct AB51 . . . . 152 E3
Constitution Ct AB24 . . . . 190 C4
Constitution La AB11. . . . 190 C4
Constitution St
Aberdeen AB24 . . . . 190 C4
Inverurie AB51 . . . . 152 D6
Peterhead AB42. . . . . 147 D5
Contlaw Brae AB13. . . . . . 173 B8
Contlaw Pl AB13 . . . . 173 B8
Contlaw Rd AB13 . . . . 167 A2
Conveners Wynd DD9 . . . 188 B3
Conveth Pk AB30 . . . . 186 D6
Conveth Pl AB30 . . . . 186 D6
Conzie Castle (remains of)★
AB54. . . . . 31 B3
COOKNEY 120 F8
COOKSTON 188 B5
Cookston Cres DD9 . . . . . 188 C4
Cookston Rd
Aberdeen AB12 . . . . 180 D6
Brechin DD9 . . . . 188 C5
Portlethen AB12 . . . . 180 C6
Cooper's Brae 10 AB42 . . . 38 D6
Cooper's Ct AB41 . . . . 151 D4
Copeman Ave AB42 . . . . . . 147 B4
Copeman Pl AB42. . . . . . . 147 B4
COPLANDHILL 147 A6
Coplandhill Cres AB42 . . 147 B6
Coplandhill Pl 1 AB42 . . 147 A5
Coplandhill Rd AB42 . . . . 147 B6
Coral Gdns AB42. . . . . 147 A4
Corbie Dr AB43 . . . . 143 C4
Corby Terr AB21 . . . . 158 C6
Cordiner Ct 4 AB42. . . . . 147 E6
Cordyce Residential Sch
AB21. . . . . 158 C8
Cordyce View AB21 . . . . . 158 A6
CORGARFF 92 F7
Corgarff Castle★ AB36 . . . 92 D7
Cormack Pk AB51. . . . . 46 F3
Cormack Pl 1 AB21. . . . . 153 C6
Cormorant Brae AB12. . . . 176 B8
Corndavon Terr AB16 . . . 164 B3
Cornellan Sq AB35 . . . . . . 182 E4
Cornfield Pl AB53. . . . . . . 145 D5
Cornfield Rd AB53 . . . . . . 145 D5
CORNHILL
Aberdeen. 164 D4
Banff. 7 E1
Cornhill Ct 7 AB16 . . . . . 164 D4
Cornhill Dr AB16. . . . . 164 D4
Cornhill Gdns AB16 . . . . . 164 D4
Cornhill Prim Sch AB16 . 164 D4
Cornhill Rd
Aberdeen AB25 . . . . 164 E3
Huntly AB54. . . . . 144 C5
Cornhill Sh Arc AB16. . . . 164 D4
Cornhill Sq AB16. . . . . 164 D4
Cornhill Terr AB16 . . . . . . 164 D3
Cornhill Way AB16 . . . . . 164 D3
Corn Rd AB43. . . . . 15 B7
Cornyhaugh Rd AB14. . . . 172 C7
Coronation Ave DD10 . . . 189 C8
Coronation Rd AB14. . . . . 172 E6
Coronation Way DD10. . . 189 C7
Correction Wynd 5
AB11 . . . . 190 B3
Corrennie Circ AB21 . . . . 158 B8
Corrichie Pl 1 AB31 . . . . 184 E5
CORSE 45 A7
Corse Ave AB15. . . . . 162 E4
Corse Castle (remains of)★
AB31. . . . . 97 D6
Corseduick Pk 1 AB21. . 153 D5
Corseduick Rd AB21 . . . . 153 D5
Corsee Hill AB31. . . . . 184 B4
Corsee Rd AB31. . . . . 184 A5
Corse Gdns AB15 . . . . 162 E4
Corsehill Gdns AB22 . . . . 159 F1
Corsekelly Pl AB43. . . . . . . 15 D5
Corse The AB43. . . . . 26 C7
Corse Wynd AB15 . . . . 162 F4
Corskie Dr
Aberchirder AB54 . . . . 144 D5
Macduff AB44 . . . . 141 D5
Corskie Pl AB44. . . . . 141 D5
Corsman Gdns 3 AB51. . 152 C4
Cortes Cres AB43 . . . . 143 B5
Corthan Cres AB12. . . . . . 170 B4
Corthan Dr AB12. . . . . 170 C3
Corthan Pl AB12 . . . . 170 B4
Corunna Pl AB23. . . . . 160 B1
Corunna Rd AB23 . . . . 165 D8
COTHALL. 89 F6
Cothal View AB21. . . . . . . 158 A8
Cottage Brae AB10. . . . . . 170 A7
Cotton St AB11 . . . . 190 C4
COTTOWN. 48 D7
Cottown of Balgownie
AB23 . . . . 165 C8
Coubert Rd AB21. . . . . 153 C6
COULL 96 F1
Coull Gdns
Aberdeen AB22 . . . . 165 B8
Kingswells AB15 . . . . 162 E3
Coull Gn AB15 . . . . 162 E3
Countesswells Ave AB15. 169 A6
Countesswells Cres
AB15 . . . . 169 A6
Countesswells Pl AB15 . . 169 A6
Countesswells Rd AB15 . 168 E5
Countesswells Terr
AB15 . . . . 169 A6
Couper's Rd
Auchenblae AB30. . . . . 124 A1
Banchory AB31 . . . . 111 B6
Laurencekirk AB30 . . . . . . 128 D4
Courtyard The
Cults AB15. . . . . 168 F3
Westhill AB32 . . . . 161 C2
COVE BAY 176 C7
Cove Circ AB12 . . . . 176 C6
Cove Cl AB12 . . . . 176 B6
Cove Cres AB12. . . . . 176 B6
Cove Ct AB12 . . . . 176 C6
Cove Gdns AB12 . . . . 176 C6
Covenanters Dr AB12. . . . 170 B4
Covenanters Row AB12. . 170 A4
Cove Path AB12. . . . . 176 C6
Cove Pl AB12 . . . . 176 C6
Cove Rd AB12. . . . . 175 F5
Cove Way AB12 . . . . 176 B6
Cove Wlk AB12 . . . . 176 B6
Cove Wynd AB12. . . . . 176 B6
Cowan Den AB53. . . . . 145 E4
Cowan Pl 3 AB24. . . . . . . 164 F6
COWBOG. 23 B6
Cowgate
Inverbervie DD10 . . . . 187 E7
Oldmeldrum AB51 . . . . 150 C3
Stonehaven AB39. . . . . 185 F3
COWIE 185 F6
Cowie Cres AB42. . . . . 27 B3
Cowie Gdns 2 AB43 . . . . . 26 C7
Cowie La AB39. . . . . 185 E5
Cowie Mill AB39 . . . . 185 E5
Cowie Wynd 15 AB31. . . . 108 E8
COYNACH 95 E4
Craibstone Ave AB21. . . . 158 B3
Craibstone La AB11 . . . . . 190 A2
Craigarbel Cres DD10 . . . 187 E6
Craigbank AB51. . . . . 155 B5
CRAIGDAM 61 C5
Craigden AB15. . . . . 163 F1
CRAIGEARN. 87 C5
Craigearn Bsns Pk AB51. 155 B2
Craigellie Circ AB43. . . . . 143 A3
Craigendarroch Ave
AB16 . . . . 164 B4
Craigendarroch Circ
AB35 . . . . 182 D5
Craigendarroch Pl AB16. 164 B4
Craigendarroch Wlk
AB35 . . . . 182 D5
Craigendinnie Cres
AB34 . . . . 183 B4
Craigend Rd AB41. . . . . . . 151 A6
Craigen Terr AB45 . . . . 3 C2
Craigewan Cres AB42 . . . 147 C6
Craig Gdns
Aberdeen AB15 . . . . 168 C2
Blackburn AB21. . . . . 156 C6
Craighaar Gables AB21. . 158 C2
Craighall Cres AB41. . . . . 151 D4
Craighead Ave AB12 . . . . 180 B6
Craighead Dr AB54. . . . . . 148 C4
Craighill Terr 1 AB12. . . 176 C6
CRAIGIEBUCKLER 169 A7
Craigiebuckler Ave
AB15 . . . . 169 A7
Craigiebuckler Dr AB15 . 169 A7
Craigiebuckler Pl AB15. . 169 A7
Craigiebuckler Terr
AB15 . . . . 169 B7
Craigieburn Pk AB15. . . . 169 B6
Craigielea Ave AB15. . . . . 169 D6
Craigielea Gdns AB15 . . . 169 D6
Craigielea Mews AB15 . . . 169 D6
Craigie Loanings AB25 . . 164 F1
Craigie Park Pl AB25 . . . . 164 F1
Craigie Pk AB25 . . . . 164 F1
Craigie St AB25 . . . . 190 A4
Craigievar Castle★ AB33 . 97 E8
Craigievar Cres
Aberdeen AB10 . . . . 169 D3
Craigievar Cres continued
Ellon AB41. . . . . 151 E6
Craigievar Ct AB10. . . . . . 169 E3
Craigievar Gdns AB10 . . . 169 D3
Craigievar Pl AB10 . . . . . . 169 D4
Craigievar Prim Sch AB33 84 F1
Craigievar Rd AB10 . . . . . 169 E3
Craigievar Terr AB10. . . . 169 E3
Craig Lea 1 AB51. . . . . 87 C6
Craigmarn Rd AB12 . . . . . 180 E5
Craigmaroinn Gdns
AB12 . . . . 176 B8
Craigmyle Rd AB31. . . . . . 108 E8
Craignabo Rd AB42 . . . . . 147 C3
Craignathunder 3 AB51. 152 A8
Craigneen Pl 1 AB45 . . . . . 8 F8
Craignook Rd AB21 . . . . . 158 C7
CRAIGO 133 E3
Craigour Ave 18 AB31 . . . 108 E8
Craigour Rd AB31. . . . . . . 108 E8
Craigpark AB12 . . . . 170 D3
Craigpark Circ AB41 . . . . 151 A6
Craigpark Pl AB41 . . . . . . 151 A6
Craig Pl
Aberdeen AB11 . . . . 190 B1
Stonehaven AB39. . . . . 181 I4
Craig Rd DD10. . . . . 189 C1
Craigs Ct AB41. . . . . 151 A6
Craigshannoch AB51 . . . . 152 A8
Craigshannoch Rd AB51. . 59 E3
Craigshaw Bsns Pk
AB12. . . . . 170 D4
Craigshaw Cres AB12 . . . 170 D4
Craigshaw Dr AB12 . . . . . 170 C4
Craigshaw Pl AB12. . . . . . 170 C4
Craigshaw Rd AB12 . . . . . 170 C4
Craigshaw St AB12. . . . . . 170 C3
Craigs Rd AB41 . . . . 151 A6
Craigston Ave AB41 . . . . . 151 E5
Craigston Castle★ AB53. . 21 E6
Craigston Gdns AB32. . . . 161 F4
Craigston Pl AB32. . . . . . . 161 F4
Craigston Rd AB32 . . . . . . 161 F4
Craigton Ave AB15 . . . . . . 169 C5
Craigton Brae AB31 . . . . . . 98 A3
Craigton Cres
Aberdeen AB14 . . . . 172 D6
1 Banchory AB31. . . . . 98 A3
Craigton Ct AB10 . . . . 169 D5
Craigton Dr AB14 . . . . 172 D6
Craigton Gr AB14 . . . . 172 D6
Craigton Pk AB15 . . . . 169 C5
Craigton Rd AB15 . . . . 169 A4
Craigton Terr
Aberdeen AB14 . . . . 172 D6
Aberdeen AB15 . . . . 169 C5
Craigview DD10. . . . . 187 E7
Craigview Pl AB35 . . . . . . 182 E5
Craigview Rd AB35. . . . . . 182 E5
Cramond Terr AB45 . . . . . 140 E5
Cranford Rd AB10. . . . . . . 169 E5
Cranford Terr AB10 . . . . . 169 D5
Cranhill Brae AB39. . . . . . 181 I4
Cranhill Pl AB39 . . . . 181 I5
Cranna View
Huntly AB54. . . . . 144 E5
Turriff AB53 . . . . 19 D0
CRATHES. 110 E3
Crathes Castle, Gdn & Est★
AB31. . . . . 110 D3
Crathes Pl AB41 . . . . 151 E5
Crathes Prim Sch AB31. . 110 D5
CRATHIE 102 E2
Crathie Gardens W AB10 170 A5
Crathie Prim Sch AB35. . 102 E2
Crathie Terr AB10. . . . . . . 170 A5
Crawford Pl 2 AB51 . . . . . 47 A2
Crawpeel Rd AB12 . . . . . . 170 D1
CRAWTON. 126 E2
Crawton Ness AB12 . . . . . 176 B8
Creel Ave AB12 . . . . 176 B6
Creel Ct AB12. . . . . 176 B5
Creel Dr AB12 . . . . 176 B6
Creel Gdns AB12. . . . . 176 B6
Creel Pl AB12. . . . . 176 B5
Creel Rd AB12 . . . . 176 A5
Creel Wlk AB12 . . . . 176 B6
Creel Wynd AB12 . . . . 176 B5
Crescent The AB53. . . . . . . 36 A6
Crichie Circ AB51 . . . . 152 E2
CRIMOND 26 D7
Crimond Ct AB43 . . . . 143 C4
Crimond Dr AB41 . . . . 151 E6
Crimond Pk AB41 . . . . 151 E6
Crimond Sch AB43. . . . . . . 26 D7
Crimon Pl AB10. . . . . 190 A3
Croftland 4 AB41. . . . . 62 B2
Croftlands DD10 . . . . 134 D3
Croft Pl
Aberdeen AB16 . . . . 164 A3
St Cyrus DD10 . . . . 134 D3
Croft Rd
Aberdeen AB16 . . . . 164 A2
4 Kemnay AB51. . . . . 87 D7
Montrose DD10 . . . . 189 B1
St Cyrus DD10 . . . . 134 D3
Stonehaven AB39. . . . . 125 B3
Croft Terr AB16 . . . . 164 A3
Crollshillock AB39 . . . . . . 181 H4
Crollshillock Pl AB39. . . . 181 H4
Cromar Cres AB34 . . . . 96 B3
Cromar Dr 3 AB34. . . . . . . 96 C3
Cromar Gdns AB15. . . . . . 162 F3
Cromarty Way 1 AB45 . . . 140 E6
Crombie Acres AB32 . . . . 161 B3
Crombie Castle★ AB54 . . . 18 E3
Crombie Circ AB14. . . . . . 172 C7
Crombie Cirlce AB32 . . . . 161 C3
Crombie Cl AB32. . . . . 161 C3
Crombie Dr AB32 . . . . 161 B3
Crombie Pl
Aberdeen AB11 . . . . 170 E7
Westhill AB32 . . . . 161 B3
Crombie Prim Sch AB32 161 D3
Crombie Rd
Aberdeen AB11 . . . . 190 C1
Westhill AB32 . . . . 161 B3
Crombie Wynd AB32 . . . . 161 B3
Cromlet Pk AB51. . . . . 48 A1
Cromlet Pl AB51 . . . . 150 D3
Cromwell Gdns AB15. . . . 169 D7
Cromwell Rd AB15 . . . . . . 169 D7
Crooked La
Aberdeen AB25 . . . . 190 A4
1 Peterhead AB42. . . . . . 147 F5
5 Turriff AB53 . . . . 145 D4
Crookfold Gdns AB23 . . . 160 A1
Crookfold Pl AB23 . . . . . . 160 A1
Crook O'Ness St AB44. . . 141 C7
CROSSBRAE 20 D3
Crossfolds Cres AB42 . . . 147 B6
Crossgates AB21. . . . . 158 C1
CROSS OF JACKSTON. 59 F7
CROSSROADS. 110 E1
Crossroads of Braiklay
AB41 . . . . 48 F2
Cross St
Fraserburgh AB43 . . . . 143 D7
5 Turriff AB53 . . . . 145 C4
Cross The 2 AB39 . . . . . . 185 F4
CROVIE 3 C3
Crovie Gdns AB41. . . . . . . 151 D6
Crown Alley AB30. . . . . . . 186 C5
Crown Cres AB14 . . . . 172 E7
Crown La
Aberdeen AB11 . . . . 190 A2
Turriff AB53. . . . . 145 D4
Crown Pl AB14. . . . . 172 D7
Crown St
Aberdeen AB11 . . . . 190 A1
Turriff AB53. . . . . 145 D4
Crown Terr
Aberdeen AB11 . . . . 190 A2
Peterculter AB14. . . . . 172 E6
CRUDEN BAY 53 A3
Cruden Cres AB16. . . . . . . 163 F5
Cruden Pk AB16 . . . . 163 F5
Cruden Pl AB16. . . . . 163 F5
Cruden Terr AB39. . . . . . . 185 C4
CRUDIE 22 B8
Crudie Prim Sch AB53. . . . 22 C8
Cruickshank Botanic Gdns★
AB24. . . . . 165 B6
Cruickshank Cres
Aberdeen AB12 . . . . 170 A2
Aberdeen AB21 . . . . 163 E7
Cruickshank Ct AB32. . . . 161 B2
Cruickshank Pk 7 DD10. 138 C8
Cryne Corse Rd
Banchory AB31 . . . . 119 A6
Stonehaven AB39. . . . . 124 F8
Culbert St AB45. . . . . 139 D7
CULLEN 1 B4
Cullen Ct AB41. . . . . 151 E6
Cullen House★ AB56. . . . . . 1 A4
Cullen Prim Sch AB56. . . . . . 1 B4
Cullen St AB45. . . . . 139 D7
Cullen Way AB41. . . . . 151 E6
Cullerlie Farm Pk★
AB32. . . . . 100 E2
Culsh Terr AB53 . . . . 36 A6
Culstruphan Rd AB36. . . . . 81 E7
CULTERCULLEN 76 E7
Cultercullen Prim Sch
AB41. . . . . 76 E7
Culter Den AB14 . . . . 172 C6
Culter House Rd
Aberdeen AB13 . . . . 173 B7
Milltimber/Aberdeen AB13 172 F8
Culter Prim Sch AB14 . . . 172 E6
Culter Sports Ctr The
AB14. . . . . 172 E6
CULTS 168 F3
Cults Acad AB15 . . . . 168 D3
Cults Ave AB15 . . . . 168 D3
Cults Bsns Pk AB15 . . . . . 168 F3
Cults Ct AB15. . . . . 168 E2
Cults Gdns AB15 . . . . 168 E3
Cults Prim Sch AB15 . . . . 168 C3
CUMINESTOWN 22 C1
Cuminestown Rd AB53 . . . 47 E5
CUMMINGS PARK 164 C5
Cummings Park Circ
AB16 . . . . 164 C4
Cummings Park Cres
AB16 . . . . 164 B5
Cummings Park Dr AB16 164 B6
Cummings Park Rd
AB16 . . . . 164 C6
Cummings Park Terr
AB16 . . . . 164 B5
Cuninghill Ave AB51 . . . . 152 D4
Cuninghill Rd AB51 . . . . . 152 D4
Cunninghar Rd AB21 . . . . 153 C5
Cuparstone La AB10. . . . . 170 A8
Cuparstone Row AB10. . . 170 A7
Cuperstone Ct 4 AB12. . 170 A7
Curlew Ave 13 AB41. . . . . 77 F8
CUTTYHILL 26 C1
Cypress Ave AB23. . . . . . . 160 A5
Cypress Gr
Aberdeen AB23 . . . . 160 A5
Middleton Park AB23. . . . . 159 F5
Cypress Wlk AB23. . . . . . . 159 F5

D

Dales Ct AB42 . . . . 147 B4
Dales Ind Est AB42. . . . . . 147 A1
Dales Pk Prim Sch AB42 147 A3
Dales Rd 2 AB42 . . . . 147 C2
Dales View Dr AB42. . . . . 147 A3
Dales View Pl AB42 . . . . . 147 A3
Dalhousie St
Brechin DD9 . . . . 188 D3
Edzell DD9 . . . . 132 A7
Dall's La DD9. . . . . 188 E2
Dalmaik Cres AB14. . . . . . 172 D7
Dalmaik Terr AB14 . . . . . . 172 D7
Dalmuinzie Rd AB15 . . . . 168 A2
Dalrymple Circ AB21 . . . . 156 B6
Dalrymple Hall & Arts Ctr★
AB43. . . . . 143 E6
Dalrymple St AB43 . . . . . . 143 D6
Dalvenie Rd AB31. . . . . . . 184 D5
Damacre Rd DD9 . . . . 188 C3
Damask Cres AB21. . . . . . 153 D6
Damfield Rd AB43. . . . . . . 143 C3
Damhead Circ AB42. . . . . 147 B2
Damhead Ind Est AB42. . . 147 A1
Damhead Rd AB42 . . . . . . 147 A2
Damhead Way AB42. . . . . 147 B1
Dancingcairns Cres
AB16 . . . . 164 A6
Dancingcairns Pl AB16 . . 164 B7
Daneshillock AB45 . . . . 20 F8
DANESTONE 159 B1
Danestone Circ AB16. . . . 164 C6
Danestone Pl AB23. . . . . . 165 C8
Danestone Prim Sch
AB22. . . . . 159 B1
Danestone Terr AB23 . . . 165 C8
Darroch Ct AB35. . . . . 182 C4
Darroch Pk AB15. . . . . 168 D2
Daun Wlk 4 AB51 . . . . 87 C6
Davah Ct AB51. . . . . 152 C6
Davah Rd AB51 . . . . 152 C5
Davan Pk 1 AB22. . . . . . . 165 B8
Davan Pl AB41. . . . . 151 B6
David McLean Dr AB33 . . 154 C4
Davids La AB51 . . . . 152 D5
Davidson Cres AB33. . . . . 154 C3
Davidson Dr
Aberdeen AB16 . . . . 163 F5
Inverurie AB51 . . . . 152 B8
Mintlaw AB42 . . . . 146 E4
Davidson Gdns AB16 . . . . 163 F5
Davidson Pl
Aberdeen AB16 . . . . 163 F5
Inverurie AB51 . . . . 152 B8
St Cyrus DD10. . . . . 134 D3
David St
Inverbervie DD10 . . . . 187 E6
Stonehaven AB39. . . . . 185 E5
Davies Castle Fort★ AB56 . 6 B7
DAVIOT 59 E3
Daviot Prim Sch AB51. . . . 59 F3
Dawson Brae AB32. . . . . . 161 B4
Dawson Cl AB32 . . . . 161 B3
Dawson Dr AB32. . . . . 161 B3
Dawson Way AB32 . . . . . . 161 B4
Dawson Wynd AB32 . . . . . 161 B3
Dean Gdns AB32. . . . . 161 F3
Deans Ct AB51. . . . . 155 C4
Deansloch Cres AB16 . . . . 164 A5
Deansloch Pl 1 AB16 . . . 164 A5
Deansloch Terr AB16. . . . 164 A5
Deans Well AB21. . . . . 156 B7
DEEBANK 184 C3
Deebank Ct AB35 . . . . 182 D3
Dee Bank Rd AB35 . . . . . . 182 D3
Dee La AB31. . . . . 184 C4
Deemount Ave AB11 . . . . . 170 C6
Deemount Gdns AB11 . . . 170 C6
Deemount Rd AB11 . . . . . 170 B6
Deemount Terr AB11. . . . . 170 B6
Dee Pl AB11 . . . . 190 A2
Deer Abbey (remains of)★
AB42. . . . . 37 D7
Deer Rd
Aberdeen AB24 . . . . 164 E6
Peterhead AB42. . . . . 36 E6
Deer Road E AB42. . . . . . . 36 E6
Deer Road W AB42. . . . . . . 36 D6
Deeside Ave AB15. . . . . . . 169 D4
Deeside Cres AB15. . . . . . 169 C4
Deeside Dr AB15 . . . . 169 C4
Deeside Gdns AB15 . . . . . 169 C4
Deeside Pk AB15. . . . . 169 D4
Deeside Pl AB15 . . . . 169 C4
Deeside Terr AB15 . . . . . . 169 C4
Dee St
Aberdeen AB11 . . . . 190 A2
3 Aboyne AB34 . . . . 108 B6
Ballater AB35 . . . . 182 D4
Banchory AB31 . . . . 184 C3
Deevale Cres AB12. . . . . . 170 A3
Deevale Gdns AB12 . . . . . 170 A3
Deevale Rd AB12. . . . . 170 A3
Deevale Terr AB12 . . . . . . 170 A3
Deeview Gdns AB31. . . . . 111 D5
Deeview Rd AB31 . . . . 184 D5
Deeview Road S AB15. . . 168 E2
Delgatie Castle★ AB53 . . . 21 D1
Delgaty Cres AB53 . . . . . . 145 E4
Delgaty La AB21 . . . . 158 B7
Delgaty Terr AB53 . . . . . . 145 E5
Dempsey Terr 3 AB24 . . 165 A6

196 Den–Fer

Denburn Ct AB25 190 A3
Denburn Rd AB10 190 A3
Denburn Way DD9 188 D2
Den Cres AB55 28 D8
Denhead AB15 168 E3
DENHEAD
Ellon 63 F5
Peterhead 25 D3
Denhead Cres AB23 91 A6
Denmark St AB43 143 D7
DENMORE 160 A4
Denmore Gdns AB22 165 B8
Denmore Ind Est AB23 160 B4
Denmore Pl AB23 160 A4
Denmore Rd AB23 160 A4
Dennis Dr DD9 132 D8
Dennis Roger La 1 AB39 185 C5
Dennyduff Rd AB43 143 B6
Den of Cults AB15 168 F2
Den of Maidencraig Nature Reserve★ AB15 163 E1
Denseat Ct AB15 163 E1
Denstrath Rd DD9 132 D8
Denstrath View DD9 132 C8
Den The AB15 168 F2
Den View AB21 156 A7
Denview Cres AB23 91 A6
Denview Rd AB23 91 A6
Denwell Rd
Insch AB52 149 D6
Keith AB55 28 D8
Denwood AB15 163 F1
Depot Rd AB54 148 C4
DERBETH 163 A5
Derbeth Cres AB16 163 E2
Derbeth Grange AB15 162 F5
Derbeth Manor AB15 163 A5
Derbeth Pk AB15 162 F4
Derbeth Pl AB15 162 F5
Derbeth Wlk AB15 162 F5
Derbyhall Ave AB43 143 C4
Derry Ave AB16 164 B3
Derry Pl AB16 164 B3
Desswood Pl AB25 164 E1
Devanha Cres AB11 190 A1
Devanha Gardens E AB11 190 A1
Devanha Gardens W AB11 190 A1
Devanha Gdns AB11 190 A1
Devanha La AB11 190 A1
Devanha Terr AB11 190 B1
Devanna Gardens S AB11 170 B6
Devenick Dr AB12 180 C7
Devenick Pl AB10 169 D3
Deveron Rd
Aberdeen AB16 164 A4
Huntly AB54 148 C5
Turriff AB53 145 A5
Deveronside AB45 141 A6
Deveronside Dr AB53 145 B5
Deveron St
Huntly AB54 148 D5
Turriff AB53 145 B5
Deveron Terr AB45 140 F5
Devil's Folly AB52 58 B6
Devonshire Rd AB10 169 E7
Dewey Ct DD9 132 D8
Deyhill AB44 141 E6
Diamond La AB10 190 A3
Diamond Pl 3 AB10 190 A3
Diamond St AB10 190 A3
Dickie Dr
4 Fraserburgh AB43 26 C7
Peterhead AB42 147 C7
Dickson Ave 8 DD10 138 C8
Dickson Terr AB16 163 F4
Dickson Way DD10 134 D3
Dill Pl AB24 164 F7
Dill Rd AB24 164 F7
Dinbaith Pl 4 AB16 163 F2
Dingwall Dr AB42 147 D7
Dingwall St AB43 142 B8
DINNET 105 F5
Dinnie Pl AB51 155 B6
Disblair Ave AB21 153 C5
Disblair Rd AB21 153 C5
Distillery Rd
Brechin DD9 188 C4
Laurencekirk AB30 128 A4
Oldmeldrum AB51 150 C4
Dock St DD10 135 C5
Dock Street E AB11 170 E8
Dock Street W AB11 170 E8
Doctor Lang Pl DD9 188 B5
Dominies Ct AB16 164 D5
Dominies Rd AB24 164 D5
Donald Ave 6 AB51 87 C6
Donald Dewar Ct AB16 163 F4
Donald Gordon Ct 1 AB51 150 C2
Donaldson Ct 2 AB54 148 E5
Donbank Pl AB24 164 F7
Donbank Prim Sch AB24 165 A7
Donbank Terr AB24 164 F7
Don Cres AB51 152 D4
Don Ct AB24 164 E7
Don Gdns AB24 164 E7
Donmouth Cres AB23 165 D8
Donmouth Ct AB23 165 D8
Donmouth Gdns AB23 165 D8
Donmouth Nature Reserve★ AB24 165 E7
Donmouth Rd AB23 165 D7
Donmouth Terr AB23 165 D7
Don Pl
Aberdeen AB24 164 F6
Dyce AB21 158 B6
Donside Ct AB24 165 A7
Donside Rd AB33 154 C4
Don St AB24 164 F6
Don Terr AB24 164 E7
Donview Gdns 2 AB51 87 C6
Donview Pl AB24 164 F7
Donview Rd AB24 164 F7
Don View Rd 17 AB51 87 D7
Doo'cot Pk AB45 140 E4
Doo'cot View AB45 140 E5
Doolie Ness AB12 176 B8
Doonies Rare Breeds Farm★ AB12 171 A3
Dorward Rd DD10 189 D4
Double Dykes DD9 188 A4
Douglas Cl AB42 147 A7
Douglas Cres AB42 147 A7
Doune Cres AB44 141 D5
Dounepark Rd AB45 141 F2
Dovewells Dr DD9 188 B4
DOWNIES 180 D3
Downies Brae AB11 170 E6
Downies Ct AB12 180 C5
Downies Pl AB11 170 E6
Downie Way
1 Hillside DD10 138 D8
3 Kemnay AB51 87 D7
Dowrie Pl 2 AB30 128 A4
DRAKEMYRE 51 A6
Drinnies Cres AB21 158 C7
Drinnie's Wood Obsy★ AB42 37 D8
Drive The DD9 132 A7
Drostan Dr AB42 146 E4
Drumachlie Loan DD9 188 E2
Drumachlie Pk DD9 188 E2
DRUMBLADE 44 E7
Drumblade Prim Sch AB54 44 D6
Drum Castle, Gdn & Est★ AB31 111 D7
DRUMDOLLO 44 F5
Druminnor Castle★ AB54 55 F1
DRUMLIGAIR 90 C7
DRUMLITHIE 125 B3
DRUMNAGORRACH 17 E3
DRUMOAK 111 D6
Drumoak Prim Sch AB31 111 D6
Drumrossie St AB52 149 D5
Drum's La AB25 190 B3
Drumthwacket Dr AB12 180 A4
Drumtochty Castle★ AB30 123 F3
Drumview Cres AB14 166 D1
Drumview Rd AB14 166 D1
Drum Wynd 3 AB41 151 E5
DRYMUIR 36 D4
DUBFORD 3 B1
Dubford Ave AB23 159 F4
Dubford Cres AB23 159 F4
Dubford Gdns AB23 159 F5
Dubford Gr AB23 159 F5
Dubford Pk AB23 159 F3
Dubford Pl AB23 159 F4
Dubford Rd AB23 159 F4
Dubford Rise AB23 159 F5
Dubford Terr AB23 159 F4
Dubford Wlk AB23 159 F5
Dubton Rd DD10 138 C7
Ducat Way AB30 186 C6
Duff Dr 3 AB51 150 C2
Duff House★ AB45 141 A4
Duff St
Aberdeen AB24 190 C4
Macduff AB44 141 D6
Turriff AB53 145 C4
Duff Terr AB45 7 E1
Dugald Baird Sq AB12 170 A1
Duke La AB43 143 D7
Duke St
Brechin DD9 188 B4
Fraserburgh AB43 143 D7
Huntly AB54 148 D4
Laurencekirk AB30 128 B4
Peterhead AB42 25 C1
Stonehaven AB39 185 E5
Dulnain Rd AB16 163 F3
Dumgoyne Pl AB15 164 B1
DUN 138 E6
Dunbar St AB24 165 C5
Dunbar Terr AB54 148 C4
Dunbennan Rd AB21 158 C7
Duncan Ave AB51 150 C3
Duncan Cres AB42 147 C6
Duncan Pl AB41 151 B3
Duncan Rd AB34 96 B3
Duncan's Cl AB53 145 B5
Duncan St AB45 140 E6
DUNCANSTONE 56 F1
Dunchavin Cotts 2 AB52 149 D5
Dundarg Castle (remains of)★ AB43 12 F7
Dundarg Rd AB43 142 C7
Dundarroch Rd AB35 182 C4
Dundas Ct AB51 155 C6
Dundas Pk DD9 188 E3
Dundas Rd AB43 15 B7
Dundonnie St 3 AB42 40 D1
DUNECHT 100 F7
Dunecht Gdns AB32 161 C3
Dunecht Prim Sch AB32 100 E8
Dunecht Rd AB32 161 C3
Dungeith Ave AB31 184 B4
Dunlappie Rd DD9 132 A7
Dunlin Cres AB12 176 B7
Dunlin Ct AB39 181 I5
Dunlin Rd
Aberdeen AB12 176 B8
Aberdeen AB21 157 E5
Dunlugas Pl 1 AB53 145 C6
Dunmail Ave AB15 168 E2
Dunninald House & Gdns★ DD10 138 A4
Dunnottar Ave 13 AB39 185 E4
Dunnottar Castle★ AB39 126 F6
Dunnottar Prim Sch AB39 185 F4
Dunnottar Rd AB41 151 E5
Dunnydeer Gdns AB52 149 C5
Dunnydeer Pk AB52 149 C5
Dunnydeer Pl 1 AB52 149 C5
Dunnydeer View AB52 149 C5
Dunnyfell Rd AB39 181 G2
Dunrossie Cres DD10 189 A5
Dunrossie Terr DD10 189 A6
DUNSHILLOCK 146 B6
Dunvegan Ave AB12 180 B6
Dunvegan Cres AB12 180 B6
Dunvegan Pl
Ellon AB41 151 E5
Portlethen AB12 180 B6
Duriehill Rd DD9 132 B7
Durie Pl DD9 132 B7
Durn Ave AB45 139 D5
Durn Dr AB45 139 D5
DURNO 59 B3
Durno Pk AB32 101 E6
Durn Rd AB45 139 D5
Durris Prim Sch AB31 111 C2
Duthie Ct AB10 169 E5
Duthie Pl
Aberdeen AB10 169 D5
Fraserburgh AB43 143 D3
Duthie Rd AB41 61 E5
Duthie's La AB43 5 A4
Duthie Terr
Aberdeen AB10 169 D5
Inverallochy AB43 15 B8
DYCE 158 C6
Dyce Acad AB21 158 C6
Dyce Ave AB21 157 E5
Dyce Dr AB21 157 E8
Dyce Ind Pk AB21 158 B4
Dyce Prim Sch AB21 158 C6
Dyce Sh Ctr AB21 158 D6
Dyce Sta AB21 158 A6
Dyce Swimming Pool AB21 158 C6
DYKESIDE 33 C2
Dykeside Way AB21 163 D6

E

Earl's Court Gdns AB15 169 D8
Earl's Ct 6 AB42 40 D1
Earlspark Ave AB15 168 B3
Earlspark Circ AB15 168 B3
Earlspark Cres AB15 168 B3
Earlspark Dr AB15 168 B2
Earlspark Gdns AB15 168 B2
Earlspark Rd AB15 168 B2
Earlspark Way AB15 168 B3
Earlswells Dr AB15 168 C2
Earlswells Pl AB15 168 C2
Earlswells Rd AB15 168 C2
Earlswells View AB15 168 C2
Earlswells Wlk AB15 168 C2
Earn's Heugh Ave AB12 176 B7
Earn's Heugh Circ AB12 176 B7
Earn's Heugh Cres AB12 176 B6
Earn's Heugh Pl AB12 176 B7
Earnsheugh Rd AB12 180 F8
Earns Heugh Rd AB12 176 B7
Earnsheugh Terr AB12 180 F8
Earns Heugh View AB12 176 B7
Earns Heugh Way AB12 176 B6
Earn's Heugh Wlk AB12 176 B7
Eastbank DD9 188 C3
Eastburn Rd AB51 155 C4
East Church St AB45 1 F1
East Craibstone St 4 AB11 190 A2
East End DD10 187 D3
EASTER BALMORAL 102 F1
Easter Ct AB12 180 B4
Easter Dr AB12 180 B4
Easterfield Prim Sch AB53 32 B4
Easterfield Rd AB53 145 E4
Eastern Rd DD10 189 D3
Easter Pl AB12 180 B4
EASTERTOWN OF AUCHLEUCHRIES 51 F3
East Glebe AB39 185 D6
East Gn AB11 190 B3
East Main Ave AB16 164 B3
Eastmill Brae DD9 188 E2
East Mill Rd DD9 188 E1
East North St
Aberdeen AB24 190 B4
Peterhead AB42 147 F5
East Park Rd AB51 155 C4
Eastpark St AB54 148 E5
Eastside Ave AB32 161 E3
Eastside Dr AB32 161 E4
Eastside Gdns AB21 157 F1
Eastside Gn AB32 161 E4
East St
Fraserburgh AB43 15 D6
Montrose DD10 135 C6
Eastsyde Pl AB12 180 A5
East Tullos Ind Est AB12 170 D5
Eastwood Terr AB34 183 F5
Eavern Pl 2 AB51 150 B3
Ecclesgreig Rd DD10 134 C4
ECHT 100 D4
Echt Prim Sch AB32 100 E4
Eday Cres AB15 164 A2
Eday Ct AB15 163 E1
Eday Dr AB15 163 F2
Eday Gdns AB15 163 E1
Eday Rd AB15 163 E2
Eday Sq AB15 163 F2
Eday Wlk AB15 163 F2
Eddie Ave DD9 188 C5
Edelweiss AB51 155 C3
Eden Ct AB31 184 B4
Eden Dr AB42 147 B5
Eden Pl AB25 165 A2
Edge Hill Cres AB23 90 F6
Edge Hill Gdns AB23 90 F6
Edgehill Rd AB15 164 C1
Edgehill Terr AB15 164 C1
Edgewood Pl AB34 183 B5
Edindiach Rd AB55 28 D8
Edingight Wynd 1 AB31 108 E8
Edinmore Dr AB51 59 E3
Edinview Gdns AB39 185 C6
Edmond Gdns AB15 162 F2
Edmondside 3 AB41 62 B2
Edward Ave AB45 140 E4
Edward Pl AB45 140 E4
EDZELL 132 A7
Edzell Prim Sch DD9 132 A7
Eider Ct 2 AB42 147 B5
Eider Rd AB41 77 F8
Eigie Ave 4 AB23 91 D8
Eigie Cl 5 AB23 91 D8
Eigie Cres AB23 91 C8
Eigie Pk AB23 91 D8
Eigie Rd AB23 91 C8
Eigie View AB23 91 D8
Eigie Wlk AB23 91 D8
Eilean Rise AB41 151 B3
Eldenside AB14 172 C7
Elder Pl AB25 164 F4
Elizabeth Cl 13 AB51 87 D7
Ellerslie Rd AB21 158 C1
Ellis St AB42 147 E5
ELLON 151 B4
Ellon Acad AB41 151 D5
Ellon Acad (annexe) AB41 151 D5
Ellon Castle (remains of)★ AB41 151 E5
Ellon Prim Sch AB41 151 C5
Ellon Rd AB23 160 B1
Ellon Swimming Pool AB41 151 D5
Elmbank Gdns AB51 150 B3
Elmbank Rd AB24 165 B3
Elmbank Terr AB24 165 A4
Elmfield Ave AB24 165 B4
Elmfield Pl AB24 165 A4
Elmfield Terr AB24 165 B4
Elm Pl
Aberdeen AB25 164 F3
9 Balmedie AB23 91 C8
Elms Rise AB31 184 C4
Elms The AB45 148 E3
Elm Way AB51 155 C5
Elphin Hill AB41 151 C7
Elphin St AB43 12 E6
Elphinstone Ct 3 AB24 164 F7
Elphinstone Rd
Aberdeen AB24 165 B5
Inverurie AB51 152 E4
ELRICK 161 C1
Elrick Cres AB22 159 E1
Elrick Ctry Pk★ AB21 157 A1
Elrick Gdns AB21 153 D5
Elrick Prim Sch AB32 161 D2
Elsick Pl AB39 181 H4
Endeavour Dr AB32 161 E1
Endrick Pl AB15 164 B1
Enterprise Dr AB32 161 D1
Eriskay Dr AB16 163 E2
Erroll Ct AB53 145 E4
Erroll Pl
Aberdeen AB24 165 C3
Turriff AB53 145 D4
Erroll Rd AB53 145 E4
Erroll St
Aberdeen AB24 165 C3
Peterhead AB42 147 E5
Errollston Rd AB42 53 B3
Erskine Pl 3 DD10 189 D2
Erskine St
Aberdeen AB24 165 A4
Montrose DD10 189 D2
Esk Pk DD9 188 D2
Esk Pl AB16 164 A4
Esk Rd DD10 189 B1
Eskview Terr DD10 189 C1
Esplanade
Aberdeen AB24 165 D7
Fraserburgh AB43 143 E4
Esplanade The AB42 147 F6
Essie Circ AB42 26 E6
Essie Rd AB54 55 C3
Esslemont Ave AB25 165 A1
Esslemont Circ AB41 151 A5
Esslemont Cl AB41 151 A6
Esslemont Dr AB51 152 C5
Esslemont Sch AB41 62 E4
Evan St AB39 185 D4
Exchange La AB11 190 B3
Exchange St AB11 190 B3
Exchequer Row AB11 190 B3
Exhibition Ave AB23 160 B1
Exploration Dr AB23 160 B2

F

Faburn Terr 3 AB31 98 A3
Fairfield Pl AB51 155 C5
Fairfield Rd DD10 187 D6
Fairfield Way AB11 170 B6
Fairies Knowe 5 AB21 163 D7
Fair Isle Cres AB42 147 A5
Fairlands AB51 152 A8
FAIRLEY 162 E4
Fairley Den AB21 163 D8
Fairley Rd
Aberdeen AB15 163 A1
Kingswells AB15 162 F2
Fairlie St AB16 164 C6
Fairney Bsns Pk AB43 143 A7
Fairview Ave AB22 159 B1
Fairview Brae AB22 164 E8
Fairview Circ AB22 159 A1
Fairview Cres AB22 159 C1
Fairview Dr AB22 164 E8
Fairview Gdns
Aberdeen AB22 159 A1
Inverurie AB51 152 C6
Fairview Gr 3 AB22 159 B1
Fairview Grange AB22 164 C8
Fairview Manor AB22 159 B1
Fairview Par AB22 159 B1
Fairview Pk 4 AB22 159 B1
Fairview Pl AB22 159 B1
Fairview Rd AB22 159 A1
Fairview St AB22 159 B1
Fairview Terr AB22 159 A1
Fairview Way AB22 159 B1
Fairview Wlk AB22 159 C1
Fairview Wynd AB22 159 C1
Fairway Ave AB51 152 C5
Fairwinds Pl AB42 147 A5
Faithlie St AB43 143 C6
Falconer Pl AB51 152 C6
Falkland Ave AB12 176 C7
Fallow Rd AB32 161 B3
Fara Cl AB15 163 E2
Farburn Dr AB39 185 C5
Farburn Ind Est AB21 158 C5
Farburn Terr AB21 158 A6
Fare Park Circ AB32 161 D4
Fare Park Cres AB32 161 E4
Fare Park Dr AB32 161 D3
Fare Park Gdns AB32 161 D3
Fare View 6 AB31 108 E8
Farmers Hall 1 AB25 190 A4
Farmers' La AB42 147 F5
FARMTOWN 17 D2
FARNELL 138 A2
Farquhar Ave AB11 170 E6
Farquhar Rd
Aberdeen AB11 170 E6
Huntly AB54 148 E5
Farquhar St
Inverbervie DD10 187 D6
Laurencekirk AB30 186 D5
Farrier La AB24 190 B4
Farrochie Gdns AB39 185 B6
Farrochie Pk AB39 185 B6
Farrochie Rd AB39 185 B6
Fassiefern Ave AB23 160 A3
Fatson's Rd AB43 143 C6
Faulds Cres
Aberdeen AB12 170 B4
Montrose DD10 189 E3
Faulds Gate AB12 170 A4
Faulds Rd DD10 189 E3
Faulds Row AB12 170 B3
Faulds Wynd AB12 170 B3
Faulkner Ave AB30 186 C5
Fechil Pl AB41 151 D4
Fechnie Brae AB21 156 B6
Fedderate Castle (remains of)★ AB42 36 B8
Ferguson Ave DD9 188 D4
Ferguson Cres AB42 146 E5
Ferguson Ct AB21 163 F8
Ferguson St AB42 25 C1
Fergus Pl AB21 158 B7
Fern Dr AB12 180 B5
Fernhill Dr AB16 164 A3
Fernhill Pl AB16 164 A3
Fernhill Rd AB16 163 F2
Fernie Brae
Aberdeen AB11 170 D5
Banff AB45 3 B2
Fernielea Cres AB15 164 A1
Fernielea Pl AB15 164 A1
Fernielea Prim Sch AB15 164 A1
Fernielea Rd AB15 164 A1
Fernie Pl AB43 143 C7
Fernie Rd AB43 143 C6
Fern Pl AB12 180 B5
Ferrier Cres AB24 164 F6
Ferrier Gdns AB24 164 F6
FERRYDEN 189 D1
Ferryden Prim Sch DD10 138 C3
FERRYHILL 190 A1
Ferryhill Gdns AB11 190 A1
Ferryhill La AB11 190 A1
Ferryhill Pl AB11 190 A1
Ferryhill Prim Sch AB11 190 A1

Fer–Gra 197

Ferryhill Rd AB11 190 A1
Ferryhill Terr AB11 190 A1
Ferry Pl AB11 170 E8
Ferry Rd DD10 189 D2
Ferry St DD10 189 D2
Fetach Wlk AB21 158 B7
FETTERANGUS 25 D2
Fetterangus Prim Sch AB42 25 C2
FETTERCAIRN 128 A4
Fettercairn Prim Sch AB30 128 A4
Fetteresso Castle★ AB39 126 B8
Fetteresso Terr AB39 185 D5
Fetternear House & Bishop's Pal (remains of)★ AB51 87 C8
Fettes Way 7 DD10 189 D7
Feugh View AB31 117 D7
Fife Brae 2 AB35 113 F6
Fifehill Pk AB21 158 C6
Fife St
Banff AB45 140 F7
Macduff AB44 141 D6
Turriff AB53 145 D4
Fife Terr AB44 141 D6
Findhorn Dr 1 AB41 151 E6
Findhorn Gdns AB41 151 E6
Findhorn Pl 1 AB16 163 F3
Findlater Castle (remains of)★ AB45 1 D5
Findlater Circ AB56 1 B4
Findlater Dr AB56 1 B4
Findlater Pl 1 AB45 140 E5
FINDON 180 F8
Findon Ness AB12 176 C8
Findon Pl AB12 180 F8
Findon Rd AB12 180 E8
Finella View AB30 186 C7
Fingask Pl AB51 150 B3
Finlayson St AB43 143 C7
Finnan Brae AB11 170 F7
FINNYGAUD 19 A5
Fintray Rd AB15 169 A7
FINTRY 21 D5
Fintry Prim Sch AB53 21 D5
FINZEAN 116 C7
Finzean Prim Sch AB31 116 C8
Firbrae AB31 184 E6
Firholme Pl AB51 152 C5
Firmounth Rd AB34 105 F5
Firth Dr
Banff AB45 3 C2
Macduff AB44 141 C6
FISHERFORD 46 B2
Fisherford Prim Sch AB51 46 A2
Fishermoss Prim Sch AB12 180 B5
Fish St AB11 190 C3
Fittick Pl AB12 176 B7
Fleeman Way 15 AB42 38 D6
Flory Gdns AB54 148 D3
Flourmill La AB10 190 B3
FLUSHING 38 F5
Foinavon Cl AB21 158 A6
Fold The AB21 75 C7
FOLLA RULE 59 D8
Fonthill Ave 2 AB11 170 A7
Fonthill Ground E AB11 170 A6
Fonthill Ground W 1 AB11 170 A7
Fonthill Rd AB11 190 A1
Fonthill Terr 1 AB11 190 A1
FOOTDEE 165 E1
Forbesfield La AB15 169 E7
Forbesfield Rd AB15 169 E7
Forbes Pl AB21 89 C7
Forbes Rd
8 Banff AB45 8 F8
Fraserburgh AB43 5 A4
Forbes St
Aberdeen AB25 165 A2
Rosehearty AB43 142 C7
FORBESTOWN 81 C3
Forbes View 3 AB41 61 E6
FORDOUN 129 F6
Fordoun Rd AB30 186 C7
FORDYCE 1 F1
Fordyce Ave AB53 36 A6
Fordyce Castle★ AB45 1 F1
Fordyce Joiner's Workshop & Visitor Ctr★ AB45 1 E1
Fordyce Prim Sch AB45 1 F1
Fordyce Rd AB53 36 A6
Fordyce St AB43 142 B8
Fordyce Terr AB53 36 A5
Forehill La 5 AB22 159 F1
Forehill Prim Sch AB22 159 C4
Fore St DD10 135 C6
Forest Ave AB15 169 E7
Forest Ave La AB15 169 E7
Forest Dr AB39 185 C4
Foresterhill Ct AB25 164 F2
Foresters Ave AB21 158 C3
Forester Terr AB41 151 B5
Forest Pk AB39 185 B4
Forest Rd
Aberdeen AB15 164 D1
Kintore AB51 155 B5
Forestside Dr AB31 184 D6
Forestside Rd AB31 184 D6
Forest Way AB54 148 C4
Forglen Cres AB53 145 C5
FORGUE 31 D4
Forgue Prim Sch AB54 31 D3
Forgue Rd AB51 47 A2
Forman Dr AB42 147 C4
Formartinedale AB41 76 C7
Formartine Rd AB24 165 A6
Formaston Pk AB34 183 E5
Forrestal St DD9 132 D8
Forresterhill Rd AB16 164 C4
Forrest Pl 4 AB42 147 C4
Forrest Rd AB42 147 C4
Forrit Brae AB21 158 A1
Forsyth Dr
Aberdeen AB23 91 D8
Oldmeldrum AB51 150 B3
Forsyth Rd AB23 91 D8
Forties Field Cres AB41 151 A6
Forties Field Rd AB41 151 A6
Forties Rd
Aberdeen AB21 157 E5
Montrose DD10 189 D8
Forties Rd Ind Est DD10 189 D8
Fortree Rd AB41 151 C3
FORTRIE 32 C4
Forvie Ave AB22 159 E2
Forvie Circ AB22 159 E3
Forvie Cl AB22 159 E3
Forvie Cres AB22 159 E2
Forvie La AB22 159 E2
Forvie National Nature Reserve★ AB41 64 B2
Forvie Path AB22 159 E2
Forvie Pl AB22 159 E2
Forvie Rd AB22 159 E3
Forvie St AB22 159 E3
Forvie Terr AB22 159 E2
Forvie Visitor's Ctr★ AB41 64 D3
Forvie Way AB22 159 E2
Foudland Cres AB52 149 C5
Fountainhall Rd AB25 164 E1
Fountain Pk AB45 140 E6
Fountain St AB45 140 E6
Fountville Ct 1 AB24 164 F6
FOVERAN 77 D6
Foveran Path AB22 159 E3
Foveran Prim Sch AB41 77 D7
Foveran Rise AB22 159 D3
Foveran St AB22 159 D3
Foveran Way AB22 159 D2
Fowler Ave AB16 164 C6
Fowlershill Gdns 6 AB22 165 B8
Fowlie's La 9 AB53 145 D4
Fowlsheugh Nature Reserve★ AB39 126 F2
Frain Dr AB30 186 C4
Frank Jack Ct AB42 147 C5
FRASERBURGH 143 E5
Fraserburgh Acad AB43 143 C5
Fraserburgh FC AB43 143 D6
Fraserburgh Her Ctr★ AB43 143 D7
Fraserburgh Hospl AB43 143 B5
Fraserburgh Leisure Ctr AB43 143 D5
Fraserburgh N Prim Sch AB43 143 C7
Fraserburgh Swimming Pool & Sports Ctr AB43 143 C5
Fraser Cres AB43 15 B7
Fraser Ct
Huntly AB54 148 C4
Rosemount AB25 165 B3
Fraser Dr AB32 161 C2
Fraserfield Gdns AB23 160 A1
Fraser Pl
Aberdeen AB25 165 B3
Alford AB33 154 D3
Inverallochy AB43 15 C8
Kemnay AB51 87 D7
Fraser Rd
Aberdeen AB25 165 A3
Alford AB33 154 D3
Fraser's La 4 DD10 189 C4
Fraser St AB25 165 B3
Frater Pl AB24 190 C4
Frederick St
Aberdeen AB24 190 B4
Inverallochy AB43 15 C7
French Dr AB33 154 D4
Friarsfield Rd AB15 168 E3
Friendship Terr AB10 169 F7
Frithside St AB43 143 D6
Froghall Ave AB24 165 B3
Froghall Gdns AB24 165 B3
Froghall Pl AB24 165 B4
Froghall Rd AB24 165 B3
Froghall Terr AB24 165 B3
Froghall View AB24 165 B4
Fullerton Ct AB24 164 C7
Fulmar Ct AB39 181 I5
Fungle Rd AB34 183 C1
Fyfe Pk AB51 87 D7
FYVIE 47 E5
Fyvie Castle★ AB53 47 E6
Fyvie Prim Sch AB53 47 E5

G

Gadie Cres AB16 164 A4
Gadie Braes AB42 147 E6
Gadwall Pl 1 AB42 147 B5
Gaelic La AB10 190 A3
Gairn Circ AB10 170 A6
Gairn Cres AB10 170 A6
Gairn Ct 2 AB10 170 A6
Gairn Mews AB10 170 A6
Gairn Rd AB10 170 A6
Gairnshiel Ave AB16 164 B4
Gairnshiel Pl AB16 164 B4
Gairn Terr AB10 170 A6
Gairsay Dr AB15 164 A2
Gairsay Rd AB15 163 F2
Gairsay Sq AB15 163 F2
Gaitside Cres AB10 169 C3
Gaitside Dr AB10 169 C3
Gaitside Pl AB10 169 D3
Gaitside Rd AB10 169 C3
Gaitside Terr AB10 169 C3
Gallica Dr AB21 153 D6
Gallowgate AB25 190 B4
Gallowhill DD9 188 C4
Gallowhill Rd
Aboyne AB34 108 B6
Fraserburgh AB43 143 B6
GALLOWHILLS 26 F2
Gallowhill St 6 AB45 140 F6
Gallowhill Terr
Aberdeen AB21 158 D7
Fraserburgh AB43 143 B6
Gamrie Brae AB45 3 C2
Gannochy Cres DD10 189 C6
Garbit Tap AB51 152 A8
Garden Cres AB45 3 C2
Garden Ct AB51 152 C5
Garden Pl 4 AB42 53 B3
Garden Rd AB15 168 D3
Garden St AB44 141 D6
Gardens The AB51 152 E5
Gardenston St AB30 186 B4
GARDENSTOWN 3 B2
Gardiner's Brae AB45 140 F5
Gardner Cres AB12 169 F2
Gardner Dr AB12 170 A2
Gardner Rd AB12 170 A2
Gardner Wlk AB12 170 A2
Gardyne St DD10 189 C6
Garioch Rd AB51 152 D6
GARIOCHSFORD 46 B8
GARLOGIE 101 C4
Garmaddie La 1 AB21 158 C7
GARMOND 22 C2
Garrison Rd DD10 189 D2
Garrol Pl 1 AB30 128 A4
GARTHDEE 169 D4
Garthdee Cres AB10 169 E4
Garthdee Dr AB10 169 E4
Garthdee Gdns AB10 169 E4
Garthdee Rd AB10 169 D3
Garthdee Terr AB10 169 E4
GARTLY 56 A7
Gartly Prim Sch AB54 56 A6
Garvock Ave DD10 189 C8
Garvock Ct AB30 186 C5
Garvocklea Gdns AB30 186 C4
Garvock Rd AB30 186 D5
Garvock St AB30 186 D5
Garvock Wynd AB11 165 E1
Gas St AB51 150 C4
Gatehouse La AB51 152 E5
Gauchhill Rd AB51 155 A3
Gaval Ct 2 AB42 25 C1
Gaval St AB42 25 C2
Gaveny Pl AB44 141 E5
Gaw St AB43 143 B7
Gean Ct 5 AB23 91 C8
Gean Dr AB21 156 B5
Geary Pl AB42 147 A5
Gellatly Pl DD9 188 C4
Gellymill Rd AB44 141 B5
Gellymill St AB44 141 D7
George Garden Ave AB42 147 C7
George Rd AB42 147 D6
George Sq AB51 152 D5
George St
Aberdeen AB25 190 A4
9 Banff AB45 140 F6
Fraserburgh AB43 143 C7
Huntly AB54 148 D4
Insch AB52 149 D5
Macduff AB44 141 D7
Montrose DD10 189 C3
George Terr AB39 185 D4
George V Ave AB54 148 C3
Gerrard St AB25 190 A4
Gerries Yd AB42 147 F5
Gibson Pl 2 DD10 189 D2
Gight Castle★ AB41 48 E6
Gilbert Rd AB21 163 F8
Gilcomston Stps AB25 190 A4
Gilcomstoun Ct 13 AB10 165 A1
Gilcomstoun Prim Sch 16 AB10 165 A1
Gillahill Pl AB16 164 B3
Gillahill Rd AB16 164 B3
Gillespie Cres AB25 164 E4
Gillespie Pl AB25 164 F4
Gindera Rd DD10 189 D5
Girdleness Rd AB11 170 E5
Girdleness Terr AB11 170 D5
Girdlestone Pl AB11 170 E6
Gladstone Pl
Aberdeen AB15 169 E8
Aberdeen AB24 164 E7
Dyce AB21 158 B6
Laurencekirk AB30 186 C5
Gladstone Rd
Huntly AB54 148 E4
Peterhead AB42 147 F6
Gladstone Terr
New Deer AB53 36 A5
Turriff AB53 145 C4
Glamourhaugh Ave AB54 148 D3
Glamourhaugh Cres 1 AB54 148 D3
Glascairn Ave AB12 180 B6
Glashieburn Ave AB23 159 E3
Glashieburn Prim Sch AB22 159 E3
Glashie Knowe 2 AB23 160 A1
Glashie Way 1 AB23 160 A1
Glass Prim Sch AB54 42 A6
Glebe Ct AB12 180 C7
Glebefield 12 AB42 38 D6
Glebefield Terr AB42 147 C4
Glebeland AB32 101 E6
Glebe Park Cres 9 AB56 1 B4
Glebe Pk
Aboyne AB34 108 B6
Banchory AB31 184 D4
Glebe Pk (Brechin City FC) DD9 188 C4
Glebe Rd AB51 152 D5
Glebe Terr AB32 101 E6
Glebe The
Brechin DD9 132 A7
2 Kemnay AB51 87 D6
Glen Ave AB21 158 B6
GLENBARRY 18 B5
GLENBERVIE 124 F3
Glenbervie House★ AB39 124 F3
Glenbervie Prim Sch AB39 125 B3
Glenbervie Rd
Aberdeen AB11 190 C1
Laurencekirk AB30 124 F3
Stonehaven AB39 125 B3
Glenbuchat Castle★ AB36 81 F6
Glenbuchty Pl AB43 143 B7
Glenclova Pl 1 DD10 189 C5
Glen Ct AB39 185 C5
Glendale Rd AB42 147 C5
Glendee Terr AB15 168 F3
Glen Dr AB21 158 B6
Glendronach Distillery Visitor Ctr★ AB54 31 E3
Gleneagles Ave AB22 159 E2
Gleneagles Ct AB51 152 C5
Gleneagles Dr 2 AB22 159 E2
Gleneagles Gdns 1 AB22 159 E2
Glenesk Ave DD10 189 C5
Glenfarquhar Castle (remains of)★ AB30 124 A3
Glenfarquhar Cresent AB30 124 B2
Glenfarquhar Rd AB30 124 B2
Glen Gdns AB21 158 B6
Glenhome Ave AB21 158 B5
Glenhome Cres AB21 158 B6
Glenhome Ct AB21 158 C6
Glenhome Gdns AB21 158 B5
Glenhome Terr AB21 158 B5
Glenhome Wlk AB21 158 C6
Glenisla Rd DD10 189 C5
GLENKINDIE 82 D5
Glenlethnot Pl 2 DD10 189 C5
Glen O'Dee AB31 184 A6
Glenogil St DD10 189 C5
Glenprosen St 4 DD10 189 C5
Glen Rd
Aberdeen AB21 158 B6
Banchory AB31 98 A3
Glenshee Rd 11 AB35 113 F6
Glentanar Cres AB21 158 C7
Glenugie Cres AB42 147 C1
Glenugie Dr AB42 147 C1
Glenugie Gdns AB42 147 B1
Glenugie View AB42 147 C1
Glenury Cl AB39 185 E7
Glenury Cotts AB39 185 E6
Glenury Cres AB39 185 E6
Glenury Rd AB39 185 E6
GLENWOOD 99 E6
Glenwood Pk AB51 99 E6
Golden Acre DD10 135 C6
Golden Knowes Ct AB45 140 D6
Goldenknowes Rd AB45 140 D6
Golf Cres
Aboyne AB34 183 E6
Inverurie AB51 152 B5
Golf Pk
1 Cruden Bay AB42 53 A3
Inverurie AB51 152 B5
Golf Pl
Aboyne AB34 183 E5
Inverurie AB51 152 C5
Golf Rd
Aberdeen AB15 168 C1
Aberdeen AB24 165 D4
Aboyne AB34 183 E5
Ballater AB35 182 D4
Ellon AB41 151 C6
Peterhead AB42 147 C7
Golf Road Pk DD9 188 C5
Golf Terr AB52 149 C5
Golfview Cres 3 AB51 87 C6
Golfview Rd AB15 168 C1
Golf Wlk AB51 152 B5
Goodhope Rd AB21 164 A8
Gordon Ave
Aberdeen AB23 160 A1
Boddam AB42 40 D1
Inverurie AB51 152 B7
Gordon Cl
11 Boddam AB42 40 D1
Westhill AB32 161 D3
Gordon Cres
Aboyne AB34 183 C4
Inverurie AB51 152 A7
Portsoy AB45 139 D6
Gordon Ct
1 Huntly AB54 148 D4
Gordon Ct *continued*
7 Newmacha AB21 153 C6
Gordondale Rd AB15 164 E1
Gordon Dr AB51 152 A7
Gordon Gdns
5 Inverurie AB51 152 B7
Westhill AB32 161 E3
Gordon Gr AB41 151 C5
Gordon Highlanders Regimental Mus★ AB15 169 C7
Gordon La
Aberdeen AB10 169 D5
Fraserburgh AB43 12 E5
Gordon Lennox Cres AB23 160 A3
Gordon Pl
Aberdeen AB23 159 F2
Alford AB33 154 C4
Ellon AB41 151 C5
Inverurie AB51 152 B7
Rothienorman AB51 46 F2
Gordon Prim Sch AB54 148 D5
Gordon Rd
Aberdeen AB15 169 C5
Alford AB33 154 C4
Bridge of Don AB23 160 A1
Inverurie AB51 152 B8
15 Kemnay AB51 87 D7
Turriff AB53 145 C5
Gordon Schools The AB54 148 E5
Gordon's Mills Cres AB24 164 F7
Gordon's Mills Pl AB24 165 A7
Gordon's Mills Rd AB24 164 F7
Gordon St
Aberdeen AB11 190 A2
13 Boddam AB42 40 D1
Fraserburgh AB43 15 D6
Huntly AB54 148 D4
GORDONSTOWN
Banff 18 C7
Inverurie 46 F5
Gordon Terr
Aberdeen AB15 169 D5
Aberdeen AB21 158 B6
Ellon AB41 151 C5
Insch AB52 149 D4
Inverurie AB51 152 A7
Peterhead AB42 147 D7
Gordon Way AB54 148 C3
Gordon Wlk AB51 152 B7
Gorse Circ AB12 180 A4
Gort Rd AB24 165 A7
Gort Terr AB24 164 F7
Gourdie Pk AB23 90 F6
GOURDON 187 D4
Gourdon Prim Sch DD10 187 D3
Goval Terr AB21 158 C6
Gowanbrae Rd AB15 168 B1
GOWANHILL 15 B6
Gowans Rd 8 AB53 145 C5
GOWANWELL 49 E8
Graeme Ave AB21 158 B6
Graham Cres DD10 189 C6
Graham St DD10 189 D5
Graham Terr AB33 154 C3
Grampian Ct
Alford AB33 154 C4
4 Balnagask AB11 170 F6
Grampian Gdns AB21 158 D6
Grampian Pl AB11 170 D6
Grampian Rd
Aberdeen AB11 190 C1
Alford AB33 154 C4
Grampian Terr AB31 98 E1
Grampian Transport Mus★ AB33 154 D4
Grampian View DD10 138 D2
Granary Ct 2 AB51 152 E3
Granary La AB43 5 A4
Granary Pl 3 AB43 143 D6
Granary St AB54 148 D4
Grandholm Cres AB22 164 F8
Grandholm Ct 5 AB24 164 F7
Grandholm Dr AB22 164 F8
Grandholm Gdns AB22 164 F7
Grandholm Gr AB22 164 F7
Grandholm St AB24 164 F6
Grandholm Way AB22 164 E8
GRANGE CROSSROADS 17 A5
GRANGE GARDENS 147 C5
Grange Gdns AB42 147 C5
Grange Park Pl 1 AB42 147 B4
Grange Park Rd AB42 147 B4
Grange Rd AB42 147 B6
Granitehill Pl AB16 164 C4
Granitehill Rd AB16 164 B6
Grant Cl AB32 161 D3
Grant Ct AB42 147 E5
Granton Gdns 3 AB10 169 F8
Granton Pl AB10 169 F8
Grant Rd AB31 184 C4
Grant St
Banff AB45 140 F6
Buckie AB56 1 A3
14 Cullen AB56 1 B5
Granville Pl AB10 169 E6
Grassic Gibbon Ctr★ AB30 130 E6
Grattan Pl AB43 143 D5
Gray Ct AB15 164 A1
Gray's La AB53 145 D5

198 Gra–Iro

Gray St
Aberdeen AB10 . . . . 169 F6
Fraserburgh AB43 . . . . . . 143 C6
Great Northern Rd AB24 164 D7
Great Southern Rd AB12. 170 A4
Great Stuart St 2 AB42 . 147 F4
Great Western Rd AB10 . 169 E6
GREENBANK 143 A3
Greenbank Ave AB43 . . . . 143 A3
Greenbank Bsns Ctr
AB12 . . . . 170 E4
Greenbank Cres AB12 . . . 170 E4
Greenbank Dr AB43 . . . . . 143 A3
Greenbank Pl
Aberdeen AB12 . . . . 170 D4
Greenbank AB43 . . . . 143 A3
Greenbank Rd
Aberdeen AB12 . . . . 170 D4
Greenbank AB43 . . . . 143 A3
Greenbrae Ave AB23 . . . . 160 A3
Greenbrae Circ AB23 . . . . 160 A4
Greenbrae Cres AB23 . . . 160 A4
Greenbrae Dr AB23 . . . . . 159 F4
Greenbrae Gardens N
AB23 . . . . 160 A4
Greenbrae Gardens S
AB23 . . . . 160 A4
Greenbrae Pl 3 AB42 . . 147 B4
Greenbrae Prim Sch
AB23 . . . . 160 A3
Greenbraes Cres DD10 . . 187 C4
Greenbraes Rd DD10 . . . . 187 C3
Greenbrae Wlk AB23 . . . . 160 A4
GREENBURN 158 A2
Greenburn Dr AB21 . . . . . 158 B1
Greenburn Pk AB21 . . . . . 158 C1
Greenburn Rd AB21 . . . . . 158 B1
Greenburn Road N AB21. 158 A2
Greenburn Terr AB21 . . . . 163 D8
Green Castle★ AB30 . . 128 C7
Greenfern Ave AB16 . . . . . 163 F3
Greenfern Pl AB16 . . . . . . 164 A3
Greenfern Rd AB16 . . . . . . 163 F3
Green Hadden St AB11 . . 190 B3
Greenhill Rd AB42 . . . . . . 147 F5
Greenhole Pl AB23 . . . . . . 159 F2
Green Mdws AB51 . . . . 86 F1
Greenmore Gdns AB24 . . 164 E5
Green Rd AB54 . . . . 148 D3
GREENS 35 A5
Greens Rd AB21 . . . . 153 D5
Green St AB42 . . . . 53 B2
Greens Terr AB21 . . . . 153 D5
Greens The 2 AB42 . . . 146 D5
Greens Way AB21 . . . . 153 D5
Green The
Aberdeen AB11 . . . . 190 B3
Banff AB45 . . . . 3 C2
Portlethen AB12 . . . . 180 B5
Green Way AB51 . . . . 150 C5
Greenwell Pl AB12 . . . . . . 170 F5
Greenwell Rd AB12 . . . . . . 170 E5
Gregness Gdns AB11 . . . . 170 E5
Greig Ct AB25 . . . . 190 A4
Greig Pl AB39 . . . . 185 D4
Greyhope Rd AB11 . . . . . . 171 A8
Greystone Pl
Alford AB33 . . . . 154 C3
Stonehaven AB39 . . . . 181 I4
Greystone Rd AB33 . . . . . 154 C3
Groats Rd AB15 . . . . 168 E8
Grosvenor Pl 10 AB25 . . 165 A1
Grosvenor Terr 1 AB25 . 165 A1
Grove Cres AB16 . . . . 164 E3
Grove Rd AB51 . . . . 87 D6
Grove Terr 2 AB31 . . . . . 108 E8
Greystone Pl
Guild St AB11 . . . . 190 B2
Gulleymoss Gdns AB32 . . 161 E4
Gullymoss Pl AB32 . . . . . . 161 E4
Gullymoss View AB32 . . . 161 E4
Gurney St AB39 . . . . 185 E5
Guthrie Pk DD9 . . . . 188 D2
Guthrie's Haven AB45 . . 140 E6

H

Hacklaw Pl 1 AB42 . . . . . 53 B3
Hadden St AB11 . . . . 190 B3
Haddo Cres AB41 . . . . 77 F7
Haddo House★ AB41 . . 49 C1
Haddo La AB41 . . . . 61 E6
Hall Cotts AB55 . . . . 29 C3
Hall Cres AB44 . . . . 141 E6
Hallfield Cres AB16 . . . . . 163 F2
Hallfield Rd AB16 . . . . 163 F2
Hallforest Ave AB51 . . . . . 155 B5
Hallforest Cl AB51 . . . . . . 155 B4
Hallforest Cres AB51 . . . . 155 B4
Hallforest Dr AB51 . . . . . . 155 B4
Hallgreen Castle★ DD10. 187 E6
Hallgreen Rd DD10 . . . . . . 187 E6
Halliday Pl AB42 . . . . 147 A6
HALLMOSS 39 E7
Hall Rd AB42 . . . . 27 B2
Halsey Dr DD9 . . . . 132 C8
Hamewith Ave AB35 . . . . 185 C3
Hamewith Cotts AB33 . . 154 C4
Hamilton Pl AB15 . . . . 164 E1
Hamilton Rd AB43 . . . . . . 143 B7
Hamilton Sch The AB15 . 164 E1
Hammerfield Ave AB10. . 169 E5
Hammerman Dr AB24 . . 164 D5
Hammersmith Rd AB10. . 169 E6

Hanover Ct
Banchory AB31 . . . . 184 E4
Inverbervie DD10 . . . . . . 187 D7
Inverurie AB51 . . . . 152 D4
2 Stonehaven AB39 . . . . 185 E5
Hanover St Prim Sch
AB11 . . . . 190 C4
Hanover St
Aberdeen AB11 . . . . 190 C4
Fraserburgh AB43 . . . . . . 143 D7
Peterhead AB42 . . . . 147 D5
Harbour La AB45 . . . . 3 B3
Harbour Pl
Banff AB45 . . . . 140 F6
Montrose DD10 . . . . 135 C5
Harbour Rd
Banff AB45 . . . . 3 B2
Fraserburgh AB43 . . . . . . 143 D6
Harbour St
Banff AB45 . . . . 3 B3
1 Boddam AB42 . . . . 40 D1
Cruden Bay AB42 . . . . 53 B2
Peterhead AB42 . . . . 147 F4
Harbour View 7 DD10 . . 187 D3
Harcourt Rd AB15 . . . . . . 164 D2
Hardgate AB11 . . . . 190 A2
Hardgate La AB10 . . . . . . 170 A6
Hardie Ct AB54 . . . . 144 D5
Hareburn Rd AB23 . . . . 91 C5
Hareburn Terr AB23 . . . . . 91 B5
Harehill Rd AB22 . . . . 159 E1
Hareness Circ AB12 . . . . . 170 E1
Hareness Pk AB12 . . . . . . 170 E2
Hareness Pl AB14 . . . . 171 A2
Hareness Rd AB12 . . . . . . 170 D2
Harestones Stone Circ
(remains of) The★
AB53 . . . . 32 C3
Harlaw Acad AB10 . . . . . . 169 F8
Harlaw Bsns Ctr AB51. . 152 C8
Harlaw Dr AB51 . . . . 152 D7
Harlaw Pl AB15 . . . . 169 D7
Harlaw Rd
Aberdeen AB15 . . . . 169 D7
Inverurie AB51 . . . . 152 D7
Harlaw Terr AB15 . . . . 169 D7
Harlaw Way AB51 . . . . 152 C8
Harley Terr AB12 . . . . 180 E5
Harris Dr AB24 . . . . 165 A6
Harris Pl AB43 . . . . 143 B4
Harris Way AB54 . . . . 144 C4
Harrow Rd AB24 . . . . 165 C6
Harthill Castle★ AB52 . . 72 E8
Harthill Pl AB16 . . . . 163 E3
Harthills View AB51 . . . . 155 B2
Hartington Rd AB10 . . . . 169 F8
Harvest Hill AB32 . . . . 161 B3
Harvey Pl AB45 . . . . 140 E6
Hasman Terr 3 AB12 . . 176 C6
HASSIEWELLS 46 A7
HATTON 52 D4
Hatton Castle (remains of)★
AB53 . . . . 33 F5
HATTONCROOK 75 C7
Hatton (Cruden) Prim Sch
AB42 . . . . 52 D4
Hatton Ct 2 AB21 . . . . . . 89 B7
Hatton Farm Gdns 2
AB42 . . . . 52 C4
Hatton Farm Rd AB42 . . . 52 C4
HATTON OF FINTRAY 89 C7
Hatton of Fintray Sch
AB21 . . . . 89 C7
Hatton Rd AB53 . . . . 145 E4
Haudagain Ret Pk AB24 164 C7
HAUGH OF GLASS 42 A6
Haugh Path AB43 . . . . 12 D6
Haughton Ctry Pk★
AB33 . . . . 154 D5
Haughton Pl AB33 . . . . . . 154 C4
Haulkerton Cres AB30. . 186 C6
Hawthorn Ave AB41 . . . . . 61 F1
Hawthorn Cres
Aberdeen AB16 . . . . 164 B4
Ballater AB35 . . . . 182 E4
6 Mintlaw AB42 . . . . 146 D5
Hawthorn Ct 3 AB35. . . 182 E4
Hawthorne Way AB51. . . 155 B3
Hawthorn Gr AB35 . . . . . 182 E4
Hawthorn Pl AB35 . . . . . . 182 E4
Hawthorn Rd 5 AB42 . . 147 B5
Hawthorn Terr AB24 . . . 165 B4
Hay Cres AB42 . . . . 147 D6
Hayfield Cres AB24 . . . . . 164 E4
Hayfield Pl
Aberdeen AB24 . . . . 164 E5
2 Peterhead AB42 . . . . . 147 A6
Hays Ct AB51 . . . . 152 E4
Hay St AB42 . . . . 53 B3
Hay's Way AB32 . . . . 161 D2
Hay's Wlk AB33 . . . . 154 D3
HAYTON 164 F6
Hayton Rd AB24 . . . . 164 F6
Haywood Dr AB45 . . . . . . 139 D6
Hazel Dr AB32 . . . . 161 D2
Hazledene Rd AB15 . . . . . 168 E7
HAZLEHEAD 168 E7
Hazlehead Acad AB15. . . 168 F8
Hazlehead Ave AB15 . . . . 168 E6
Hazlehead Cres AB15 . . . 168 E5
Hazlehead Gdns AB15. . . 168 E6
Hazlehead Pl AB15 . . . . . 168 E5
Hazlehead Prim Sch
AB15 . . . . 169 A8
Hazlehead Rd AB15 . . . . . 168 E5
Hazlehead Swimming Pool
AB15 . . . . 168 E8

Hazlehead Terr AB15 . . . . 168 F8
Hazlewood Sch AB15 . . . 169 A8
Headland Ct
Aberdeen AB10 . . . . 169 F4
Stonehaven AB39 . . . . . . 181 I4
Heath Dr AB42 . . . . 147 B3
Heather Pl AB12 . . . . 180 C6
Heathfield Pk AB39 . . . . . 181 H4
Heath Row AB31 . . . . 184 C5
HEATHRYFOLD 164 A6
Heathryfold Circ AB16. . 164 A6
Heathryfold Cl AB16 . . . . 164 A6
Heathryfold Dr AB16 . . . 164 A6
Heathryfold Pl AB16 . . . . 164 A6
Helen Row AB39 . . . . 185 F6
Henderson Circ AB42 . . . 147 A5
Henderson Cres AB51 . . . 155 B5
Henderson Dr
Kintore AB51 . . . . 155 B5
Westhill AB32 . . . . 161 C2
Henderson Pk
Kintore AB51 . . . . 155 B5
Peterhead AB42 . . . . 147 A5
Henderson Rd AB43 . . . . 143 B5
Henry La 3 AB42 . . . . 36 E6
Henry Pl AB44 . . . . 141 D5
Herd Cres DD10 . . . . 135 C6
Hermitage Ave AB24 . . . . 165 B5
Hermit Seat AB52 . . . . 71 F7
Heron Cres AB41 . . . . 151 C3
Heron Rd 5 AB51 . . . . 87 C7
Hetherwick Rd AB12 . . . . 170 A2
Hexagon The AB43 . . . . . 143 D6
Highfield AB39 . . . . 185 B7
Highfield Ave AB31 . . . . . 184 C5
Highfield Ct 4 AB39 . . . 185 C7
Highfield Gdns 3 AB39 . 185 C7
Highfield Way AB39 . . . . . 185 C7
Highfield Wlk AB53 . . . . . 145 D5
Highgate Gdns AB11. . . . 170 C6
High Gn AB45 . . . . 3 C2
Highland Her Ctr★ AB35 113 E6
High Pen La DD9 . . . . 132 B7
High Shore AB45 . . . . 141 A6
High St
Aberdeen AB24 . . . . 165 B5
Auchenblae AB30 . . . . . . 124 B1
Banchory AB31 . . . . 184 B4
Banff AB45 . . . . 140 F5
Brechin DD9 . . . . 188 C3
Cuminestown AB53 . . . . . 22 C1
Edzell DD9 . . . . 132 B7
Fraserburgh AB43 . . . . . . 143 D7
Insch AB52 . . . . 149 D5
Inverbervie DD10 . . . . . . 187 E7
Inverurie AB51 . . . . 152 E4
Kemnay AB51 . . . . 87 D7
Laurencekirk AB30 . . . . . 186 D5
Macduff AB44 . . . . 141 D6
Montrose DD10 . . . . 189 C3
New Aberdour AB43 . . . . 12 E5
New Deer AB53 . . . . 36 A6
New Pitsligo AB43 . . . . . . 23 E6
Peterhead AB42 . . . . 147 D7
Pittulie AB43 . . . . 4 F4
St Combs AB43 . . . . 15 D5
Stonehaven AB39 . . . . . . 185 F4
Strichen AB43 . . . . 24 E6
Turriff AB53 . . . . 145 D4
Highview Gr DD10 . . . . . . 134 C3
Highwood AB31 . . . . 184 C5
Hillbrae Way AB21 . . . . . . 153 E4
Hillcrest AB43 . . . . 143 B5
Hillcrest Pl AB16 . . . . 164 C5
Hillcrest Rd AB15 . . . . 145 C5
Hillcroft Rd AB31 . . . . 184 B5
Hillfoot Terr DD10 . . . . . . 187 D3
Hillhead AB41 . . . . 151 C3
HILLHEAD OF
MOUNTBLAIRY 20 C4
Hillhead Pl AB41 . . . . 151 D4
Hillhead Rd
Aberdeen AB15 . . . . 167 F3
Crimond AB43 . . . . 26 E7
Ellon AB41 . . . . 151 D3
Stonehaven AB39 . . . . . . 181 I4
Hillhead Terr AB24 . . . . . . 165 C4
Hillocks Way AB21 . . . . . . 163 E7
Hill of Banchory Prim Sch
AB31 . . . . 184 D5
Hill of Banchory S AB31. 184 D5
Hill of Banchory W AB31 184 D6
HILL OF RUBISLAW 169 C7
Hill of Rubislaw AB15 . . . 169 C8
Hill Pl DD10 . . . . 189 C2
Hill Rd DD10 . . . . 138 C8
HILLSIDE 138 C8
Hillside
New Pitsligo AB43 . . . . . 23 E6
Pitmedden AB41 . . . . 62 A2
HILLSIDE 180 C8
Hillside Cres
Aberdeen AB14 . . . . 172 D7
Westhill AB32 . . . . 161 E4
Hillside Dr 8 AB35 . . . . . 113 F6
Hillside Gdns AB32 . . . . . 161 E4
Hillside Mews AB12 . . . . 180 C8
Hillside Pl AB14 . . . . 172 D7
Hillside Rd
Aberdeen AB14 . . . . 172 D6
Westhill AB32 . . . . 161 E4
Hillside Terr AB12 . . . . . . 180 C7
Hillside View AB32 . . . . . 161 E4
Hill St
Aberdeen AB25 . . . . 190 A4
Cruden Bay AB42 . . . . 53 B2
6 Montrose DD10 . . . . . 189 C2

Hill St continued
Peterhead AB42 . . . . 53 B4
Portsoy AB45 . . . . 139 D7
Rosehearty AB43 . . . . . . 142 C7
Hillswick Rd 3 AB16 . . . 163 E3
Hillswick Wlk 1 AB16 . . 163 E3
Hilltop Ave
Aberdeen AB15 . . . . 168 D3
Westhill AB32 . . . . 161 D5
Hilltop Cres AB32 . . . . . . 161 D4
Hilltop Dr AB32 . . . . 161 D4
Hilltop Gdns AB32 . . . . . 161 E4
Hilltop Rd AB15 . . . . 168 D3
Hillview
Aberchirder AB54 . . . . . . 144 D5
8 Strichen AB43 . . . . 24 E6
Westhill AB32 . . . . 161 E4
Hillview Cres
Aberdeen AB12 . . . . 168 C5
Montrose DD10 . . . . 189 D1
Rosehearty AB43 . . . . . . 142 C7
Hillview Dr AB15 . . . . 168 D3
Hillview Gdns DD10 . . . . 187 D6
Hillview Rd
Aberdeen AB12 . . . . 170 D4
Banchory AB31 . . . . 184 C5
Cults AB15 . . . . 168 D2
Laurencekirk AB30 . . . . . 124 B2
Peterculter AB14 . . . . . . 172 D6
Westhill AB32 . . . . 161 E4
Hillview Terr AB15 . . . . . . 168 D2
Hillylands Rd AB16 . . . . . 164 A2
HILTON 164 D6
Hilton Ave AB24 . . . . 164 D5
Hilton Circ AB24 . . . . 164 E4
Hilton Cres AB24 . . . . 164 E4
Hilton Ct AB24 . . . . 164 E5
Hilton Dr AB24 . . . . 164 E5
Hilton Hts AB24 . . . . 164 E5
Hilton Pl AB24 . . . . 164 F5
Hilton Rd AB24 . . . . 164 E5
Hilton St AB24 . . . . 164 F4
Hilton Terr AB24 . . . . 164 E5
Hilton Wlk AB24 . . . . 164 E5
His Majestys Theatre★
AB25 . . . . 190 A3
Hobshill Pl 5 AB42 . . . . . 52 C4
Holburn Pl AB10 . . . . 170 A6
Holburn Rd AB10 . . . . 169 F7
Holburn St AB10 . . . . 169 F4
Holland Pl AB25 . . . . 165 A3
Holland St AB25 . . . . 165 A3
Hollybank Cres AB31 . . . 184 B5
Hollybank Pl AB10 . . . . . . 170 A7
Holly Dr AB39 . . . . 185 C4
Holly Tree Rd AB31 . . . . . 184 D6
Holmdale Pl 2 AB23 . . . 145 C5
Holmhead Pl 16 AB21 . . 163 D7
Holy Family RC Prim Sch
AB15 . . . . 164 B1
Homelea AB32 . . . . 161 B2
Hopecroft Ave AB21 . . . . 158 B1
Hopecroft Dr AB21 . . . . . 158 B1
Hopecroft Terr AB21 . . . . 158 B1
Hopeman Cl AB41 . . . . . . 151 D6
Hopeman Pl AB41 . . . . . . 151 D6
Hope St AB42 . . . . 147 D6
Hopetoun Ave AB21 . . . . 163 C8
Hopetoun Cres AB21 . . . 163 C8
Hopetoun Ct AB21 . . . . . . 163 D8
Hopetoun Dr AB21 . . . . . . 163 D8
Hopetoun Gn AB21 . . . . . 163 D8
Hopetoun Grange AB21 158 A1
Hopetoun Rd AB21 . . . . . 163 C8
Hopetoun Terr AB21 . . . . 163 C8
Horn's Brae 1 AB44 . . . . 141 C6
Hosefield Ave AB15 . . . . . 164 E2
Hosefield Rd AB15 . . . . . . 164 E2
Hospital Brae AB43 . . . . . 24 E6
Hospital Rd
Ellon AB41 . . . . 151 C6
Hillside DD10 . . . . 138 C8
Houghton Dr 2 DD10 . . 138 D8
House of Dun★ DD10 . . 137 E6
House of Monymusk★
AB51 . . . . 86 F6
House of Schivas★ AB41 49 F3
Howatt Pk AB43 . . . . 5 A4
Howburn Ct AB11 . . . . . . 170 A7
Howburn Pl AB10 . . . . 170 A7
Howe Moss Ave AB21 . . . 157 D6
Howe Moss Cres AB21 . . 157 D6
Howe Moss Dr AB21 . . . . 157 D5
Howe Moss Pl AB21 . . . . . 157 D6
Howe Moss Terr AB21 . . 157 D7
HOWE OF TEUCHAR 34 D6
Howes Cres AB16 . . . . . . 164 A6
Howes Dr AB16 . . . . 164 A6
Howes Pl 4 AB16 . . . . . . 164 A6
Howes Rd AB16 . . . . 163 F5
Howes View AB21 . . . . . . 163 E7
Howie La AB14 . . . . 172 E5
Howieslap AB51 . . . . 155 D4
Howieson Pl AB51 . . . . . . 152 B8
Hudson St AB39 . . . . 185 E5
Hume St DD10 . . . . 189 C2
Hummel Craig 4 AB51 . 152 A8
Hunter Ave AB39 . . . . 185 C6
Hunter Dr AB39 . . . . 185 C6
Hunter Pl
Aberdeen AB24 . . . . 165 D3
Stonehaven AB39 . . . . . . 185 C6
Hunter's La AB43 . . . . 143 D7
Hunters Rise AB41 . . . . . . 62 B1
HUNTLY 148 B5
Huntly Castle★ AB54 . . 148 E6
Huntly Ind Est AB54 . . . . 148 C4
Huntly Mews AB34 . . . . . 183 E5

Huntly Nordic & Outdoor
Ctr★ AB54 . . . . 148 D6
Huntly Pl AB34 . . . . 183 C4
Huntly Rd
Aberchirder AB54 . . . . . . 144 C4
Aboyne AB34 . . . . 183 C4
Huntly St AB10 . . . . 190 A3
Huntly Sta AB54 . . . . 148 E4
Huntly Swimming Pool
AB54 . . . . 148 E6
Hutcheon Ct AB25 . . . . . . 165 B3
Hutcheon Gdns AB25 . . . 165 C8
Hutcheon Low Dr AB21 . 164 C7
Hutcheon Low Pl AB21 . 164 C7
Hutcheon St AB25 . . . . . . 190 A4
5 Macduff AB44 . . . . 141 C6
Hutchison Terr AB10 . . . 169 D5
Hutton Pl AB16 . . . . 164 A5
Hutton Rd AB21 . . . . 157 E6
Huxterstone Ct 3 AB15 . 162 F2
Huxterstone Dr AB15. . . 162 F2
Huxterstone Pl AB15 . . . 162 F2
Huxterstone Terr AB15 . 162 F2
Hythe The 4 AB44 . . . . . 141 C6
HYTHE 25 F2

I

Ilderton Pl 2 AB31. . . . . 184 D4
Imperial Pl 4 AB11 . . . . 190 B3
INCHBARE 132 B4
Inchbrae Dr AB10 . . . . . . 169 D3
Inchbrae Rd AB10 . . . . . . 169 D3
Inchbrae Terr AB10 . . . . . 169 C3
Inchcumine Dr AB42 . . . . . 27 D3
Inchdrewer Castle (remains of)★ AB45 . . . . 8 F3
Inchgarth Mews AB15 . . 169 A2
Inchgarth Rd AB15 . . . . . 169 A3
Inchgower Terr AB42 . . . . 27 B3
Inchley Pl 17 AB31 . . . . 108 E8
Inchley Terr 4 AB31 . . . 108 E8
Inchmarlo Rd AB31 . . . . . 184 A4
Inchmore Gdns AB42 . . . . 53 F8
Inch Rd AB43 . . . . 65 C4
Inch Terr DD10 . . . . 189 B1
India La DD10 . . . . 189 C3
India St DD10 . . . . 189 C3
Infirmary Rd DD9 . . . . . . 188 D3
Infirmary St DD9 . . . . . . 188 C4
Ingleside 6 AB41 . . . . 62 B2
Ingram Wlk AB12 . . . . . . 170 C2
Inkbottle Way 1 AB39 . 185 C7
Inkbottle Wlk 2 AB39. . 185 C7
Inn Brae AB42 . . . . 38 D6
INSCH 149 C4
Insch Bsns Pk AB52 . . . . 149 D7
Insch Prim Sch AB52. . . 149 D5
Insch Sta AB52 . . . . 149 C4
Insch War Meml Hospl
AB52 . . . . 149 D4
Institute St AB45 . . . . 139 E7
Institution St AB44 . . . . . 141 C7
Institution Terr AB45 . . . 140 F5
International Sch of
Aberdeen AB13 . . . . . . 173 A2
Intown Rd AB23 . . . . 160 B2
INVER 115 B8
INVERALLOCHY 15 C8
Inverallochy Castle (remains of)★ AB43 . . . . 15 B5
Inverallochy Prim Sch
AB43 . . . . 15 C7
Inverarity Cres 5 DD10 . 138 C8
INVERBERVIE 187 E6
Inverbervie L Ctr DD10 . 187 E7
INVERBOYNDIE 140 B6
Inverboyndie Ind Est
AB45 . . . . 140 B6
Invercairn Gdns AB16 . . . 164 B4
Invercauld Pl AB16 . . . . . 164 B4
Invercauld Rd
Aberdeen AB16 . . . . 164 B4
Ballater AB35 . . . . 182 C4
8 Braemar AB35 . . . . . . 113 F6
Inverdon Ct AB24 . . . . 165 D7
INVEREY 112 E4
Inverey Castle (remains of)★
AB35 . . . . 112 E4
Invergarry Pk DD10 . . . . 134 D4
Inveriscandye Rd DD9. . 132 B7
INVERKEITHNY 31 F6
Invermarkie Wynd 3
AB31 . . . . 98 E1
INVERNETTIE 147 C2
Invernettie Rd AB42 . . . . 147 C4
Inverquhomery Rd 4
AB42 . . . . 38 D6
INVERUGIE 39 E7
Inverugie Castle (remains of)★ AB42 . . . . 39 E7
Inverugie Cotts AB42 . . . 147 A6
Inverugie Cres AB42 . . . . 147 A6
Inverugie Rd AB42 . . . . . . 147 A6
Inverugie Wynd 2 AB41. 151 F5
INVERURIE 152 B4
Inverurie Acad AB51 . . . 152 D5
Inverurie Hospl AB51. . . 152 D4
Inverurie Rd AB21 . . . . . . 158 A1
Inverurie St AB30 . . . . . . 124 B1
Inverurie Sta AB51 . . . . . 152 E4
Inverurie Swimming Ctr
AB51 . . . . 152 D5
INVERYTHAN 47 D8
Iona Ave AB42 . . . . 147 B7
Ironfield La AB39 . . . . 185 F5

Irv–Lew 199

Irvine Pk 3 AB21 .... 153 C6
Irvine Pl
Aberdeen AB10 .... 169 F6
3 Fraserburgh AB43 ..... 26 C7
Inverurie AB51 .... 152 B8
Irvine Way AB51 .... 152 B8
Isla Pl AB16 .... 163 F3
Islay Ct AB41 .... 151 B3
Ivanhoe Pl AB10 .... 169 C4
Ivanhoe Rd AB10 .... 169 C3
Ivanhoe Wlk AB10 .... 169 C4
Ives Rd AB42 .... 147 E6
Ivy Pl AB39 .... 185 C4

J

Jack's Brae AB25 .... 165 A1
Jackson St AB51 .... 152 D5
Jackson Terr AB24 ...... 165 C3
Jail La AB45 .... 140 F6
Jake Forbes Cl AB45 .... 148 E4
Jamaica St
Aberdeen AB25 .... 165 A3
Peterhead AB42 .... 147 F5
James Mitchell Pl AB42 . 146 E5
James Presly Ct AB54 ... 148 D3
James St
Aberdeen AB11 .... 190 C3
Macduff AB44 .... 141 D6
3 Oldmeldrum AB51 .... 150 C3
Peterhead AB42 .... 147 F5
James Stott Rd AB42 .... 147 A7
Jarvis Ct AB43 .... 143 A4
Jarvis Pl AB43 .... 143 A4
Jasmine Terr AB24 ...... 190 B4
Jasmine Way AB24 ...... 190 B4
Jenner Pl DD9 .... 188 C5
Jesmond Ave AB22 ...... 159 D2
Jesmond Avenue N
AB22 .... 159 D2
Jesmond Circ AB22 ..... 159 C4
Jesmond Ctr The AB22 .. 159 D3
Jesmond Dr AB22 .... 159 D5
Jesmond Gdns AB22 ..... 159 C4
Jesmond Gr AB22 .... 159 C4
Jesmond Rd AB22 .... 159 E3
Jesmond Sq AB22 .... 159 D2
Jesmond Square N 2
AB22 .... 159 D1
Jesmond Square S 3
AB22 .... 159 D1
John Arthur Ct AB15 .... 163 A1
John Gray Dr 14 AB51 .... 87 D7
John Morrison Cres 1
AB42 .... 36 E6
John Park Pl AB22 ...... 164 E8
Johns Brae AB44 .... 141 D6
JOHNSHAVEN 135 D6
Johnshaven Prim Sch
DD10 .... 135 B5
Johnson Gardens E
AB14 .... 172 C7
Johnson Gardens N
AB14 .... 172 D7
Johnson Gardens W
AB14 .... 172 D7
John Sorrie Dr AB51 .... 152 A6
John St
Aberdeen AB25 .... 190 A4
Dyce AB21 .... 158 B5
Montrose DD10 .... 189 D4
2 Stonehaven AB39 ..... 185 F3
Johnston Gardens W
AB14 .... 172 D7
Johnston Pk AB53 ...... 145 D5
Johnston Rd AB30 ...... 186 C4
Johnston St AB30 ...... 186 D5
Jopp's La AB25 .... 190 A4
Joss Ct AB23 .... 165 D8
Jubilee Cres AB45 .... 8 F8
Jubilee Hospl AB54 ..... 148 D3
Judy's La 8 AB56 .... 1 B4
Juniper Pl AB12 .... 180 A5
Jura Pl AB16 .... 163 E2
Justice Mill Brae AB11 .. 170 A8
Justice Mill La 2 AB11 .. 190 A2
Justice Port AB24 ...... 190 C4
Justice St AB10 .... 190 C3
Jute St AB24 .... 165 B3

K

KAIMHILL 169 E3
Kaimhill Circ AB10 ..... 169 E4
Kaimhill Gdns AB10 ..... 169 E4
Kaimhill Prim Sch AB10 . 169 E4
Kaimhill Rd AB10 .... 169 E4
Katrine Terr AB41 ...... 151 B6
KEIG 71 D2
Keig Prim Sch AB33 ...... 71 C2
Keil Brae AB51 .... 150 D3
KEILHILL 9 F2
Keir Circ AB32 .... 161 C3
Keir Hts AB23 .... 91 C8
Keir Rise AB23 .... 91 C8
Keith Ave AB23 .... 91 C8
Keith Cres 12 AB23 .... 91 C8
Keith Gdns
Blackburn AB21 .... 156 B6
1 Fraserburgh AB43 ..... 26 D7
Keith Hall★ AB51 .... 74 C4
Keithhall Prim Sch AB51 . 74 D3
Keithhall Rd AB51 ...... 152 F3
KEITH INCH 147 F4
Keithleigh Gdns AB41 .... 62 A2
Keithmuir Gdns AB31 ... 111 C5
Keithmuir La AB31 ...... 111 D5
Keithmuir Rd AB31 ..... 111 D5
Keith Pl 1 AB39 .... 185 F4
Keith St AB42 .... 147 F4
Kellands Ave AB51 ..... 152 D5
Kellands Prim Sch AB51 152 D5
Kellands Rd AB51 ...... 152 C5
Kellands Rise AB51 ..... 152 C5
Kembhill Pk AB51 .... 87 C7
KEMNAY 87 D7
Kemnay Acad AB51 .... 87 D7
Kemnay House★ AB51 ... 87 D6
Kemnay Pl AB15 .... 169 B7
Kemnay Prim Sch AB51 .. 87 D6
Kemnay Rd AB51 .... 152 E2
Kemp's La 8 AB53 ...... 145 D4
Kemp St AB16 .... 164 C6
Kencast Circ AB14 ..... 166 D1
Kencast Row AB14 ..... 166 D1
Kendal Rd AB51 .... 87 D7
Kenfield Cres AB15 ..... 169 C6
Kenfield Pl AB15 .... 169 C6
Kennedy Ave DD10 ..... 189 C7
Kennedy Ct AB54 ...... 148 D4
Kennedy Pl AB43 ...... 143 C3
Kennedy Rd AB43 ...... 143 C4
Kennerty Ct AB14 ...... 172 D6
Kennerty Mills Rd AB14 . 172 D6
Kennerty Pk AB14 ...... 172 D5
Kennerty Rd AB14 ...... 172 C5
KENNETHMONT 56 B3
Kennethmont Prim Sch
AB54 .... 56 C4
Kent Gdns AB43 .... 143 B6
Kepplehills Dr AB21 .... 163 C8
Kepplehills Rd AB21 .... 163 D7
Kepplestone Ave AB15 .. 169 C7
Kepplestone Gdns AB15 . 169 C7
Kerloch Cres
Banchory AB31 .... 184 E5
8 Torphins AB31 .... 108 E8
Kerloch Gdns AB11 ..... 170 D5
Kerloch Pl AB11 .... 170 C5
Kessock Pl AB43 .... 143 D4
Kessock Rd AB43 ...... 143 D4
Kessock Rd Ind Est
AB43 .... 143 D4
Kestrel Rd 10 AB41 .... 77 F8
Kettlehills Cres AB16 ... 164 B5
Kettlehills La AB16 ..... 164 B5
Kettlehills Rd AB16 .... 164 A5
Kettock Gdns AB22 ..... 159 D1
KIDDSHILL 36 F3
Kidd St 1 AB10 .... 190 A3
KILDRUMMY 83 A8
Kildrummy Castle★ AB33 . 82 F7
Kildrummy Rd
Aberdeen AB15 .... 169 A7
Ellon AB41 .... 151 E5
Kilmarnock Dr 5 AB42 ... 53 A3
Kilsyth Rd AB12 .... 170 C3
Kimberley Ct 5 AB51 .... 47 A2
Kinaldie Cres AB15 ..... 169 A7
Kincardine Castle (remains
of)★ AB30 .... 128 C6
Kincardine Com Hospl
AB39 .... 185 C5
KINCARDINE O'NEIL 108 B6
Kincardine O'Neil Prim Sch
AB34 .... 108 B6
Kincardine Rd AB31 .... 108 E8
Kincardine St DD10 .... 189 D4
KINCORTH 170 B3
Kincorth Acad AB12 .... 170 B3
Kincorth Circ AB12 ..... 170 A3
Kincorth Cres AB12 .... 170 B4
Kincorth Land AB12 .... 170 B3
Kincorth Pl AB12 .... 170 A4
Kincorth Sports Ctr
AB12 .... 170 B4
Kincorth Swimming Pool
AB12 .... 170 B3
Kindrochit Castle (remains
of)★ AB35 .... 113 F5
Kindrochit Dr 10 AB35 ... 113 F6
Kinellar Prim Sch AB21 . 156 B6
King David Dr DD10 ..... 187 D5
KING EDWARD 20 F8
King Edward Ct AB44 ... 141 E5
King Edward Prim Sch
AB45 .... 20 F8
King Edward St AB43 ... 143 C6
Kingfisher Cnr AB51 .... 152 E7
Kingfisher Pl AB51 ..... 152 E7
Kinghorn Pl DD9 .... 188 C5
King Roberts Pl AB23 ... 160 B1
King Roberts Way AB23 . 160 B1
Kingscliff Sporting Lodge★
AB41 .... 49 A6
Kings Coll Con & Visitor
Ctr★ AB24 .... 165 C5
King's Cross Ave AB15 .. 169 B8
King's Cross Rd AB15 ... 169 B8
King's Cross Terr AB15 .. 169 B8
King's Ct 2 AB24 .... 164 F7
Kingseat Rd AB21 ...... 153 D6
Kingsfield Pl 2 AB51 ... 155 C5
Kingsfield Rd
Inverurie AB51 .... 155 C5
Kintore AB51 .... 88 F5
Kingsford Rd
Aberdeen AB16 .... 163 F3
Alford AB33 .... 154 D3
Kingsford Sch AB16 .... 163 F3
Kingsgate 6 AB39 ...... 185 F3
King's Gate
Aberdeen AB15 .... 169 A8
1 Rosemount AB15 ..... 164 E1
Kingshill Ave AB15 ..... 164 C1
Kingshill Rd AB15 ...... 164 C1
Kingshill Terr AB15 .... 164 C1
Kingsland Pl AB25 ..... 190 A4
King's Rd AB39 .... 185 D4
Kings's Cres AB24 ...... 165 C3
King St
Aberdeen AB10 .... 190 B3
Aberdeen AB24 .... 164 E6
Huntly AB54 .... 148 D4
Inverbervie DD10 ...... 187 D7
Inverurie AB51 .... 152 D7
3 Montrose DD10 ...... 189 D1
10 Oldmeldrum AB51 ... 150 C3
Peterhead AB42 .... 147 D5
Rosehearty AB43 .... 142 C8
Stonehaven AB39 ...... 185 F4
Kingston Gdns AB41 .... 151 E6
Kingswalk AB21 .... 163 E8
Kingsway AB21 .... 163 E8
Kingswell La 7 AB45 .... 140 F6
Kingswell Pk AB45 ..... 140 F6
KINGSWELLS 162 F3
Kingswells Ave AB15 ... 162 F3
Kingswells Cres AB15 ... 162 F5
Kingswells Dr AB15 .... 162 E3
Kingswells Prim Sch
AB15 .... 162 F3
Kingswells View AB32 .. 161 D4
Kingswood Ave AB15 ... 162 F3
Kingswood Cres AB15 .. 162 F3
Kingswood Dr AB15 .... 162 F3
Kingswood Gdns AB15 . 162 F3
Kingswood Gr 3 AB15 .. 162 F3
Kingswood Mews AB15 . 162 E3
Kingswood Path 1 AB15 162 F3
Kingswood Rd AB15 .... 162 F3
Kingswood Wlk 2 AB15 . 162 F3
Kininmonth Prim Sch
AB42 .... 25 D3
Kinkell Rd AB15 .... 169 A7
Kinloch Rd AB42 .... 27 B2
Kinmohr Rise AB21 .... 156 A7
Kinmonth Rd AB39 ..... 125 B3
KINMUCK 75 A2
KINMUNDY 153 E2
Kinmundy Ave AB32 .... 161 E3
Kinmundy Dr
Peterhead AB42 .... 147 B5
Westhill AB32 .... 161 E3
Kinmundy Gdns
Peterhead AB42 .... 147 A4
Westhill AB32 .... 161 E3
Kinmundy Gn AB32 ..... 161 E3
Kinmundy Rd
Newmachar AB21 ...... 153 D5
Peterhead AB42 .... 147 A4
Kinmundy Wlk AB42 .... 147 B5
Kinnaber Rd DD10 ..... 138 D8
Kinnaird Pl
2 Aberdeen AB24 ...... 165 A6
2 Brechin DD9 .... 188 D2
Kinnaird Rd AB43 ...... 143 C7
Kinnairdy Castle★ AB54 . 31 D8
Kinnairdy Cl 19 AB31 ... 108 E8
Kinnairdy Terr 20 AB31 . 108 E8
Kinnear La AB30 .... 186 C4
Kinnear Sq AB30 .... 186 C4
KINNEFF 131 D5
Kinneff Prim Sch DD10 . 131 D7
Kinneskie La AB31 ..... 184 B4
Kinneskie Rd AB31 .... 184 B4
Kinnies La 1 AB54 ..... 144 C4
Kinord Circ 2 AB22 .... 165 B8
Kinord Dr AB34 .... 183 A5
Kinord Rd AB41 .... 151 B7
KINTORE 155 B4
Kintore Bsns Pk AB51 .. 155 A8
Kintore Gdns AB25 .... 165 A2
Kintore Pl 6 AB25 ..... 165 A2
Kintore Prim Sch AB51 . 155 B4
Kintore St AB30 .... 124 B1
Kintore Terr AB51 ..... 152 D6
Kirkbrae 1 AB41 .... 61 E6
Kirk Brae
Aberdeen AB15 .... 168 E3
Fraserburgh AB43 ...... 143 D7
Oldmeldrum AB51 ..... 150 D3
Kirkbrae Ave AB15 ..... 168 D3
Kirk Brae Ct AB15 ..... 168 E3
Kirkbrae Dr AB15 ...... 168 D3
Kirk Brae Mews AB15 .. 168 E3
Kirkbrae Terr AB53 ...... 36 A5
Kirkbrae View AB15 .... 168 D3
Kirkburn AB30 .... 186 D6
Kirk Burn DD10 .... 187 E6
Kirkburn Dr AB42 ...... 147 C5
Kirk Crescent N AB15 .. 168 E3
Kirk Crescent S AB15 .. 168 E3
Kirk Dr AB15 .... 168 E3
Kirkgate AB42 .... 37 D6
KIRKHILL 138 A7
Kirkhill AB53 .... 22 D4
Kirkhill Dr
Aberdeen AB21 .... 157 E7
Oldmeldrum AB51 ..... 150 D3
Kirkhill Gdns AB23 ...... 91 A6
Kirkhill Ind Est AB21 ... 157 D7
Kirkhill Pl
Aberdeen AB11 .... 170 E5
Dyce AB21 .... 157 E5
Kirkhill Prim Sch AB12 . 170 C3
Kirkhill Rd
Aberdeen AB11 .... 170 D5
Dyce AB21 .... 157 E6
Potterton AB23 .... 91 A6
Kirkhill View AB21 ..... 156 B6
Kirkhill Way 1 AB23 ..... 91 A6
Kirk La
Ellon AB41 .... 151 C4
3 Macduff AB44 .... 141 C6
4 Tarves AB41 .... 61 E6
Kirkland 3 AB51 .... 87 D6
Kirklands 1 AB41 .... 49 B4
Kirkland Terr AB51 ..... 152 E4
Kirk Pk AB21 .... 153 C5
Kirk Pl AB15 .... 168 D3
Kirk Rd AB39 .... 185 D5
Kirk St
Oldmeldrum AB51 ..... 150 C3
Peterhead AB42 .... 147 D5
Kirk Terr AB15 .... 168 D3
KIRKTON 72 A8
Kirkton Ave
Aberdeen AB21 .... 158 A8
Westhill AB32 .... 161 B3
Kirkton Cres AB43 ..... 143 D4
Kirkton Dr AB21 .... 157 F8
Kirkton Gdns AB32 .... 161 B3
Kirktonhill Pl AB30 .... 133 D4
Kirktonhill Rd AB30 ... 133 D4
KIRKTON OF
AUCHTERLESS 46 F8
KIRKTON OF BOURTIE 74 E7
KIRKTON OF CRAIG 138 C2
KIRKTON OF
CULSALMOND 58 B7
KIRKTON OF DURRIS 111 B3
KIRKTON OF
GLENBUCHAT 81 D6
KIRKTON OF LOGIE
BUCHAN 63 E4
KIRKTON OF
MARYCULTER 173 B3
KIRKTON OF OYNE 72 E8
KIRKTON OF RAYNE 58 F5
KIRKTON OF SKENE 101 E7
KIRKTON OF TOUGH 85 D3
Kirkton Pk
Chapel of Garioch AB51 ... 73 B7
Daviot AB51 .... 59 E2
Kirkton Rd
Fraserburgh AB43 ...... 143 C3
Stonehaven AB39 ...... 185 B5
Westhill AB32 .... 161 B3
KIRKTOWN
Peterhead 147 D5
St Fergus 27 A2
Kirktown Brae AB43 .... 143 D2
KIRKTOWN OF ALVAH 9 B3
KIRKTOWN OF DESKFORD .. 6 C4
KIRKTOWN OF
FETTERESSO 185 A4
Kirk View AB31 .... 98 A3
Kirkwall Ave 2 AB16 ... 163 E3
Kirkwood Cres AB45 ... 139 D5
Kitchenhill View AB42 ... 36 E6
KITTYBREWSTER 164 F4
Kittybrewster Prim Sch
AB24 .... 165 A5
Kittybrewster Ret Pk
AB24 .... 165 A4
Kittybrewster Sq AB25 .. 165 A4
KNAVEN 36 A2
KNOCK 18 A3
Knock Ave AB45 .... 8 F8
Knock Castle★ AB35 ... 182 A3
KNOCKENBAIRD 149 D8
Knockhall Castle★ AB41 .. 63 F1
Knockhall Rd
Ellon AB41 .... 77 F8
6 Newburgh AB41 .... 77 F8
Knockie Rd AB53 ...... 145 B5
Knock La 7 AB45 .... 8 F8
Knockothie Brae AB41 .. 151 D6
KNOCKOTHIE HILL 151 D6
Knockothie Hill 1 AB41 . 151 C6
Knock St
Banff AB45 .... 8 F8
Peterhead AB42 .... 37 D4
Knock View AB42 .... 37 D5
KNOWES OF ELRICK 19 A4

L

Laburnum Gr AB42 ..... 147 B4
Laburnum La 11 AB42 .... 38 D6
Laburnum Wlk AB16 ... 164 D4
Ladder Rd The AB36 ...... 66 A1
Lade Cres AB21 .... 158 C2
Ladeside Gdns AB51 ... 152 E2
Ladeside Rd
Brechin DD9 .... 188 C2
Inverurie AB51 .... 152 E3
Lady Rothes Pl AB43 ... 143 C6
Ladywell Pl AB11 ...... 170 E5
Ladywell Rd AB51 ..... 155 B6
Ladywood Cres AB34 .. 183 C4
Ladywood Dr AB34 ..... 183 B4
Laggan Pl AB41 .... 151 B7
Laing Ct AB51 .... 152 E5
Laingseat Rd AB23 ...... 91 A6
Laing St AB44 .... 141 D7
Laird Gdns AB22 ...... 159 C1
Lairds Gr AB21 .... 89 C7
Lairds Pk AB21 .... 89 C7
Laird's Wlk AB42 .... 40 D1
Lairhillock Sch AB39 ... 178 B3
Laithers Cres AB53 .... 145 C5
Lamb Way 5 DD10 ..... 189 D7
Lamondfauld La 6
DD10 .... 138 C8
Lamondfauld Rd DD10 .. 138 C8
Lamond Pl AB25 .... 165 A3
Landale Rd AB42 ...... 147 D5
Landends
Laurencekirk AB30 ..... 128 D4
Luthermuir AB30 .... 133 B8
Lane The AB51 .... 86 F1
Langdykes Cres AB12 .. 176 B8
Langdykes Dr AB12 .... 176 B8
Langdykes Rd AB12 .... 176 B8
Langdykes Way AB12 ... 176 C8
Langley Ave DD10 ..... 189 D6
Langley Rd AB42 .... 27 B3
Langstane Pl AB11 .... 190 A2
Lang Stracht AB15 ..... 163 E2
Lang Stracht The AB33 . 154 D4
Larch Rd AB16 .... 164 C4
Larg Dr AB32 .... 161 B3
LARGIE 57 C6
LARGUE 45 D8
Largue Prim Sch AB54 ... 45 D8
Latch Gdns DD9 .... 188 B4
Latch Rd DD9 .... 188 B4
Lathallan Grange DD10 . 135 D6
Lathallan Sch DD10 .... 135 D6
Laurel Ave AB22 .... 164 E8
Laurel Braes AB22 ..... 164 E8
Laurel Cres DD10 ...... 187 D7
Laurel Ct 1 AB39 ...... 185 C4
Laurel Dr AB22 .... 164 C8
Laurel Gdns AB22 ..... 164 E8
Laurel La AB22 .... 159 C1
Laurel Pk AB22 .... 164 E8
Laurel Pl AB22 .... 164 E8
Laurel Rd AB22 .... 164 E8
Laurel Terr
Aberdeen AB22 .... 164 E8
9 Pitmedden AB41 ...... 62 B2
Laurel View AB22 ..... 164 D8
Laurelwood Ave AB25 .. 164 F4
Laurel Wynd AB22 ..... 164 E8
LAURENCEKIRK 186 B5
Laurencekirk Bsns Pk
AB30 .... 186 D6
Laurencekirk Sch AB30 . 186 D4
Lavender Gr AB31 ..... 109 E3
Lavender Pk 4 AB51 ... 155 C4
Laverock Hill AB41 .... 151 C6
Laverock Rd 8 AB41 ..... 77 F8
Law of Balgreen★ AB45 .. 10 D1
Law of Doune Rd AB44 . 141 C5
Lawrence Rd AB52 .... 58 A7
Laws Dr AB12 .... 170 A2
Lawson Ave AB31 ..... 184 C5
Lawson Cres AB31 .... 184 C4
Lawsondale Ave AB32 .. 161 F2
Lawsondale Dr AB32 ... 161 F2
Lawsondale Terr AB32 .. 161 F3
Lawson Dr AB21 .... 158 A7
Lawson Pl AB31 .... 184 C4
Laws Rd AB12 .... 170 A2
Law The★ AB45 .... 3 D4
Leadside Rd AB25 ..... 165 A1
Lea Rig AB32 .... 161 B3
Lea Rig Rd AB42 .... 40 A6
Learny Pl AB15 .... 169 E7
Leask Ave AB42 .... 147 C4
Lecht 2090 Ski Ctr★
AB36 .... 79 C3
Lecht Rd AB36 .... 79 C3
LEDDACH 161 B2
Leddach Gdns AB32 ... 161 C3
Leddach Pl AB32 ...... 161 C3
Leddach Rd AB32 ..... 161 C3
Lee Cres
Aberdeen AB22 .... 159 C3
6 Bridge of Don AB22 .. 159 F1
Lee Crescent N AB22 .. 159 C3
Leeds Terr 2 AB42 ...... 25 D5
Lee Mar DD10 .... 138 B6
Leggart Ave AB12 ..... 169 F3
Leggart Cres AB12 .... 169 F2
Leggart Terr AB12 .... 169 F2
Leighton Gdns AB41 ... 151 B5
Leith Dr AB53 .... 47 E4
Leith Hall, Gdn & Est★
AB54 .... 56 C4
Lemonbank Pl AB44 ... 141 D6
Lemon Pl AB24 .... 190 C4
Lemon St AB24 .... 190 C4
Lemon Tree Arts Ctr★
AB24 .... 190 B4
Lendrum Pl AB53 ..... 145 B6
Lennox Terr AB54 ..... 148 E4
LEOCHEL-CUSHNIE 84 B1
Lerwick Rd AB16 ..... 163 E3
LESLIE 71 B7
Leslie Cres
Alford AB33 .... 154 C4
Westhill AB32 .... 161 C3
Leslie Pk 2 AB52 .... 58 D3
Leslie Pl
Inverurie AB51 .... 152 E3
5 Kemnay AB51 .... 87 D6
Leslie Rd AB24 .... 164 F5
Leslie's La AB53 ..... 145 D4
Leslie Terr AB25 ..... 165 A4
LETHENTY 48 C7
Lethen Wlk AB12 ..... 180 A4
Lethnot Rd DD9 .... 132 A7
Letter Rd AB32 .... 88 A1
Leven Ave AB41 ...... 151 B6
Lewis Ct AB15 .... 163 D3
Lewis Dr AB16 .... 163 E3
Lewis Pl AB43 .... 143 B3
Lewis Rd
Aberdeen AB16 .... 163 E3
Fraserburgh AB43 .... 143 B3

200 Lew–Mea

Lewisvale AB14 172 F6
LEYLODGE 88 B4
LEYS 25 E3
Leys Dr 5 AB43 26 C7
Leys Gdns AB21 156 B6
Leys Rd AB31 184 E4
Leys The AB44 141 E7
Leys Way 7 AB51 87 C6
Library Gdns 12 AB43 24 E6
Lickleyhead Castle★
AB52 71 F6
Licklyhead Way AB21 158 C7
Liddell Pl AB21 158 B7
Liddles Cl 6 DD9 188 C3
Lilac Gr 1 AB42 147 B3
Lilac Pl AB16 164 B4
Lilybank Pl AB25 164 F4
Lily Loch Rd AB39 185 B5
Lime St AB11 165 E1
Linden Gdns AB44 141 D6
Lindsay Pl DD9 132 B7
Lindsay St AB10 190 A3
Lingbank Terr 1 AB42 147 A4
Links Ave DD10 189 E4
Linksfield Gdns AB24 165 C4
Linksfield Pl AB24 165 C4
Linksfield Rd
Aberdeen AB24 165 C4
3 Peterhead AB42 147 C4
Linksfield Swimming Pool
AB24 165 C5
Links Pk (Montrose FC)
DD10 189 E4
Links Pl
Aberdeen AB11 165 E1
Cruden Bay AB42 53 A2
Links Rd
Aberdeen AB23 165 D8
Banff AB45 139 E7
Fraserburgh AB43 143 D5
Peterhead AB42 27 B3
Links St AB11 165 E1
Links Terr AB42 147 C5
Links The AB39 185 F6
Links View
Aberdeen AB24 165 D4
Cruden Bay AB42 53 A2
Inverboyndie AB45 140 B6
Peterhead AB42 27 B2
Linn Moor Residential Sch
AB14 166 D1
Linn of Dee Pl 2 AB35 113 E6
Linn of Dee Rd AB35 113 E6
LINTMILL 1 B3
Lintmill Brae AB41 63 F5
Lintmill Pl AB16 163 F5
Lintmill Terr AB16 163 F5
Linton Bsns Pk DD10 187 E5
Linton Ind Est DD10 187 E7
Linton The AB51 86 F1
Linx Ice Arena AB24 165 E3
Lismore Gdns 1 AB16 163 E2
Little Belmont St AB10 190 A3
Little Chapel St 7 AB10 165 A1
LITTLE COLLIESTON 64 D4
Little Farrochie Pl AB39 185 C5
Littlejohn St
Aberdeen AB25 190 B4
Huntly AB54 148 D4
Little Nursery DD10 189 C5
Little Oxen Craig 5
AB51 152 A8
Littlewood Pl AB33 154 D4
Little Wynd DD9 132 A7
Loan Dykes DD10 138 D7
Loanhead Pk AB51 59 E3
Loanhead Pl AB25 164 F2
Loanhead Terr AB25 165 A2
Loanhead Wlk 3 AB25 165 A2
Loan The AB45 1 F1
Lochans The DD10 134 C3
Lochburn Brae AB51 155 B6
Lochburn Dr AB51 155 B6
Lochinch Ave AB12 176 C6
Lochinch Dr AB12 175 F5
Lochinch Gdns AB12 175 F5
Lochinch Gr
Charlestown AB12 175 F5
Cove Bay AB12 176 C6
Lochinch Mews AB12 175 F5
Lochinch Pk AB12 175 F6
Lochinch Rd AB12 176 A5
Lochinch View AB12 175 F6
Lochinch Way AB12 175 F5
Lochinch Wlk AB12 175 F6
Loch La AB45 8 F8
Lochnagar Cres AB14 172 D7
Lochnagar Rd
Aberdeen AB14 172 E7
1 Balnagask AB11 170 F6
Lochnagar Way AB35 182 E5
Loch of Strathbeg Nature
Reserve★ AB43 15 F1
Loch of Strathbeg Visitor
Ctr★ AB43 15 D1
Lochpots Prim Sch AB43 143 B5
Lochpots Rd AB43 143 B5
LOCHSIDE 134 C3
Lochside Ave AB23 159 F3
Lochside Cres
Aberdeen AB23 159 F3
Montrose DD10 189 C6
Lochside Dr AB23 159 F3
Lochside Pl
Aberdeen AB23 159 F3
Lochside Pl *continued*
Edzell DD9 132 A7
4 Peterhead AB42 147 A4
Lochside Prim Sch DD10 189 C5
Lochside Rd
Aberdeen AB23 159 F3
Montrose DD10 134 C3
Peterhead AB42 147 A4
Lochside Terr AB23 160 A3
Lochside Way AB23 159 F3
Loch St
Aberdeen AB25 190 A3
Banff AB45 8 F8
Rosehearty AB43 142 C8
Loch View
1 Fraserburgh AB43 26 C7
Westhill AB32 161 C4
Lochview Dr AB23 160 A3
Lochview Pl AB23 159 F3
Lochview Way AB23 160 A3
Loch Way 4 AB51 87 D6
Lodge Wlk
Aberdeen AB10 190 B3
1 Fraserburgh AB43 143 D6
Peterhead AB42 147 E4
Lodging Brae AB45 139 E7
LOGIE 133 E2
Logie Ave
Aberdeen AB16 164 C7
11 Cullen AB56 1 B5
Logie Avenue W AB43 26 C8
LOGIE COLDSTONE 95 D3
Logie Coldstone Prim Sch
AB34 95 D3
Logie Dr
Buckie AB56 1 B5
Fraserburgh AB43 26 C7
Logie Durno Prim Sch
AB51 59 C1
Logie Gdns AB16 164 C7
Logie House★ AB51 73 A8
LOGIE PERT 133 B3
Logie Pl AB16 164 B6
Logie Rd
Ellon AB41 63 D2
Fraserburgh AB43 26 D7
Logie Terr AB16 164 C6
Loirsbank Rd AB15 168 E2
Loirston Ave AB12 176 B7
Loirston Cl AB12 176 B7
Loirston Cres AB12 176 C8
Loirston Ct AB12 176 B8
Loirston Manor AB12 176 C7
Loirston Pl
Aberdeen AB11 170 E6
Cove Bay AB12 176 C7
Loirston Prim Sch AB12 176 B7
Loirston Rd AB12 176 C7
Loirston Way AB12 176 B8
Loirston Wlk AB12 176 B8
Lomond Cres AB41 151 B6
Lonach Cres AB54 30 C7
Longate AB42 147 E5
Longcairn Gdns 9 AB21 163 D7
Long Cl AB41 151 D4
LONGHAVEN 53 D6
Longhaven Prim Sch
AB42 53 C6
Longlands Pl AB16 164 B5
LONGMANHILL 10 B5
LONGSIDE 38 D6
Longside Rd AB42 146 E5
Longside Sch AB42 38 D5
Long Straight The AB51 155 A6
Longview Terr AB16 163 F6
Long Walk Pl AB16 164 B4
Long Walk Rd AB16 164 B4
Long Walk Terr AB16 164 B4
LONMAY 14 F1
Lord Hay's Gr AB24 165 C7
Lorne Bldgs AB10 169 F4
Lossie Pl AB16 164 A3
Lost Gall The★ AB36 80 D6
Louden Pl AB21 158 C7
Louisville Ave AB15 169 D7
Lourin Cl 4 AB52 58 D3
Lovat St AB42 25 D5
Love La
4 Fraserburgh AB43 143 D6
Peterhead AB42 147 E5
5 Stonehaven AB39 185 F3
Lower Balmain St 4
DD10 189 C2
Lower Blantyre St 2 AB56 1 B5
Lower Cowgate AB51 150 C3
Lower Craigo St 1
DD10 189 C2
Lower Denburn AB25 190 A3
Lower Grange AB42 147 B5
Lowerhall St DD10 189 C4
Low Rd AB34 183 E5
Low Shore
Banff AB45 8 F8
Macduff AB44 141 C7
Low St
Banff AB45 140 F5
Fraserburgh AB43 12 E5
New Pitsligo AB43 23 E6
Portsoy AB45 139 D7
Low Wood Rd AB39 185 D4
Lubbock Pk Gdns DD9 188 B4
LUMPHANAN 98 A3
Lumphanan Prim Sch
AB31 98 A3
LUMSDEN 69 B5
Lumsden Ct AB45 148 C4
Lumsden Prim Sch AB54 69 B4
Lumsden Way AB23 77 C1
Lunan Ave DD10 189 C7
Luncarty Pl AB53 145 B6
Lusylaw Rd AB45 140 D5
Luther Dr AB30 186 C6
LUTHERMUIR 133 A7
Luthermuir Prim Sch
AB30 133 B7
LYNE OF SKENE 88 A1

M

Maberly St AB25 190 A4
MacAllan Rd 3 AB51 155 C4
MacAulay Dr AB15 169 A6
MacAulay Grange AB15 169 B6
MacAulay Pk AB15 169 B6
MacAulay Pl AB15 169 B6
MacAulay Wlk AB15 169 B6
MacAuley Gdns AB15 169 B6
Macbeth Pl 4 AB31 98 A3
McBey Way AB41 77 C6
McCombie Cres 7 AB51 87 D7
MacDiarmid Dr 1 DD10 138 C8
MacDonald Ct 4 AB39 185 E5
McDonald Dr AB41 151 C6
MacDonald Gdns AB41 151 D6
MacDonald Rd AB39 185 C4
McDonald St 1 AB54 148 E4
MACDUFF 141 F7
Macduff Ind Est AB44 141 E6
Macduff Marine Aquarium★
AB44 141 D7
Macduff Prim Sch AB44 141 E5
McEwan Gall★ AB35 104 A4
McFadden Pk AB51 155 B5
McGill Terr DD10 187 D3
McGregor Closet AB42 147 A7
McGregor Cres AB42 147 A7
McGregor Rd AB43 15 B7
MacGregor St 1 DD9 188 C3
McIntosh Cres AB21 158 B7
McIntosh's La 3 AB53 145 D4
McIver Terr AB54 148 C4
McKay Pl AB44 141 C6
McKay Rd AB44 141 C6
MacKay Rd AB12 170 A2
McKay's Rd AB23 77 A1
Mackenzie Ave AB30 124 B1
Mackenzie Ct AB42 147 C2
Mackenzie Dr AB51 59 E3
Mackenzie Gdns
Brechin DD9 188 B4
12 Turriff AB53 145 D4
Mackie Acad AB39 185 D6
Mackie Ave AB41 61 E6
Mackie Cres AB41 61 E6
Mackie Pl AB25 165 A1
Mackie's La AB53 145 D4
Maclean Terr AB45 139 E7
McLeod Pl AB43 143 A2
Macmillan Ave AB51 150 B3
MacNab Ave DD10 189 C6
Maconochie Pl AB43 143 D4
Maconochie Rd AB43 143 D5
McVeagh St AB54 148 D5
Maggie's Hoosie★ AB43 15 C8
Maiden Castle (Fort)★
AB51 72 F7
Maidencraig Pl AB16 163 F2
Maiden St AB42 147 E5
Main Rd
Aberdeen AB21 156 B5
Banchory AB31 98 A2
Hillside DD10 138 C8
Mains Circ AB32 161 F3
Mains Ct AB32 161 F3
Mains Gdns AB32 161 F3
MAINS OF KINMUNDY 161 E4
Main St
Aberchirder AB54 144 C4
Alford AB33 154 E3
Banff AB45 3 B2
Cruden Bay AB42 53 B3
Cuminestown AB53 22 B1
Ellon AB41 77 F7
Fraserburgh AB43 143 C7
Fyvie AB53 47 E5
Garmond AB53 22 C3
Hatton AB42 52 C4
Huntly AB54 69 B4
Inverallochy AB43 15 C8
Laurencekirk AB30 133 A7
Longside AB42 38 D6
Montrose DD10 135 C5
New Byth AB53 22 E4
Portsoy AB45 139 E7
Rothienorman AB51 47 A2
Sandhaven AB43 5 A4
Sauchen AB51 87 A1
Turriff AB53 145 C4
Mains View AB32 161 F3
Maisondieu La 2 DD9 188 C3
Maisondieu Prim Sch
DD9 188 C3
Maitland Cres AB51 152 B8
Maitland Path AB51 152 B8
Maitland Wlk AB51 152 B8
Major La 4 AB51 150 C3
Malcolm Rd
Aberdeen AB21 163 F8
Banff AB45 140 E5
Peterculter AB14 172 C7
Malcolm's Mount AB39 185 B5
Malcolm's Mount W
AB39 185 B5
Malcolm's Way AB39 185 B4
Mallard Ct 12 AB41 77 F8
Mallard Dr 3 AB42 147 B5
Mallard Rd 11 AB41 77 F8
Mall Park Rd DD10 189 D5
Mall The DD10 189 D5
Mall Trinity The AB25 190 A3
Maltings The DD10 189 E4
Maltman Gr AB24 190 C4
Mameulah Cres AB21 153 D5
Mameulah Ct 1 AB21 153 D6
Mameulah Rd AB21 153 D6
Mameulah View 2
AB21 153 D6
Manner St AB44 141 D7
MANNOFIELD 169 D5
Manor Ave AB16 164 B6
Manor Dr AB16 164 C7
Manor Pl AB16 168 E2
Manor Terr AB16 164 C6
Manor Wlk AB16 164 B6
Manse Croft AB54 117 C7
Mansefield 4 AB51 155 C5
Mansefield Pl
Aberdeen AB11 170 E6
2 Banchory AB31 184 E4
2 Fraserburgh AB43 26 D7
Mansefield Rd AB11 170 E6
Manse Gdns 3 AB53 145 C4
Manse La
Aberdeen AB21 89 B7
St Cyprus DD10 134 D4
2 Turriff AB53 145 C4
Manse Pl
Boddam AB42 40 C1
6 Peterhead AB42 52 C4
Manse Rd
Bieldside AB15 168 C2
Brechin DD9 132 B7
4 Hillside DD10 138 C8
Huntly AB54 55 D1
Inverurie AB51 152 D4
Methlick AB41 49 B3
3 Peterhead AB42 52 C4
Potterton AB23 91 A6
Turriff AB53 145 C4
Udney AB41 62 A1
Westhill AB32 101 E6
Manse St
Fraserburgh AB43 143 D7
Peterhead AB42 25 D5
Manse Terr
23 Boddam AB42 40 D1
7 Peterhead AB42 52 C4
Turriff AB53 145 C5
Manse Wlk AB41 61 F5
Man's Hill Ave AB39 185 D5
Manson Rd AB51 150 C2
Maple Pl AB12 176 C6
Marchbank Rd AB15 168 B1
Marchburn Ave AB16 164 A6
Marchburn Cres AB16 164 A6
Marchburn Ct 5 AB16 164 A6
Marchburn Ct Rd 1
AB16 164 A6
Marchburn Dr AB16 163 F6
Marchburn Inf Sch AB16 164 A6
Marchburn Pl AB16 164 A6
Marchburn Rd AB16 164 A6
Marchburn Terr AB16 164 B6
Marchfield Dr 1 AB51 152 B7
Marchfield Pl 2 AB51 152 B7
Marchmont Pl AB12 176 C8
Marchmont St AB12 176 C8
Marconi Rd AB43 143 C7
Marconi Terr AB43 143 B7
Marcus Cres AB21 156 B7
Marcus Dr AB21 156 B7
Marcus Gdns AB21 156 B7
Marcus Rd AB21 156 B6
Maree Terr AB41 151 B6
Margaret Allan Gr AB51 87 A2
Margaret Clyne Ct AB12 170 A3
Margaret Pl AB10 169 F5
Margaret St
5 Aberdeen AB10 165 A1
1 Stonehaven AB39 185 E4
Marine Ave DD10 189 D3
Marine Ct AB11 190 A1
Marine La AB11 190 A1
Marine Pl AB11 190 A1
Marine Terr
Aberdeen AB11 190 A1
Portsoy AB45 139 D7
Stonehaven AB39 181 G1
Marine View AB39 181 G1
Marischal Ct 4 AB11 190 C3
Marischal Gdns AB21 163 D7
Marischal Mus★ AB10 190 B3
Marischal St
Aberdeen AB11 190 B3
Peterhead AB42 147 E5
4 Stonehaven AB39 185 F3
Market Brae AB41 151 D6
Market Hill
Ellon AB41 151 D6
3 Peterhead AB42 38 D6
Markethill Ind Est AB53 145 D5
Markethill Prim Sch
AB53 145 C5
Markethill Rd AB53 145 D5
Market La
Aberdeen AB24 165 B5
Stonehaven AB39 185 E4
10 Strichen AB43 24 E5
4 Turriff AB53 145 D5
Market Muir Ct 7 AB51 152 D6
Market Pl
4 Inverurie AB51 152 E6
New Pitsligo AB43 23 E6
Market Place Prim Sch
AB51 152 E5
Market Rd AB30 186 C5
Market Sq
2 Inverbervie DD10 187 E7
Laurencekirk AB30 124 B1
1 Oldmeldrum AB51 150 C3
15 Stonehaven AB39 185 E4
Market St
Aberchirder AB54 144 C4
Aberdeen AB11 190 B2
Brechin DD9 188 C4
Ellon AB41 151 D4
Greenburn AB21 158 A2
Huntly AB54 148 C4
Insch AB52 149 D5
Macduff AB44 141 C6
Montrose DD10 189 D4
2 Peterhead AB42 36 E6
Turriff AB53 145 C5
Market Stance 7 AB34 96 C3
Market Terr 9 AB43 24 E6
Mar Lodge Est★ AB35 112 F4
Marlpool Pl AB21 163 D7
Marlpool Specl Sch
AB21 163 D8
MARNOCH 18 F1
Marquis Rd AB24 164 F6
Mar Rd
Ballater AB35 113 E6
Huntly AB54 70 C7
Marsh Pl AB12 180 B5
Martin Ave AB39 185 C6
Martin Brae AB51 152 C5
Martin Dr AB39 185 C6
Martin Pl AB39 185 C6
Martin Rd AB52 149 D5
Martin's La 3 DD9 188 C3
Martin Terr DD10 131 C7
Mart Rd AB33 154 D3
Mary Elmslie Ct AB24 165 C3
Maryfield Cres AB51 152 C6
Maryfield Pl 1 AB51 152 C6
Maryfield W AB51 152 C6
MARYKIRK 133 D4
Marykirk Prim Sch AB30 133 D4
Marykirk Rd DD10 138 D8
Mary Slessor Pl AB51 150 D3
Mary St AB39 185 E4
MARYTON 138 A3
Maryville Pk AB15 164 C1
Maryville Pl AB15 164 C1
MARYWELL 108 A2
Marywell La AB51 99 C6
Marywell St AB11 190 A2
MASTRICK 164 A3
Mastrick Cl AB16 164 B3
Mastrick Dr AB16 164 A3
Mastrick Junc AB16 164 A3
Mastrick Rd AB16 164 B3
Mathers Pk 9 DD9 188 C3
Mathers Pl 1 AB41 77 F8
Mathieson La 4 AB31 98 E1
Matthew Dr AB42 147 A4
Matthews Rd AB12 170 A2
MAUD 36 E7
Maud Hospl AB42 36 E6
Maud Prim Sch AB42 36 E6
Maud Sta Bsns Pk AB42 36 E6
Mavis Bank 7 AB41 77 F8
Maxwell Pl AB43 143 B6
Maxwell Place Ind Est
AB43 143 A6
May Baird Ave AB25 164 F3
Mayfield Gdns
Aberdeen AB15 169 D7
Insch AB52 149 D4
Mayfield Rd
St Cyrus DD10 134 D3
Turriff AB53 145 E4
Mayfield Terr AB52 149 D4
Meadow Ave AB54 148 D5
Meadowbank Pl 1 AB53 145 C5
Meadowbank Rd AB53 145 B6
Meadow Croft 1 AB51 74 F2
Meadow Ct
1 Aberchirder AB54 144 D5
1 Danestone AB24 164 F7
Meadow Dr AB51 150 C3
Meadow La AB24 165 A7
Meadowlands Ave AB32 161 E4
Meadowlands Cl 1
AB15 161 E5
Meadowlands Cres AB32 161 E5
Meadowlands Ct 3
AB32 161 E5
Meadowlands Dr AB32 161 D5
Meadowlands Pk AB32 161 D5
Meadowlands Pl AB32 161 D5
Meadowlands Way 2
AB32 161 E5
Meadow Pl
Aberdeen AB24 165 A7
1 Inverurie AB51 152 B8
Meadow Rd
2 Inverurie AB51 152 B8
Turriff AB53 22 C1
Meadows Dr AB51 150 C3
Meadowside DD10 187 D7
Meadows Sports Ctr
AB41 151 F5
Meadow St AB54 148 D5
Meadows The
Aberdeen AB13 167 D1
Ellon AB41 63 D5
Kirkton of Maryculter
AB12 173 B3
Meadows Vale AB51 150 C2

Meadows Way AB41 ..... 151 F4
Meadow Vale AB41 ..... 151 B6
Meadowview Rd AB53 .. 145 B6
Meadowview Wlk AB53 .. 145 B6
Mealmarket St AB24 ..... 190 B4
Mearns Acad AB30 ..... 186 E6
Mearns Cl [4] AB51 ..... 152 B8
Mearns Ct AB30 ..... 186 C5
Mearns Dr
Laurencekirk AB30 ..... 186 C4
Montrose DD10 ..... 189 C7
Stonehaven AB39 ..... 185 C6
Mearns Pk AB30 ..... 186 D6
Mearns Sports Ctr AB30 . 186 E6
Mearns St AB11 ..... 190 C3
Mearns Wlk
Laurencekirk AB30 ..... 186 B4
Stonehaven AB39 ..... 185 C5
Meavie Pl AB45 ..... 140 E6
Medicine Well Dr DD10 .. 189 C5
MEETHILL 147 A4
Meethill Pl AB42 ..... 147 B4
Meethill Prim Sch AB42 147 C3
Meethill Rd AB42 ..... 147 B5
Megray Row AB39 ..... 185 E6
Meikle Gdns AB32 ..... 161 D3
Meikle Mill [3] DD9 ..... 188 D2
Meiklemill Farm Ind Est
AB41 ..... 151 A4
Meiklemill Prim Sch
AB41 ..... 151 B4
MEIKLE WARTLE 59 B6
Meldrum Acad AB51 ..... 150 B4
Meldrum Dr AB21 ..... 153 D5
Meldrum Meg Way AB51 150 B2
Meldrum Prim Sch AB51 150 C3
Melgum Rd AB34 ..... 96 B3
Melrose Cres AB44 ..... 141 D6
Melrose Pl AB51 ..... 155 B3
Melrose Wlk AB14 ..... 172 D6
Melville Gdns DD10 ..... 189 D3
Melville Rd DD10 ..... 189 D3
MEMSIE 14 A5
Menie Cl [10] AB23 ..... 91 C8
Menie Cres [4] AB23 ..... 91 C8
Menie House★ AB23 ..... 77 D3
Menzies Rd AB11 ..... 190 B1
Merchants Quay [3]
AB42 ..... 147 E4
Merchant St AB42 ..... 147 E4
Mercury Lone DD10 ..... 134 D3
Mercury Terr DD10 ..... 134 D3
Meridian St [5] DD10 ..... 189 D2
Merkland La AB24 ..... 165 D4
Merkland Pl AB24 ..... 165 C4
Merkland Rd AB24 ..... 165 C4
Merkland Road E AB24 .. 165 C4
Merlin Terr [9] AB41 ..... 77 F8
Meston Wlk AB24 ..... 165 B5
METHLICK 49 B4
Methlick Prim Sch AB41 .. 49 B4
Methlick Wood AB41 ..... 49 B3
Mews The AB31 ..... 184 D3
MID ANGUSTON 111 E8
MID ARDLAW 13 E6
Midchingle Rd AB11 ..... 190 C2
Middle Brae [8] AB21 ..... 163 D7
Middleburgh Rd AB43 .. 143 C4
MIDDLEFIELD 164 C6
Middlefield Cres AB24 .. 164 D6
Middlefield Pl AB24 ..... 164 D6
Middlefield Prim Sch
AB16 ..... 164 C6
Middlefield Terr AB24 .. 164 D6
Middlefield Wlk AB24 ..... 164 D5
MIDDLE GRANGE 147 A5
MIDDLEMUIR 24 A7
Middlemuir Pl [20] AB21 .. 163 D7
Middlemuir Rd AB51 ..... 152 C6
Middle Pk AB51 ..... 152 B6
Middle Row AB11 ..... 170 F8
Middleton Circ AB22 ..... 159 C3
Middleton Cl AB22 ..... 159 C3
Middleton Cres AB22 ..... 159 C3
Middleton Dr AB22 ..... 159 C3
MIDDLETON PARK 159 D3
Middleton Park Prim Sch
AB22 ..... 159 D3
Middleton Path AB22 ..... 159 C3
Middleton Pk DD9 ..... 188 D2
Middleton Pl
Aberdeen AB22 ..... 159 F1
Insch AB52 ..... 58 D3
Middleton Rd
Aberdeen AB22 ..... 159 C3
[3] Insch AB52 ..... 58 D3
Middleton Terr AB22 ..... 159 C3
Middleton Way
Aberdeen AB22 ..... 159 C3
Inverurie AB51 ..... 152 C7
MIDMAR 99 D6
Midmar Castle★ AB51 ... 100 A4
Midmar Cres AB15 ..... 162 F4
Midmar Pk AB15 ..... 162 F4
Midmar Prim Sch AB51 .. 99 D6
Midmar View AB15 ..... 162 F3
Midmar Wlk AB15 ..... 162 F4
Midmill Bsns Pk AB51 ... 155 D2
Mid St
Banff AB45 ..... 7 E1
Fraserburgh AB43 ..... 143 C6
Inverallochy AB43 ..... 15 C8
Mid Street AB43 ..... 15 D6
Montrose DD10 ..... 135 C6
Peterhead AB42 ..... 147 D7
Rosehearty AB43 ..... 142 C8
Mid Stocket Mews AB25 . 164 F2
Mid Stocket Rd AB15 ... 164 C2
Midway AB30 ..... 186 C5
MIGVIE 95 D5
Migvie Ave AB15 ..... 162 F4
Migvie Castle (remains of)★
AB34 ..... 95 D5
Migvie Gdns AB15 ..... 162 F4
Migvie Gr AB15 ..... 162 F4
Migvie Lea AB15 ..... 162 F4
Mildens Row AB39 ..... 185 E6
Mile End AB42 ..... 147 C3
Mile-End Ave AB15 ..... 164 E2
Mile-End La AB15 ..... 164 F2
Mile-End Pl AB15 ..... 164 E2
Mile End Pl [2] AB42 ..... 147 C3
Mile End Prim Sch AB15 164 E1
Millan Ct [7] AB31 ..... 98 A3
Millan Pk [5] AB31 ..... 98 A3
Millan View [6] AB31 ..... 98 A3
Millarsmires End [4]
AB22 ..... 159 E2
Millbank La AB25 ..... 165 A3
Millbank Pl AB25 ..... 165 A3
MILLBRECK 38 A4
Millburn Ave AB43 ..... 15 D6
Millburn Ct AB44 ..... 141 E5
Millburn Pl AB43 ..... 143 A5
Millburn Rd AB51 ..... 150 B2
Millburn St AB11 ..... 190 B1
Mill Ct
Aberdeen AB24 ..... 164 D7
[8] Gourdon DD10 ..... 187 D3
Millden Rd AB15 ..... 168 F3
Milleath Wlk [2] AB21 ..... 158 C7
Millend [3] AB41 ..... 77 F7
Miller Gdns
Fraserburgh AB43 ..... 143 A6
Newmachar AB21 ..... 153 D5
Miller St AB11 ..... 190 C3
Miller Street Ind Est
AB11 ..... 190 C3
Millers Visitor & Ret Ctr
The★ AB51 ..... 99 F5
MILLFIELD 106 C3
Millfield Ave [2] AB51 ... 152 C7
Millfield Dr AB51 ..... 152 C7
Millfield Pl AB51 ..... 152 C7
Millfield Terr [1] AB51 ... 152 C7
Millgrove Rd AB21 ..... 158 C2
Millhill Brae AB21 ..... 158 C1
Mill La
Montrose DD10 ..... 189 C2
Peterhead AB42 ..... 37 D4
Mill Lade Wynd AB22 ..... 164 C8
Mill of Forest Gr AB39 ... 185 B3
Mill of Forest La [6]
AB39 ..... 185 C4
Mill of Forest Rd AB39 .. 185 B4
Mill O'Forest Prim Sch
AB39 ..... 185 B4
Millpark Rd AB41 ..... 151 A6
Mill Pk AB42 ..... 37 D4
Mill Pl
Aboyne AB34 ..... 96 B3
Montrose DD10 ..... 133 D3
Mill Rd
Aboyne AB34 ..... 96 B3
Huntly AB54 ..... 148 E4
Insch AB52 ..... 149 C4
Inverurie AB51 ..... 152 E1
[2] Montrose DD10 ..... 189 C3
[9] Oldmeldrum AB51 ..... 150 C3
Turriff AB53 ..... 145 C4
Millside Dr AB14 ..... 172 C6
Millside Rd AB14 ..... 172 C6
Millside St AB14 ..... 172 C6
Millside Terr AB14 ..... 172 C6
Mill St
Macduff AB44 ..... 141 D7
Montrose DD10 ..... 189 D4
Stuartfield AB42 ..... 37 D4
Millstone Pl [8] AB51 ..... 87 D7
MILLTIMBER 173 A8
Milltimber Brae AB13 ..... 173 A7
Milltimber Brae E AB13 .. 173 A7
Milltimber Prim Sch
AB13 ..... 173 C8
MILLTOWN OF
KILDRUMMY 83 A7
MILLTOWN OF
ROTHIEMAY 30 D7
Millwood Rd AB41 ..... 151 B6
Milnamair [1] DD10 ..... 189 C3
Milne's Wynd DD10 ..... 135 C6
MILTON 1 B1
Milton Dr AB51 ..... 87 C6
Miltonfold AB21 ..... 163 F8
Milton of Arbuthnott
AB30 ..... 130 D6
MILTON OF
CAMPFIELD 109 A7
Milton of Crathes Visitor Ctr
The★ AB31 ..... 110 D3
MILTON OF CUSHNIE 84 A2
MILTON OF MURTLE 173 E8
Milton View AB51 ..... 87 C6
Mineralwell View AB39 .. 185 E6
Minister La [2] AB10 ..... 190 A3
MINTLAW 146 F5
Mintlaw Acad AB42 ..... 146 C5
Mintlaw Prim Sch AB42 . 146 E5
Mintlaw Rd AB42 ..... 25 D1
MINTLAW STATION 146 B6
Minto Ave AB12 ..... 170 F3
Minto Circ [2] AB51 ..... 87 C7
Minto Dr AB12 ..... 170 F2
Minto Rd AB12 ..... 170 F2
Minty's La [2] AB53 ..... 145 D4
Mitchell Ave AB54 ..... 148 C5
Mitchell Dr DD9 ..... 188 D1
Mitchell Gdns AB21 ..... 156 B7
Mitchell Pl AB42 ..... 37 D4
Mither Tap AB51 ..... 152 A8
Modley Ave AB41 ..... 151 B4
Modley Cl AB41 ..... 151 B4
Modley Ct AB41 ..... 151 B4
Modley Pl AB41 ..... 151 C5
Moir Ave AB16 ..... 164 C5
Moir Cres AB16 ..... 164 C5
Moir Dr AB16 ..... 164 C5
Moir Gn AB16 ..... 164 C5
Monach Terr AB16 ..... 163 E2
Monaltrie Ave AB35 ..... 182 E5
Monaltrie Cl AB35 ..... 182 E6
Monaltrie Cres AB35 ..... 182 D5
Monaltrie Rd AB35 ..... 182 E4
Monaltrie Way AB35 ..... 182 E5
Monarch Terr [5] AB16 ..... 163 E2
MONBODDO 124 C1
Monboddo Rd [16] AB31 .. 108 E8
Monboddo St AB30 ..... 124 B1
Monduff Rd AB39 ..... 181 G2
Monearn Gdns AB13 ..... 173 B8
MONKSHILL 48 B7
Monquhitter Prim Sch
AB53 ..... 22 C1
Montbletton Pl AB44 ..... 141 E5
Montcoffer View AB45 .. 140 E4
Monteach Rd AB41 ..... 49 C7
MONTGARRIE 154 D7
Montgarrie Rd AB33 ..... 154 D4
Montgomery Rd AB24 ..... 164 F7
MONTROSE 189 E5
Montrose Acad DD10 ..... 189 D3
Montrose Air Sta Heritage
Ctr★ DD10 ..... 189 D6
Montrose Basin Nature
Reserve★ DD10 ..... 189 A3
Montrose Basin Wildlife
Ctr★ DD10 ..... 138 B3
Montrose Cl AB21 ..... 157 E5
Montrose Dr AB10 ..... 169 E3
Montrose Mus★ DD10 ... 189 D3
Montrose Rd
Aberdeen AB21 ..... 157 E5
Inverbervie DD10 ..... 187 D6
Montrose Royal Infmy
DD10 ..... 189 C2
Montrose Sports Ctr
DD10 ..... 189 E3
Montrose St DD9 ..... 188 D2
Montrose Sta DD10 ..... 189 C4
Montrose Way AB21 ..... 157 E5
Monument Cl AB42 ..... 147 C2
MONYMUSK 86 E6
Monymusk Arts Ctr★
AB51 ..... 86 E5
Monymusk Prim Sch
AB51 ..... 86 E6
Monymusk Terr AB15 ... 169 A7
Monymusk Walled Gdn★
AB51 ..... 86 F6
Moor Pl AB12 ..... 180 C6
Morar Ct AB41 ..... 151 A6
Moray Pl AB15 ..... 164 C1
Moray Rd AB43 ..... 143 C7
Moray St AB44 ..... 141 E7
Moray View [4] AB45 ..... 140 E6
Morgan Rd AB24 ..... 164 D4
Morlich Ave AB41 ..... 151 B6
Mormond Ave AB43 ..... 143 C5
Mormond Cres AB42 ..... 146 E4
Mormond Pl
Inverallochy AB43 ..... 15 B7
Strichen AB43 ..... 24 F6
Mormond View [1] AB42 .. 25 D5
Morningfield Mews
AB15 ..... 164 D1
Morningfield Rd AB15 ... 164 D1
Morningside Ave
Aberdeen AB10 ..... 169 D4
[4] Inverurie AB51 ..... 152 A7
Waterside AB42 ..... 40 A6
Morningside Cres
Aberdeen AB10 ..... 169 D4
[7] Inverurie AB51 ..... 152 A7
Morningside Dr AB51 ... 152 A7
Morningside Gdns
Aberdeen AB10 ..... 169 E5
[2] Inverurie AB51 ..... 152 A7
Morningside Gr AB10 ..... 169 D5
Morningside La AB10 ..... 169 D5
Morningside Pk AB51 ... 152 A8
Morningside Pl AB10 ..... 169 D5
Morningside Rd
Aberdeen AB10 ..... 169 D5
[5] Inverurie AB51 ..... 152 A7
Morningside Terr
Aberdeen AB10 ..... 169 D4
[6] Inverurie AB51 ..... 152 A7
Morphie Dr DD10 ..... 134 D3
Morrison Ct [1] AB42 ..... 36 E7
Morrison Dr AB10 ..... 169 C4
Morrison Pl
[6] Kemnay AB51 ..... 87 D7
Macduff AB44 ..... 141 D7
Peterhead AB42 ..... 53 A3
Morrison's Croft Cres
AB23 ..... 160 B1
Morrison's La AB53 ..... 145 D4
Morrison Way AB51 ..... 155 C2
Morrone Birkwood National
Nature Reserve★ AB35 113 D5
Mortimer Dr AB15 ..... 168 F8
Mortimer Pl AB15 ..... 168 F8
Mortimer's La AB51 ..... 152 C7
Mortlich Gdns AB34 ..... 183 B4
Morven Ave DD10 ..... 189 C8
Morven Circ AB32 ..... 161 D4
Morven Cres
Peterhead AB42 ..... 147 B6
Westhill AB32 ..... 161 D3
Morven Ct [2] AB11 ..... 170 F6
Morven Dr AB32 ..... 161 D3
Morven Gdns AB32 ..... 161 D3
Morven Pl
Aberdeen AB11 ..... 170 D6
Aboyne AB34 ..... 183 B4
Morven View [1] AB34 ..... 96 C3
Morven-View Rd AB45 ..... 3 C2
Morven Way AB35 ..... 182 E6
Mosman Gdns AB24 ..... 164 D5
Mosman Pl AB24 ..... 164 E5
Mosscroft Ave AB32 ..... 161 C1
Mossgiel Way AB43 ..... 143 A3
Mosside Cres AB12 ..... 180 B6
Mosside Ct [5] AB32 ..... 161 D2
Mosside Dr AB12 ..... 180 B6
Mosside Pl [2] AB32 ..... 161 D2
Mosside Way [15] AB21 ... 163 D7
Moss Rd
Aberchirder AB54 ..... 144 C5
Huntly AB54 ..... 55 D1
Moss St AB55 ..... 28 E7
Mounie Castle★ AB51 ..... 60 A3
Mounie Dr AB51 ..... 150 B2
Mount Ave DD10 ..... 189 D4
Mounthooly AB24 ..... 165 C3
Mounthooly Way AB24 .. 165 C3
Mount Pleasant AB23 ... 165 D8
Mount Rd DD10 ..... 189 D4
Mountskip Cres DD9 ..... 188 B4
Mountskip Rd DD9 ..... 188 B4
MOUNTSOLIE 13 D2
Mount St
Aberdeen AB25 ..... 165 A2
Banchory AB31 ..... 184 B5
Mountview Gdns [4]
AB25 ..... 165 A2
Mowatshill Rd AB42 ..... 147 B4
Mowatts La [3] DD10 ..... 187 D3
MUCHALLS 181 G2
Muchalls Castle★ AB39 .. 121 B6
Mugiemoss Rd AB21 ..... 163 F8
Muirend Ct AB12 ..... 180 B6
Muirend Rd AB12 ..... 180 B6
Muiresk Dr AB53 ..... 145 B5
Muirfield Pl AB16 ..... 164 B2
Muirfield Prim Sch AB16 164 B2
Muirfield Rd AB16 ..... 164 B3
MUIR OF ALFORD 84 C6
Muir of Dinnet National
Nature Reserve★ AB34 105 D6
MUIR OF FOWLIS 84 D2
MUIR OF KINELLAR 88 E4
Muir Rd AB43 ..... 14 B5
Muirs The AB54 ..... 55 D2
MUIRTACK 51 D4
Muirton Cres AB21 ..... 158 C7
Mulloch View [2] AB34 ... 106 A5
Mull Way AB16 ..... 163 E2
Mundi Cres AB21 ..... 153 D6
Mundurno Rd AB22 ..... 159 D1
Murcar Ind Est AB23 ..... 160 A5
Murison Dr AB43 ..... 142 B7
Murray Ave [2] AB41 ..... 61 E5
Murray Ct AB24 ..... 164 D7
Murray La [3] DD10 ..... 189 C4
Murray Pl
Portsay AB45 ..... 139 C7
Stonehaven AB39 ..... 185 D3
Murray Rd AB39 ..... 181 I5
Murray's La AB11 ..... 190 C1
Murray St DD10 ..... 189 C4
Murray Terr
Aberdeen AB11 ..... 170 B6
Alford AB33 ..... 154 C3
Murtle Den Rd AB13 ..... 167 F1
Museum of Farming Life★
AB41 ..... 62 A3
Museum of Scottish
Lighthouses★ AB43 ... 143 D8
Museum St [3] DD10 ..... 189 D3
MYREBIRD 110 E6
Myrtle Est AB15 ..... 173 E7
Myrtle Terr AB12 ..... 180 A5
Myrus Ave AB45 ..... 141 D4
Myrus Circ AB44 ..... 141 E5

N

Napier Pl AB30 ..... 133 D4
Napier Terr AB30 ..... 133 D5
Narrow La [4] AB42 ..... 147 E5
Nathalan Ct [13] AB51 ..... 150 C3
Natural Arches & Cliff
Stacks★ AB42 ..... 53 D5
Neil Burn Dr [4] AB34 ..... 108 B6
Nellfield Pl AB10 ..... 170 A7
Nellfred Terr AB51 ..... 152 C7
Nelson Ct AB24 ..... 165 C3
Nelson La AB24 ..... 165 C3
Nelson Pl AB54 ..... 148 D4
Nelson St
Aberdeen AB24 ..... 165 C3
Huntly AB54 ..... 148 D4
Ness Circ AB41 ..... 151 B7
Ness Pl AB16 ..... 164 A3
Nether Aden Rd AB42 ... 146 E5
Nether Blackhall AB51 .. 152 A6
NETHERBRAE 11 B2
Netherby Rd AB15 ..... 168 D2
Nether Caldhame DD9 .. 188 E3
Nether Davah Ct [2]
AB51 ..... 152 B5
Nether Davah Pl [1]
AB51 ..... 152 B5
Nether Davah Way AB51 . 152 B5
Netherhill La AB42 ..... 27 B2
Netherhills Ave AB21 ..... 163 D7
Netherhills Pl AB21 ..... 163 D7
NETHER KINMUNDY 38 E2
Netherkirkgate AB10 ..... 190 B3
NETHERLEY 120 E8
Netherley Pl [2] AB35 ..... 182 E4
Nethermains Rd AB39 ... 181 G2
NETHERMUIR 36 C3
Nethermuir Rd AB42 ..... 36 D6
Netherview Ave AB21 ... 158 C7
Netherview Pl AB21 ..... 158 B6
Netherview Rd AB21 ..... 158 B6
Neuk The AB21 ..... 156 B7
Nevada Ct [5] AB21 ..... 153 C6
Nevis Bsns Pk AB22 ..... 159 D1
NEW ABERDOUR 12 E5
New Aberdour Prim Sch
AB43 ..... 12 E6
Newbigging Dr [5] AB39 . 185 C4
Newbigging Pl DD10 ..... 187 D7
NEWBURGH 77 F8
Newburgh Circ AB22 ..... 159 D4
Newburgh Cres AB22 ..... 159 E3
Newburgh Dr AB22 ..... 159 D3
Newburgh Mathers Prim Sch
AB41 ..... 77 F8
Newburgh Path AB22 ..... 159 D3
Newburgh Pl AB22 ..... 159 E3
Newburgh Rd AB22 ..... 159 E4
Newburgh St AB22 ..... 159 D3
Newburgh Way AB22 ..... 159 D3
NEW BYTH 22 D4
NEW DEER 36 A6
New Deer Prim Sch AB53 36 A5
New Gd AB45 ..... 3 C3
Newhame Rd DD10 ..... 189 C7
NEWHILLS 163 B8
Newhills Ave AB21 ..... 163 D6
Newhills Prim Sch AB21 163 D7
Newlands Ave AB10 ..... 169 E5
Newlands Cres AB10 ..... 169 E5
Newlands Dr AB51 ..... 155 C5
Newlands Rd AB42 ..... 146 D4
NEW LEEDS 25 D5
NEWMACHAR 153 D5
Newmachar Prim Sch
AB21 ..... 153 D6
Newmanswalls Ave
DD10 ..... 189 C6
New Park Pl AB16 ..... 164 A3
New Park Rd AB16 ..... 164 A3
New Pier Rd AB11 ..... 170 F8
NEW PITSLIGO 23 D6
New Pitsligo & St Johns Sch
AB43 ..... 23 D6
New Rd
Huntly AB54 ..... 148 E4
Montrose DD10 ..... 135 C6
New St
[17] Boddam AB42 ..... 40 D1
Peterhead AB42 ..... 147 E6
Stonehaven AB39 ..... 185 E4
NEWTONHILL 181 H5
Newtonhill Prim Sch
AB39 ..... 179 F1
Newtonhill Rd AB39 ..... 181 H4
NEWTONMILL 132 B3
Newton Pl AB39 ..... 181 I5
Newton Rd
Aberdeen AB16 ..... 164 C6
Dyce AB21 ..... 157 E6
Mintlaw AB42 ..... 146 D5
Peterhead AB42 ..... 27 B2
Stonehaven AB39 ..... 181 I5
Newton Terr AB21 ..... 163 F8
Newtown Dr AB44 ..... 141 E7
New View Ct [9] AB56 ..... 1 B5
New Wynd DD10 ..... 189 C3
Nicol Ct AB35 ..... 182 E4
Nicol Pl AB12 ..... 180 C6
Nicol Rd [2] AB51 ..... 155 C4
Nicol's Brae AB44 ..... 141 C7
NIGG 170 C2
Nigg Kirk Rd AB12 ..... 170 C3
Nigg Way AB12 ..... 170 A1
Ninian Pl AB12 ..... 180 C7
Ninian Rd AB21 ..... 157 E6
NITTANSHEAD 23 C4
Noble St AB43 ..... 143 C7
Norfolk Rd AB10 ..... 169 E5
North Anderson Dr AB15 164 C2
North Balnagask Rd
AB11 ..... 170 F7
North Beach Rd AB23 ..... 91 C8
North Braeheads [2]
AB43 ..... 143 D7
Northburn Ave AB15 ..... 169 B8
Northburn La AB15 ..... 169 A8
North Castle St
Banff AB45 ..... 140 F6
[13] Cullen AB56 ..... 1 B5
Northcote Ave AB15 ..... 169 B4
Northcote Cres AB15 ..... 169 B5
Northcote Hill AB15 ..... 169 B4
Northcote Pk AB15 ..... 169 B4
Northcote Rd AB15 ..... 169 C4
NORTH CRAIGO 133 D2
North Deeside Rd
Aberdeen AB13 ..... 173 A7

202 Nor–Put

North Deeside Rd *continued*
Aboyne AB34 . . . 108 A6
Banchory AB31 . . . 184 F5
Braeside AB15 . . . 169 C4
Peterculter AB14 . . . 172 C6
North Deskford St 3 AB56 . 1 B4
North Donside Rd AB23 . 160 A1
North East Falconry Ctr★ AB54 . . . 43 A8
Northern Ct 8 AB43 . . . 143 D6
Northern Rd AB51 . . . 155 B6
North Esk Rd
Brechin DD9 . . . 132 B7
Montrose DD10 . . . 189 D4
North Esk View DD9 . . . 132 B7
North Esplanade E AB11 . . 190 C2
North Esplanade W AB11 . 190 B1
NORTHFIELD . . . 164 A5
Northfield Acad AB16 . . . 164 C5
Northfield Farm Mus★ AB43 . . . 12 C2
Northfield Gdns 4 AB42 . 52 C4
Northfield Pl
Aberdeen AB25 . . . 165 A1
3 Ellon AB41 . . . 151 B5
Northfield Swimming Pool AB16 . . . 164 B5
NORTH FLOBBETS . . . 48 B1
North Grampian Circ AB11 . . . 170 D6
North High St AB45 . . . 139 D7
Northhill Pk AB30 . . . 129 A5
North La
Fraserburgh AB43 . . . 143 D7
Peterhead AB42 . . . 147 D7
North Latch Rd DD9 . . . 188 A4
North Pl AB42 . . . 25 C1
NORTH RAYNE . . . 58 F6
North Rd
Insch AB52 . . . 149 C4
Peterhead AB42 . . . 147 A8
North St Andrew St 3 AB25 . . . 190 A4
North Silver St AB10 . . . 190 A3
North Sq AB11 . . . 170 F8
North St
Aberchirder AB54 . . . 144 D4
Fraserburgh AB43 . . . 143 D7
Huntly AB54 . . . 144 C4
Inverurie AB51 . . . 152 C7
Mintlaw AB42 . . . 146 D6
Montrose DD10 . . . 189 D4
1 Peterhead AB42 . . . 147 E6
Rosehearty AB43 . . . 142 B8
Strichen AB43 . . . 24 E5
NORTH WATER BRIDGE . . 133 A5
Novar Pl AB25 . . . 165 A2
Nursery La
Brechin DD9 . . . 188 D1
5 Cornhill AB16 . . . 164 C4
Inverurie AB51 . . . 152 E5
Nursery Pk DD9 . . . 188 D2
Nursery Rd DD10 . . . 189 C5

O

Oakbank Gdns 7 AB51 . . 150 C3
Oakbank Sch AB15 . . . 164 D1
Oak Cres AB32 . . . 161 D2
Oakdale Terr AB15 . . . 169 D5
Oak Dr AB12 . . . 180 B4
Oakhill Cres AB15 . . . 164 D1
Oakhill Rd
Aberdeen AB15 . . . 164 D1
Kintore AB51 . . . 155 C4
Oak Tree Ave AB31 . . . 184 E6
Oak View 6 AB23 . . . 91 C8
O'Brien Ct 3 AB51 . . . 152 E3
Ogilvie Ave AB54 . . . 148 D3
Ogilvie Cres AB51 . . . 155 B5
Ogilvie Pk 10 AB56 . . . 1 B4
Ogilvie Pl AB45 . . . 140 E5
Ogilvie St 2 AB45 . . . 8 F8
Ogilvie Terr DD10 . . . 189 C1
Ogstonmill 1 AB21 . . . 89 B7
Ogston Rd AB41 . . . 151 B5
OLD ABERDEEN . . . 165 B5
Old Aberdeen Rd
3 Ellon AB41 . . . 61 E5
Laurencekirk AB30 . . . 129 F7
Old Castlegate 11 AB45 . . 140 F6
Old Chapel Rd AB51 . . . 152 B7
Old Chapel Wlk 3 AB51 . 152 C7
Old Church Rd
Aberdeen AB11 . . . 170 D5
Buckie AB56 . . . 1 A4
Old Coast Rd AB12 . . . 180 D4
Old Course Ave AB51 . . . 152 B5
Oldcroft Ct 5 AB16 . . . 164 C3
Oldcroft Pl AB16 . . . 164 C3
Oldcroft Terr AB16 . . . 164 C3
OLD DEER . . . 37 D6
Old Ferry Rd AB15 . . . 168 B1
Oldfold Ave AB13 . . . 167 D1
Oldfold Cres AB13 . . . 167 D1
Oldfold Dr AB13 . . . 167 D1
Oldfold Pk AB13 . . . 167 D1
Oldfold Pl AB13 . . . 167 D1
Oldfold Wlk AB13 . . . 167 D1
Old Ford Rd AB11 . . . 190 B1
Old Gamrie Rd AB44 . . . 141 E6
Old Inn Rd AB12 . . . 180 F7
Old Kemnay Rd AB51 . . . 152 D3
OLD KINNERNIE . . . 100 C8
Old Line Rd AB35 . . . 182 C5
Oldmachar Acad AB22 . . 159 D3
Oldman Rd AB12 . . . 173 B3
Old Market Pl AB45 . . . 141 A5
Old Market Rd AB34 . . . 183 D4
Old Mart Ave AB52 . . . 149 D4
Old Mart Pl DD9 . . . 188 D3
Old Mart Rd
14 Banchory AB31 . . . 108 E8
Insch AB52 . . . 149 D4
OLDMELDRUM . . . 150 D2
Oldmeldrum Rd
Aberdeen AB21 . . . 153 C6
Ellon AB41 . . . 62 A2
Old Meldrum Rd AB21 . . . 158 D1
Old Military Rd
Alford AB33 . . . 97 F8
Ballater AB35 . . . 113 E1
Banchory AB31 . . . 98 A6
Bridgend AB54 . . . 43 E3
Crathie AB35 . . . 103 C8
Huntley AB45 . . . 148 C2
Huntly AB54 . . . 56 A7
Old Mill Cres AB23 . . . 91 C8
Oldmill Rd AB11 . . . 190 A2
Old Mill Rd AB39 . . . 181 I4
OLD MONTROSE . . . 138 F3
Old Pier AB39 . . . 185 F3
OLD RAYNE . . . 58 D3
Old Rayne Prim Sch AB52 58 D3
Old Rectory Ave AB41 . . . 151 D4
Old Road
Aberchirder AB54 . . . 144 D5
Balmedie AB23 . . . 91 C8
Huntly AB54 . . . 148 E4
Old Royal Sta The★ AB35 . . . 182 D4
Old School 1 AB42 . . . 146 D5
Old School Rd AB53 . . . 22 D5
Old Skene Rd
Aberdeen AB15 . . . 163 A1
Kingswells AB15 . . . 162 F1
Westhill AB32 . . . 161 C3
Old Station Pl AB35 . . . 182 E5
Old Station Rd AB51 . . . 152 E5
Old Station Sq DD10 . . . 134 D3
Old Strichen Rd AB43 . . . 143 B3
Old Tollhouse Rd AB34 . . 183 C5
Old Toll Rd AB54 . . . 148 E3
Old Town House The★ AB24 . . . 165 B5
Oldtown Pl AB16 . . . 164 B6
Old Town Rd AB34 . . . 183 F5
Oldtown Terr AB16 . . . 164 A6
OLD WESTHALL . . . 72 D8
OLDWHAT . . . 23 C2
Olympia Gdns 4 AB31 . . 110 B3
Omar Ave DD10 . . . 189 B5
Orange La DD10 . . . 189 D4
Orchard Gr
2 Blackburn AB21 . . . 156 A6
Ellon AB41 . . . 76 C7
3 Peterhead AB42 . . . 147 B3
Westhill AB32 . . . 100 D4
Orchard Pl AB24 . . . 165 C4
Orchard Rd AB24 . . . 165 C4
Orchard St AB24 . . . 165 C4
Orchard The 2 AB24 . . . 165 C4
Orchard Wlk 1 AB24 . . . 165 C4
ORDHEAD . . . 86 C1
ORDIE . . . 105 F8
Ordiquhill Prim Sch AB45 18 C7
Ord St AB15 . . . 169 B8
Oriel Terr AB14 . . . 172 D6
Orkney Ave AB16 . . . 163 E3
Osborne Pl AB25 . . . 164 F1
Osborne Terr AB44 . . . 141 D7
Oscar Pl AB11 . . . 170 D6
Oscar Rd AB11 . . . 170 D6
OVERBRAE . . . 11 D3
Overhill Gdns AB22 . . . 159 E1
Overhills Wlk 10 AB21 . . 163 D7
Overton Ave AB21 . . . 158 C5
Overton Circ AB21 . . . 158 B5
Overton Cres AB21 . . . 158 C5
Overton Pk AB21 . . . 158 C5
Overton Way AB21 . . . 158 B5
Overton Wlk AB21 . . . 158 C6
Oxen Craig AB51 . . . 152 A8
OYNE . . . 72 D8
Oyne Prim Sch AB52 . . . 72 D8
Oyne Rd AB15 . . . 169 A7

P

Paddock The AB14 . . . 172 D6
Palmerston Pl AB11 . . . 190 B1
Palmerston Rd AB11 . . . 190 B2
Palmerston St 4 DD10 . . 189 D2
Panmore Way 2 AB23 . . . 91 A6
Panmure Gdns AB23 . . . 91 A6
Panmure Pl
Edzell DD9 . . . 132 B8
Montrose DD10 . . . 189 D3
Panmure Row 5 DD10 . . 189 D3
Panmure St
Brechin DD9 . . . 188 C3
2 Montrose DD10 . . . 189 D3
Pannanich Rd AB35 . . . 182 E5
Panter Cres DD10 . . . 189 C6
Pantoch Dr 2 AB31 . . . 184 F5
Pantoch Gdns 1 AB31 . . 184 F5
Pantoch Way AB31 . . . 184 F5
Paradise Mews 3 AB16 . 164 C4
Paradise Rd AB51 . . . 87 D7
Park Brae AB15 . . . 168 E2
Park Cres
Banff AB45 . . . 7 E1
Ellon AB41 . . . 151 C4
Oldmeldrum AB51 . . . 150 D4
Peterhead AB42 . . . 36 E6
Portsoy AB45 . . . 139 C6
Park Dr
Portsoy AB45 . . . 139 D7
Stonehaven AB39 . . . 185 C6
Park Gr
Aberdeen AB23 . . . 91 A8
Brechin DD9 . . . 188 E3
Parkhead Gdns 6 AB21 . 163 D7
Parkhill AB51 . . . 87 D6
Parkhill Ave AB21 . . . 158 C5
Parkhill Circ AB21 . . . 158 B5
Parkhill Cres AB21 . . . 158 C5
Parkhill Ct 5 AB21 . . . 158 C7
Parkhill Rd
Alford AB33 . . . 154 C4
Peterhead AB42 . . . 147 D6
Parkhill Way AB21 . . . 158 B5
Park La
Aberdeen AB24 . . . 190 C4
Huntly AB54 . . . 56 A7
Oldmeldrum AB51 . . . 150 D4
3 Peterhead AB42 . . . 147 F5
Park Pl
Aberdeen AB24 . . . 190 B4
Brechin DD9 . . . 188 D3
3 Peterhead AB42 . . . 52 D4
Stonehaven AB39 . . . 181 H4
Park Rd
Aberdeen AB15 . . . 168 E2
Aberdeen AB24 . . . 190 C4
Ellon AB41 . . . 151 C4
Oldmeldrum AB51 . . . 150 D4
Portsoy AB45 . . . 139 C7
Park Road Ct AB24 . . . 165 D3
Parkside
Montrose DD10 . . . 135 C6
Westhill AB32 . . . 161 D2
Park St
Aberdeen AB24 . . . 190 C4
Fraserburgh AB43 . . . 143 C7
Huntly AB54 . . . 148 E4
Park Street N AB54 . . . 148 E5
Park Terr
Aberdeen AB23 . . . 91 A8
Ellon AB41 . . . 151 C4
Parkvale 5 AB42 . . . 38 D6
Parkview AB42 . . . 146 C4
Park View
Aberchirder AB54 . . . 144 C4
Brechin DD9 . . . 188 E4
Bridge of Don AB23 . . . 160 A1
Mintlaw AB42 . . . 146 C4
Peterhead AB42 . . . 52 D4
Parkway E AB23 . . . 160 B2
Parkway The AB22 . . . 159 E2
Partan Skelly Ave AB12 . . 176 B7
Partan Skelly Way AB12 . 176 B7
Pass of Ballater AB35 . . . 182 D6
Paterson Pl 1 DD10 . . . 189 C7
Paterson St AB44 . . . 141 D7
Patey Rd AB41 . . . 151 C3
Pat McBoyle Ct 1 AB54 . 148 D5
Peacock's Cl AB10 . . . 190 C3
Pearse St DD9 . . . 188 B3
Pearson La AB30 . . . 186 C6
PEATHILL . . . 142 C5
Peat Way AB12 . . . 180 B6
Peggy's Gdn AB31 . . . 111 B3
PENNAN . . . 12 A8
Pennan Gr AB41 . . . 151 E7
Pennan Rd
Aberdeen AB24 . . . 165 A7
Ellon AB41 . . . 151 D6
Pennan Way AB41 . . . 151 D7
Penny Pl 3 AB42 . . . 147 A5
Pentland Cl AB11 . . . 170 F7
Pentland Cres AB11 . . . 171 A7
Pentland Pl
Aberdeen AB11 . . . 170 F6
Peterhead AB42 . . . 147 A6
Pentland Rd AB11 . . . 170 F7
Peregrine Rd AB32 . . . 161 C1
PERKHILL . . . 97 F4
Perkhill Rd AB31 . . . 98 A3
Perry Rd DD9 . . . 132 D8
Persley Cres AB16 . . . 164 C6
Perwinnes Path 4 AB22 . 159 F1
Peter Buchan Dr AB42 . . 147 C5
PETERCULTER . . . 172 E7
Petergrange Rd AB42 . . . 147 B5
PETERHEAD . . . 147 D4
Peterhead Acad AB42 . . . 147 D6
Peterhead Com Hospl AB42 . . . 147 D4
Peterhead Leisure Ctr AB42 . . . 147 D6
Peterhead Maritime Heritage Ctr★ AB42 . . . 147 C3
Peterseat Dr AB12 . . . 170 F3
Peterwell Rd AB53 . . . 47 E4
Peth of Minnonie AB53 . . . 48 B3
Pettens Cl AB23 . . . 91 D8
Pettens St AB23 . . . 91 C8
Pheppie Rd AB39 . . . 181 G2
Philorth Ave AB43 . . . 143 C4
Phingask Rd AB43 . . . 143 C4
Phoenix Pl AB21 . . . 158 C3
Picktillum Ave AB25 . . . 164 F4
Picktillum Pl AB25 . . . 164 F4
Pictavia Ex★ DD9 . . . 136 B6
Pilot Sq AB11 . . . 170 F8
Pinecrest Circ AB15 . . . 168 B3
Pinecrest Dr AB15 . . . 168 A3
Pinecrest Gdns AB15 . . . 168 A3
Pinecrest Wlk AB15 . . . 168 A2
Pine Tree Rd AB31 . . . 184 F6
Pine Tree Way AB31 . . . 184 F6
Pine View
Fraserburgh AB43 . . . 143 A6
Huntly AB54 . . . 148 C5
Mintlaw AB42 . . . 146 D5
Pinewood Ave AB15 . . . 169 A6
Pinewood Pl
Aberdeen AB15 . . . 169 A6
Cove Bay AB12 . . . 176 C7
Peterhead AB42 . . . 147 A4
Pinewood Rd AB15 . . . 169 A6
Pinewood Terr AB15 . . . 169 A6
Pinkie Gdns 3 AB21 . . . 153 D4
Pinkie Rd AB21 . . . 153 D5
Pintail Pl AB42 . . . 147 B5
Piper Pl AB12 . . . 180 C7
Pirie's Ct AB24 . . . 164 F6
Pirie's La
Aberdeen AB24 . . . 164 F5
Fraserburgh AB43 . . . 5 A4
3 Inverurie AB51 . . . 152 D6
5 Turriff AB53 . . . 145 D5
PITBLAE . . . 5 B2
Pitblae Gdns AB43 . . . 143 B3
Pitblae Pl AB43 . . . 143 A3
PITCAPLE . . . 73 B8
Pitchaidlie Pl 1 AB45 . . . 1 F1
Pitdourie Wlk 4 AB21 . . 163 D7
PITFICHIE . . . 86 D7
Pitfichie Castle★ AB51 . . 86 D7
Pitfichie La 4 AB21 . . . 158 C7
Pitfichie Pl AB21 . . . 158 C7
Pitfodels Sta Rd AB15 . . . 169 B3
Pitforthie Pl DD9 . . . 188 E4
Pitfour Cres 1 AB42 . . . 25 C1
Pitfour Ct AB42 . . . 147 B4
Pitfour Pl AB42 . . . 146 E4
Pitfour Sch AB42 . . . 146 C5
Pitlurg Castle★ AB55 . . . 28 D4
PITMACHIE . . . 58 C3
PITMEDDEN . . . 62 B2
Pitmedden Ave AB21 . . . 158 B7
Pitmedden Cres AB10 . . . 169 E3
Pitmedden Dr AB21 . . . 158 B7
Pitmedden Gdn★ AB41 . . 62 A2
Pitmedden Mews AB21 . . 158 B7
Pitmedden Prim Sch AB41 . . . 62 B2
Pitmedden Rd
Aberdeen AB10 . . . 169 E4
Dyce AB21 . . . 158 A8
Overton AB21 . . . 89 E5
Pitmedden Road Ind Est AB21 . . . 157 F8
Pitmedden Terr AB10 . . . 169 E4
Pitmedden Way AB21 . . . 158 B7
Pitmunie Pl 3 AB51 . . . 87 C7
Pitmurchie Rd AB34 . . . 108 A7
Pitsligo Castle (remains of)★ AB43 . . . 142 D7
Pitsligo St AB43 . . . 142 B6
Pitstruan Pl AB10 . . . 169 F6
Pitstruan Terr AB10 . . . 169 F6
Pittendriech Rd DD9 . . . 188 A4
Pittendrigh Ct 6 AB51 . . 152 E3
Pittendrum Gdns AB43 . . . 5 A4
Pittengullies Brae AB13 . 172 F6
Pittengullies Circ AB14 . . 172 F6
Pittodrie La AB24 . . . 165 C4
Pittodrie Pl AB24 . . . 165 C4
Pittodrie St AB24 . . . 165 C4
Pittodrie Stadium (Aberdeen FC) AB24 . . . 165 D4
Pittrichie View AB21 . . . 75 C7
PITTULIE . . . 4 F4
Pittulie Castle★ AB43 . . . 142 F7
Place of Tilliefoure★ AB51 . . . 72 B2
PLAIDY . . . 21 A5
Plane Tree Rd AB16 . . . 164 D4
Plane Trees 3 AB53 . . . 22 C1
Pleasure Wlk AB42 . . . 147 F4
Plover Pl AB41 . . . 151 B4
Pocra Quay AB11 . . . 170 F8
Poet's Pl DD9 . . . 188 E2
Polbare Cl AB39 . . . 185 E7
Police La 4 AB43 . . . 24 E6
Polinar Pl AB51 . . . 152 D4
Polmuir Ave AB11 . . . 170 B6
Polmuir Gdns AB11 . . . 170 C6
Polmuir Pl AB11 . . . 170 B6
Polmuir Rd AB11 . . . 190 A1
Polo Gdns AB21 . . . 158 C3
Polston Rd AB12 . . . 173 B3
Polwarth Rd AB11 . . . 170 C6
Pool La AB42 . . . 147 F4
Poplar Cres AB42 . . . 147 B4
Poplar Rd 2 AB16 . . . 164 D4
Portal Cres AB24 . . . 165 A5
Portal Terr AB24 . . . 165 A5
PORT ELPHINSTONE . . . 152 D4
Port Elphinstone Prim Sch AB51 . . . 152 D3
PORT ERROLL . . . 53 B3
Port Erroll Prim Sch AB42 53 B3
Port Henry Pier AB42 . . . 147 F5
Port Henry Rd 3 AB42 . . 147 E6
Porthill Ct AB25 . . . 190 B4
Portland St AB11 . . . 190 B1
PORTLETHEN . . . 180 C6
Portlethen Acad AB12 . . . 180 B5
Portlethen Prim Sch AB12 . . . 180 C6
Portlethen Sta AB12 . . . 180 C6
Portlethen Swimming Pool AB12 . . . 180 B5
PORTLETHEN VILLAGE . . 180 E5
Port Long Rd 15 AB56 . . . 1 B5
Port Rd 2 AB51 . . . 152 E6
Portree Ave AB16 . . . 163 E3
PORTSOY . . . 139 C7
Portsoy Cres AB41 . . . 151 E6
Portsoy Gr AB41 . . . 151 F6
Portsoy Pl 2 AB41 . . . 151 E6
Portsoy Prim Sch AB45 . . 139 D6
POTTERTON . . . 91 A6
Poultry Mkt La AB10 . . . 190 B4
Powis Circ AB24 . . . 165 A5
Powis Cres AB24 . . . 165 A5
Powis La AB25 . . . 165 B3
Powis Pl AB24 . . . 165 A3
Powis Terr AB24 . . . 165 A4
Poynernook Rd AB11 . . . 190 B2
Premnay Prim Sch AB52 . 71 E7
Price Cl AB51 . . . 155 B5
Price Dr AB51 . . . 155 B5
Primrosebank Ave AB15 . 168 F2
Primrose Bank Dr AB15 . 169 A2
Primrosehill Ave AB15 . . 168 F2
Primrosehill Dr AB24 . . . 164 F5
Primrosehill Gdns 1 AB24 . . . 164 F5
Primrosehill Pl 2 AB24 . 164 F5
Primrosehill Rd AB15 . . . 168 F2
Prince Albert Mews 4 AB10 . . . 165 A1
Prince Arthur St AB25 . . . 164 F1
Princess Cres AB21 . . . 158 C7
Princess Dr AB21 . . . 158 C6
Princess Pl 8 AB21 . . . 158 C7
Princess Rd
Aberdeen AB21 . . . 158 C7
Stonehaven AB39 . . . 185 D5
Princes St
Aberdeen AB24 . . . 190 B4
Huntly AB54 . . . 148 D4
Inverurie AB51 . . . 152 C7
Princess Terr 9 AB21 . . . 158 C7
Princess Way AB21 . . . 158 C6
Princess Wlk 7 AB21 . . . 158 C7
Prince St AB42 . . . 147 D6
Pringle Ave AB41 . . . 61 E5
Printfield Terr AB24 . . . 164 F6
Printfield Wlk AB24 . . . 164 F6
Priory Pk AB14 . . . 172 E6
Privet Hedges AB16 . . . 164 C4
Promenade Ct AB24 . . . 165 D5
Prospect Ct AB11 . . . 170 B6
Prospecthill Rd AB15 . . . 168 B1
Prospect Pl AB32 . . . 161 E2
Prospect Terr
Aberdeen AB11 . . . 190 B1
2 Banchory AB31 . . . 98 A3
Dyce AB21 . . . 158 C3
4 Inverurie AB51 . . . 152 E3
Provost Barclay Dr 4 AB39 . . . 185 C4
Provost Buchan Rd DD9 . 188 B5
Provost Clemo Dr AB52 . 149 D4
Provost Cordiner Rd AB41 . . . 151 C4
Provost Craig Rd AB35 . . 182 D4
Provost Davidson Dr AB41 . . . 151 C4
Provost Dr AB51 . . . 150 D3
Provost Florence Dr AB51 . . . 150 C2
Provost Fraser Dr AB16 . 163 F4
Provost Gordon Terr AB45 . . . 140 E6
Provost Graham Ave AB15 . . . 168 F8
Provost Hogg Ct AB11 . . . 170 F7
Provost Johnston Rd 2 DD10 . . . 189 C2
Provost Millar Ave DD9 . . 188 B4
Provost Milne Dr AB43 . . 143 C4
Provost Mitchell Circ AB23 . . . 160 A5
Provost Mitchell Rd 2 DD10 . . . 189 C7
Provost Noble Ave AB43 . 143 A5
Provost Peter Cres DD10 . . . 187 D7
Provost Rd DD9 . . . 188 B4
Provost Reids Rd DD10 . . 189 D2
Provost Robson Dr AB30 186 C5
Provost Ross House★ AB11 . . . 190 B3
Provost Rust Dr AB16 . . . 163 F6
Provost's Circ AB51 . . . 152 C7
Provost Scott's Rd DD10 189 D4
Provost Skene's House★ AB25 . . . 190 B4
Provost Souter Pl AB52 . 149 D4
Provost Sq DD9 . . . 188 B4
Provost St AB54 . . . 148 E4
Provost Stewart Pl 3 AB39 . . . 185 C4
Provost Watt Dr AB12 . . . 170 B3
Prunier Dr AB42 . . . 147 A6
Prunier Pl AB42 . . . 147 A6
Puffin Ct AB39 . . . 181 I5
Pusey Pl AB42 . . . 147 C2
Putachie Path 4 AB53 . . 145 C4

Qua–Sch 203

Q

Quarry Ct AB15 168 D2
Quarryhill Ct 2 AB16 164 C4
Quarryhill Prim Sch
AB16 164 B4
Quarry Pl
2 Aberdeen AB16 164 A5
1 Mintlaw AB42 146 D4
Quarry Rd
Aberdeen AB15 168 C3
Aberdeen AB16 164 A5
Fraserburgh AB43 143 D7
Mintlaw AB42 146 C4
Peterhead AB42 52 D4
Quayside AB45 140 F7
Queen Mary St AB43 143 B6
Queen's Ave AB15 169 C7
Queens Cl AB43 143 C6
Queen's Cl DD10 189 D3
Queens Cres
Portsoy AB45 139 D6
Rosehearty AB43 142 C7
Queen's Cres
7 Boddam AB42 40 D1
Hill of Rubislaw AB15 169 C7
Queens Ct
Banchory AB31 109 D3
Hill of Rubislaw AB15 169 D7
4 Montrose DD10 187 D3
Queens Den AB15 163 E1
Queen's Dr
Banchory AB31 109 D3
5 Buckie AB56 1 B4
Queens Gate AB15 169 E8
Queen's Gate AB45 139 D6
Queens Gdns AB45 148 E4
Queen's Gdns
Aberdeen AB15 169 E8
Huntly AB54 148 E4
Stonehaven AB39 185 D5
Queens Gr AB15 169 A8
Queens Highlands AB15 169 D8
Queens Hill Dr AB34 183 E6
Queen's La 8 AB42 40 D1
Queen's Lane N AB15 169 E8
Queen's Lane S AB15 169 D7
Queens Links L Pk AB24 165 E2
Queens Rd
Fraserburgh AB43 143 C6
Inverbervie DD10 187 D7
Queen's Rd
Aberdeen AB15 163 E1
Aboyne AB34 106 B3
Ballater AB35 182 D4
22 Boddam AB42 40 D1
Stonehaven AB39 185 D4
Turriff AB53 145 C4
Queen St
Aberdeen AB10 190 B3
Aberdeen AB24 164 E6
6 Gourdon DD10 187 D3
Huntly AB54 148 E4
Inverurie AB51 152 C7
Montrose DD10 189 D4
Peterhead AB42 147 D6
Rosehearty AB43 142 C7
Queen's Terr AB10 169 F8
Queen's Wlk 9 AB42 40 D1
QUILQUOX 50 A5

R

Raasay Gdns AB16 163 E2
Raasay Rd AB42 147 B7
Raeburn Pl
Aberdeen AB25 190 A4
Ellon AB41 151 B6
Rae Circ AB51 152 B8
Raeden Ave AB15 164 D2
Raeden Cres AB15 164 C2
Raeden Ct AB15 164 C2
Raeden Park Rd AB15 164 D2
Raeden Pl AB15 164 C2
Raeholm Rd 3 AB22 159 E1
Raemoir Ave AB31 184 D5
Raemoir La 2 AB31 184 D5
Raemoir Rd AB31 184 D5
Raemoss Rd AB42 147 E6
Rae St AB53 145 D4
Raik Rd AB11 190 B2
Railway Pl DD10 189 D2
Railway Rd AB30 186 C5
Railway Terr AB51 152 E3
Rainnieshill Cl 1 AB21 153 E5
Rainnieshill Gdns 2
AB21 153 E5
Rainnieshill Rd AB21 153 E5
Rainnieshill Way AB21 153 D5
Ramsay Cres AB10 169 D4
Ramsay Gdns AB10 169 D3
Ramsay Pl AB10 169 D3
Ramsay Rd
Banchory AB31 184 C4
Stonehaven AB39 185 C4
Ramsay St
Brechin DD9 132 B7
1 Montrose DD10 189 D2
Ramsay Terr AB43 143 A5
Rannes St AB52 149 D4
Rappahouse End 1
AB22 159 E1
Rashieley Rd 2 AB51 152 C4
RATHEN 14 E3
Rathen Prim Sch AB43 14 E3
Rathen Rd AB43 15 B7
Rattray Pl 1 AB24 165 A6
Rattray Rd AB42 147 D7
Ravenscraig Castle★
AB42 39 D7
Ravenscraig Rd AB42 147 C6
Raxton Pl AB21 158 C7
Rayne North Prim Sch
AB51 58 F6
Rearie Cl 4 AB21 153 C6
Rectory Dr 3 AB43 24 E6
Rectory Rd AB53 145 B5
Redcloak Cres AB39 185 B6
Redcloak Dr AB39 185 B6
Redcloak Pk AB39 185 B6
Redcloak Way AB39 185 B6
REDCRAIGS 175 D8
Redfield Cres DD10 189 C4
Redfield Rd DD10 189 C4
Redhall Pl AB30 129 E6
Red Inch Circ 1 AB41 77 F7
Redmoss Ave AB12 170 D2
Redmoss Cres AB12 170 D4
Redmoss Pk AB12 170 D2
Redmoss Pl AB12 170 C2
Redmoss Rd AB12 170 C1
Redmoss Terr AB12 170 D2
Redmoss Wlk AB12 170 C2
Redmyre Prim Sch AB30 129 F6
Redwell Dr 12 AB45 8 F8
Redwood Cres AB12 176 C6
Reed Cres AB30 186 C5
Reform St DD10 189 D4
Regensburg Ct AB16 163 F3
Regent Quay AB11 190 C3
Regent Rd AB11 190 C2
Regent Wlk AB24 165 C5
Reidfield Pl AB43 15 D5
Reidford Gdns AB31 111 D5
Reidhaven Pl 6 AB56 1 B5
Reidhaven St
Banff AB45 8 F8
2 Banff AB45 140 F6
7 Cullen AB56 1 B4
Reid St AB45 141 A5
Reisque Ave AB21 153 D6
Rennie's Ct 6 AB11 190 B3
Rennies La AB54 144 D4
Rennie's Wynd AB11 190 B3
Renny Cres DD10 189 C6
Rhu-na-Haven Rd AB34 183 A4
RHYNIE 55 D2
Rhynie Prim Sch AB54 55 D2
Richmond Ave
3 Huntly AB54 55 D2
Peterhead AB42 147 A5
Richmond Ct 7 AB25 165 A2
Richmond Gdns 1 AB54 55 D2
Richmondhill Ct
Aberdeen AB15 164 D1
2 Rosemount AB15 164 E1
Richmondhill Gdns 3
AB15 164 E1
Richmondhill Pl AB15 164 D1
Richmondhill Rd AB15 164 D1
Richmond La
3 Huntly AB54 148 D4
Insch AB52 149 C4
Richmond Pl AB35 182 E4
Richmond Rd AB54 148 D3
Richmond St AB25 165 A2
Richmond Terr
Aberdeen AB25 165 A2
2 Huntly AB54 55 D2
Peterhead AB42 147 C5
Richmond Wlk AB25 165 A2
RICKARTON 119 F3
Ricketts Ct DD9 132 D8
Riddoch Ct AB45 30 C7
Riddoch La AB53 145 D5
Riddoch Rd 3 AB53 145 D5
Ridgeway Gr AB22 159 C1
Riggs The 9 AB42 38 D6
Ringway Rd AB42 147 A8
Ritchie Pl
Aberdeen AB24 164 F7
Stonehaven AB39 181 G2
Ritchie Rd AB43 142 B6
Ritchie Row 7 AB51 152 E3
Riverside Dr
Aberdeen AB10 169 F4
Huntly AB54 148 C5
Insch AB52 58 D3
Peterhead AB42 147 C7
Stonehaven AB39 185 C3
Riverside Pk AB51 152 D3
Riverside Pl AB51 152 D4
Riverside Rd
Ellon AB41 151 B3
Inverurie AB51 87 C7
Montrose DD10 189 B2
Riverside Terr AB10 170 A5
River St
Brechin DD9 188 D2
Montrose DD10 189 D1
River View AB42 147 A8
Riverview Dr AB21 158 C7
Riverview Pl AB41 151 C3
ROADSIDE OF
CATTERLINE 126 C2
ROADSIDE OF KINNEFF 131 C7
ROANHEADS 147 E6
Robbie Cl 11 AB23 91 C8
Robbie's Rd AB43 143 A3
Robbie's Wlk AB43 143 A3
Robert Gordons Coll
AB25 190 A3
Robert Gordon Univ The
AB10 169 C3
Robertson Rd AB43 143 A6
Robert St AB39 185 E5
Robertston Pl AB13 173 B8
Rob Roy Pk AB14 166 D1
Rockall Pl AB11 170 E6
Rockall Rd AB11 170 E6
Rocklands Rd AB15 168 F3
Rocksley Dr 19 AB42 40 D1
Roderick Dr AB43 5 A4
Rodney St AB39 185 E5
Rodney Terr 6 AB39 185 E5
Rolland Ct AB39 125 B3
Rolland Pl AB39 125 B3
Rolland Rd AB39 125 B3
Ronaldsay Rd 1 AB15 163 F2
Ronaldsay Sq 6 AB15 163 F2
RORA 26 D1
Roscobie Pk AB31 184 A5
Roseacre AB45 139 D6
Roseacre Cres AB53 145 E4
Rose Ave AB42 147 B3
Rosebank 6 AB51 150 C3
Rosebank Gdns AB11 190 A1
Rosebank Pl AB11 170 A7
Rosebank Terr AB11 190 A1
Rosebery St AB25 164 E2
ROSEHEARTY 142 B7
Rosehearty Prim Sch
AB43 142 B7
ROSEHILL 164 E5
Rose Hill DD10 189 D5
Rosehill Ave AB24 164 D5
Rosehill Cres
Aberdeen AB24 164 E5
Banchory AB31 184 B4
Rosehill Ct
Cornhill AB16 164 D4
Montrose DD10 189 D5
Rosehill Dr AB24 164 D5
Rosehill La AB31 184 B5
Rosehill Pl AB24 164 E5
Rosehill Rd DD10 189 D5
Rosehill Terr AB24 164 E5
Rose House AB15 168 F8
Rose La
1 Inverurie AB51 152 D5
Portsoy AB45 139 E7
ROSEMOUNT 164 F2
Rosemount Pl
Aberdeen AB25 164 F1
3 Hillside DD10 138 C8
Rosemount Prim Sch
DD10 138 C8
Rosemount Rd DD10 138 C8
Rosemount Sq 2 AB25 165 A1
Rosemount Terr 1
AB25 165 A2
Rosemount Viaduct
AB25 190 A3
Rose Pl
Aberdeen AB10 165 A1
Peterhead AB42 147 B3
Rose St
Aberdeen AB10 170 A8
2 Peterhead AB42 147 F5
Rosewell Dr AB15 164 B1
Rosewell Gdns AB15 164 B1
Rosewell Pk AB15 164 B1
Rosewell Pl AB15 164 B1
Rosewell Terr AB15 164 B1
Rosewood Ave AB12 170 C2
Roslin Pl AB24 190 C4
Roslin St AB24 165 D3
Roslin Terr AB24 190 C4
Ross Cres AB16 164 B3
ROSSIE ISLAND OR
INCHBRAOCH 189 A1
Rossie Island Rd DD10 189 B1
ROSSIE MILLS 138 B3
Rossie Sq 2 DD10 189 D1
Rossie Terr DD10 189 D1
Ross St AB44 141 D6
Rothiemay Prim Sch
AB54 30 D7
ROTHIENORMAN 46 F2
Rothienorman Prim Sch
AB51 47 A2
ROTHNEY 149 D4
Rothney Ct AB52 149 C4
ROUGHPARK 81 A2
Rousay Dr AB15 163 F2
Rousay Pl AB15 163 F1
Rousay Terr AB15 163 F2
Rowan Ave AB54 148 C6
Rowanbank 2 AB42 147 B4
Rowanbank Rd AB12 180 B6
Rowan Circ AB42 146 D5
Rowan Dr
7 Balmedie AB23 91 C8
Westhill AB32 161 C2
Rowan Gr AB41 76 C7
Rowan Pl
Ellon AB41 151 C4
Fraserburgh AB43 143 B6
Rowan Rd AB16 164 D4
Rowans The AB52 149 D4
Rowan Terr 1 AB42 52 D4
Rowan Tree Rd AB31 184 D6
Row The AB43 26 D7
Roxburghe House AB24 164 F3
Royal Aberdeen Childrens
Hospl AB25 164 E3
Royal Cornhill Hospl
AB25 165 A3
Royal Deeside Rly The★
AB31 110 D3
Royal Lochnagar Distillery
Visitor Ctr★ AB35 115 E8
Royfold Cres AB15 169 C8
Rubislaw Den N AB15 169 C8
Rubislaw Den S AB15 169 C8
Rubislaw Dr AB15 169 C7
Rubislaw Park Cres
AB15 169 B7
Rubislaw Park Rd AB15 169 B7
Rubislaw Pl AB10 170 A8
Rubislaw Sq 2 AB15 169 C7
Rubislaw Terr AB10 169 F8
Rubislaw Terrace La
AB10 169 F8
Rubislaw View 3 AB15 169 C7
Ruby La AB10 190 A3
Ruby Pl AB10 190 A3
Ruddiman Dr AB30 186 D6
Rugosa Circ AB21 153 D6
Runcie's La AB43 5 A4
Rushlach The AB51 155 E3
Russell Ct 6 AB43 26 C7
Russell Rd AB11 190 B1
Russell St
Montrose DD10 189 D3
Peterhead AB42 37 D6
Rutherford Folds AB51 152 C6
Ruthrie Ct AB10 169 F5
Ruthrie Gdns AB10 169 E4
Ruthriehill Rd AB21 158 C3
Ruthrie Rd AB10 169 E4
RUTHRIESTON 169 F5
Ruthrieston Circ AB10 169 F5
Ruthrieston Cres AB10 169 F5
Ruthrieston Gdns AB10 169 F4
Ruthrieston Pl AB10 169 F5
Ruthrieston Rd AB10 169 E5
Ruthrieston Terr AB10 169 F4
Ruthrie Terr AB10 169 E4
RUTHVEN 29 E6
Rutland Cres DD10 189 C5
Ryeland AB41 62 A2

S

St Aidan Cres AB31 184 E4
St Andrews AB51 86 E6
St Andrew's Cath AB10 190 C3
St Andrews Ct AB25 190 A4
St Andrews Dr AB43 143 B6
St Andrew's Dr 10 AB53 145 D4
St Andrew's Gdns AB51 152 D5
St Andrews Prim Sch
AB43 143 C6
St Andrews Sch AB51 152 D5
St Andrew St
Aberdeen AB25 190 A4
Brechin DD9 188 B4
Peterhead AB42 147 E5
St Andrews Terr AB39 181 H5
St Andrew's Terr 1
AB35 113 E6
St Annes Cres AB39 179 F1
St Anne's Wynd AB39 180 A1
St Bridget Cres AB39 185 C4
St Brydes Rd 1 AB51 87 D6
St Catherine St AB45 140 F6
St Catherine Street W
AB45 140 E6
St Catherine's Wynd 1
AB10 190 B3
St Clair Gdns 16 AB41 77 F8
St Clair St AB24 190 B4
St Clair Way 4 AB41 77 F8
St Clair Wynd 3 AB41 77 F8
St Clement's Ct AB24 190 B4
St Clement St AB11 165 E1
ST COMBS 15 C6
St Combs Ct AB45 140 E5
St Combs Prim Sch AB43 15 C6
St Comb's Rd AB45 139 E7
St Congan's Cres AB53 145 B4
St Congant's Den AB53 145 E4
St Crispin's Rd AB39 181 H4
ST CYRUS 134 D3
St Cyrus National Nature
Reserve Visitor Ctr★
DD10 134 D2
St Cyrus Prim Sch DD10 134 E3
St David St 5 DD9 188 C3
St Devenick's Cres AB15 168 E3
St Devenicks Mews
AB15 168 F2
St Devenick's Pl AB15 168 E3
St Devenicks Terr AB15 168 F2
St Drostans La AB43 12 E6
St Duthac Cres AB31 184 E5
St Eunan's Rd AB34 183 C4
ST FERGUS 27 C3
St Fergus Prim Sch AB42 27 B3
St Fittick's Rd AB11 171 A7
St Helena Ct 18 AB42 40 D1
St James's Cres AB51 152 E4
St James's Pl AB51 152 A3
St John's Cotts 5 DD10 189 C4
St John's Gdns 10 AB51 87 D7
St John's Pl
Aberdeen AB11 190 A2
6 Montrose DD10 189 C4
St John's Rd AB21 163 F8
St John's Terr AB15 169 C5
St John's Wlk AB39 179 F1
St Josephs Cath Prim Sch
AB10 169 F8
ST KATHERINES 48 A1
St Kieran Cres AB39 185 C3
St Machar Acad AB24 165 B5
St Machar Cres 1 AB31 184 E4
St Machar Ct 4 AB22 164 F7
St Machar Dr AB24 165 A5
St Machar Pl AB24 165 C6
St Machar Prim Sch
AB24 165 A6
St Machar Rd AB24 165 A6
St Machars Cath AB24 165 B6
St Magnus Pl 4 AB42 147 B5
St Magnus Rd AB43 5 A3
St Margaret's Pl AB15 164 B1
St Margarets RC Prim Sch
DD10 189 C4
St Margarets Sch for Girls
AB10 170 A8
St Marnan Rd AB31 98 E1
St Marys AB51 86 E6
St Mary's Cath AB10 190 A3
St Mary's Dr AB41 151 D4
St Marys Pl AB14 172 D6
St Mary's Pl
Aberdeen AB11 190 A2
Ellon AB41 151 D3
St Mary's Rd 4 DD10 189 D3
St Mary St
4 Brechin DD9 188 C3
Peterhead AB42 147 D5
St Mary Terr 3 AB42 25 D5
St Michael's Cres AB39 181 I5
St Michaels Pl AB39 181 I5
St Michaels Rd AB39 181 H5
St Michael's Way AB39 181 H5
St Michael's Wlk AB39 181 H5
St Nathalan Cres AB31 184 E4
St Nathan's Rd AB39 181 H5
St Nicholas Cres 1
AB31 184 D4
St Nicholas Dr AB31 184 E4
St Nicholas La AB10 190 B3
St Nicholas Rd AB31 184 D4
St Nicholas St AB10 190 B3
St Ninians AB51 86 E6
St Ninians Cl AB24 165 C6
St Ninians Ct AB24 165 C7
St Ninian's Pl
Aberdeen AB24 165 C6
4 Turriff AB53 145 C5
St Olave Pl 4 AB42 53 A3
St Paul St AB25 190 B4
St Peter La AB24 165 C3
St Peter's Gate 3 AB24 165 C4
St Peters RC Prim Sch
AB24 165 C5
St Peter's Rd
Montrose DD10 189 D3
Stonehaven AB39 181 H5
St Peter St
Aberdeen AB24 165 C3
Peterhead AB42 147 E5
St Peters Terr AB14 172 D6
St Ronan's Circ AB14 172 E7
St Ronan's Cres AB14 172 E7
St Ronan's Dr AB14 172 E7
St Ronan's Pl AB14 172 F6
St Swithin Row 4 AB10 169 F8
St Swithin St AB10 169 E8
St Tarquins Pl 6 AB45 1 F1
St Ternans Pl AB31 184 B4
St Ternan's Rd AB39 181 H4
Salisbury Ct AB10 169 F6
Salisbury Pl AB10 169 F6
Salisbury Rd AB35 182 D4
Salisbury Terr AB10 169 F6
Salmon La 6 AB39 185 E4
Saltoun Pl AB43 143 D6
Saltoun Sq 3 AB43 143 D7
Samprey Rd AB15 163 E1
Sanday Rd AB15 164 B1
SANDEND 1 F4
Sandend Pk 7 AB41 151 E6
Sanderling Ct AB39 181 I5
Sandford Ct 1 AB42 147 C4
SANDFORDHILL 53 D8
Sandford Pl 5 AB42 40 D1
Sandford Terr AB42 147 C5
SANDHAVEN 5 A4
Sandhaven Cl 9 AB41 77 F8
Sandhaven Prim Sch AB43 5 A4
Sandhaven Wynd AB41 151 E6
Sandilands Dr AB24 165 A6
Sandyhill Rd AB45 140 E4
SANDYHILLS 140 E4
Saphock Pl
Inverurie AB51 152 C6
Oldmeldrum AB51 150 B3
Satrosphere Science Ctr★
AB24 190 C4
SAUCHEN 86 F1
Scalloway Pk AB43 143 A5
Scalpay Wlk 3 AB16 163 E2
Scatha Ritchie Pl AB43 143 B7
Schivas Rd AB42 147 C4
School Ave AB24 165 C5
School Brae
Drumoak AB31 111 D6
Fraserburgh AB43 23 E6
School Cres
Aberdeen AB14 172 E6
5 Newburgh AB41 77 F8
School Dr AB24 165 C5
Schoolhendry St AB45 139 E7
Schoolhill AB25 190 A3
SCHOOLHILL 101 A1
School Hill
Banchory AB31 184 D4
Ellon AB41 151 C5
Turriff AB53 145 D4

Schoolhill Pl AB12 . . . . . . 180 C8
Schoolhill Rd
Aberdeen AB12 . . . . 180 B8
Ellon AB41 . . . . 151 D5
School La
3 Aberchirder AB54 . . . . . 144 D5
Ballater AB35 . . . . 182 D4
Drumoak AB31 . . . . 111 D6
2 Inverurie AB51 . . . . 152 D5
Macduff AB44 . . . . 141 C7
Peterculter AB14 . . . . 172 E6
Turriff AB53 . . . . 145 C4
School Pk 5 AB43 . . . . 24 E6
School Pl
Aberdeen AB24 . . . . 165 D5
1 New Pitsligo AB43 . . . . . 23 E6
School Rd
Aberdeen AB24 . . . . 165 C5
Aboyne AB34 . . . . 96 C3
Alford AB33 . . . . 154 C3
9 Ballater AB35 . . . . 113 F6
Banchory AB31 . . . . 98 A3
Banff AB45 . . . . 1 F1
9 Banff AB45 . . . . 8 F8
Cults AB15 . . . . 168 E2
Drumlithie AB39 . . . . 125 B3
Ellon AB41 . . . . 77 F8
Huntly AB54 . . . . 29 E5
Inverurie AB51 . . . . 152 E3
Kintore AB51 . . . . 155 C4
Kirktown AB42 . . . . 27 B3
3 Laurencekirk AB30 . . . . . 128 A4
Laurencekirk AB30 . . . . 133 B7
New Deer AB42 . . . . 36 E6
Newmachar AB21 . . . . 153 D5
Peterculter AB14 . . . . 172 D7
Peterhead AB42 . . . . 147 B3
Stonehaven AB39 . . . . 185 C5
Turriff AB53 . . . . 47 E5
School St
Fraserburgh AB43 . . . . 143 D7
New Pitsligo AB43 . . . . 23 E6
School Terr AB24 . . . . 165 D5
School Wlk AB24 . . . . 165 D5
School Wynd
Inverbervie DD10 . . . . 187 E7
St Cyrus DD10 . . . . 134 D3
Sclattie Circ AB21 . . . . 163 D8
Sclattie Cres AB21 . . . . 163 D8
Sclattie Pk AB21 . . . . 163 D8
Sclattie Pl AB21 . . . . 163 D7
Sclattie Quarry Ind Est
AB21 . . . . 158 C1
Sclattie Wlk AB21 . . . . 163 C7
Scolty Pl AB31 . . . . 184 E5
Scolty View AB31 . . . . 184 E5
Scotsmill Brae AB21 . . . . . 156 B8
Scotsmill Cres AB21 . . . . . . 156 B8
Scotsmill Den AB21 . . . . . . 156 B8
Scotsmill Gdns AB21 . . . . . 156 B8
Scotsmill View AB21 . . . . . 156 B8
SCOTSTON 129 D4
Scotston Pl DD10 . . . . 134 D3
Scotston Terr DD10 . . . . . . 134 D3
SCOTSTOWN 140 E6
Scotstown Gdns AB23 . . . 165 C8
Scotstown Moor Nature
Reserve★ AB23 . . . . 159 E4
Scotstown Prim Sch
AB22 . . . . 159 F1
Scotstown Rd
Aberdeen AB23 . . . . 159 F3
Peterhead AB42 . . . . 147 B7
Scott Cres DD10 . . . . 138 C8
Scott Ct AB54 . . . . 148 C5
Scott Dr AB54 . . . . 148 C5
Scott Gr AB23 . . . . 91 A8
Scottish Ag Coll AB21 . . . 157 E2
Scott Skinner Sq AB31 . . . 184 C4
Scott St DD9 . . . . 188 D2
Scott Sutherland Sch of
Architecture Sch of
Surveying AB10 . . . . 169 D3
Scurdie Ness AB12 . . . . . . 176 C8
Scylla Dr AB12 . . . . 176 A6
Scylla Gdns AB12 . . . . 176 B6
Scylla Gr AB12 . . . . 176 B6
Sea Beach AB24 . . . . 165 E2
SEAFIELD 169 C6
Seafield Ave AB15 . . . . 169 C6
Seafield Cres
Aberdeen AB15 . . . . 169 C6
Banff AB45 . . . . 140 E6
Seafield Ct AB15 . . . . 169 C6
Seafield Drive E AB15 . . . 169 C7
Seafield Drive W AB15 . . . 169 C7
Seafield Gdns AB15 . . . . . 169 C6
Seafield Pl
6 Banff AB45 . . . . 8 F8
Cullen AB56 . . . . 1 B4
Portsoy AB45 . . . . 139 E6
Seafield Rd
Aberdeen AB15 . . . . 169 C6
Buckie AB56 . . . . 1 B3
Peterhead AB42 . . . . 147 C4
Seafield St
Banff AB45 . . . . 140 E6
4 Cullen AB56 . . . . 1 B5
Portsoy AB45 . . . . 139 D6
Seafield Terr AB45 . . . . . . 139 C6
Seaforth Rd AB24 . . . . 165 D3
Seaforth St 7 AB43 . . . . . 143 D6
Seagate
Montrose DD10 . . . . 189 C2
3 Peterhead AB42 . . . . . . 147 F6
Seal Craig Gdns AB12 . . . 176 B8
Seamount Ct AB25 . . . . . . 190 B4
Seamount Rd AB25 . . . . . . 190 B4
Sea St AB56 . . . . 1 B5
SEATON 165 C6
Seaton Ave AB24 . . . . 165 C5
Seaton Cres AB24 . . . . 165 D6
Seaton Dr AB24 . . . . 165 D6
Seaton Gdns AB24 . . . . . . 165 C6
Seaton Pl AB24 . . . . 165 C6
Seaton Place E AB24 . . . . 165 C6
Seaton Prim Sch AB24 . . 165 D6
Seaton Rd AB24 . . . . 165 D5
Seaton Wlk AB24 . . . . 165 C6
SEATOWN
Banff 139 E7
Buckie 1 A5
Seatown Pl AB43 . . . . 15 C8
Seaview Ave AB23 . . . . . . 160 A5
Seaview Circ AB23 . . . . . . 160 A4
Seaview Cl AB23 . . . . 160 A5
Seaview Cres AB23 . . . . . . 160 A4
Seaview Dr AB23 . . . . 160 A4
Seaview Gdns AB42 . . . . . 147 D1
Seaview Pl
Aberdeen AB23 . . . . 160 A5
Montrose DD10 . . . . 189 B1
Seaview Rd
Aberdeen AB23 . . . . 165 C8
Banff AB45 . . . . 1 F3
24 Boddam AB42 . . . . 40 D1
Peterhead AB42 . . . . 27 B3
Seaview Terr
Cove Bay AB12 . . . . 176 C6
Gourdon DD10 . . . . 187 D3
Johnshaven DD10 . . . . 135 C5
Sedge Pl AB12 . . . . 180 A5
Selbie Dr AB51 . . . . 152 C5
Selbie Pl
Inverurie AB51 . . . . 152 D5
Montrose DD10 . . . . 187 D4
Seton Dr AB54 . . . . 148 D5
Seton Terr
8 Ellon AB41 . . . . 62 B2
Huntly AB54 . . . . 148 D5
Seton Way 2 AB51 . . . . . . 150 C2
Sett Rd AB21 . . . . 156 B8
Settrington St AB54 . . . . . 148 D4
Shand Ct 2 AB44 . . . . 141 C6
Shand St AB44 . . . . 141 C6
Shand Terr AB44 . . . . 141 C6
Shannoch Dr 1 AB51 . . . . . 87 D7
Shannocks View AB53 . . . 145 B6
Shapinsay Ct AB15 . . . . . . 163 E2
Shapinsay Sq 5 AB15 . . . 163 F2
Shaw Circ AB32 . . . . 161 C3
Shaw Cres AB25 . . . . 164 F3
Shaw Rd AB25 . . . . 164 F3
SHEDDOCKSLEY 163 D3
Sheddocksley Dr AB16 . . 163 F2
Sheddocksley Rd AB16 . . 163 F3
Sheddocksley Sports Ctr
AB15 . . . . 163 F4
Shepherd Pl AB12 . . . . 170 A3
Sheriffs Brae 8 AB45 . . . . 140 F6
Sherwood Pl AB53 . . . . 36 A5
Shetland Wlk AB16 . . . . . . 163 E3
Shieldhill Gdns AB12 . . . . 176 C8
Shielhill Gdns AB22 . . . . . 159 E1
Shillinghill AB45 . . . . 139 D7
Shiprow AB42 . . . . 147 F4
Ship Row AB11 . . . . 190 B3
Ship St AB42 . . . . 147 F4
Shoe La AB10 . . . . 190 B4
Shore Brae 2 AB11 . . . . . 190 B3
Shorehead
Banff AB45 . . . . 139 D7
Stonehaven AB39 . . . . 185 F3
Shore La AB11 . . . . 190 C3
Shore St
Fraserburgh AB43 . . . . 143 D7
Inverallochy AB43 . . . . 15 C8
Macduff AB44 . . . . 141 C6
Portsoy AB45 . . . . 139 E7
Rosehearty AB43 . . . . 142 C8
Sandhaven AB43 . . . . 5 A4
Shoretack Ct 5 DD10 . . . 187 D3
Shore Wynd 5 DD10 . . . . . 189 C2
Short Loanings AB25 . . . . 165 A2
Shunnery Brae 1 AB51 . . 152 E3
Sidney Cres 4 AB42 . . . . . 52 D4
Sillerton La AB12 . . . . 170 B3
SILVERBANK 184 F5
Silverbank Cres AB31 . . . 184 F5
Silverbank Gdns AB31 . . . 184 F5
Silverburn Cres AB23 . . . 160 A2
Silverburn Pl AB23 . . . . . . 160 A2
Silverburn Rd AB22 . . . . . 159 E1
Silver Gdns 12 AB39 . . . . . 185 E4
Silverhillock AB45 . . . . 7 E1
Silver Pitt Gdns 3 AB42 . 147 A4
Silver Way DD10 . . . . 189 C7
Simpson Ave 1 AB51 . . . . 47 A2
Simpson Pl AB44 . . . . 141 D7
Simpson Rd AB23 . . . . 165 C8
Sims Rd 5 AB54 . . . . 55 D2
Sinclair Cres
Aberdeen AB21 . . . . 153 C5
Cove Bay AB12 . . . . 176 C7
Sinclair Gdns DD10 . . . . . 138 D8
Sinclair Pl
Aberdeen AB12 . . . . 176 C7
Fraserburgh AB43 . . . . 143 A5
Sinclair Rd AB11 . . . . 190 C1
Sinclair Terr AB12 . . . . . . 176 C7
Sir Patrick Geddes Way
AB35 . . . . 182 E5
Sir William Wallace Wynd
AB24 . . . . 165 C6
Skateraw Rd AB39 . . . . . . 181 I4
Skelly Rock AB12 . . . . 176 C8
Skelton St AB42 . . . . 147 D6
Skene Pl
Aberdeen AB21 . . . . 158 B6
17 Rosemount AB25 . . . . . 165 A1
Skene Prim Sch AB32 . . . 101 D6
Skene Rd AB15 . . . . 163 D1
Skene Sq AB25 . . . . 190 A4
Skene Square Prim Sch
AB25 . . . . 165 A2
Skene St
Aberdeen AB25 . . . . 190 A3
Macduff AB44 . . . . 141 D7
Peterhead AB42 . . . . 147 E6
Skene Terr AB10 . . . . 190 A3
Skerry Dr AB42 . . . . 147 C3
Skerry Pk 14 AB42 . . . . 40 D1
Skinner Ave AB51 . . . . 152 C5
Skinner Rd AB42 . . . . 38 D6
Skye Rd AB16 . . . . 163 E2
Slackadale Gdns AB53 . . . 145 B6
Slains Ave
Aberdeen AB22 . . . . 159 D2
Ellon AB41 . . . . 151 E6
Slains Castle, Old★ AB41 . 64 F4
Slains Castle (remains of)★
AB42 . . . . 53 C3
Slains Circ AB22 . . . . 159 D2
Slains Cres AB41 . . . . 151 E5
Slains Ct AB42 . . . . 147 C3
Slains La AB22 . . . . 159 E2
Slains Pl 4 AB22 . . . . 159 D1
Slains Prim Sch AB41 . . . . 64 D5
Slains Rd AB22 . . . . 159 D2
Slains St AB22 . . . . 159 D2
Slains Terr AB22 . . . . 159 D2
Slateford Rd DD9 . . . . 132 A7
Slater Ct AB41 . . . . 151 D5
Slatrford Gdns DD9 . . . . . 132 A7
Sleigh Cres 6 AB43 . . . . . . 24 E6
Slessor Dr AB12 . . . . 170 A1
Slessor Rd AB12 . . . . 170 A2
Slug Rd
Banchory AB31 . . . . 110 D2
Stonehaven AB39 . . . . 185 A7
Sluie Dr AB21 . . . . 158 C7
Sluiemohr AB35 . . . . 182 E4
Smiddy Field 2 AB41 . . . . 49 B4
Smiddyhill Rd AB43 . . . . . 143 A3
Smiddy La AB41 . . . . 151 D4
Smiddy Pk DD10 . . . . 131 C7
Smiddy Rd AB39 . . . . 125 B3
Smithbank Rd DD9 . . . . . . 188 C4
Smith Cres AB54 . . . . 144 D5
Smith Ct 4 AB45 . . . . 148 D4
Smithfield AB51 . . . . 155 C6
Smithfield Ct AB15 . . . . . . 164 C6
Smithfield Dr AB16 . . . . . 164 D5
Smithfield La AB24 . . . . . . 164 D7
Smithfield Prim Sch
AB16 . . . . 164 C5
Smithfield Rd AB24 . . . . . 164 E6
Smith Rd AB45 . . . . 140 E5
Smithyhaugh Rd AB16 . . . 163 F6
Smithy La
7 Peterhead AB42 . . . . 38 D6
11 Strichen AB43 . . . . 24 E6
6 Turriff AB53 . . . . 145 D4
Smithy Rd 3 AB51 . . . . 47 A2
Snipe St AB41 . . . . 151 B4
Social Club Rd AB42 . . . . . 40 C1
Society La AB24 . . . . 164 E6
Somerset Cres AB52 . . . . 149 C5
Souter Circ AB32 . . . . 161 E4
Souterford Ave AB51 . . . . 152 E6
Souterford Ave Bsns Pk
AB51 . . . . 152 E6
Souterford Cres 1 AB51 152 E6
Souterford Dr AB51 . . . . . 152 E6
Souterford Rd AB51 . . . . . 152 E6
Souterford Wynd 3
AB51 . . . . 152 E6
Souter Gdns AB32 . . . . . . 161 E3
Souter Head Rd AB12 . . . 170 D1
Souter St AB44 . . . . 141 D6
South Anderson Dr
AB10 . . . . 169 E6
South Ave AB15 . . . . 168 E2
South Castle St 1 AB56 . . . 1 B4
South Colege St AB11 . . . 190 B1
South Constitution St 1
AB11 . . . . 190 C4
South Crown St AB11 . . . 190 A1
South Deskford St 4 AB56 . 1 B4
Southesk Pl
Aberdeen AB21 . . . . 158 B7
Montrose DD10 . . . . 189 C1
Southesk Prim Sch
DD10 . . . . 189 C2
Southesk St
Brechin DD9 . . . . 188 C3
Montrose DD10 . . . . 189 C2
Southesk Terr 1 DD9 . . . 188 D2
South Esplande E AB11 . 190 C1
South Esplande W AB11 . 190 B1
SOUTH FLOBBETS 48 B1
South Grampian Circ
AB11 . . . . 170 D6
South Harbour Rd AB43 . 143 D3
South Headlands Cres
AB39 . . . . 181 I4
South High St AB45 . . . . . 139 D6
SOUTH KIRKTON 100 E4
South La AB42 . . . . 147 D7
South Lodge Dr AB39 . . . 185 C6
SOUTH LOIRSTON 176 A7
South Mile-End AB10 . . . 170 A6
South Mount St AB25 . . . 165 A1
South Park Prim Sch
AB43 . . . . 143 C5
South Rd
Ellon AB41 . . . . 151 D4
Insch AB52 . . . . 149 D4
Oldmeldrum AB51 . . . . 150 C3
Peterhead AB42 . . . . 147 C1
South Silver St AB10 . . . . 190 A3
South Sq AB11 . . . . 170 F8
South St
Huntly AB54 . . . . 144 D4
Mintlaw AB42 . . . . 146 E5
Montrose DD10 . . . . 135 C5
South View Pl AB42 . . . . . 147 B2
Southview Terr AB54 . . . . 144 C4
South Wlk AB16 . . . . 164 D4
Soy Ave AB45 . . . . 139 D6
Soy Burn Gdns AB45 . . . . 139 C6
Spademill La AB15 . . . . . . 169 D8
Spademill Rd AB15 . . . . . . 169 D8
Spalings The 2 AB34 . . . 108 B6
Spark Terr AB12 . . . . 176 C6
Spa St AB25 . . . . 190 A3
Spey Rd AB16 . . . . 164 A3
Spey Terr AB16 . . . . 164 A3
Spires Bsns Units AB21 . . 164 A8
Spital AB24 . . . . 165 C4
Spital Wlk AB24 . . . . 165 B4
Spittal The AB42 . . . . 26 D1
Springbank 1 AB42 . . . . . 147 C3
Springbank Pl 3 AB11 . . 190 A2
Springbank St AB11 . . . . . 190 A2
Springbank Terr
Aberdeen AB11 . . . . 190 A2
Peterhead AB42 . . . . 147 B3
Springdale Cres AB15 . . . 168 A2
Springdale Ct AB15 . . . . . 168 B2
Springdale Pk AB15 . . . . . 168 A2
Springdale Pl AB15 . . . . . 168 B2
Springdale Rd AB15 . . . . . 168 A2
Springfield Ave AB15 . . . . 169 B7
Springfield Gdns
Aberdeen AB15 . . . . 169 B6
Peterhead AB42 . . . . 36 D7
Springfield La AB15 . . . . . 169 B7
Springfield Pl AB15 . . . . . 169 B6
Springfield Rd
Aberdeen AB15 . . . . 169 A8
2 Kemnay AB51 . . . . 87 D7
Spring Gdn AB25 . . . . 190 A4
Springhill Cres AB16 . . . . 163 F5
Springhill Rd 2 AB16 . . . 163 F3
Springhill Terr
Aberdeen AB16 . . . . 163 F4
2 Cove Bay AB12 . . . . 176 C6
Spring Tyne AB32 . . . . 161 B3
Springvale Ed Trust
AB23 . . . . 160 A4
Spurryhillock Ind Est
AB39 . . . . 185 B4
Square DD10 . . . . 135 C6
Square The
3 Aberchirder AB54 . . . . . 144 C4
5 Aboyne AB34 . . . . 96 C3
Banchory AB31 . . . . 184 B4
7 Banff AB45 . . . . 1 F1
5 Cullen AB56 . . . . 1 B5
Ellon AB41 . . . . 151 D5
Fetterangus AB42 . . . . 25 C1
Fettercairn AB30 . . . . 128 B4
Huntly AB54 . . . . 148 D5
Inverurie AB51 . . . . 86 E6
5 Kintore AB51 . . . . 155 C5
Lumsden AB54 . . . . 69 B5
8 Oldmeldrum AB51 . . . . 150 C3
Portlethen AB12 . . . . 180 C6
Portsoy AB45 . . . . 139 D7
6 Rhynie AB54 . . . . 55 D2
Rosehearty AB43 . . . . 142 C7
Stuartfield AB42 . . . . 37 D4
2 Tarves AB41 . . . . 61 E6
Torphins AB31 . . . . 108 E8
Turriff AB53 . . . . 22 E5
13 Turriff AB53 . . . . 145 D4
Stable Cl AB51 . . . . 59 E3
Staffa St AB42 . . . . 147 B7
Stafford St AB25 . . . . 165 A3
Stanley Ct 3 AB32 . . . . . . 161 D2
Stanley St AB10 . . . . 169 F8
Station Brae
Aberdeen AB14 . . . . 172 E6
Aboyne AB34 . . . . 183 E5
Ellon AB41 . . . . 151 B5
6 Fraserburgh AB43 . . . . 143 D6
Station Ct AB31 . . . . 184 D4
Station Mews AB21 . . . . . 163 F8
Station Pk 9 DD10 . . . . . . 187 D3
Station Pl
2 Cruden Bay AB42 . . . . . . 53 A3
Longside AB42 . . . . 38 E6
Montrose DD10 . . . . 135 C6
Peterhead AB42 . . . . 147 C5
Station Rd
Aberdeen AB21 . . . . 163 F8
Banchory AB31 . . . . 184 D4
Boddam AB42 . . . . 40 C1
Cruden Bay AB42 . . . . 53 A3
3 Cullen AB56 . . . . 1 B5
Cults AB15 . . . . 168 F3
Dyce AB21 . . . . 158 A6
Ellon AB41 . . . . 151 B5
Fordoun AB30 . . . . 129 E6
Fraserburgh AB43 . . . . 15 B8
Hatton AB42 . . . . 52 D4
Insch AB52 . . . . 56 D4
Station Rd *continued*
Inverurie AB51 . . . . 152 E6
Kemnay AB51 . . . . 87 D6
Laurencekirk AB30 . . . . . . 186 D6
Longside AB42 . . . . 38 D6
2 Maud AB42 . . . . 36 E7
Milltimber AB13 . . . . 173 B7
Mintlaw AB42 . . . . 146 C5
Newmachar AB21 . . . . 153 D6
Oldmeldrum AB51 . . . . 150 B3
Peterhead AB42 . . . . 147 D5
4 Rothienorman AB51 . . . . 47 A2
St Cyrus DD10 . . . . 134 D3
Stonehaven AB39 . . . . 125 B3
13 Torphins AB31 . . . . 108 E8
Turriff AB53 . . . . 145 D3
Station Road E
Milltimber AB13 . . . . 173 B7
Peterculter AB14 . . . . 172 E5
Station Road S AB14 . . . . 172 D5
Station Road W AB14 . . . . 172 D6
Station Sq
Aboyne AB34 . . . . 183 D5
Ballater AB35 . . . . 182 E4
Lumphanan AB31 . . . . 98 A3
Station Terr AB42 . . . . 38 D6
Station Way AB42 . . . . 146 B6
Stell Rd AB11 . . . . 190 B2
Stephen's La 15 AB41 . . . . 77 F8
Steven Rd AB54 . . . . 148 B4
Stevenson Ct 3 AB25 . . . 165 A1
Stevenson Rd AB43 . . . . . 143 D8
Stevenson St 14 AB25 . . . 165 A1
Stewart Cl 2 AB33 . . . . . . 154 E3
Stewart Cotts 2 AB42 . . . . 52 C4
Stewart Cres
Aberdeen AB16 . . . . 164 B4
Alford AB33 . . . . 154 E3
Stewart Csescent AB16 . . 164 A5
Stewart Dr AB33 . . . . 154 E4
Stewart Gr 1 AB33 . . . . . 154 E3
Stewart La
Alford AB33 . . . . 154 E3
2 Huntly AB54 . . . . 148 E4
Stewart Park Ct AB24 . . . 164 D5
Stewart Park Pl AB24 . . . 164 D5
Stewart Pl 3 AB33 . . . . . . 154 E3
Stewart Rd AB33 . . . . 154 E3
Stewart Terr AB16 . . . . . . 164 A5
Stewart Way AB33 . . . . . . 154 E3
Stewart Wlk 4 AB33 . . . . 154 E3
STIRLING 40 C1
Stirling St AB11 . . . . 190 B3
Stiven Wlk AB30 . . . . 186 D5
STOCKETHILL 164 C3
Stockethill Cres AB16 . . . 164 C3
Stockethill Ct AB16 . . . . . 164 C4
Stockethill La 1 AB16 . . . 164 C3
Stockethill Way 4 AB16 . 164 C4
Stocket Par 1 AB16 . . . . 164 C4
Stonefield Dr AB51 . . . . . . 152 A7
Stonefield Pl 8 AB51 . . . 152 A7
STONEHAVEN 185 F7
Stonehaven L Ctr AB39 . . 185 F6
Stonehaven Rd AB10 . . . . 169 F4
Stonehaven Sta AB39 . . . 185 C5
Stonehaven Tolbooth Mus★
AB39 . . . . 185 F4
Stoneybank Gdns AB53 . . . 36 A5
Stoneybank Terr 2 AB53 . 36 A5
Stoneyhill Terr AB12 . . . . 176 C6
Stoneyton Terr AB21 . . . . 158 B1
STONEYWOOD 158 C2
Stoneywood Park Ind Est
AB21 . . . . 158 C4
Stoneywood Park N
AB21 . . . . 158 C4
Stoneywood Pk AB21 . . . . 158 C4
Stoneywood Prim Sch
AB21 . . . . 158 C2
Stoneywood Rd AB21 . . . 158 C2
Stoneywood Terr AB21 . . 158 C3
Stornoway Cres AB15 . . . 163 D3
Storybook Glen★ AB12 . . 173 C3
Stracathro Hospl DD9 . . . 132 D4
Stracathro Prim Sch
DD9 . . . . 132 C4
STRACHAN 117 D7
Strachan Pl AB16 . . . . 164 C6
Strachan Prim Sch AB31 117 D7
Strachan's La AB10 . . . . . 170 A7
Straik Pl AB32 . . . . 161 C2
Straik Rd AB32 . . . . 161 B2
Strait La AB53 . . . . 145 D5
Strait Path AB45 . . . . 140 F5
Straloch Ave 4 AB21 . . . . 153 D5
Stranathro Terr AB39 . . . 181 G2
Strathbeg Ct AB43 . . . . . . 143 A5
Strathbeg Pl 3 AB22 . . . . 165 B8
Strathburn Gdns AB51 . . 152 C6
Strathburn Prim Sch
AB51 . . . . 152 C6
Strathburn St AB12 . . . . . 176 B8
STRATHDON 81 B3
Strathdon Sch AB36 . . . . . . 81 A3
Strathmore Dr AB16 . . . . 164 A4
Strathmore Pl 2 DD10 . . 189 C4
Strawberry Bank 6
AB42 . . . . 147 B5
Strawberry Bank Par 2
AB11 . . . . 170 A8
Strawberryfield Rd AB32 161 A3
Street The AB42 . . . . 26 E1
STRICHEN 24 F6
Strichen Ct AB43 . . . . 143 B3
Strichen Prim Sch AB43 . . 24 F6
Strichen Rd AB43 . . . . 143 C3
Stroma Terr AB16 . . . . 163 E2

Stronsay Ave AB15 164 A1
Stronsay Cres AB15 164 A2
Stronsay Dr AB15 164 A1
Stronsay Pl AB15 164 A1
Stuart Cres [1] AB41 61 E5
STUARTFIELD 37 D5
Stuartfield Prim Sch AB42 37 D4
Stuart La [3] AB45 140 F6
Stuart St [4] AB45 140 F6
Sugarhouse La AB11 190 C3
Suie Rd AB33 154 A8
Sumburgh Cres AB16 163 E3
Summer Brae [3] AB21 153 D5
Summerfield Pl
Aberdeen AB24 190 C4
Inverallochy AB43 15 C7
Summerfield Terr
Aberdeen AB24 190 B4
Inverallochy AB43 15 C7
Summerfield Wlk AB43 15 C7
SUMMERHILL 164 A2
Summerhill Cres AB15 164 B2
Summerhill Ct AB15 164 B2
Summerhill Dr AB15 164 B2
Summerhill House AB21 153 D5
Summerhill Rd AB15 164 B1
Summerhill Terr AB15 164 B1
Summer Pl AB21 158 B6
Summers Rd AB43 142 C7
Summer St
Aberdeen AB10 165 A1
Aberdeen AB24 164 F6
Sunert Rd AB13 173 D8
Sunnybank Cotts AB53 47 E5
Sunnybank Pl AB24 165 B4
Sunnybank Prim Sch AB24 165 B4
Sunnybank Rd AB24 165 B4
Sunnybrae [19] AB21 163 D7
Sunnyhill Pl AB53 145 C5
Sunnyside Ave
Aberdeen AB24 165 B4
Banchory AB31 111 D5
Sunnyside Cres AB31 111 D6
Sunnyside Ct AB33 154 D4
Sunnyside Dr
Alford AB33 154 D4
Banchory AB31 111 D6
Sunnyside Gdns
Aberdeen AB24 165 B4
Banchory AB31 111 D6
Sunnyside La AB31 111 D6
Sunnyside Rd AB24 165 B4
Sunnyside Royal Hospl DD10 138 C8
Sunnyside Terr AB24 165 B4
Sunnyside View AB51 155 C3
Sunnyside Wlk AB24 165 B3
Sunset Wood AB31 184 B5
Sutherland Ave [5] AB42 147 E6
Sutherland Pl AB45 139 C7
Swanley Cotts AB39 120 A2
Swannay Sq [7] AB15 163 F2
Swann Pl AB35 182 D4
Swan Pl AB41 151 B4
Swan Rd AB41 151 B3
Swan St DD9 188 C3
Sycamore Pl
Aberdeen AB11 170 B6
[1] Banchory AB31 184 F6
Huntly AB54 148 C5
[5] Mintlaw AB42 146 D5
Sycamore Rd AB31 184 F6
Sycamore Row AB43 143 A6
Sycamore Way [2] AB31 184 F6

T

Tailyour Cres DD10 189 C6
Talisman Dr AB10 169 C3
Talisman Rd AB10 169 C3
Talisman Wlk AB10 169 C3
Tall Pines AB31 184 F6
Tanfield Ave AB24 164 F6
Tanfield Ct [4] AB24 164 F6
Tanfield Wlk AB24 164 F6
Tannery Ct [3] AB45 140 E5
Tannery St AB45 140 E6
Tappie View AB21 156 A6
Taransay Cres AB16 163 E3
Taransay Ct AB16 163 E3
Taransay Rd AB16 163 E2
Tarbothill Rd [4] AB22 165 B8
Target Rd AB45 139 C7
Tarlair Rd AB44 141 F7
Tarlair St AB44 141 E7
TARLAND 96 B3
Tarland Prim Sch AB34 96 C3
TARVES 61 E6
Tarves Prim Sch AB41 61 E5
Taylor Cres
Peterhead AB42 26 E6
Stonehaven AB39 185 C4
Taylor Dr AB54 144 D5
Tayock Ave [3] DD10 189 C5
Tay Rd AB16 164 A4
Teal Ct AB42 147 B5
Teal St AB41 151 B4
Tedder Rd AB24 165 A6
Tedder St AB24 165 A6
Temperance La The [2] AB54 144 C4
Temple of Theseus* AB42 37 D7
TEMPLETON 117 D6
Temple View AB45 141 A5
Tern Ct AB39 181 I5
Tern Pl AB23 160 A4
Tern Rd AB12 176 B7
Terpersie Castle* AB33 70 C3
TEUCHAR 34 D8
Teuchar Pk [4] AB53 22 B1
Teuchar Rd AB53 22 B1
Teviot Pl DD10 189 E3
Teviot Rd AB16 163 F3
Thainstone Bsns Ctr AB51 74 B1
Thainstone Ct AB51 74 B1
Theatre La AB11 190 B3
THE POLE OF ITLAW 20 C7
Thistle Ct AB43 143 D6
Thistle Dr AB12 180 D7
Thistle Gdns [7] AB42 146 D5
Thistle La AB10 165 A1
Thistle Pl AB10 170 A8
Thistle Rd AB21 157 E5
Thistle St
Aberdeen AB10 170 A8
[5] Kirktown AB42 147 E5
Thomas Glover Pl AB22 165 B8
Thompson Terr AB43 143 B5
Thomson Rd AB45 140 E5
Thomson's La [4] AB51 152 D6
Thomson St AB25 164 F2
Thomson Terr
Montrose DD10 189 B1
Stonehaven AB39 185 C4
Thores Rd AB42 147 C7
Thorngrove Ave AB15 169 D6
Thorngrove Cres AB15 169 D6
Thorngrove Ct AB15 169 D6
Thorngrove Pl AB15 169 D6
Thornhill Rd AB53 22 C1
THORNROAN 61 E7
Thornton Castle* AB30 128 E2
Thornton Ct AB30 186 C5
Threadneedle St [3] AB42 147 E5
TIFTY 47 F7
Tillybrake Gdns AB31 184 D5
Tillybrake Ind Est AB31 184 E5
Tillybrake Rd AB31 184 D5
Tillybrake Rise
Banchory AB31 184 D5
Drumoak AB31 111 C5
Tillybrig AB32 100 E8
Tillycairn Castle (remains of)* AB51 86 C2
TILLYDRONE 165 A6
Tillydrone Ave AB24 165 B6
Tillydrone Ct AB24 165 A7
Tillydrone Rd AB24 165 A7
Tillydrone Sh Ctr AB24 165 A7
Tillydrone Terr AB24 165 A6
Tillyduff Gdns AB43 15 D5
Tillyfar Gdns AB53 145 B5
TILLYFOURIE 86 A3
Tilquhillie Castle* AB31 110 C1
Tilquillie Pl AB31 184 E6
TIPPERTY 63 D1
Tipperty Prim Sch AB41 63 D2
Tiree Cres AB16 163 E2
TOCHER 58 F7
Tocher La AB31 184 B5
Tocher St AB44 141 D6
Toch Hill Pl AB30 129 E6
Tochieneal Cnr AB56 1 B3
Todhead Gdns AB12 176 C8
Todlaw Wlk AB21 158 C7
Tolbooth The* AB11 190 C3
Tolbooth Wynd [2] AB42 147 E5
Tollohill Cres AB12 170 C3
Tollohill Dr AB12 170 B3
Tollohill Gdns AB12 170 C3
Tollohill La AB12 170 B2
Tollohill Pl AB12 170 C3
Tollohill Sq AB12 170 B3
Tolmount Cres DD10 189 C7
Tolquhon Ave AB41 61 E6
Tolquhon Castle (remains of)* AB41 61 F3
Tolquhon Pl [2] AB41 151 E5
Tophead Pl AB42 26 E6
Topping Gdns AB43 143 B6
Tormentil Cres [13] AB23 91 C8
Tornashean Gdns AB21 158 C7
TORNAVEEN 98 D5
TORPHINS 108 F8
Torphins Prim Sch AB31 108 E8
TORRIES 85 D4
TORRY 170 E7
Torry Acad AB11 170 D6
Torry Rd AB54 148 C4
Torry St AB54 148 D4
Torry Youth & Leisure Ctr AB11 170 D6
TORTERSTON 39 B6
Tortorston Dr AB42 39 C5
Tortorston Rd AB42 39 C5
Total French Sch [15] AB25 165 A1
Tough Prim Sch AB33 85 D4
Towerhill AB42 147 C1
Towerhill Pl AB42 147 C2
Towerview La [4] AB14 172 D7
Towerview Pk [7] AB14 172 D7
Towerview Rd AB14 172 D7
Towerview Way [5] AB14 172 D7
Towerview Wlk [6] AB14 172 D7
Towerview Wynd [8] AB14 172 D7
TOWIE 82 D3
Towie Barclay Castle* AB53 33 E2
Towie Castle (remains of)* AB33 82 E3
Towie Prim Sch AB33 82 D3
TOWNHEAD 187 D7
Townhead Ave AB51 152 B7
Townhead Dr [6] AB51 152 B7
Townhead Gdns [3] AB51 152 B7
Townhead Pl AB51 152 B7
Townhead Rd AB51 152 B7
Townhead Terr
[4] Inverurie AB51 152 B7
Kintore AB51 155 B5
Tradlin Circ AB21 156 A6
Trafalgar La AB30 186 D5
Traill Dr DD10 189 E3
Traill Terr DD10 189 E2
Tree Rd AB41 61 E6
Trenchard Way DD10 187 D6
TRINITY 188 E7
Trinity Ct [1] AB32 161 E3
Trinity Fields Cres DD9 188 C5
Trinity La AB11 190 B3
Trinity Quay AB11 190 B3
Trinity Rd DD9 188 C4
Trinity St AB11 190 B3
Troup House Sch AB45 3 E3
Troup View AB45 3 C2
Tuach Rd [3] AB51 155 C5
Tuach View [1] AB51 155 C4
Tullich Rd AB35 182 E4
Tullochgorum Gdns [2] AB42 38 D6
Tulloch Pk [7] AB21 163 D7
TULLOS 170 D4
Tullos Circ AB11 170 D6
Tullos Cres AB11 170 E6
Tullos House (remains of)* AB51 73 A4
Tullos Pl AB11 170 E6
Tullos Prim Sch AB11 170 F6
Tullos Swimming Pool AB12 170 E6
TULLYNESSLE 70 D2
Tullynessle Prim Sch AB33 154 A8
Tummel Rd AB41 151 B6
Tumulus Way AB51 155 C2
Turfhill Rd AB53 36 A6
Turiff Swimming Pool & Sports Ctr AB53 145 C3
Turin Way AB41 77 C6
Turlundie Terr AB43 23 D7
Turnberry Cres AB22 159 F2
Turnberry Ct AB22 159 F2
Turnberry Dr AB51 152 C5
Turnberry Gdns AB23 159 F2
Turners Ct AB39 185 F5
Turner St AB44 141 C6
Turnishaw Hill AB41 151 C6
Turnstone Ct AB39 181 I5
TURRIFF 145 C3
Turriff Acad AB53 145 D4
Turriff FC AB53 145 D4
Turriff Hospl AB53 145 E4
Tuscany Gdns [6] AB21 153 C6
Two Mile Cross AB10 169 E3
TYRIE 13 C5
Tyrie Gdns AB52 149 D5
Tyrie Prim Sch AB43 13 C5

U

Udny Castle* AB41 62 A1
Udny Gn Prim Sch AB41 62 A1
UDNY GREEN 62 A1
Udny Pl AB41 151 E5
UDNY STATION 76 C7
Ugiebank Pl AB42 147 B7
Ugie Dr AB42 146 E4
Ugie Hospl AB42 147 C7
Ugie Pl AB16 164 A3
Ugie Rd AB42 147 C7
Ugie St AB42 147 E6
Ugie View [1] AB43 24 E6
Uist Rd AB16 163 E2
Union Ct AB41 151 D5
Union Glen AB11 190 A2
Union Glen Ct [3] AB11 170 A8
Union Gr
Aberdeen AB10 169 F7
Fraserburgh AB43 143 C6
Union Gr Ct [1] AB10 170 A8
Union Gr La AB10 169 E7
Union La
Ellon AB41 151 D4
Rosehearty AB43 142 C7
Union Pl [12] AB51 150 C3
Union Rd
Macduff AB44 141 C6
Montrose DD10 189 D4
Union Row
Aberdeen AB10 190 A2
Dyce AB21 158 B6
Montrose DD10 189 E4
Union St
Aberdeen AB10 190 A3
Brechin DD9 188 C2
Edzell DD9 132 A8
Ellon AB41 151 C5
Montrose DD10 189 D4
Peterhead AB42 147 F5
Rosehearty AB43 142 C7
Union Terr AB10 190 A3
Union Terrace Gdns* AB10 190 A3
Union Wynd AB10 190 A3
University Ct AB21 163 D7
University Rd AB24 165 B5
Univ of Aberdeen (Foresterhill Site) AB24 164 D3
Univ of Aberdeen (Marischal Coll) AB25 190 B4
Univ of Aberdeen (Old Aberdeen Campus) AB24 165 B5
Uphill La [1] AB42 147 E4
Upper Arbeadie Pl AB31 184 C5
Upper Arbeadie Rd AB31 184 B6
Upperboat Pl [3] AB51 152 D4
Upperboat Rd AB51 152 C5
UPPER BODDAM 57 E5
UPPER BOYNDLIE 13 B5
Upper Craigo St [5] DD10 189 C3
Upper Denburn AB25 190 A3
Upper Farburn Rd AB21 157 F5
Upper Hall St [8] DD10 189 C4
Upperkirkgate AB10 190 B3
Upperkirk Gate [2] AB54 148 D4
UPPER LOCHTON 184 C7
Upper Lochton AB31 184 C6
Upper Lochton E AB31 184 C7
Upper Manse Rd AB51 152 C5
Upper Mastrick Way AB16 164 A4
Upperton Ind Est AB42 147 A1
Urie Cres AB39 185 E5
Urievale Rd AB51 59 B1
Urquhart Cres AB42 27 B2
Urquhart La AB24 165 D3
Urquhart Pl [2] AB24 190 C4
Urquhart Rd
Aberdeen AB24 165 D3
Oldmeldrum AB51 150 C3
Peterhead AB42 27 B3
Turriff AB53 22 E5
Urquhart St AB24 165 D3
Urquhart Terr AB24 165 D3
Ury Dale AB51 152 E5
Ury Mdws AB51 152 A8
Uryside Dr AB51 152 E7
USAN 138 E1
Usan Ness AB12 176 C8
Usan Rd DD10 189 D1

V

Valentine Cres AB22 159 D2
Valentine Dr AB22 159 C1
Valentine Rd AB22 159 C2
Valley Cres AB12 170 C3
Valley Gdns AB12 170 B3
Victoria Cres AB56 1 B5
Victoria Ct AB51 152 D6
Victoria Gdns AB45 140 E6
Victoria Grange AB21 158 B6
Victoria Pl
Banff AB45 140 E6
Brechin DD9 188 D2
Cullen AB56 1 B5
Victoria Rd
Aberdeen AB11 190 C1
Alford AB33 154 C4
Ballater AB35 182 D4
Huntly AB54 148 D4
Maud AB42 36 E7
Peterhead AB42 147 D6
Victoria Road Prim Sch AB11 170 E7
Victoria Sq [5] DD10 189 D1
Victoria St
Aberdeen AB10 170 A8
Cullen AB56 1 B5
Dyce AB21 158 B6
Fraserburgh AB43 143 D6
Insch AB52 149 C5
Inverurie AB51 152 D6
[7] Montrose DD10 189 C4
Stonehaven AB39 185 E4
[7] Turriff AB53 145 C4
Victoria Terr
Inverbervie DD10 187 D6
Inverurie AB51 152 E3
Kemnay AB51 87 D6
Turriff AB53 145 D4
Viewbank Pl DD9 188 E3
Viewfield Ave AB15 169 C6
Viewfield Cres AB15 169 C6
Viewfield Ct AB15 169 C7
Viewfield Gdns AB15 169 B7
Viewfield Pl [1] AB35 182 D4
Viewfield Rd
Aberdeen AB15 169 C6
Ballater AB35 182 D4
Fraserburgh AB43 143 C6
View Gdns [2] AB42 40 D1
Viewmount Rd AB31 184 D4
View Terr AB25 165 A2
Viking Pl AB12 180 C7
Village Farm Ct [9] AB31 108 E8
Villagelands Rd AB39 181 I4
Virginia Ct [3] AB11 190 C3
Virginia St AB11 190 C3
Volum St AB42 147 F5

W

Wagley Ct [13] AB21 163 D7
Wagley Par [1] AB21 163 D7
Wagley Pl [17] AB21 163 D7
Waldron Rd DD10 189 D7
Wales St AB11 190 C4
Walker Ave AB45 140 F5
Walker Dr AB39 181 G1
Walker La AB11 190 C1
Walker Pl AB11 190 C1
Walker Rd AB11 190 C1
Walker Road Sch AB11 170 D6
Wallacebrae Ave [2] AB22 159 A1
Wallacebrae Cres AB22 159 B1
Wallacebrae Dr AB22 159 B1
Wallacebrae Gdns [2] AB22 159 B1
Wallacebrae Path [1] AB22 159 B1
Wallacebrae Pl AB22 159 A1
Wallacebrae Rd AB22 159 B1
Wallacebrae Terr AB22 159 A1
Wallacebrae Wlk [1] AB22 159 A1
Wallacebrae Wynd AB22 159 B1
Wallace Cres
Peterhead AB42 147 A7
[1] Turriff AB53 145 C4
Wallace Rd AB51 152 E5
Wallace St [2] AB42 147 E4
Wallace Way AB42 147 A7
Wallace Wynd [3] AB39 185 F3
Wallfield Cres AB25 164 F1
Wallfield Pl AB25 164 F1
Walton Rd AB21 157 E3
Wapping St AB11 190 B2
Wardes Rd AB51 152 E4
Wardhead Pl AB16 163 F3
Wardhouse Rd DD10 189 D7
Ward Rd AB43 142 C7
Wards La AB44 141 E7
Wards Rd DD9 188 E4
Ward St AB42 53 B3
Ware Rd AB42 147 D7
Warrack Terr DD10 189 D4
Watch Craig AB51 152 A8
Watchman Brae [21] AB21 163 D7
Water La
Aberdeen AB11 190 C3
Banff AB45 141 A6
Ellon AB41 151 D4
[1] Turriff AB53 145 D5
Waterloo Quay AB11 190 C3
Watermill Rd AB43 143 A6
Water Path AB45 140 F6
WATERSIDE 147 A8
Waterside Ct [1] AB51 87 C7
Waterside Gdns AB33 154 A6
Waterside Pl AB42 147 A8
Waterside Rd
Montrose DD10 189 E2
Peterhead AB42 147 A8
Strathdon AB36 81 D2
Waterside Way AB42 147 A7
Waters of Philorth Nature Reserve* AB43 15 A7
Waterson Dr DD9 188 C4
Water St AB43 24 E6
Waters The AB30 124 B1
Waterton Rd AB21 158 C2
Watson Ave AB54 148 D3
Watson Cres AB42 147 A5
Watson Ct AB51 152 D7
Watson Gdns AB43 143 B6
Watson La AB25 164 F2
Watson St
Aberdeen AB25 164 F2
Banchory AB31 184 C4
Watson Watt Pl DD9 188 C4
Watt Cres AB51 152 D6
Watt's La AB44 141 C7
Waughton Pl DD10 135 C6
Waulkmill Cres AB16 164 A6
Waulkmill Rd [1] AB16 164 A5
Waul Pk AB43 143 C7
Wavell Cres AB24 164 F7
Waverley Pl AB10 170 A8
Weavers Row [2] AB16 164 A5
Webster Ct [11] AB51 150 C3
Webster Rd AB12 172 A2
Wedderburns Rise AB12 172 F3
Weigh-House Sq [3] AB11 190 B3
Wellbrae AB51 59 E3
Wellbrae Terr
Aberdeen AB15 169 C6
Inverurie AB51 59 E2
Wellburn Pk AB31 108 E8
Wellfield Cres [3] AB53 145 C5
Wellfield La [2] AB54 144 D5
Wellfield Terr AB54 144 D5
Wellgrove Cres AB32 161 C2
Wellgrove Dr AB32 161 C2
Wellgrove Rd AB32 161 C2
Wellheads Cres AB21 158 B4
Wellheads Dr AB21 158 A5
Wellheads Ind Est AB21 158 B3
Wellheads Pl AB21 158 B4
Wellheads Rd AB21 158 C5
Wellheads Terr AB21 158 B3
Wellheads Way AB21 158 B4
Wellington Brae AB11 190 B1
Wellington Circ AB12 170 C1
Wellington Pk DD10 189 D4
Wellington Pl AB11 190 B2
Wellington Rd AB12 175 E6
Wellington St
Aberdeen AB11 165 E1
Montrose DD10 189 D4

Wellpark AB51 59 E3
Wellpark Gdns AB51 155 C5
Wellpark Rd AB51 155 B6
Wellside Ave AB15 163 A4
Wellside Circ AB15 163 A4
Wellside Cl AB15 163 A4
Wellside End AB15 163 A4
Wellside Gdns AB15 162 F4
Wellside Pk AB15 163 A4
Wellside Pl AB15 162 F4
Wellside Rd AB15 163 A4
Wellside Wlk AB15 163 A4
Wellside Wynd AB15 163 A4
Well St
Peterhead AB42 147 D7
Rosehearty AB43 142 B8
Wellwood Terr AB15 168 F3
WESTBANK PARK 150 B3
Westbank Pk AB51 150 B3
West Bay DD10 187 C3
WESTBRAE 145 B5
West Brae DD10 135 C5
Westbrae Cres AB53 145 C5
Westburn Ave AB51 152 A6
Westburn Ct [2] AB25 165 A2
Westburn Dr
Aberdeen AB25 164 E3
Inverurie AB51 152 A6
Westburn Gdns AB51 152 A6
Westburn Pl AB51 152 A6
Westburn Rd AB25 164 C2
WEST BURNSIDE 128 B3
West Cairncry Rd AB16 164 B4
West Church St AB45 1 F1
West Craibstone St [5]
AB11 190 A2
West Ct AB54 148 C4
West Cults Rd AB15 168 D1
Westdyke Ave AB32 161 C2
Westdyke Cl AB32 161 C3
Westdyke Ct AB32 161 B2
Westdyke Dr AB32 161 B2
Westdyke Gdns AB32 161 B2
Westdyke Pl AB32 161 C2
Westdyke Terr AB32 161 B2
Westdyke Way AB32 161 B2
Westdyke Wlk AB32 161 C2
West End AB45 8 F8
Westend Gdns [1] AB51 150 B3
Western Ave AB41 151 B4
Western Pl AB41 151 B3
Western Rd
Aberdeen AB24 164 E6
Insch AB52 149 B5
Inverurie AB51 152 D6
Montrose DD10 189 C3
Western Road N DD10 189 C4
Westerton Cres AB16 164 A6
Westerton Pl
Aberdeen AB16 164 B6
Cults AB15 168 F3
Westerton Prim Sch
AB16 163 F5
Westerton Rd AB15 168 F3
Westerwards AB45 139 C6
Westfield Ave
Inverurie AB51 152 C6
Stonehaven AB39 185 D5
Westfield Ct AB39 185 D5
Westfield Gdns
Inverurie AB51 152 C6
Westhill AB32 161 D3
Westfield Pk AB39 185 D5
Westfield Pl AB42 147 D5
Westfield Rd
Aberdeen AB25 164 F2
Inverurie AB51 152 D6
Stonehaven AB39 185 D5
Turriff AB53 145 B5
Westfield Specl Sch
AB43 143 B5
Westfield Terr
Aberdeen AB25 164 F1
Ballater AB35 182 D4
West Fountain St [5]
AB45 140 E6
Westgate [14] AB21 163 D7
West Glebe AB39 185 D6
West Haven Cres AB43 15 B8
West High St AB51 152 D6
WESTHILL 161 D4
Westhill Acad AB32 161 E3
Westhill Bsns Pk AB32 161 C1
Westhill Cres AB32 161 C3
Westhill Dr AB32 161 E2
Westhill Grange AB32 161 C3
Westhill Hts AB32 161 D4
Westhill Pl [9] AB53 145 C5
Westhill Prim Sch AB32 161 E3
Westhill Rd AB32 161 F3
Westhill Swimming Pool
AB32 161 E3
Westholme Ave AB15 169 B8
Westholme Cres N AB15 169 B8
Westholme Terr AB15 169 A8
West Mount St AB25 165 A2
West North St AB24 190 B4
West Park Ave DD10 187 D6
West Park Cres DD10 187 D6
West Park Gr DD10 187 D6
West Park Pl DD10 187 C6
West Park St AB54 148 D5
West Park Terr DD10 187 D6
West Pk
Fraserburgh AB43 15 D5
Inverbervie DD10 187 D6
Westray Cres AB15 164 B2
Westray Pk AB43 143 B4
Westray Rd AB15 164 A2
West Rd
Fraserburgh AB43 143 B4
Peterhead AB42 147 C5
Westshore Rd AB43 143 B7
West Shore Rd Ind Est
AB43 143 B7
West Skene St AB44 141 D7
West St
Fraserburgh AB43 15 D6
Montrose DD10 135 C5
Strichen AB43 24 E6
West's Way AB54 144 D5
West Terr DD10 189 C1
West Toll Cres AB34 183 B5
West Tullos Rd AB12 170 B4
Westwood DD9 188 B3
Westwood Cres AB32 161 D3
Westwood Dr AB32 161 D3
Westwood Gr AB32 161 D3
Westwood Pk [3] AB21 156 A6
Westwood Pl
Bankhead AB21 163 E7
Westhill AB32 161 D3
Westwood Way AB32 161 D3
Westwood Wlk AB32 161 D3
Wharf St DD10 189 C2
Wheatland [1] AB41 62 A2
Whinfield Rd DD10 189 E4
Whinfield Way DD10 189 E4
Whinhill Cres [5] AB45 140 F6
Whinhill Gate AB11 190 A1
Whinhill Gdns AB11 170 B6
Whinhill Rd
Aberdeen AB11 190 A1
Banff AB45 140 D5
Whinhill Terr AB45 140 E5
WHINNYFOLD 65 B8
Whinpark Circ AB12 180 B5
Whin Park Pl AB16 164 A4
Whin Park Rd AB16 164 B5
Whin Path AB21 156 B7
Whisky Brae AB41 151 C5
Whistleberry Castle (remains of)★ DD10 131 E6
WHITECAIRNS 76 D1
WHITEFORD 59 B1
Whiteford Gdns AB51 59 C1
Whiteford Pl AB51 59 B1
Whiteford Rd AB51 59 B1
White Gates [2] AB42 147 A8
Whitehall Gdns AB52 149 D6
Whitehall Pl AB25 164 F1
Whitehall Rd AB15 164 E1
Whitehall Terr AB25 164 F1
Whitehill Pl AB42 147 B3
WHITEHILLS 8 F8
Whitehills Cres AB12 176 B7
Whitehills Ct [4] AB41 151 E6
Whitehills Dr [5] AB41 151 E6
Whitehills Prim Sch AB45 8 F7
Whitehills Rise AB12 176 B6
Whitehills Way AB12 176 A7
Whitehorse Terr [1] AB23 91 C8
WHITEHOUSE 85 E5
Whitehouse St [6] AB10 165 A1
Whitelands Rd AB39 181 I4
Whiteley Well Dr AB51 152 B8
Whiteley Well Pl [3]
AB51 152 B8
WHITEMYRES 59 D5
Whitemyres Ave AB16 164 A2
Whitemyres Pl AB16 164 B2
WHITERASHES 75 D6
Whiterashes AB15 162 F1
White Ship Ct [2] AB43 24 E6
Whitespace★ AB24 190 C4
WHITESTONES 23 A3
Whitestripes Ave AB22 159 C2
Whitestripes Cl [1] AB22 159 D1
Whitestripes Cres AB22 159 D2
Whitestripes Dr AB22 159 C3
Whitestripes Path AB22 159 D2
Whitestripes Pl AB22 159 D2
Whitestripes Rd AB21 158 F7
Whitestripes St AB22 159 D2
Whitestripes Way AB22 159 D3
Whitson Way [4] DD10 189 D7
Widgeon Way AB41 151 B4
Wildgoose Dr [2] AB21 153 C6
Wilkie Ave AB16 164 C6
William Mackie Cres [1]
AB39 185 C6
William Mackie Rd AB39 185 C6
Williams Cres AB43 143 C5
Williamson Pl [3] AB45 140 E6
William St
[11] Banchory AB31 108 E8
Fraserburgh AB43 15 B8
Montrose DD10 187 C3
[4] Montrose DD10 189 D1
Willowbank Rd
Aberdeen AB11 190 A1
Peterhead AB42 147 B3
Willowdale Pl AB24 190 B4
Willowgate Cl [4] AB11 170 A8
Willow Green Gdns
AB21 156 B6
Willowgrove Dr AB21 156 B5
Willowpark Cres AB16 164 B2
Willowpark Pl AB16 164 B3
Willowpark Rd AB16 164 B3
Willow Tree Way AB31 184 F6
Willow Wynd AB12 180
B5Wilson Cres AB45 8 F8
Wilson Ct [5] AB51 152 E3
Wilson Pl [12] AB51 87 D7
Wilson Rd
Banchory AB31 184 C5
Banff AB45 140 F5
Wilson's Pk DD9 188 C3
Wilson St AB42 147 E6
Windford Rd AB16 163 F2
Windford Sq AB16 163 F2
Windhill St AB42 37 C4
Winding Brae [6] AB42 38 D6
Windmill Brae AB11 190 A2
Windmill Ct AB42 147 E6
Windmill La AB11 190 A2
Windmill Rd AB42 147 A6
Windmill St AB42 147 E6
Windy Brae AB45 140 D6
Windyedge AB51 152 C5
Windyedge Ct AB39 181 H4
Wingate Pl AB24 165 A6
Wingate Rd AB24 165 A6
Wiseman Terr AB42 27 B3
Wishart Ave DD10 189 D5
Wishart Dr AB30 186 D5
Wishart Gdns DD10 189 D5
Witchden Rd DD9 188 D2
Witchhill Rd AB43 143 B4
Woodburn Ave AB15 169 A7
Woodburn Cres AB15 169 A7
Woodburn Gdns AB15 169 A7
Woodburn Pl AB15 169 A7
Woodburn Rd AB21 156 A6
Woodcot Brae AB39 185 D4
Woodcot Ct [2] AB39 185 D4
Woodcot Gdns [1] AB39 185 D4
Woodcot La AB39 185 D4
Woodcot Pk AB39 185 D4
Woodcroft Ave AB22 159 C5
Woodcroft Gdns AB22 159 C5
Woodcroft Gr AB22 159 C5
Woodcroft Rd AB22 159 C5
Woodcroft Wlk AB22 159 C5
Woodend Barn Arts Ctr★
AB31 110 B4
Woodend Cres AB15 163 F1
Woodend Dr AB15 164 A1
Woodend Hospl AB15 163 F1
Woodend Pl AB15 169 A8
Woodend Rd AB15 164 A1
Woodend Terr AB15 164 A1
WOODHEAD 48 B5
Woodhill Ct AB16 164 C3
Woodhill Pl AB15 164 C1
Woodhill Rd AB15 164 C1
Woodhill Terr AB15 164 C2
Woodland Ave AB15 168 F4
Woodland Gdns
Aberdeen AB15 169 A4
Inverurie AB51 59 D3
Woodlands AB53 145 D5
Woodlands Cres
Cults AB15 169 A4
Turriff AB53 145 D4
Woodlands Dr
Aberdeen AB21 157 E6
Ellon AB41 151 D6
Woodlands Edge AB41 151 D6
Woodlands Pl
Banchory AB31 184 E6
Inverbervie DD10 187 D6
Woodlands Rd
Aberdeen AB21 157 E6
Banchory AB31 184 D6
Woodlands Sch AB24 165 C5
Woodland Wlk AB15 169 A4
Woodland Wynd AB33 85 C7
Woodlea Gdns AB41 76 C7
Woodlea Gr AB41 76 C7
WOODSIDE 164 D7
Woodside Cres
Banchory AB31 184 C5
Mintlaw AB42 146 C4
WOODSIDE OF ARBEADIE 184 E6
Woodside Pl
[1] Banchory AB31 184 D5
[1] Mintlaw AB42 146 C4
Woodside Prim Sch
AB24 164 E6
Woodside Rd
Aberdeen AB23 160 A3
Banchory AB31 184 C5
Torphins AB31 108 E8
Woodside Terr AB31 184 D5
Wood St
Aberdeen AB11 170 F7
Banff AB45 140 E6
Portsoy AB45 139 E7
Woodstock Rd AB15 164 C1
Woodview Ct [14] AB39 185 E4
Woodview Pl [2] AB39 185 C4
Woolmanhill AB25 190 A4
Woolmanhill Hospl
AB25 190 A3
Wrights' & Coopers' Pl
AB24 165 B6
Wrights La [4] AB51 152 C7
Wrights Wlk AB32 161 E3
Wyndford La AB32 161 F3
Wynd The [6] AB53 145 C4
Wyness Ct AB51 152 D5
Wyness Gr AB51 155 B3
Wyness La AB51 152 E5
Wyness Pl AB51 155 B3
Wynne Edwards House★
AB10 169 F8
Wyverie Ct AB51 150 C4

Y

York Pl
Aberdeen AB11 165 E1
[2] Cullen AB56 1 B4
[1] Montrose DD10 189 C4
York St
Aberdeen AB11 165 E1
Peterhead AB42 147 D5
York Terr
Kirktown AB42 147 D5
Montrose DD10 189 C4
Youngson's La [7] AB53 145 D4
YTHANBANK 50 A1
Ythan Ct AB41 151 D4
Ythan Pl AB41 151 C4
Ythan Rd AB16 163 F3
Ythan Terr AB41 151 C4
YTHANWELLS 45 D5
Yule Sq AB54 148 E5